Pourquoi pas
Evans ?

Je ne suis pas
coupable

D0067185

Agatha Christie

Pourquoi pas Evans ?

Je ne suis pas coupable

ÉDITIONS FRANCE LOISIRS

Pourquoi pas Evans ? a paru sous le titre original :
Why didn't they ask Evans ?
© Agatha Christie Mallowan, 1933, 1934.
© Agatha Christie, Librairie des Champs-Élysées, 1937.
© Librairie des Champs-Élysées, 1992, pour la nouvelle traduction.
Traduction nouvelle de Jean Pêcheux.

Je ne suis pas coupable a paru sous le titre original :
Sad Cypress.
© Agatha Christie Mallowan, 1939, 1940.
© Librairie des Champs-Élysées, 1994, pour la nouvelle traduction.
Traduction nouvelle d'Élise Champon.

Édition du Club France Loisirs,
avec l'autorisation de la Librairie des Champs-Élysées
et du Masque-Hachette Livre.

Éditions France Loisirs,
123, boulevard de Grenelle, Paris.
www.franceloisirs.com

Le Code de la propriété intellectuelle n'autorisant, aux termes des paragraphes 2 et 3 de l'article L. 122-5, d'une part, que les « copies ou reproductions strictement réservées à l'usage privé du copiste et non destinées à une utilisation collective » et, d'autre part, sous réserve du nom de l'auteur et de la source, que les « analyses et les courtes citations justifiées par le caractère critique, polémique, pédagogique, scientifique ou d'information », toute représentation ou reproduction intégrale ou partielle, faite sans le consentement de l'auteur ou de ses ayants droit ou ayants cause, est illicite (article L. 122-4). Cette représentation ou reproduction, par quelque procédé que ce soit, constituerait donc une contrefaçon sanctionnée par les articles L. 335-2 et suivants du Code de la propriété intellectuelle.

© Éditions France Loisirs, 2004, pour la présente édition.

ISBN : 2-7441-7182-4.

Pourquoi pas Evans ?

*À Christopher Mollock,
en souvenir de Hinds*

1

L'accident

Bobby Jones plaça sa balle sur le tee, balança son club d'avant en arrière pour ajuster son tir, puis l'abattit en un drive fulgurant.

La balle suivit-elle une impeccable trajectoire ascendante de manière à éviter le bunker et atterrir bien gentiment à un *mashie* du quatorzième trou ?

Mon œil, oui ! Mal calottée, elle fila au ras du gazon et alla se planter tout droit dans le sable dudit bunker.

Dieu merci, il n'y avait pas la foule des grands jours, toujours prompte à clamer sa consternation.

Quant à l'unique témoin, il n'eut même pas l'air surpris. Il faut dire que, loin d'être un champion venu des Amériques, celui qui venait de jouer n'était que le quatrième fils du vicaire de Marchbolt — petite ville côtière du pays de Galles.

Bobby lâcha un juron résolument impie.

À vingt-huit ans, c'était un garçon sympathique, pas vraiment beau — même le meilleur des amis en aurait convenu —, mais charmant et qui avait de bons yeux de chien fidèle.

11

– Ça va de mal en pis ! grommela-t-il, découragé.

– Tu te précipites trop, observa son partenaire.

Tignasse grise, visage jovial et teint fleuri, le Dr Thomas était un homme entre deux âges.

Pour sa part, il se méfiait des drives fulgurants. Il préférait jouer de petits coups droits bien centrés, grâce à quoi il l'emportait souvent sur des joueurs meilleurs que lui, mais moins méthodiques.

Bobby risqua un furieux coup de niblick pour tenter une sortie de bunker « en explosion ». Il dut s'y reprendre à trois fois. Las ! sa balle n'arriva même pas jusqu'au green où le médecin était déjà parvenu en deux coups de fer bien ajustés.

– Je vous abandonne celui-là, bougonna Bobby.

Et ils passèrent au trou suivant.

Le médecin joua le premier. Un joli coup, bien aligné — mais trop court.

Bobby soupira, plaça sa balle sur le tee, l'y replaça, balança son club à plusieurs reprises, se raidit, ferma les yeux, releva la tête, abaissa l'épaule droite, fit tout ce qu'il ne faut pas faire… et réussit un coup fumant, à mi-parcours.

Il se rengorgea. Son expression funèbre, typique du golfeur, fit place à une mine épanouie, non moins typique du golfeur.

– Maintenant, j'ai pigé le truc ! clama-t-il, pourtant loin du compte.

Un coup de fer impeccable — un gentil petit coup par en dessous, avec effet arrière — et Bobby emporta le trou, et l'avantage du docteur se trouva réduit à un seul point.

12

Bobby aborda le seizième tee avec une confiance renouvelée. Cette fois encore, il fit tout ce qu'il ne faut pas faire — mais le miracle ne se reproduisit pas. Le résultat ? Un slice fulgurant, fantastique, presque surhumain ! La balle fila… à angle droit.

– Si ce coup-là avait été droit… chapeau ! s'exclama le Dr Thomas.

– *Si*, comme vous dites, gémit Bobby, ulcéré. Mais, bon sang ! vous n'avez pas entendu un cri ? J'espère que ma balle n'a pas touché quelqu'un.

Bobby scruta les abords des links à main droite. Pas facile, dans cette lumière. Le soleil se couchait et, à regarder dans sa direction, on n'y voyait goutte. Par-dessus le marché, une nappe de brouillard montait de la mer. Le bord de la falaise était à une centaine de mètres.

– C'est là que passe le sentier, ajouta Bobby. Ma balle n'a tout de même pas été aussi loin. Et pourtant, il m'a bien semblé entendre un cri. Pas vous ?

Mais le médecin n'avait rien entendu.

Bobby partit donc à la recherche de sa balle. Il finit par la retrouver, non sans mal, nichée au beau milieu d'une touffe d'ajoncs. Elle était pratiquement injouable. Bobby tenta quand même deux coups de niblick avant de la ramasser et d'annoncer qu'il abandonnait le trou.

Le médecin vint donc le rejoindre puisque le tee suivant se trouvait au bord de la falaise.

Ce dix-septième trou était la bête noire de Bobby. Il supposait en effet le survol d'une crevasse. Pas très large, elle était cependant assez profonde pour créer des remous et avoir un effet dévastateur sur les balles.

Bobby et le Dr Thomas avaient passé le sentier qui,

13

sur leur gauche, ramenait vers l'intérieur des terres, et longeaient l'extrême bord de la falaise.

Le médecin choisit un fer, et sa balle atterrit pile de l'autre côté de la crevasse.

Bobby prit une profonde inspiration et joua.

Sa balle fila et disparut comme aspirée par l'abîme.

– Chaque fois c'est du pareil au même ! s'emporta Bobby, écœuré. Je ne peux pas m'empêcher de faire à chaque coup la même ânerie !

Il contourna la crevasse en scrutant ses profondeurs. Tout en bas, la mer scintillait. Elle n'engloutissait pourtant pas toutes les balles qui y tombaient car, si le bord du gouffre était abrupt, la pente s'étageait ensuite en terrasses.

Bobby marchait lentement. Il y avait un endroit où l'on pouvait se glisser pour descendre sans trop de risques. Les caddies y plongeaient pour ressurgir, à bout de souffle, en brandissant triomphalement la balle perdue.

Soudain, il s'arrêta net et appela son compagnon.

– Venez voir par ici, docteur ! Qu'est-ce que vous dites de ça ?

Une quinzaine de mètres plus bas, on apercevait une masse sombre, qui évoquait un tas de vieux chiffons.

Le médecin en ravala sa salive.

– Bon sang ! s'étrangla-t-il. Quelqu'un est tombé de la falaise. Il faut descendre lui donner un coup de main !

Côte à côte, les deux hommes se coulèrent entre les rochers, Bobby, plus costaud, s'efforçant d'aider son compagnon. Ils parvinrent enfin à l'endroit où gisait l'inquiétante masse sombre. Il s'agissait d'un homme

14

d'une quarantaine d'années, inconscient, mais qui respirait encore.

Le médecin se mit aussitôt à l'ausculter. Il tâta les membres, lui chercha le pouls, lui souleva les paupières, puis s'agenouilla pour mieux poursuivre son examen. Quand il releva les yeux vers Bobby, qui n'en menait pas large, ce fut pour secouer lentement la tête.

– Rien à faire. Le pauvre bougre va passer l'arme à gauche. Il s'est brisé la colonne vertébrale. Bon sang de bonsoir ! Il faut croire qu'il ne connaissait pas le sentier. Avec ce brouillard, il n'aura pas vu où il mettait les pieds. Je l'ai pourtant dit et répété au conseil municipal qu'il fallait une rambarde à cet endroit-là !

Il se redressa.

– Je vais aller chercher de l'aide. Il va falloir remonter le corps. La nuit va tomber dans un rien de temps. Ça ne t'ennuie pas de rester là ?

Bobby fit signe que non.

– On ne peut plus rien pour lui, n'est-ce pas ?

– Rien, hélas. Il n'en a plus pour longtemps. Son pouls s'affaiblit à une allure qui en dit long. Je ne lui donne pas vingt minutes. Il se peut qu'il reprenne conscience avant la fin, mais cela ne me paraît guère probable. Quoi qu'il en soit…

– Pas de problème ! dit Bobby. Allez-y, je ne bouge pas d'ici. Mais, s'il revient à lui, est-ce qu'il y a quelque chose que je puisse lui donner, enfin… je veux dire…

Le médecin secoua la tête.

– Il ne souffrira pas. Absolument pas.

Tournant les talons, il se dépêcha de réescalader les rochers.

15

Bobby le vit disparaître au-dessus de la corniche, avec un signe de la main.

Le jeune homme se déplaça de quelques pas sur l'étroite plate-forme — jusqu'à un rocher saillant où il s'assit pour allumer une cigarette. Le drame l'avait secoué. Jamais, jusqu'à présent, il ne s'était trouvé en contact avec la maladie ou avec la mort.

Il y avait tout de même des gens qui se payaient de malchance ! Par une belle soirée, il suffisait d'un peu de brouillard, d'un faux pas et un malheureux cassait sa pipe ! Un bel homme en pleine santé, qui n'avait sans doute jamais été malade de sa vie. Sous la pâleur annonciatrice de la mort, son visage demeurait hâlé. Ce type avait dû vivre au grand air, peut-être même dans des pays lointains. Bobby l'examina avec plus d'attention : cheveux châtains en boucles serrées, grisonnant un peu sur les tempes, nez fort, mâchoire carrée, dents blanches, visibles entre les lèvres entrouvertes. Les épaules étaient larges, et les mains fines et nerveuses. Ses jambes, elles, formaient avec le corps un angle insolite. Réprimant un frisson, Bobby reporta son regard sur le visage — un visage séduisant, spirituel, volontaire, intelligent. Ses yeux ? Ils étaient sans doute bleus.

Bobby en était à ce point de ses réflexions quand l'homme leva soudain les paupières.

Il avait les yeux bleus, en effet, d'un bleu tout à la fois clair et intense. Et ces yeux fixaient Bobby. Ils le fixaient d'un regard conscient, lucide. Attentifs, ils semblaient en outre chercher la réponse à une question.

Bobby se leva aussitôt pour s'approcher de l'inconnu. Mais avant même qu'il ne soit près de lui, celui-ci se mit

16

à parler. D'une voix faible ? Pas du tout, elle sonna, haute, claire et bien timbrée.

– *Et pourquoi pas Evans ?* articula-t-il.

Puis il fut parcouru d'un étrange frisson, ses paupières se refermèrent et sa mâchoire retomba…

Il avait cessé de vivre.

2

Jones père et fils

Bobby s'agenouilla près du corps. Aucun doute, l'homme était bien mort. Dans un dernier sursaut de lucidité, il avait soudain formulé cette question, et puis… plus rien.

De l'air de s'excuser, Bobby glissa la main dans la poche de l'homme et en tira un mouchoir de soie dont il voila respectueusement les traits désormais figés. Qu'aurait-il bien pu faire de plus ?

Il remarqua alors qu'en sortant le mouchoir il avait fait tomber quelque chose — une photographie qu'il ne put s'empêcher d'examiner avant de la remettre à sa place.

C'était le portrait d'une femme à la beauté étrange et fascinante. Une femme blonde, aux yeux très écartés. Même si ce n'était plus une gamine, elle semblait toute jeune — à coup sûr moins de trente ans. Pourtant, Bobby était moins frappé par la beauté de la jeune

17

femme que par l'impression saisissante qui s'en dégageait. Ce visage, il ne l'oublierait pas de sitôt.

Il prit bien soin de remettre la photo dans la poche du défunt, puis se rassit pour attendre le retour du médecin.

L'attente s'éternisait — telle était du moins l'impression qu'il en retirait. D'autant qu'il venait de se rappeler qu'il avait promis à son père de tenir l'harmonium à l'office de 6 heures. Or il était déjà 6 heures moins 10. Bien entendu, son père comprendrait la situation — mais comme c'était stupide de n'avoir pas pensé à le faire prévenir par le médecin ! C'est que le révérend Thomas Jones s'emportait facilement. Un rien le contrariait — et la moindre contrariété lui causait d'effroyables crampes d'estomac. Bobby avait beau considérer son père comme un vieil enquiquineur, il ne lui vouait pas moins une affection sincère. De son côté, le révérend Jones tenait son quatrième fils pour un jeune crétin, mais — en cela moins tolérant que son rejeton — nourrissait l'ambition bien ancrée d'amener coûte que coûte le jeune crétin en question sur la voie de l'amélioration.

« Pauvre vieux paternel, songeait Bobby. Il doit fulminer, à l'heure qu'il est. Il doit se demander s'il faut ou non commencer l'office. Et il va encore se détraquer l'estomac, si bien qu'il ne pourra même pas avaler son dîner. Il ne lui viendra même pas à l'idée que si je lui fais faux bond c'est que je suis coincé. Et d'ailleurs, mon absence est-elle si grave que ça ? Mais il ne le verra pas de cet œil-là. Passé la cinquantaine, les gens sont zinzin. Ils sont fichus de se rendre malades pour des broutilles. Ça vient de l'éducation qu'ils ont reçue — et c'est sans

18

doute plus fort qu'eux. Pauvre vieux papa ! Il n'a pas plus de cervelle qu'un moineau ! »

Il était là, à songer à son père avec une affection mitigée d'exaspération. Il lui semblait que sa vie, au sein de la famille, n'était qu'une longue suite de sacrifices aux lubies paternelles. De son côté, Mr Jones père estimait que sa vie à lui n'était qu'une longue suite de sacrifices et qu'il ne rencontrait, chez la jeune génération, qu'ingratitude et incompréhension. Ce qui tendrait à prouver à quel point, sur un même sujet, les avis peuvent diverger.

Et le toubib ? Il en mettait, du temps ! Il aurait déjà dû être de retour.

Bobby se leva et se mit à battre la semelle avec humeur. Soudain, un bruit au-dessus de lui attira son attention : quelqu'un venait enfin à la rescousse et il allait pouvoir filer en toute quiétude.

Hélas, ce n'était pas le médecin, mais un homme en culotte de golf que Bobby ne connaissait pas.

– Que s'est-il passé ? interrogea le nouveau venu. Il y a eu un accident ? Est-ce que je peux vous être utile en quoi que ce soit ?

L'homme était grand, et il parlait d'une belle voix de ténor. Dans la lumière déclinante, Bobby ne pouvait distinguer ses traits.

Il raconta ce qui s'était passé, tandis que Culotte-de-golf ponctuait ce récit d'exclamations de circonstance.

– Il n'y a vraiment rien que je puisse faire ? répéta ce dernier. Aller chercher de l'aide, par exemple ?

Bobby expliqua qu'il attendait les secours et demanda à l'inconnu s'il ne voyait personne arriver.

– Pour l'instant, non.

19

– C'est que, voyez-vous, reprit Bobby, j'avais rendez-vous à 6 heures et…

– Et vous ne voulez pas abandonner votre poste ?

– Non, admit Bobby. D'accord, ce type est mort, c'est sûr, et on ne peut plus rien pour lui. Mais tout de même…

Éprouvant comme toujours quelque difficulté à exprimer ce qu'il ressentait complètement, Bobby avait laissé sa phrase en suspens.

L'inconnu semblait cependant l'avoir compris.

– Hum ! fit-il, je vois. Écoutez. Je vais descendre jusqu'à vous — enfin, si toutefois j'y parviens — et je vous relaierai jusqu'à l'arrivée des secours.

– Vous feriez ça ? s'exclama Bobby avec gratitude. C'est à cause de mon père, vous comprenez ?…

» Ce n'est pas un mauvais bougre, au fond, mais il est tellement soupe au lait ! Vous y arrivez ? Un peu plus à gauche… à droite, maintenant. Ça y est. C'est moins difficile qu'il n'y paraît !

Bobby guida ainsi l'inconnu jusqu'à ce qu'ils se retrouvent enfin face à face sur l'étroite plate-forme. L'homme devait avoir la trentaine. Ses traits manquaient un peu d'expression : il avait le genre de physionomie que son détenteur se croit volontiers obligé d'agrémenter d'un monocle et d'une moustache en brosse.

– Je ne suis pas d'ici, expliqua-t-il. Au fait, je me présente : Bassington-ffrench. J'étais venu dans le coin pour chercher une maison. Mais bon sang ! Quelle chute ! Il a basculé dans le vide ?

– Oui. Le brouillard s'est levé. Et ce sentier a toujours été dangereux. Bon, eh bien, au revoir. Et merci. Il faut que je me dépêche. Vous êtes vraiment très chic.

– Mais pas du tout, protesta l'homme. Tout le monde en ferait autant. On ne peut tout de même pas l'abandonner dans cet état… enfin, ce ne serait pas convenable.

Bobby grimpait déjà l'escarpement. Une fois au sommet, il se retourna pour saluer l'inconnu, puis s'élança à toutes jambes vers le presbytère. Pour gagner quelques secondes — et au lieu de faire le tour par la grille —, il escalada le mur du cimetière sous le regard désapprobateur du révérend, posté derrière la fenêtre de la sacristie.

Il était 6 heures passées de cinq minutes, mais la cloche continuait de sonner.

Explications et remontrances attendraient la fin de l'office. À bout de souffle, Bobby se laissa tomber sur la banquette et actionna les poussoirs du vieil harmonium. La *Marche funèbre* de Chopin lui vint tout naturellement sous les doigts.

Une fois la messe terminée, le pasteur entreprit de sermonner son fils. Comme il le fit lui-même remarquer, la colère cédait en lui à l'accablement.

– Mon cher Bobby, si tu n'es pas capable de faire les choses comme il faut, mieux vaut ne pas les faire du tout. Je n'ignore pas que, comme tous les garçons de ton âge, tu n'as aucune notion de l'heure, mais songe au moins qu'il en est Un, là-haut, qu'on ne saurait faire attendre. Après tout, je ne t'ai pas forcé à tenir l'harmonium ; tu t'es proposé de toi-même. Et ce soir, faible créature, tu as préféré aller jouer à…

Bobby crut bon de couper court à ce sermon tant que faire se pouvait.

– Excusez-moi, papa, dit-il du ton badin qu'il adoptait

21

toujours quel que soit le sujet. Cette fois, ce n'est pas ma faute. Je veillais un cadavre.

– Tu veillais quoi ?

– Le cadavre d'un gars qui est tombé de la falaise, à hauteur du dix-septième trou. Vous savez bien, à l'endroit de la crevasse. Il y avait un peu de brouillard, et le zigomar a dû mettre les pieds là où il ne fallait pas.

– Bonté divine ! s'exclama le pasteur. Quelle horreur ! Était-il mort sur le coup ?

– Non. Il avait seulement perdu connaissance. Il est mort juste après le départ du Dr Thomas. Bien sûr, je me suis dit qu'il fallait que je reste sur les lieux — je ne pouvais tout de même pas mettre les voiles et l'abandonner à son sort. Sur quoi j'ai eu le coup de veine de voir débouler un gus à qui j'ai pu refiler ma place de pleureuse en chef et j'ai couru jusqu'ici ventre à terre.

Le vicaire poussa un profond soupir.

– Mon pauvre Bobby ! gémit-il. Rien ne viendra-t-il donc jamais contrebalancer ton déplorable manque de sensibilité ? Tu me peines plus que je ne saurais dire. Comment ? Tu viens de contempler la mort en face — une mort violente. Et tu trouves encore l'occasion d'exercer ta verve ! Et cela te laisse froid ! Tout — de quoi qu'il puisse s'agir et quel qu'en soit la gravité ou le caractère sacré — n'est que matière à plaisanter pour les membres de ta génération !

Bobby se dandinait d'un pied sur un autre.

Après tout, si son père ne comprenait pas qu'on puisse plaisanter à propos d'un événement justement parce qu'il vous avait secoué, eh bien… inutile d'essayer de le lui expliquer. Quand le drame et la mort rôdent autour

22

de vous, le mieux, n'est-il pas encore de faire bonne contenance ?

Mais pourquoi diable attendre une réaction différente ? Passé la cinquantaine, les gens ne comprennent plus rien à rien. Et ils ne sont plus capables que d'a priori invraisemblables.

« Ça doit être une séquelle de la guerre, songea Bobby dans un louable effort de compréhension. Ça les a perturbés et ils ne s'en sont jamais remis. »

Il avait honte de son père. Et il le plaignait aussi de tout son cœur.

– Pardon, papa, se contenta-t-il de dire, ayant pleinement conscience que toute explication était impossible.

De son côté, le pasteur plaignait son fils de tout son cœur — il semblait accablé —, et il avait en outre extrêmement honte de lui. Ce garçon ne prendrait décidément jamais la vie au sérieux. Même quand il présentait des excuses, c'était encore sur un ton badin et insolent.

Ensemble, ils regagnèrent le presbytère, faisant chacun des efforts considérables pour trouver à l'autre des excuses.

« Je me demande si Bobby parviendra jamais à s'établir dans la vie », songeait le pasteur.

« Je me demande bien combien de temps il va encore falloir que je moisisse ici… », songeait Bobby.

Et pourtant, père et fils éprouvaient l'un pour l'autre une affection profonde.

3

Un voyage en chemin de fer

Bobby ne devait pas être le témoin des conséquences immédiates de son aventure. Le lendemain, il se rendit en effet à Londres pour y rencontrer un ami qui projetait d'ouvrir un garage et songeait à lui pour une éventuelle association.

Deux jours plus tard, l'affaire était conclue à la satisfaction de chacun. Bobby s'en retourna donc par le train de 11 h 30, qu'il faillit d'ailleurs bien manquer : il était 11 h 28 quand il arriva à la gare de Paddington. Il n'eut que le temps de s'engouffrer dans le passage souterrain, de débouler sur le quai n° 3 au moment précis où le train s'ébranlait et de sauter dans la première voiture venue, au grand scandale des contrôleurs et porteurs qui rôdaient dans le secteur.

Il avait ouvert la portière avec tant d'énergie qu'il atterrit à quatre pattes dans le compartiment. Il se releva d'un bond, tandis que la portière claquait, refermée par un porteur au tempérament d'acrobate.

Il se trouvait dans un compartiment de première classe. Une jeune femme brune, assise dans le sens de la marche et unique occupante des lieux, fumait une cigarette. Elle arborait une jupe rouge, un spencer vert et un bibi bleu vif. En dépit d'un air de famille avec un singe savant — grands yeux tristes et frimousse un tantinet fripée —, elle ne manquait pas de charme.

24

Bobby, qui s'apprêtait à balbutier quelque vague excuse, s'arrêta, stupéfait.

– Ça par exemple ! Frankie ! Ça fait des siècles qu'on ne s'est pas vus !

– Des siècles, tu as raison. Assieds-toi et raconte-moi ce que tu deviens.

Bobby fit une grimace.

– Je n'ai qu'un billet de seconde.

– Aucune importance, dit gentiment Frankie. Je te paierai le supplément.

– L'homme qui est paraît-il en moi se révolte contre cette pensée ! se récria Bobby. Quel genre de type serais-je si je laissais une femme payer à ma place ?

– Tu sais, nous ne sommes plus guère bonnes qu'à ça, de nos jours.

– C'est quand même moi qui le paierai, ce supplé-ment ! protesta Bobby, héroïque, en avisant l'uniforme bleu qui s'encadrait dans la porte du compartiment.

– Laisse-moi faire, insista Frankie.

Elle accueillit le contrôleur avec un sourire enjôleur. Il salua la jeune femme avec le plus grand respect, et prit son billet pour le poinçonner.

– Mr Jones est venu me tenir compagnie un instant, expliqua Frankie. Cela ne pose pas de problème, n'est-ce pas ?

– Aucun, Votre Seigneurie. Monsieur ne restera pas longtemps, je suppose. (Il toussota avec tact avant de préciser :) Je ne dois pas repasser avant Bristol.

– Pas croyable ce qu'on peut obtenir avec un sourire ! s'émerveilla Bobby dès que le contrôleur eut tourné les talons.

25

Lady Frances Derwent secoua la tête d'un air pensif.

– Je crains fort que mon sourire n'ait rien à voir là-dedans. Je pencherais plutôt pour les libéralités de mon père, qui distribue des pourboires à tout un chacun dès qu'il s'avise de prendre le train.

– Dis donc, je croyais que tu avais abandonné le pays de Galles pour de bon ?

La jeune femme poussa un soupir.

– Bah, tu sais ce que c'est ! Tu sais à quel point tous les parents sont vieux jeu ! En plus de ça les salles de bains sont toujours déglinguées. Et puis il n'y a rien à faire, personne à voir… Par les temps qui courent, les gens refusent de s'enterrer à la campagne. Ils se disent trop fauchés pour s'offrir le voyage. Alors, tu comprends, comment veux-tu qu'une fille puisse vivre dans des conditions pareilles ?

Le jeune homme hocha la tête, plein de compassion.

– Quoi qu'il en soit, poursuivit Frankie, après la soirée que je viens de passer, je crois que je suis encore mieux à la maison.

– Qu'est-ce qui clochait, dans ta soirée ?

– Rien du tout. C'était une soirée comme les autres, en plus rasoir, si tu veux. On devait se retrouver au *Savoy* vers 8 heures et demie. Les derniers se sont amenés à 9 heures et quart, et, comme de juste, nous nous sommes trouvés embringués avec d'autres gens. Enfin, vers 10 heures, nous avions à peu près fait le tri. Nous sommes allés dîner, après quoi on s'est tous rendus en bande au *Clown triste* — et le bruit courait que la police devait y faire une descente. Mais c'était une fausse alerte, et l'ambiance y était sinistre. On y a quand même

26

bu quelques verres avant de filer au *Bullring,* qui était plus mortel encore. On s'est donc rabattus sur un bistrot avant d'aller manger des frites dans un boui-boui. Dieu sait qui a ensuite proposé qu'on aille prendre le petit déjeuner chez l'oncle d'Angela — histoire de voir si ça le scandaliserait un brin. Eh bien même pas, figure-toi : ça a juste eu l'air de le barber. Du coup, chacun est rentré chez soi. Eh bien, tu vois, Bobby, je trouve que c'est devenu impossible de s'amuser.

– C'est évident, murmura Bobby qui n'en réprimait pas moins un pincement de jalousie.

Même dans ses rêves les plus fous, il n'avait osé imaginer qu'il pourrait jamais être admis au *Clown triste* ou au *Bullring.*

Il avait toujours eu avec Frankie un lien assez particulier.

Lorsqu'ils étaient petits, Bobby et ses frères allaient souvent jouer avec les enfants du Château. Mais à présent qu'ils étaient adultes, ils ne se rencontraient plus qu'en de rares occasions, ce qui ne les empêchait pas de continuer à se tutoyer. Quand par hasard Frankie revenait chez ses parents, il arrivait encore que Bobby et ses frères soient invités au Château, car on y manquait toujours de partenaires masculins pour jouer au tennis. Mais ni Frankie ni aucun de ses deux frères n'était jamais invité au presbytère.

On tenait pour acquis qu'ils ne pourraient que s'y ennuyer. S'ils continuaient à se tutoyer, une certaine gêne s'était néanmoins établie entre les jeunes gens. Les Derwent manifestaient une gentillesse quelque peu ostentatoire, comme pour faire oublier la différence de milieu. Quant aux Jones, ils affichaient une certaine raideur, afin de bien montrer qu'ils savaient rester à leur place. Désormais, les deux familles ne partageaient donc guère plus que leurs souvenirs d'enfance. Cependant Bobby demeurait très attaché à Frankie et la revoyait toujours avec plaisir lors des rares occasions que leur ménageait le hasard.

– J'en ai tout bonnement ma claque de cette existence, soupira Frankie d'un ton désabusé. Pas toi ?

Bobby réfléchit un instant.

– Pas vraiment, non.

– Ça, alors, c'est renversant !

– Note bien, cela ne signifie pas que je me marre, ajouta Bobby, soucieux de ne pas faire mauvaise impression à son amie. D'ailleurs, je ne peux pas encaisser les gens qui se marrent.

Frankie avait frémi d'horreur à ce seul mot.

– Je te comprends, murmura-t-elle. Ils sont à vomir.

Les deux jeunes gens échangèrent un regard entendu.

– À propos, enchaîna Frankie, qu'est-ce que c'est que cette histoire de type qui est tombé de la falaise ?

– C'est moi qui l'ai découvert avec le Dr Thomas. Mais comment es-tu au courant ?

– C'est dans le journal. Tiens, regarde.

Elle désigna un entrefilet intitulé : « Un accident mortel dû au brouillard ».

La victime de la tragédie de Marchbolt a pu être identifiée dans la soirée d'hier grâce à une photographie trouvée sur elle. La femme figurant sur la photo, Mrs Leo Cayman, a pu être jointe et s'est immédiatement rendue à Marchbolt pour identifier le défunt. Il s'agit de son frère, Alex Pritchard. Revenu depuis peu du Siam, il avait

28

passé dix ans hors des frontières. Il entamait une ran-donnée lorsqu'il a trouvé la mort dans les circonstances tragiques que l'on sait. L'enquête du coroner aura lieu demain à Marchbolt.

En pensée Bobby revit la photographie et le visage si fascinant.

– Il va falloir que j'aille témoigner à l'enquête, déclara-t-il.

– Passionnant ! J'irai t'entendre.

– Je ne crois pas qu'il y aura quoi que ce soit de pas-sionnant là-dedans, rétorqua Bobby. Nous n'avons fait que découvrir le corps, rien de plus.

– Il était déjà mort ?

– Non, pas encore. Il est mort un quart d'heure après, alors que j'étais seul avec lui.

Bobby marqua un temps.

– Ça n'a pas dû être marrant, s'apitoya Frankie, com-prenant tout de suite — à l'inverse de Bobby — ce que le pauvre homme avait dû éprouver.

– Je sais qu'il n'a rien senti, mais…

– Rien senti ?

– Mais tout de même… tu vois, ce type avait l'air telle-ment… tellement vivant. Dire qu'il est tombé de la falaise à cause d'une sale petite nappe de brouillard… C'est moche de finir comme ça.

– Tu parles, Charles ! dit Frankie, exprimant à nou-veau ainsi sa totale sympathie et son absolue compré-hension. Et tu as vu sa sœur, au fait ?

– Non. Je viens de passer deux jours à Londres. Il fal-lait que je voie un ami avec lequel je vais peut-être ouvrir

29

un garage… Un ami que tu connais, d'ailleurs… Badger Beadon.

– Je le connais ?

– Bien sûr ! Tu n'as quand même pas oublié mon pote Badger. Tu sais bien, celui qui louche !

Frankie réfléchit un instant.

– Il rit toujours d'un petit rire idiot, un vrai rire de débile, précisa obligeamment Bobby. Comme ça : houaf ! houaf ! houaf !

Frankie ne voyait toujours pas.

– Il est dégringolé de son poney quand on était mômes, renchérit Bobby. Il est tombé la tête la première dans une fosse à purin et il a fallu le sortir de là par les pieds.

– Mais oui, bien sûr ! s'écria Frankie, revivant soudain la scène. Je m'en souviens comme si j'y étais ! Celui qui bégayait, non ?

– Il bégaie toujours ! s'épanouit Bobby.

– Ce n'est pas lui qui a voulu se lancer dans l'élevage de poulets et qui a fait faillite ?

– Mais si !

– Sur ce, il a décroché un job chez un agent de change et s'est fait virer au bout d'un mois ?

– Tout juste !

– À la suite de quoi on l'a envoyé en Australie d'où il est revenu aussi vite qu'il était parti ?

– Dix sur dix sur toute la ligne !

– Dis-moi, Bobby, demanda Frankie, tu ne comptes pas investir d'argent dans cette histoire de garage, j'espère ?

30

– Je ne possède pas un sou à investir où que ce soit, répondit Bobby.

– C'est peut-être aussi bien comme ça.

– Probablement, convint Bobby. Au départ, Badger aurait sans doute préféré s'associer avec quelqu'un qui puisse avancer un peu de fric, mais ça n'est pas aussi facile à dégoter qu'on l'imagine.

– Voilà qui tendrait à prouver que les gens sont moins bêtes qu'ils n'en ont l'air.

Cette remarque ironique chagrina Bobby.

– Écoute, Frankie. Badger est un battant, un vrai battant.

– Mais oui, mais oui, ce sont tous des battants.

– Tous ?

– Oui, tous ceux qui partent pour l'Australie et en reviennent ventre à terre. Où a-t-il déniché l'argent pour démarrer son affaire ?

– Je crois qu'une de ses tantes est morte en lui laissant ce garage. Il y a de la place pour six voitures, et trois pièces à l'étage. Et sa famille lui a avancé cent livres pour acheter un lot de bagnoles d'occasion. Si tu savais à quel point ce business de vieilles occases est rentable, tu serais étonnée.

– J'ai acheté une voiture d'occasion une fois dans ma vie. C'est un sujet douloureux. Je préfère ne pas l'aborder. Raconte-moi plutôt pourquoi tu as laissé tomber la Marine. Ils ne t'ont tout de même pas réformé ? Pas à ton âge !

Bobby s'empourpra.

– Si. À cause de mes yeux, grogna-t-il.

31

– Tu as toujours eu des problèmes de vue, je m'en souviens.

– Exact. J'avais pourtant réussi à passer la visite, mais sitôt arrivé sous le soleil des colonies, eh bien… ils s'en sont aperçus et… j'ai dû… j'ai dû renoncer.

– C'est moche, murmura Frankie en détournant la tête.

– C'est scandaleux, oui ! s'écria Bobby après un silence. D'abord, je n'ai pas une si mauvaise vue que ça, et en plus, ça ne peut pas s'aggraver, d'après les toubibs. J'aurais parfaitement pu rester dans la Marine.

– Ils ont l'air tout ce qu'il y a de normaux, décréta Frankie qui, depuis un moment, se livrait à un examen aussi méticuleux qu'approfondi des bons yeux bruns de Bobby.

– En tout cas, ce qu'il y a de sûr, c'est que je vais m'acoquiner avec Badger.

Frankie approuva d'un signe de tête.

Un employé ouvrit la porte du compartiment pour annoncer le premier service.

– On y va ? demanda Frankie.

Et les deux jeunes gens gagnèrent ensemble la voiture-restaurant.

Lorsque arriva l'heure du second passage du contrôleur, Bobby décida de se replier prudemment vers les secondes classes.

– Je ne voudrais pas mettre sa conscience à trop rude épreuve, déclara-t-il.

Frankie, pour sa part, semblait nourrir des doutes quant à l'existence d'une conscience chez les contrôleurs de chemin de fer.

32

Peu après 5 heures, le train s'arrêta en gare de Sileham, la plus proche de Marchbolt.

– On doit venir me chercher en voiture, dit Frankie. Je peux te déposer ?

– Ce n'est pas de refus. Comme ça, je n'aurais pas à trimbaler cette horreur pendant quatre kilomètres.

Et il assortit cette remarque d'un coup de pied vengeur à sa valise.

– Six kilomètres, pas quatre, précisa Frankie.

– Quatre, si on passe par la corniche.

– La corniche ? Mais c'est là que...

– Oui. C'est là qu'il est tombé.

– Tu ne penses pas qu'on ait pu le pousser ? demanda Frankie en tendant son sac de voyage à sa femme de chambre.

– Le pousser ? Bon Dieu, non ! Quelle idée !

– Ça rendrait pourtant l'affaire autrement palpitante, non ?

4

L'enquête

L'enquête du coroner concernant l'affaire Pritchard eut lieu le lendemain. Le Dr Thomas relata tout d'abord la découverte du corps.

– Ainsi, la victime n'est pas morte sur le coup ? demanda le coroner.

33

– Non, le blessé respirait encore. Mais il n'y avait aucun espoir.

Le médecin se lança alors dans une explication hautement technique. Le coroner crut bon de reformuler ses conclusions à l'intention des jurés.

– Cela signifie-t-il, en langage courant, que l'homme a eu la colonne vertébrale brisée ?

– Oui, on pourrait formuler la chose ainsi, convint le Dr Thomas, un peu dépité.

Il raconta ensuite comment il était parti chercher du secours, laissant le mourant aux bons soins de Bobby.

– Et selon vous, docteur, quelle peut être la cause de ce drame ?

– En l'absence de toute information concernant l'état mental de la victime, je serais tenté de conclure que l'homme a malencontreusement trébuché au bord de la falaise. Il y avait de la brume, ce soir-là, et le chemin fait un coude assez brusque. On peut supposer que, trompée par le brouillard, la victime ait voulu continuer tout droit, sans s'apercevoir du danger. Il aura suffi de deux pas de trop pour que le malheureux bascule dans le vide.

– Vous n'avez remarqué aucune trace de violences sur la personne du défunt ? Aucun indice qui permette d'envisager l'intervention d'un tiers ?

– Tout ce que je puis dire, c'est que les blessures relevées sur le corps s'expliquent aisément par une chute de vingt mètres sur les rochers.

– Mais vous n'excluez pas l'éventualité d'un suicide ?

– Cela demeure en effet une possibilité. Mais savoir si la victime est tombée ou s'est jetée dans le vide, voilà une question à laquelle je ne saurais répondre.

Puis ce fut le tour de Robert Jones de témoigner.

Bobby raconta sa partie de golf avec le Dr Thomas, et expliqua qu'il avait fait un slice en direction de la mer. Avec le brouillard qui montait, la visibilité était devenue mauvaise. À un moment donné, il avait cru entendre un cri et il s'était demandé si sa balle n'avait pas frappé un promeneur. Mais le chemin se trouvait à une telle distance qu'il avait dû écarter cette hypothèse.

– Avez-vous retrouvé votre balle ?

– Oui, Votre Honneur. Elle était tombée à une trentaine de mètres avant le chemin.

Bobby raconta ensuite comment son partenaire et lui-même s'étaient placés pour jouer le trou suivant et comment il avait envoyé sa balle dans la crevasse.

Ici, le coroner intervint afin d'éviter une répétition de ce qui avait déjà été relaté par le Dr Thomas. En revanche, il revint sur le cri que Bobby avait entendu ou cru entendre.

– C'était un cri, tout simplement, Votre Honneur.

– Un appel au secours ?

– Oh, non. Une sorte d'exclamation, c'est tout. En réalité, je n'étais même pas certain de l'avoir entendu.

– Un cri de surprise ?

– Ce serait plutôt ça, oui, répondit Bobby soulagé. Le genre de cri qu'on peut pousser quand on reçoit une balle de golf alors qu'on ne s'y attendait pas.

– Ou quand on met le pied dans le vide, alors que l'on croit marcher sur un sentier ?

– Oui, Votre Honneur.

Après avoir précisé que l'homme était mort cinq minutes après le départ du médecin, Bobby put regagner sa place. L'épreuve était pour lui terminée.

35

Visiblement, le coroner désirait expédier au plus vite cette affaire somme toute banale.

Mrs Leo Cayman fut appelée à son tour à témoigner.

Bobby éprouva la plus vive déception.

Qu'était donc devenu le visage qu'il avait admiré sur la photo tombée de la poche du mort ? Décidément, les photographes étaient de sacrés imposteurs. Même si le portrait datait de plusieurs années, comment la belle jeune fille aux yeux écartés avait-elle pu devenir cette femme à l'air important, aux sourcils épilés et aux cheveux manifestement teints ? Quelle monstruosité que les ravages du temps ! À quoi ressemblerait Frankie dans vingt ans ? Bobby fut parcouru d'un frisson.

Cependant, Amelia Cayman, domiciliée au 17 Leonard's Gardens, à Paddington, poursuivait sa déposition.

Le défunt était son unique frère, Alex Pritchard, rentré depuis peu d'Extrême-Orient. Elle l'avait vu pour la dernière fois la veille du drame quand il lui avait annoncé son intention d'effectuer une randonnée pédestre au pays de Galles.

– Vous a-t-il paru alors dans son état normal ?

– Tout à fait. Alex a toujours été un bon vivant.

– À votre connaissance, il n'avait pas de soucis particuliers ?

– Je suis sûre que non. Il se faisait d'ailleurs une joie de cette randonnée.

– Savez-vous s'il avait eu des difficultés — financières ou autres —, ces derniers temps ?

– C'est assez difficile à dire, répondit Mrs Cayman. Il était de retour depuis peu, comprenez-vous ? Or je ne l'avais pas vu depuis dix ans et il n'était pas du genre à

36

écrire pour donner de ses nouvelles. Mais il m'a emmenée plusieurs fois au théâtre et au restaurant à Londres, et m'a même fait deux ou trois cadeaux — d'où je déduis qu'il ne devait pas être sur la paille. Et puis il était de si bonne humeur que ça m'étonnerait qu'il ait pu avoir un problème.

– Quelle était la profession de votre frère, Mrs Cayman ?

Cette question sembla l'embarrasser quelque peu.

– Je, euh… je n'ai jamais été vraiment au courant. Prospecteur, quelque chose dans ce goût-là. Il venait très rarement en Angleterre.

– Selon vous, il n'aurait eu aucune raison de mettre fin à ses jours ?

– Oh non ! Alex n'aurait jamais fait une chose pareille. Il ne peut s'agir que d'un accident.

– Comment expliquez-vous que votre frère n'ait eu aucun bagage avec lui, pas même un sac à dos ?

– Alex détestait les sacs à dos. Il avait prévu de se poster des colis tous les deux jours. Il avait d'ailleurs posté le premier la veille de son départ — un pyjama et des chaussettes de rechange —, mais il l'avait adressé dans le Derbyshire au lieu du Denbighshire et c'est pour ça que le paquet n'est arrivé qu'aujourd'hui.

– Ah ! Voilà qui fait la lumière sur un point mystérieux.

Mrs Cayman expliqua ensuite que la police s'était mise en rapport avec elle par l'intermédiaire du photographe dont l'adresse figurait au dos de la photo que détenait son frère. Son mari et elle s'étaient aussitôt rendus à Marchbolt, où elle avait formellement identifié son frère.

37

En prononçant ces derniers mots, Mrs Cayman renifla bruyamment et se mit à sangloter.

Le coroner l'assura de toute sa compassion et la pria d'aller se rasseoir.

Il s'adressa ensuite aux jurés. Il leur appartenait de se prononcer sur la cause du décès. Par bonheur, le cas était des plus simples. Rien ne permettait de penser que Mr Pritchard ait pu être soucieux ou déprimé au point de vouloir attenter à ses jours. Il était au contraire en bonne santé et d'excellente humeur, et ne songeait qu'à jouir de ses vacances. Force était de constater en revanche que le chemin de la falaise devenait périlleux par brouillard et qu'il serait urgent de prendre toutes dispositions à cet égard.

Le jury ne fut pas long à rendre son verdict.

– Nous concluons que le défunt a trouvé la mort par accident et suggérons d'adjoindre au présent jugement une annexe à l'intention du conseil municipal, l'enjoignant de poser une barrière ou un garde-fou à l'endroit où le chemin longe la crevasse.

Le coroner approuva d'un hochement de tête. L'affaire était classée.

5

Mr et Mrs Cayman

En débarquant au presbytère une demi-heure plus tard, Bobby découvrit qu'il n'en avait pas terminé avec le décès d'Alex Pritchard. On l'informa que Mr et Mrs Cayman, venus pour le voir, se trouvaient dans le bureau du pasteur. Bobby se rendit aussitôt auprès de son père qui s'évertuait à entretenir la conversation, sans grand enthousiasme, il faut bien en convenir.

– Ah ! Voici Bobby, annonça le pasteur, probablement soulagé.

Mr Cayman se leva et vint à sa rencontre, la main tendue. C'était un gros homme au teint rubicond, dont l'apparente bonhomie contrastait avec un regard froid et quelque peu fuyant. Quant à Mrs Cayman, même si elle n'était pas dépourvue d'un certain charme un tantinet vulgaire, elle n'avait plus grand-chose en commun avec son ancienne image — et en tout cas, elle avait complètement perdu son expression rêveuse. En fait, songea Bobby, si elle ne s'était pas reconnue elle-même sur la photo, personne n'aurait jamais pu le faire à sa place.

– J'ai accompagné ma moitié, déclara Mr Cayman en gratifiant Bobby d'une poignée de main à lui broyer les phalanges. Il fallait que je reste auprès d'elle, comprenez-vous. Amelia est bouleversée.

Mrs Cayman renifla.

– Nous tenions à vous voir, poursuivit Mr Cayman. Après tout, le frère de ma femme est mort entre vos

39

bras, pour ainsi dire. Et, tout naturellement, elle souhaiterait que vous lui racontiez ses derniers instants.

– Je comprends ça, dit Bobby qui aurait donné n'importe quoi pour se trouver à l'autre bout du monde. Je comprends ça très bien.

Le sourire crispé du jeune homme n'échappa malheureusement pas à son père, qui trouva l'occasion trop belle pour ne pas pousser un profond soupir — de résignation chrétienne.

– Pauvre Alex, gémit Mrs Cayman en se tamponnant les yeux. Pauvre pauvre Alex…

– Je comprends que vous ne le preniez pas bien, compatit Bobby. C'est plutôt moche.

Mal à l'aise, il se tortillait sur sa chaise.

Mrs Cayman leva vers lui un regard plein d'espoir.

– Voycz-vous, s'il a prononcé un dernier mot, une dernière phrase… Je voudrais le savoir.

– Bien sûr, convint Bobby. Mais en fait, il n'a rien dit.

– Rien du tout ?

Mrs Cayman paraissait déçue, voire incrédule. Bobby opta pour la mine contrite.

– Non, madame, rien de rien.

– Peut-être est-ce mieux ainsi, conclut gravement Mr Cayman. Il sera mort inconscient, sans souffrir… c'est une bénédiction, Amelia.

– Tu as sans doute raison, convint Mrs Cayman. Vous croyez vraiment qu'il n'a pas souffert ?

– Ça, je peux vous le garantir, répondit Bobby.

Mrs Cayman poussa un profond soupir.

– Dieu soit loué ! Bien sûr, j'espérais qu'il avait laissé

40

un dernier message, mais c'est mieux ainsi. Pauvre Alex. Un tel amoureux des grands espaces…

– Oui, dit Bobby, certainement.

Il revoyait le visage bronzé, les yeux d'un bleu profond. Quelqu'un d'attachant, cet Alex Pritchard, même au seuil de la mort. Étonnant qu'il ait eu une Mrs Cayman pour sœur et un Mr Cayman pour beau-frère. Il aurait mérité mieux.

– Nous vous sommes infiniment reconnaissants, fit Mrs Cayman.

– Bof ! ce n'est rien, bredouilla Bobby, incapable de trouver mieux à dire. Après tout, c'est… c'est la moindre des choses, non ?

– Nous saurons nous en souvenir, promit Mr Cayman.

Bobby dut subir à nouveau sa douloureuse poignée de main, puis serra celle, plutôt molle, de sa femme. Le pasteur salua à son tour les visiteurs, et Bobby les raccompagna jusqu'à la porte.

– Que faites-vous dans la vie, jeune homme ? demanda encore Mr Cayman. Vous êtes ici en congé, ou bien ?…

– Non, je passe le plus clair de mon temps à chercher du travail, répondit Bobby. J'étais dans la Marine, ajouta-t-il après un silence.

– Pas facile… pas facile de nos jours, fit Mr Cayman avec un hochement de tête. Enfin, je vous souhaite bonne chance.

– Merci beaucoup, répondit poliment Bobby.

Il regarda le couple s'éloigner dans l'allée envahie d'herbes folles.

Puis, il demeura planté sur le seuil, plongé dans ses

41

pensées. Des idées confuses lui passaient par l'esprit. Il revoyait les grands yeux et les cheveux vaporeux, sur la photographie — puis les traits de Mrs Cayman, trop maquillée, avec ses cheveux teints au henné, ses sourcils épilés, et ses yeux, disparaissant sous les paupières alourdies par l'âge, qui lui donnaient un air porcin. Elle avait perdu toute trace de jeunesse et d'innocence… et cela au bout de dix ou quinze ans. Quelle tristesse ! Voilà ce qui arrive quand on épouse un joyeux imbécile comme ce Mr Cayman… Si elle s'était mariée avec quelqu'un d'autre, peut-être aurait-elle mieux vieilli : quelques fils argentés dans les cheveux, et toujours ces grands yeux écartés, éclairant son doux visage au teint pâle. Mais peut-être aussi…

Bobby secoua la tête en soupirant.

– C'est ça le pire, dans le mariage, murmura t-il, lugubre.

– Qu'est-ce que tu marmonnes ?

Arraché à sa rêverie, Bobby s'aperçut que Frankie était à son côté, et qu'il ne l'avait même pas entendue arriver.

– Salut, dit-il.

– Salut. Tu philosophes sur le mariage ? Le mariage de qui ?

– Je me livrais à des réflexions d'ordre général.

– À savoir ?

– Sur les effets destructeurs du mariage.

– Quelqu'un a été détruit ?

Bobby s'expliqua. Mais Frankie ne partageait pas son point de vue.

42

– Ridicule ! affirma-t-elle. Cette femme ressemble comme deux gouttes d'eau à sa photo.

– Tu l'as vue quand ? Tu étais au tribunal ?

– Bien sûr que j'étais au tribunal ! Qu'est-ce que tu crois ? Il n'y a pas tellement de distractions dans le secteur. Cette histoire était une véritable aubaine. Par-dessus le marché c'était la première fois que j'assistais à une enquête du coroner. Fas-ci-nant ! Bien sûr, j'aurais préféré un mystérieux empoisonnement, avec des batailles d'experts et tout ce qui s'ensuit — mais il ne faut pas trop en demander, et savoir se contenter des plaisirs simples quand ils se présentent. J'ai espéré jusqu'au bout qu'on découvrirait un indice qui remettrait tout en question : mais hélas, toute cette affaire m'a paru d'une banalité écœurante.

– Tu as des instincts bien sanguinaires, ma vieille.

– Je sais. L'atavisme, sans doute — si c'est bien comme ça que ça s'appelle, je n'ai jamais été très au clair sur la question. Mais admettons que je sois une créature atavique. En classe, tout le monde m'appelait Face de Singe.

– Les singes ont le goût du meurtre ?

– On dirait une question pour la rubrique du *Journal du dimanche* : « Qu'en pensent nos lecteurs ? »

– Tu vois, Frankie, coupa Bobby pour en revenir à ce qui le préoccupait, je ne suis pas d'accord avec toi en ce qui concerne cette Mrs Cayman. Sa photo était… renversante.

– Retouchée, c'est tout, corrigea Frankie.

– Alors, elle l'était au point qu'on aurait dit quelqu'un d'autre.

43

– Tu n'as pas les yeux en face des trous ! Le photographe a dû se donner un mal de chien, d'accord. Mais le résultat n'était quand même pas terrible.

– Je ne suis pas du tout de ton avis, décréta Bobby, cassant. D'ailleurs, tu l'as vue où, cette photo ?

– Dans l'édition régionale de l'*Écho du soir*.

– Elle était sans doute mal reproduite.

– J'ai comme l'impression que tu t'es entiché de cette garce peinturlurée ! grinça Frankie, furibonde. Oui, j'ai dit *garce* et je le maintiens !

– Frankie, tu as de ces mots ! Et devant le presbytère, en plus… en terre quasi sainte, pour ainsi dire !

– Tu as qu'à ne pas être aussi stupide !

Il y eut un silence, puis l'ire de Frankie se calma :

– Ce qui est stupide, c'est de se chamailler à propos de cette fichue bonne femme. J'étais venue te proposer une partie de golf. Qu'est-ce que tu en dis ?

– D'accord, patron ! répondit Bobby tout heureux.

Ayant fait la paix, ils se rendirent sur le terrain, et il ne fut bientôt plus question que de « pulls », de « slices » et de l'art et la manière de réussir un « chip ».

Bobby semblait avoir tout oublié du drame lorsque, tandis qu'il risquait un putt pour partager le onzième trou, il poussa soudain une exclamation.

– Qu'est-ce qui te prend ? s'inquiéta Frankie.

– Rien. Je viens juste de me rappeler un truc.

– Quel truc ?

– C'est à propos des Cayman. Ils sont venus me voir pour me demander si ce type avait dit quelque chose avant de mourir… et je leur ai répondu que non.

– Et alors ?

44

– Et alors je viens de me souvenir qu'en fait ça avait pourtant bien été le cas.

– Tu es brillant, le matin… Tu émerges à quelle heure ?

– C'est que… ce n'était sûrement pas le genre de choses à quoi ils s'attendaient. C'est pour ça que je n'y ai pas pensé sur le moment.

– Qu'est-ce qu'il a dit, au juste ?

– Il a dit : « Et pourquoi pas Evans ? »

– On n'a pas idée ! Rien d'autre ?

– Non. Il a ouvert les yeux et il a dit ça, et puis il est mort. Pauvre type…

– Bof ! dit Frankie après réflexion. Ne te bile pas pour des trucs pareils. Ça ne devait pas avoir beaucoup d'importance.

– Non, bien sûr que non… Mais je regrette de ne pas l'avoir mentionné. Tu vois, j'ai affirmé qu'il n'avait rien dit.

– À mon avis, sa phrase ou rien, ça revient au même, insinua Frankie. Ça n'est pas comme : « Dites à Gladys que je n'ai jamais aimé qu'elle » ou « Le testament est dans le petit secrétaire en noyer » — enfin ce genre de Dernières Paroles mélodramatiques comme on en lit dans les romans.

– Tu ne trouves pas que ça vaut la peine que je leur écrive ?

– Moi, je ne me donnerais pas tout ce mal. Ça n'avait sûrement aucune importance.

– Tu as sans doute raison, conclut Bobby, qui reprit la partie avec une énergie redoublée.

Le problème n'en continuait pas moins à l'obséder. Ce n'était qu'un détail, mais qui le tracassait. Et il se sentait vaguement coupable.

Il avait beau se répéter que Frankie avait raison et qu'il valait mieux ne plus y penser, sa conscience continuait de le tourmenter. Il avait affirmé que Pritchard était mort sans rien dire. Or ce n'était pas vrai. Si bête et insignifiant que cela puisse paraître, il n'avait pas la conscience tranquille.

En fin de compte, il écrivit le soir même à Mr Cayman.

Cher Mr Cayman,

Je viens de me souvenir que votre beau-frère a en fait prononcé quelques mots, juste avant de mourir. Si mes souvenirs sont exacts, il a dit : « Et pourquoi pas Evans ? » Excusez-moi de ne pas vous avoir dit cela ce matin, mais ces paroles m'avaient paru sans importance, ce qui explique sans doute qu'elles m'étaient sorties de l'esprit.

Respectueusement vôtre,
Robert Jones

Il reçut par retour du courrier cette réponse :

Cher Mr Jones

Je reçois à l'instant votre lettre du 6. Merci d'avoir bien voulu vous donner la peine de nous retransmettre avec tant d'exactitude les dernières paroles de mon pauvre beau-frère — et ce en dépit du peu d'intérêt qu'elles présentent. Mon épouse espérait en effet qu'il

46

aurait eu pour elle une dernière pensée. Je vous remercie cependant de vous être montré si scrupuleux.

Sincèrement vôtre,
Leo Cayman

Bobby se sentit vexé.

6

Un pique-nique qui finit mal

Le lendemain, Bobby reçut une lettre d'un tout autre genre :

Tout est paré, mon pote (l'écriture de Badger était un gribouillis d'analphabète, qui ne faisait guère honneur au collège coûteux où il avait été éduqué). *Hier, j'ai acheté cinq voitures pour quinze livres au total — une Austin, deux Morris et deux Rover. Bien sûr, ce sont des épaves, mais je crois qu'il y a moyen de les bricoler. Bon Dieu ! une bagnole, c'est une bagnole, pas vrai ? Du moment que le client peut rentrer chez lui sans tomber en panne, de quoi se plaindrait-il ? J'ai l'intention d'ouvrir lundi en huit et je compte sur toi, alors ne me laisse pas choir, d'accord ? Je dois avouer que cette brave tante Carrie a été plutôt chouette. Il faut bien dire que j'ai un beau jour pété un carreau chez un de ses voisins qui lui*

47

avait cherché des poux dans la tête rapport à ses chats et qu'elle était pas du genre à oublier un service rendu. Depuis, elle se fendait toujours d'un billet de cinq livres à Noël — et, pour finir… ça.

On va faire un tabac. Aussi sûr que deux et deux font quatre. Après tout, une bagnole, c'est une bagnole. On les achète pour une bouchée de pain et on leur colle un vague coup de peinture — c'est tout ce que voit le crétin moyen. Ça va dépoter, mon vieux ! Alors n'oublie pas : lundi en huit. Je compte sur toi.

Ton pote,
Badger

Bobby annonça donc à son père qu'il commencerait à travailler à Londres le lundi suivant. Lorsqu'il décrivit le genre de travail en question, la nouvelle ne suscita chez le pasteur qu'un enthousiasme modéré. Il avait en effet eu l'heur — faut-il le préciser ? — de rencontrer Badger Beadon par le passé. Ce qui valut à Bobby un long sermon l'exhortant à ne prendre aucune responsabilité dans l'affaire. Si les conseils de l'homme de Dieu ne dénotaient pas la moindre compétence financière ou commerciale, le ton sur lequel ils étaient assénés ne pouvait prêter à confusion.

Le mercredi de la même semaine, Bobby reçut une autre lettre. L'écriture penchée en était fort peu britannique. Quant au texte, il ne manqua pas de le surprendre.

En résumé, la compagnie Henriquez & Dallo, de Buenos Aires, proposait au jeune homme un poste dans la société et un salaire annuel de mille livres.

Sur le coup, Bobby crut rêver. Mille livres par an ! Il

relut la lettre plus attentivement. On précisait que le poste était réservé en priorité à un ancien de la Marine et que le nom de Bobby avait été avancé par quelqu'un que l'on ne nommait pas. Il convenait de donner une réponse immédiate et se préparer à rallier Buenos Aires sous une semaine.

– Bon Dieu ! s'exclama Bobby, exprimant sa stupeur par cette interjection plutôt malencontreuse.

– Bobby !

– Excusez-moi, papa. J'avais oublié que vous étiez là.

Mr Jones toussota.

– Eh bien, laisse-moi te dire que…

Il fallait à tout prix couper court à la nouvelle homélie qui commençait. Bobby risqua le tout pour le tout en déclarant :

– On m'offre une situation à mille livres par an.

Le pasteur en resta bouche bée, incapable du moindre commentaire.

« Ça lui a cloué le bec », constata Bobby avec satisfaction.

– Ai-je bien entendu, mon cher Bobby ? On te proposerait une situation à mille livres par an ? *Mille ?*

– Le compte est bon, assura Bobby.

– C'est impossible, fit le pasteur.

Bobby ne pouvait guère être choqué de ce scepticisme. L'idée qu'il se faisait lui-même de sa propre valeur sur le marché du travail différait assez peu de celle de son père.

– Ils doivent être cinglés ! acquiesça-t-il gaiement.

– Qui… qui sont ces gens ?

Pour toute réponse, Bobby lui tendit la lettre. Le

49

pasteur, tout en cherchant partout son pince-nez, exa-mina la missive d'un œil soupçonneux. En fin de compte il la lut, puis la relut.

– Extraordinaire, déclara-t-il enfin. Tout à fait extra-ordinaire !

– Des malades, commenta Bobby.

– Mon cher enfant ! s'écria le pasteur. Quelle chance que de naître anglais. La probité. Voilà ce qui fait notre réputation. Cet idéal, notre Marine l'a porté par-delà les mers. La parole d'un Anglais ! Cette firme d'Amérique du Sud connaît la valeur d'un jeune homme dont l'hon-nêteté et la loyauté envers ses employeurs ne seront jamais prises en défaut. On peut toujours se fier à un Anglais pour respecter les règles du jeu...

– Et bien manier la batte, ajouta Bobby.

Le pasteur regarda son fils d'un air perplexe. Cette expression si profonde en soi, il l'avait eue sur le bout de la langue — mais quelque chose dans le ton de Bobby sonnait faux.

Le jeune homme semblait pourtant tout ce qu'il y a de sérieux :

– Mais tout de même, papa... pourquoi moi ?

– Que veux-tu dire, pourquoi toi ?

– Après tout, ça fourmille d'Anglais, l'Angleterre. Des types pleins d'allant, des as du cricket. Pourquoi m'avoir choisi ?

– Un de tes anciens officiers t'aura sans doute recommandé.

– Oui, ça doit être ça, convint Bobby sans trop y croire. De toute façon ça n'a aucune importance, puisque je ne peux pas accepter.

50

– Tu ne peux pas… Mais, mon cher enfant, que veux-tu dire ?

– Je suis déjà embauché, papa. Par Badger.

– Badger ? Badger Beadon ? C'est grotesque, mon cher petit ! On te fait là une offre sérieuse.

– C'est moche d'avoir à la refuser, je suis bien d'accord.

– Les promesses que tu as pu faire à ton jeune ami, et qui relèvent de l'enfantillage, ne comptent pas.

– Pour moi, elles comptent.

– Beadon est un irresponsable. Je me suis laissé dire qu'il a déjà occasionné beaucoup de tracas et causé beaucoup de dépenses à ses parents.

– Il n'a pas eu de chance. Il ne peut pas s'empêcher de faire confiance à tout le monde.

– Pas de chance ? Je dirais plutôt que ce garçon a un poil dans la main.

– Tu ne sais pas ce que tu dis, papa. Il était debout tous les matins à 5 heures pour nourrir ses fichus poulets. Ce n'est tout de même pas sa faute s'ils ont attrapé la pullorose ou la pullomachin !

– Je n'ai jamais approuvé ce projet de garage. C'est de la folie furieuse. Renonces-y sans regrets.

– Impossible. J'ai donné ma parole. Et je ne peux pas laisser tomber mon pote Badger. Il compte sur moi.

La discussion s'éternisa. Trop monté contre Badger, le pasteur se refusait à admettre qu'une promesse faite à un tel crétin puisse lier qui que ce fût. Il estimait que son fils s'obstinait à défendre une mauvaise cause et ne songeait qu'à mener une vie de bâton de chaise en compagnie du pire acolyte possible. Quant à Bobby, il se cramponnait à

51

ses déclarations premières et soutenait mordicus qu'il « ne pouvait pas laisser tomber son pote Badger ».

Furieux, le pasteur finit par quitter la pièce. Et Bobby en profita pour répondre à Henriquez & Dallo qu'il déclinait leur offre.

Il signa en soupirant. Peut-être laissait-il passer la chance de sa vie. Mais le moyen de faire autrement ?

Plus tard, sur le terrain de golf, il soumit le problème à Frankie, qui l'écouta avec attention.

– Tu aurais dû aller en Amérique du Sud ?

– Oui.

– Ça t'aurait plu ?

– Bien sûr, pourquoi pas ?

Frankie poussa un soupir.

– En tout cas, décréta-t-elle, je crois que tu as eu raison de refuser.

– Tu veux dire, à cause de Badger ?

– Oui.

– Je ne pouvais pas laisser choir mon plus vieux pote, tu es bien d'accord ?

– Oui, mais méfie-toi de ton plus vieux pote, comme tu dis. Ne le laisse pas te fourrer dans le pétrin.

– Pas de danger. Je serai prudent. Du reste, je ne vois pas ce que je risque : je ne possède pas un fifrelin.

– Ça doit être chouette.

– Chouette ? Pourquoi ça ?

– Je ne sais pas. Ça ne doit pas être déplaisant de se sentir libre, dégagé de toute responsabilité. À bien y réfléchir, je me dis que je n'ai pas non plus un radis. D'accord, mon père me verse une mensualité, je peux habiter tout un tas de maisons, j'ai des vêtements, des

52

femmes de chambre, des bijoux de famille — hideux —, et un crédit illimité dans pas mal de boutiques. Mais enfin tout ça appartient à la famille. Pas à *moi*.

– Tout de même…

Bobby laissa sa phrase en suspens.

– Ce n'est pas du tout la même chose. Je sais.

– Oui, pas du tout, répéta Bobby, soudain déprimé.

Ils marchèrent en silence jusqu'au départ du trou suivant.

– Demain, je vais à Londres, annonça Frankie tandis que Bobby plaçait sa balle sur le tee.

– Demain ? Moi qui voulais t'inviter à faire un pique-nique.

– J'aurais bien voulu, mais tout est combiné. Père a eu une nouvelle attaque de goutte, alors tu comprends…

– Tu ferais mieux de rester pour t'occuper de lui.

– Il a horreur qu'on s'occupe de lui. Ça l'exaspère. Il préfère son valet de chambre. Lui au moins, il compatit, et il ne se formalise pas lorsqu'on lui flanque tout à la figure en le traitant d'andouille.

Bobby calotta son drive — et la balle s'en fut tout doucement atterrir dans le bunker.

– Pas de veine ! lança Frankie avant de frapper une balle impeccable qui survola l'obstacle.

» À propos… remarqua-t-elle. Nous pourrions peut-être nous voir à Londres. Quand arrives-tu ?

– Euh, lundi, mais… je ne suis pas sûr que ce soit une bonne idée.

– Pourquoi ça, pas une bonne idée ?

– Bon, je vais patauger dans le cambouis toute la journée, alors tu sais…

53

– Je ne vois pas là-dedans ce qui t'empêche de sortir et te soûler comme n'importe lequel de mes amis.

Bobby se contenta de secouer la tête.

– Si tu préfères, je peux organiser une soirée bière et saucisses, proposa gentiment Frankie.

– À quoi bon, Frankie ? Tes amis ne sont pas du genre à se mélanger. Ton milieu n'est pas le mien.

– Je t'assure que mes amis sont tout ce qu'il y a de plus mélangés.

– Tu fais semblant de ne pas comprendre.

– Amène Badger, si tu veux. Ça, c'est une preuve d'amitié ou je ne m'y connais pas.

– Tu as une dent contre Badger.

– C'est à son bégaiement que j'en ai. Les bégayeurs me font bégayer moi aussi.

– Écoute, Frankie, ça ne rime à rien et tu le sais très bien. Ici, passe encore. Il n'y a pas grand-chose à faire et ma compagnie vaut sans doute mieux que rien. Tu as toujours été très gentille avec moi et je t'en suis reconnaissant. Mais enfin, je sais que je ne suis rien… enfin je veux dire que…

– Quand tu auras fini d'étaler ton complexe d'infériorité, remarqua Frankie d'un ton sec, tu pourras peut-être empoigner un niblick plutôt qu'un putter pour essayer de te sortir de ce bunker.

– Hein ? Quoi ? Oh, zut !

Il remit le putter dans son sac et en tira un niblick.

Avec un air de satisfaction perverse, Frankie le regarda s'escrimer à cinq reprises sur sa balle en soulevant des tourbillons de sable.

54

– Je te l'abandonne, ce trou, grommela Bobby en ramassant sa balle.

– J'espère bien. Et, du coup, j'ai gagné la partie.

– On fait la revanche ?

– Non. J'ai une masse de choses à faire.

– Ça, je n'en doute pas.

Ils regagnèrent le *clubhouse* en silence.

– Eh bien, au revoir, mon très cher, dit Frankie en lui tendant la main. Tu as été trop bon de m'aider à tuer le temps dans ce bled. Je te reverrai peut-être un de ces quatre si je n'ai rien de mieux à faire.

– Écoute, Frankie…

– Peut-être condescendras-tu tout de même à venir à l'une de mes soirées prolétariennes ? Je me suis laissé dire que tous les grands magasins bradaient leurs boutons de manchettes.

– Frankie…

Le reste de la phrase fut couvert par le bruit du moteur de la Bentley que Frankie venait de mettre en marche. Elle démarra en lui faisant de la main un petit signe désinvolte.

– Nom de Dieu ! gronda Bobby.

Frankie l'avait traité de manière pas possible. D'accord, il ne s'était peut-être pas exprimé avec tout le tact souhaitable, mais — bon sang de bonsoir ! — il n'avait fait que dire la vérité. Peut-être aurait-il mieux valu s'abstenir, au fond.

Les trois jours qui suivirent lui parurent interminables. Le pasteur avait mal à la gorge, ce qui le contraignait au murmure — quand toutefois il daignait parler. Il ouvrait en effet fort peu la bouche et semblait ne tolérer

55

la présence de son quatrième fils que par vertu chrétienne. Une ou deux fois, il cita Shakespeare, et alla même jusqu'à évoquer le serpent que tout un chacun réchauffe dans son sein.

Quand arriva le samedi, Bobby n'en pouvait plus. Il s'en fut demander à Mrs Roberts chargée avec son mari de l'entretien du presbytère de lui préparer des sandwiches et, ayant ajouté une canette de bière achetée à Marchbolt, partit pour un pique-nique en solitaire.

La compagnie de Frankie lui avait beaucoup manqué, ces derniers jours. Il en avait par-dessus la tête, des vieillards. Toujours à ergoter, à radoter.

Allongé sur un tapis de fougères, il débattit de cette importante question : allait-il déjeuner avant de faire un somme, ou faire un somme avant de déjeuner ?

La nature trancha. Il s'endormit sans même s'en rendre compte.

Lorsqu'il se réveilla, il était 3 heures et demie. Il sourit en songeant combien son père réprouverait un tel emploi du temps. Une bonne marche de quinze kilomètres, voilà ce qu'il fallait à un garçon en pleine santé. Ce qui amènerait forcément la conclusion bien connue : « Et maintenant je crois que j'ai gagné mon déjeuner. »

« C'est absurde ! songea Bobby. Pourquoi devrait-on gagner son déjeuner par une longue marche que l'on n'a pas envie de faire ? Où est le mérite ? Si vous aimez marcher, ça ne vous coûte rien puisque vous vous faites plaisir. Et si vous n'aimez pas, vous êtes complètement idiot de le faire. »

Sur quoi il dévora de bel appétit les sandwiches qu'il n'avait pas mérités et décapsula la canette de bière. Une

56

bière nettement plus amère que d'habitude, mais tout ce qu'il y a de rafraîchissante…

Après avoir jeté la bouteille dans une touffe de bruyère, il s'allongea à nouveau.

Il se sentait l'égal des dieux. Le monde était à ses pieds. Ce n'était qu'une phrase, mais qui prenait tout son sens. Rien qu'il ne puisse faire, il suffisait de vouloir. Dans son esprit défilait une succession de projets aussi grandioses qu'audacieux.

Le sommeil le gagna à nouveau. Il céda à la torpeur.

Il s'endormit.

D'un sommeil lourd, léthargique…

7

Rescapé de la mort

Frankie gara son imposante Bentley verte devant le perron d'une vaste bâtisse du siècle dernier. Au fronton étaient inscrits ces mots : « Saint-Asaph ».

La jeune femme sauta de la voiture, se retourna et prit à l'arrière un énorme bouquet de lys. Elle sonna à la porte. Une infirmière en uniforme vint lui ouvrir.

– Puis-je voir Mr Jones ? demanda Frankie.

L'infirmière examina la Bentley, le bouquet de lys et enfin Frankie avec un intérêt non dissimulé.

– Qui dois-je annoncer ?

– Lady Frances Derwent.

57

L'infirmière en fut tout émoustillée. Et son patient grimpa de cent coudées dans son estime.

Elle conduisit Frankie à une chambre du premier étage.

– Vous avez une visite, Mr Jones, lança-t-elle du petit ton enjoué de mise dans ce genre d'institution. Devinez de qui il peut bien s'agir ! Est-ce que ce n'est pas une bonne surprise ?

– Bon sang ! s'exclama Bobby, ébahi. Frankie ! Ça, par exemple…

– Salut, mon vieux ! Je t'ai apporté des fleurs, comme le veut l'usage. Un peu mortuaires peut-être, mais c'est tout ce que j'ai pu dénicher.

– Oh, lady Frances ! protesta l'infirmière. Elles sont superbes ! Je vais les mettre dans un vase.

Elle s'éclipsa.

Frankie se laissa tomber dans le fauteuil « visiteurs ».

– Eh bien, Bobby ? Qu'est-ce qui s'est passé ?

– Ne m'en parle pas ! Je suis le phénomène maison. Cinq cents milligrammes de morphine, rien que ça ! Je vais avoir les honneurs du *Lancet* et du *BMJ*.

– Le *BMJ* ? Qu'est-ce que c'est que ce truc ?

– Le *British Medical Journal*.

– D'accord. Continue. As-tu d'autres sigles à me proposer ?

– Est-ce que tu sais, ma vieille, que trente milligrammes suffisent d'ordinaire à vous faire claquer ? Avec la dose que j'ai absorbée, il y avait de quoi passer vingt fois l'arme à gauche. Oh ! bien sûr, on a constaté des cas de guérison après absorption d'un gramme, mais cinq cents milligrammes, ça reste tout de même un exploit, non ?

Je suis le héros local. C'est la première fois qu'ils voient un truc pareil.

– J'en suis ravie pour eux.

– Il y a de quoi. Ça leur fait un sujet de conversation.

L'infirmière revint avec son vase de lys.

– C'est vrai, n'est-ce pas, mademoiselle ? Vous n'avez jamais vu un cas pareil ?

– Vous ne devriez même plus être parmi nous, confirma-t-elle gaiement. C'est au cimetière que vous devriez être ! Mais il paraît que ce sont uniquement les bons qui meurent jeunes.

Elle gloussa, ravie de tant d'esprit, et disparut.

– Tu vois ? fit Bobby. Je vais devenir célèbre dans toute l'Angleterre.

Il continua de discourir. Son ancien complexe d'infériorité n'était plus qu'un souvenir. Il se complaisait à commenter son cas dans les moindres détails.

– Ça suffit comme ça, arrête ! ne tarda pas à le couper Frankie. Je n'ai pas un goût délirant pour les histoires de lavages d'estomac. À t'écouter, on jurerait que jamais personne n'a été victime d'un empoisonnement.

– En tout cas, on n'est pas des masses à avoir absorbé cinq cents milligrammes de morphine et à s'en être tiré, rétorqua Bobby. Bon Dieu ! qu'est-ce qu'il te faut ?

– Quand même, c'est plutôt rageant pour ceux qui t'ont collé ce poison, remarqua Frankie.

– C'est vrai. Gaspiller comme ça de la bonne morphine !

– Elle était dans la bière, c'est bien ça ?

– Oui. Quelqu'un m'a trouvé en train de dormir comme une souche. Il a essayé de me réveiller. Pas

59

moyen. Alors il s'est affolé, m'a emmené jusqu'à une ferme des environs, a appelé un toubib et…

– Je connais la suite, s'empressa de dire Frankie.

– Tout le monde a d'abord pensé que j'avais voulu me suicider. Mais lorsque j'ai raconté mon histoire, ils sont retournés sur les lieux pour chercher la canette de bière. Elle se trouvait encore à l'endroit où je l'avais jetée et ils ont pu analyser les trois gouttes qui restaient au fond. Apparemment, c'était amplement suffisant.

– On ne sait pas comment la morphine a été introduite dans cette canette ?

– Pas l'ombre d'un indice. On a interrogé les gens du pub où je l'ai achetée. On a même ouvert d'autres canettes, sans rien découvrir d'anormal.

– Tu crois que quelqu'un a pu mettre ce machin dans ta bière pendant que tu dormais ?

– Ça ne peut être que ça. Je me souviens d'ailleurs que la bande de papier qui protège la capsule était décollée.

Frankie hocha la tête d'un air pensif.

– Ça tendrait à prouver que j'avais raison pour ce que je t'ai dit l'autre jour dans le train.

– Qu'est-ce que tu m'as dit, dans le train ?

– Que cet individu — ce Pritchard — avait bel et bien été poussé du haut de la falaise.

– Tu ne me l'as pas dit dans le train. Tu me l'as dit à la gare, protesta Bobby sans conviction.

– Ça revient au même.

– Mais quel rapport avec mon…

– C'est pourtant évident, mon chou ! Pourquoi voudrait-on se débarrasser de *toi* ? Tu n'es pas un riche héritier, ni quoi que ce soit dans ce genre-là.

60

– Qui sait ? — en Nouvelle-Zélande ou ailleurs — une grand-tante dont je n'ai jamais entendu parler a très bien pu me laisser toute sa fortune.

– Absurde. Pas sans te connaître. Et si elle ne te connaissait pas, pourquoi laisser sa fortune au cadet de quatre enfants ? D'ailleurs, par les temps qui courent, quatre enfants, c'est beaucoup trop, même pour un pasteur. Non, pour moi, c'est évident. Ta mort ne profitant à personne, le mobile n'est donc pas l'intérêt. Reste la vengeance. Tu n'aurais pas séduit la fille d'un pharmacien, par hasard ?

– Pas que je m'en souvienne, répondit Bobby, très digne.

– Je comprends ça. Un grand séducteur ne tient plus compte de ses conquêtes. Mais j'avoue que je parierais plutôt que tu n'as jamais séduit personne.

– Tu me fais rougir ! Et d'ailleurs pourquoi une fille de pharmacien ?

– Libre accès à la morphine. Ce qui n'est pas le cas de tout le monde.

– Quoi qu'il en soit, je n'ai séduit aucune fille de pharmacien.

– Et tu te connais des ennemis, oui ou non ?

Bobby fit non de la tête.

– Tu vois bien que j'ai raison ! triompha Frankie. C'est forcément lié à l'accident de la falaise. Qu'est-ce qu'en pense la police ?

– Pour eux, c'est le geste d'un déséquilibré.

– Absurde ! Les déséquilibrés ne se promènent pas avec de la morphine plein les poches qu'ils distribuent au petit bonheur dans des canettes de bière. Non,

61

quelqu'un a balancé Alex Pritchard du haut de cette falaise. Une ou deux minutes plus tard, tu arrives et il croit que tu l'as vu. Alors il décide de t'éliminer.

– Tout ça ne tient pas la route, Frankie.

– Pourquoi pas ?

– Parce que, primo, je n'ai rien vu du tout.

– Peut-être, mais ça, l'assassin ne le sait pas.

– Ensuite, si j'avais vu quoi que ce soit, j'en aurais parlé devant le coroner.

– Il y a du vrai dans ce que tu dis, reconnut Frankie de mauvaise grâce.

Elle demeura un moment plongée dans ses pensées.

– Peut-être qu'il croit tout de même que tu as vu un truc important, qui ne t'a pas paru un truc important, mais qui est un truc important. Je crois que je bafouille, mais est-ce que tu vois ce que je veux dire ?

– Oui, je crois. Mais, Dieu sait pourquoi, ça ne me paraît pas plausible.

– Je suis sûre que c'est lié à l'histoire de la falaise. Tu étais sur les lieux, tu étais le premier à y être…

– Il y avait aussi Thomas. Et personne n'a essayé de l'empoisonner.

– Il est encore temps, rétorqua Frankie dans un bel élan d'optimisme. On a peut-être même déjà essayé, et raté.

– Tout ça me semble plutôt tiré par les cheveux.

– C'est d'une logique imparable au contraire. Si deux événements inhabituels se produisaient coup sur coup dans un trou perdu comme Marchbolt… Oh ! mais j'y pense ! Il y a un troisième événement !

– Lequel ?

62

– Ce boulot qu'on t'a proposé ! C'est une broutille, d'accord — mais avoue que c'était bizarre. Je n'ai jamais entendu parler d'une entreprise à l'étranger qui se spécialise dans le recrutement d'obscurs ex-officiers de marine.

– Tu as bien dit obscurs ?

– Tu n'avais pas encore eu les honneurs du *BMJ*, à l'époque. Mais tu me suis. Tu as vu quelque chose que tu n'aurais pas dû voir, du moins c'est ce qu'ils pensent. Bien. Ils essaient de t'éloigner en t'offrant une situation à l'étranger, puis comme cela ne marche pas, ils décident de te supprimer.

– Un peu radical, non ? Et plutôt risqué.

– Les meurtriers sont des impulsifs. Plus ils tuent, plus ils éprouvent le besoin de tuer.

– Comme dans *La Troisième Tache de sang*, murmura Bobby, se remémorant un de ses romans préférés.

– Dans la vie aussi. Les affaires Smith-et-ses-femmes ou Armstrong-et-le-nettoyage-par-le-vide sont là pour le prouver.

– Bon. Mais alors, bon sang, qu'est-ce que je suis censé avoir vu ?

– C'est bien là le nœud du problème. Pas le meurtre proprement dit, parce que, si tu avais vu quelqu'un pousser ce type, tu en aurais parlé. Il doit plutôt s'agir d'un détail concernant la victime. Il avait peut-être une tache de naissance, un doigt en moins ou un signe particulier quelconque ?

– Comme dans l'histoire du Dr Thorndyke ? Non, rien de ce genre : la police l'aurait vu aussi.

– Ça va de soi. Je suis idiote. Quel casse-tête, non ?

63

– Ton hypothèse était très bien. Elle faisait de moi le pivot de l'affaire. Hélas, ça n'est qu'une hypothèse…

– Et moi, je suis convaincue d'avoir raison, déclara Frankie en se levant. Il faut que je file. Tu veux que je revienne te voir demain ?

– Oh, oui ! Le doux babil des infirmières a quelque chose de lassant. Au fait, tu es rentrée de Londres plus vite que prévu ?

– Dès que j'ai appris ce qui t'était arrivé, mon cher, j'ai rappliqué dare-dare. C'est palpitant d'avoir un ami empoisonné de façon aussi romanesque.

– Parce que la morphine, tu trouves ça romanesque ? s'exclama Bobby qui pensait aux mauvais moments qu'il venait de vivre.

– En tout cas, je reviendrai demain. Je t'embrasse ou je ne t'embrasse pas ?

– Ça n'a rien de contagieux, affirma Bobby d'un ton encourageant.

– Je m'acquitterai donc jusqu'au bout de mon devoir envers l'humanité souffrante.

Elle lui effleura la joue d'un baiser léger.

– À demain.

À peine était-elle sortie que l'infirmière vint apporter le thé.

– J'avais souvent vu des photos d'elle dans les journaux. Elles ne lui ressemblent pas du tout. Je l'avais aussi vue passer dans sa voiture, mais je ne l'avais pour ainsi dire jamais vue de près, comme on dit. Elle n'est pas bêcheuse pour deux sous.

– Ça, non ! reconnut Bobby. On ne peut pas prétendre qu'elle soit bêcheuse.

64

– Je le disais encore à l'infirmière en chef pas plus tard que tout à l'heure ! Naturelle comme tout, je lui disais ! Ah, elle ne la ramène vraiment pas ! C'est ça que je disais à l'infirmière en chef : elle est comme vous et moi, je lui disais… comme vous et moi.

Ne partageant pas — mais alors pas du tout — ce dernier point de vue, Bobby préféra ne rien répondre. Un peu déçue par son silence, l'infirmière quitta la chambre.

Il resta seul avec ses pensées.

Il termina son thé et se demanda s'il se pouvait qu'il y eût quelque chose de vrai dans l'étonnante hypothèse avancée par Frankie. Non décidément il n'y croyait pas. Mieux valait se chercher un autre sujet de distraction.

Il caressa du regard les lys de Frankie. C'était vraiment chic de sa part de lui avoir apporté toutes ces fleurs. Elles étaient ravissantes. Et pourtant il aurait préféré quelques bons romans policiers.

Sur sa table de chevet, il y avait le dernier roman à succès de Ouida Marie — Louise de la Ramée pour les intimes —, un exemplaire de *John Halifax, gentleman* et le *Marchbolt Weekly Times* de la semaine précédente. Il ouvrit *John Halifax, gentleman*.

Au bout de cinq minutes, il le reposa. Pour qui s'est délecté de *La Troisième Tache de sang*, du *Meurtre de l'archiduc* et du *Mystère de la dague florentine*, *John Halifax, gentleman* manquait de sel.

Avec un soupir, il prit le *Marchbolt Weekly Times* de la semaine précédente.

Trois secondes plus tard il sonnait l'infirmière avec une telle frénésie qu'elle débaula au pas de charge.

– Que se passe-t-il, Mr Jones ? Ça ne va pas ?

65

– Appelez le Château ! hurla Bobby. Dites à lady Frances de revenir ici tout de suite !

– Oh, Mr Jones ! Vous ne pouvez pas envoyer un message pareil !

– Vraiment ? rugit Bobby. Si je n'étais pas cloué sur ce fichu lit, vous verriez si je peux ou si je peux pas ! Les choses étant ce qu'elles sont, il faut que vous le fassiez à ma place !

– Mais elle sera à peine rentrée…

– Vous ne connaissez pas sa Bentley.

– Elle n'aura pas eu le temps de prendre son thé !

– Écoutez, ma vieille, ne restez pas là à discuter. Filez lui téléphoner, et plus vite que ça. Dites-lui de rappliquer illico : j'ai quelque chose d'important à lui dire.

Matée, l'infirmière s'exécuta. Mais elle s'autorisa quelques libertés quant au libellé du message.

Au cas où lady Frances n'aurait pas mieux à faire, Mr Jones se demandait si cela ne l'ennuierait pas trop de venir le voir : il aurait une nouvelle à lui communiquer. Mais, bien entendu, lady Frances ne devrait en aucun cas bouleverser son emploi du temps.

Lady Frances se contenta de répondre qu'elle arrivait tout de suite.

– Ma parole ! confia l'infirmière à ses collègues. Faut-il qu'elle soit entichée de lui ! Et c'est rien de le dire !

Frankie arriva bientôt, au comble de l'excitation.

– Pourquoi cette sommation désespérée ?

Bobby était assis sur son lit, les joues en feu, et il agitait frénétiquement le *Marchbolt Weekly Times*.

– Regarde ça !

Frankie regarda.

66

– Oui, et alors ?

– C'est la photo dont tu disais qu'elle avait été retouchée, mais où on reconnaissait parfaitement Mrs Cayman.

Le jeune homme désignait du doigt un assez mauvais cliché ainsi légendé : CETTE PHOTOGRAPHIE, TROUVÉE SUR LE CORPS, A PERMIS D'IDENTIFIER LA VICTIME. C'EST LE PORTRAIT DE SA SŒUR, MRS AMELIA CAYMAN.

– Oui, c'est bien ça. Et je persiste à trouver qu'il n'y a pas de quoi se pâmer.

– Je suis de ton avis, il n'y a vraiment pas de quoi.

– Mais tu disais que…

– Je sais ce que je disais. Mais tu vois, Frankie, déclara Bobby d'une voix solennelle, *ce n'est pas cette photo-là que j'ai remise dans la poche du mort !*

Ils se regardèrent.

– Dans ce cas…, articula Frankie.

– Ou bien il y avait deux photos…

– Ce qui est peu probable…

– Ou alors…

Ils marquèrent un temps.

– *Cette espèce d'individu…* comment s'appelle-t-il, déjà ? demanda Frankie.

– Bassington-ffrench.

– Je parierai que c'est lui !

67

8

L'énigme de la photographie

Ils se dévisagèrent un moment, s'efforçant d'examiner la situation sous ce nouveau jour.

– Oui, ça ne peut être que lui, reprit Bobby, lui seul en a eu l'occasion.

– À moins que, comme nous le disions, il n'y ait eu deux photos.

– Ce qui est peu probable, nous sommes tombés d'accord là-dessus. Car si ç'avait été le cas, la police les aurait utilisées toutes les deux pour identifier la victime.

– De toute façon, c'est facile à vérifier, décréta Frankie. Il suffit de poser la question à la police. Supposons pour le moment qu'il n'y ait eu qu'une seule photo : celle que tu as vue puis remise dans sa poche. Elle y était quand tu as quitté les lieux, et elle avait disparu quand la police est arrivée. Par conséquent, la seule personne susceptible d'avoir procédé à l'échange des photos, c'est ce Bassington-ffrench. À quoi ressemblait-il, Bobby ?

Le front plissé, Bobby rassembla ses souvenirs.

– Un type tout ce qu'il y a de banal. Bien élevé et tout… Une voix agréable. Je n'ai pas vraiment fait attention. Il m'a dit qu'il n'était pas du coin et qu'il recherchait une maison, je crois bien.

– Ça aussi, c'est facile à vérifier, reprit Frankie. Wheeler & Owen sont les seuls agents immobiliers du secteur.

Elle eut un frisson.

– Mais dis-moi ! Si Pritchard a été poussé dans le pré-

68

cipice… c'est sans doute ce Bassington-ffrench qui a fait le coup !

– C'est moche ! grommela Bobby. Et dire qu'il avait l'air d'un type tout ce qu'il y a de bien. Mais en fait, nous ne sommes pas sûrs du tout que Pritchard ait été poussé. Même si tu le prétends depuis le début.

– Au début, je le disais parce que ça pimentait l'affaire. Mais maintenant nous avons plus ou moins la preuve qu'il y a eu crime. C'est la seule hypothèse qui explique tout : tu bouleverses les plans du meurtrier en surgissant à l'improviste, tu trouves la fameuse photo et, du coup, il est obligé de t'éliminer.

– Il y a quand même un os, fit Bobby.

– Quoi donc ? Tu étais le seul à avoir vu cette photo ; Bassington-ffrench a parfaitement pu faire l'échange dès que tu es parti.

Mais Bobby n'était pas d'accord.

– Ça ne tient pas debout ! Admettons que cette photo ait une telle importance que je doive être « éliminé », comme tu dis, sous prétexte que je l'ai vue. Pourquoi ne pas m'avoir réglé mon compte sur-le-champ ? C'est un pur hasard si je suis parti pour Londres sans ouvrir le *Marchbolt Weekly Times* ni aucun autre journal ayant reproduit cette photo. Personne ne pouvait prévoir ça. Ce qui était bien plus probable, c'était que je dise à la police : « Cette photo dans le journal n'est pas celle que je me souviens avoir remise dans la poche. » Pourquoi avoir attendu la fin de l'enquête, surtout que l'affaire a été classée ?

– Là, tu marques un point, admit Frankie.

– Et ce n'est pas tout. Sans en donner ma tête à

69

couper, je jurerais pourtant que j'avais déjà remis la photo dans la poche du mort depuis cinq ou six minutes quand Bassington-ffrench est arrivé.

– Il t'a peut-être vu faire de loin.

– Difficilement, objecta Bobby après réflexion. La plate-forme où je me trouvais n'est visible que d'un seul endroit. Partout ailleurs, la falaise avance en saillie, ce qui empêche de voir en dessous. Or j'ai entendu Bassington-ffrench arriver : ses pas résonnaient à cause de l'écho. Peut-être était-il tout près ; mais, ce qu'il y a de sûr, c'est qu'il n'a rien pu voir.

– À ton avis, il ignorait donc que tu avais vu la photo ?

– Il l'ignorait forcément.

– Bon. Et pour lui, tu n'as rien pu voir — je parle du meurtrier — parce que, comme tu l'as dit tout à l'heure, tu te serais empressé de le raconter à la police. Autrement dit, il y a autre chose.

– Oui, mais quoi ?

– Un élément dont ils n'ont eu connaissance qu'après l'enquête. Je ne sais pas pourquoi je dis « ils », tout d'un coup…

– Pourquoi pas ? Après tout, les Cayman doivent être de mèche avec lui. Il s'agit certainement d'un gang. J'ai un faible pour les gangs.

– Quelle vulgarité ! fit Frankie d'un ton distrait. Un meurtre en solitaire, ça vous a quand même plus de classe… Bobby !

– Quoi ?

– Qu'est-ce que Pritchard a dit au juste avant de mourir ? Tu me l'as raconté pendant notre partie de golf. Tu sais, cette drôle de question ?

70

– « *Pourquoi pas Evans ?* »

– Oui. Imagine que ce soit *ça*…

– Mais enfin, ça n'a pas de sens !

– Apparemment. Mais c'est peut-être important quand même… Oui, je suis sûre que c'est ça, Bobby ! Ah mais non ! Que je suis bête… tu n'en as pas parlé aux Cayman.

– En réalité si, avoua Bobby.

– Tu as fait ça ?

– Oui. Je leur ai écrit le soir même, en précisant évidemment que ça ne devrait pas être important.

– Et alors ?

– Cayman m'a répondu qu'il me remerciait d'avoir pris cette peine — tout en me confirmant que ça ne présentait aucun intérêt. J'en ai été vexé comme un pou.

– Et deux jours plus tard, tu reçois une lettre de cette mystérieuse firme qui t'offre un pont d'or pour aller en Amérique du Sud ?

– Exact.

– Eh bien, conclut Frankie, je ne vois pas ce qu'il te faut de plus ! Ils ont d'abord essayé de t'éloigner. Et puis, comme ça n'a pas marché, ils t'ont filé en guettant l'occasion de glisser une rasade de morphine dans ta bière.

– Alors les Cayman sont bel et bien dans le coup ?

– Bien sûr, qu'ils sont le coup !

– Oui, convint Bobby, pensif. Si ton hypothèse est la bonne, ils sont forcément dans le coup. Récapitulons : le défunt Mr X a été précipité du haut de la falaise, sans doute par BF — pardon pour les initiales ! Comme il est essentiel que X ne puisse pas être identifié, une photo de Mrs C est glissée dans sa poche, à la place de celle d'une

71

belle inconnue — je donnerais cher pour savoir qui ça pourrait bien être, d'ailleurs !

– Tiens-t'en aux faits, le réprimanda Frankie.

– Mrs C attend de voir paraître la photo dans le journal, puis débarque à Marchbolt, soi-disant accablée de chagrin, pour identifier le corps de son prétendu frère, tout juste de retour de l'étranger.

– Tu ne penses pas qu'il puisse être vraiment son frère ?

– Pas une seconde ! Tu vois, un détail me turlupine depuis le début : les Cayman n'appartiennent pas à la même classe sociale que le mort. C'est affreux à dire, et je vais parler comme un ancien colon de retour des Indes, mais la victime était un *pukka* sahib.

– Tandis que les Cayman absolument pas ?

– Absolument pas.

– Et alors, quand tout semble se passer à merveille pour les Cayman — cadavre identifié, verdict de mort accidentelle, problème réglé comme du papier à musique —, voilà que tu viens tout flanquer par terre, murmura Frankie.

– « *Pourquoi pas Evans ?* » répéta Bobby, pensif. Je ne comprends pas ce que cette phrase peut bien avoir de si alarmant.

– Parce que tu ne connais pas la solution. C'est comme pour les mots croisés. Tu commences à remplir les cases avec le mot que tu as trouvé, et qui te paraît si simple que tout le monde a dû en faire autant. Sur quoi tu découvres qu'il ne « rentre » pas. « *Pourquoi pas Evans ?* », cette phrase terriblement claire pour eux, ils ne comprennent pas qu'elle ne signifie rien pour toi.

72

– Faut-il qu'ils soient bêtes !

– Peut-être bien. Mais s'ils s'étaient figuré que Pritchard, après cette phrase, avait dit autre chose ? Une chose qui te reviendrait plus tard ? Ils ne pouvaient pas courir un tel risque. Mieux valait donc t'éliminer.

– Ils n'ont pas lésiné sur les moyens. Pourquoi ne pas avoir manigancé un nouvel « accident » ?

– Deux accidents à une semaine d'intervalle ? Comme tu y vas ! On aurait pu établir le lien entre les deux et reprendre l'enquête sur le premier. Non, je crois que leur méthode par sa simplicité même ne manquait pas d'ingéniosité.

– Mais tu disais qu'il n'est pas facile de se procurer de la morphine…

– Non. Il faut signer un registre, et tout et tout. Voilà d'ailleurs un indice : le coupable y avait accès.

– Ce serait donc un médecin, une infirmière ou un pharmacien ?

– Je pencherais plutôt pour une filière de drogue.

– Arrête ! c'est déjà assez compliqué comme ça.

– Leur point fort, c'est l'absence de mobile. Ta mort ne profitant à personne, quelle sera la conclusion de la police ?

– Que c'est l'acte d'un fou, répondit Bobby. Et c'est ce qu'elle pense, en fait.

– Tu vois bien ? C'est tout simple au fond.

Bobby éclata soudain de rire.

– Qu'est-ce qu'il y a de si drôle ?

– L'idée qu'ils doivent être écœurés ! J'ai absorbé une dose de morphine suffisante pour tuer cinq ou six personnes et je suis là, en pleine forme.

73

– C'est ce qu'on appelle l'Ironie de la Vie, acquiesça Frankie.

– La question qui se pose, c'est : qu'allons-nous faire, maintenant ? fit Bobby, pragmatique.

– Des tas de choses, répliqua aussitôt Frankie.

– Comme ?

– Eh bien… d'abord essayer de savoir si ce type avait sur lui une ou deux photos. Ensuite si Bassington-ffrench cherchait vraiment une maison.

– Je te fiche mon billet qu'il aura pris toutes ses précautions.

– Pourquoi dis-tu ça ?

– Écoute, Frankie, réfléchis deux secondes ! Bassington-ffrench se doit d'être au-dessus de tout soupçon. Tout ce qui le concerne *doit* être transparent et régulier. Pour commencer, on ne trouvera aucun lien entre lui et la victime, et ensuite, il se sera inventé une bonne raison de se trouver dans les parages. Pris de court, il aura peut-être imaginé cette histoire de maison, mais ça m'étonnerait qu'il soit venu pour un motif de ce genre, pas question qu'on signale la présence d'un mystérieux inconnu dans le voisinage de l'accident. Pour moi, Bassington-ffrench est son vrai nom et ce type est au-dessus de tout soupçon.

– Très bien raisonné, convint Frankie d'un air songeur. Rien ne permet de faire le rapprochement entre Pritchard et Bassington-ffrench. Cela dit, si nous savions qui était vraiment ce Pritchard…

– Ça nous simplifierait la vie, je suis bien d'accord.

– En tout cas, il ne fallait surtout pas que la véritable identité du mort soit découverte, — d'où la comédie qu'ont jouée les Cayman et les risques qu'ils ont pris.

– Bah ! N'oublie pas que Mrs Cayman est venue l'identifier en moins de deux. Après ça, même si les journaux reproduisaient la photo de la victime — et tu sais à quel point ces clichés sont toujours flous —, tout ce que les gens se seraient dit, c'est : « Tiens, comme c'est curieux ! Ce Pritchard qui est tombé de la falaise ressemble comme deux gouttes d'eau à Mr X. »

– Il y a autre chose, observa Frankie. Mr X doit être quelqu'un dont la disparition n'a alarmé personne. En d'autres termes, il ne devait pas être entouré, sinon, sa femme ou ses amis auraient signalé sa disparition à la police.

– Bravo ma vieille ! Ou bien ce type était sur le point de partir pour l'étranger, ou bien il en revenait. Il était incroyablement bronzé, comme on imagine les chasseurs de fauves — c'était d'ailleurs à ça qu'il ressemblait. Et je doute qu'il ait eu des amis suffisamment proches pour être au courant de tous ses déplacements.

– Nos facultés de déduction sont prodigieuses ! s'écria Frankie. Reste à espérer que nous ne faisons pas fausse route.

– Je crains que si. Tout ce que nous venons de dire est frappé au coin du bon sens, d'accord. Il n'en demeure pas moins que ça reste hautement improbable.

Frankie balaya cette objection d'un geste désinvolte.

– Voyons plutôt comment poursuivre, décréta-t-elle. À mon avis, nous avons le choix entre trois angles d'attaque.

– Vas-y, Sherlock Holmes !

– Le premier, c'est *toi*. Comme ils ont tenté de te tuer, il y a de fortes chances qu'ils aient envie de recommencer.

75

Cette fois-ci nous pourrions leur tendre la perche, comme on dit. Tu servirais d'appât.

– Merci bien ! J'ai eu de la veine une fois, mais s'ils passent du poison à l'arme blanche, je risque d'y laisser ma peau. Je pensais au contraire me tenir désormais à carreau. Élimine tout de suite ton idée d'appât !

– Je craignais ça, soupira Frankie. Les garçons d'aujourd'hui n'ont plus rien dans le ventre. C'est ce que dit mon père. Plus question de leur proposer quoi que ce soit qui les sorte de leur petite vie pépère. C'est lamentable.

– Lamentable en effet, convint Bobby sans fléchir. Bon, quel est ton deuxième plan de campagne ?

– Creuser un peu autour de cette fameuse phrase : « *Pourquoi pas Evans ?* » Il est permis de supposer que la victime venait voir un certain Evans. Si donc nous mettions la main sur l'Evans en question...

– Combien crois-tu qu'il y ait d'Evans à Marchbolt ?

– Des centaines au bas mot, admit Frankie.

– Tu parles ! On peut toujours essayer, mais je suis sceptique.

– On pourrait les recenser et aller voir ceux qui nous paraissent les plus « plausibles ».

– Pour leur demander quoi ?

– C'est bien ça le hic.

– Il faudrait qu'on en sache un peu plus, dit Bobby. À part ça, on pourrait mettre ta théorie en pratique. Et ton plan 3, c'est quoi ?

– Ce Bassington-ffrench. Là, au moins, nous tenons quelque chose de tangible. C'est un nom qui sort de l'ordinaire. Je vais demander à mon père. Il connaît

76

toutes ces grandes familles du comté et leurs différentes branches.

– Oui, approuva Bobby. On pourrait tenter une percée dans cette direction-là.

– En tout cas, on ne reste pas les bras croisés, hein ?

– Évidemment pas ! Tu ne penses tout de même pas que je vais me laisser refiler cinq cents milligrammes de morphine sans réagir !...

– Tu reprends du poil de la bête ! s'écria Frankie.

– ... Sans compter l'humiliation du lavage d'estomac pour laquelle je compte bien leur en faire baver !

– Assez sur ce chapitre ! le coupa Frankie. Si je te laisse faire, tu vas redevenir morbide et écœurant.

– Tu es une infirme sur le plan de la compassion féminine, gémit Bobby.

9

Mr Bassington-ffrench

Frankie ne perdit pas de temps. Elle entreprit son père le soir même.

– Père, connaissez-vous des Bassington-ffrench ?

Plongé qu'il était dans la lecture d'un éditorial politique, lord Marchington saisit la question de travers.

– Ce ne sont pas tant ces fichus Frenchies qui nous posent des problèmes, mais bien plutôt Washington !

77

fulmina-t-il. Toutes ces simagrées, ces conférences…
Quel gaspillage de temps et d'argent !…

Frankie décida de penser à autre chose en attendant
que lord Marchington, qui fonçait dans le brouillard
comme une locomotive haut le pied, consente à s'arrêter
à la prochaine station.

– Les Bassington-ffrench, répéta-t-elle.

– Qu'est-ce que tu leur veux ? grommela lord
Marchington.

Ce qu'elle leur voulait au juste, Frankie aurait été bien
en peine de le dire. Mais, connaissant le goût immodéré
de son géniteur pour la contradiction, elle risqua :

– C'est une famille du Yorkshire, n'est-ce pas ?

– Quelle ânerie ! Du Hampshire. Il y a aussi la
branche Stropshire, bien entendu, et puis aussi la colla-
térale irlandaise. Avec lesquels es-tu liée ?

– Je n'en sais trop rien, déclara Frankie, acceptant
d'un cœur léger l'idée de fréquenter un tas d'inconnus.

– Comment ça tu n'en sais rien ? C'est pourtant la
première chose qu'on doit savoir !

– Bah ! de nos jours, les gens glissent là-dessus.

– Ils glissent, ils glissent… c'est tout ce qu'ils savent
faire ! De mon temps, on posait la question, et on savait
où on mettait les pieds. Un type me disait qu'il appartenait à la branche Hampshire ? « Votre grand-mère a
épousé un de mes petits-cousins », répondais-je. Ça crée
des liens.

– Cela devait être exquis, voulut bien admettre Frankie.
Mais nous n'avons plus le temps pour ce genre de considérations géographico-généalogiques.

78

– Évidemment ! Vous n'avez plus de temps que pour siroter vos affreux cocktails.

Lord Marchington poussa un cri de douleur en voulant déplacer sa jambe percluse de goutte — affection que son penchant pour le porto n'avait guère contribué à soulager.

– Ils ont de la fortune ? s'enquit Frankie.

– Les Bassington-ffrench ? Je ne saurais te répondre. La branche Stropshire a connu une mauvaise passe : droits de succession, Dieu sait quoi encore. Mais l'un des Hampshire a épousé une héritière. Une Américaine.

– En tout cas, l'un d'entre eux est venu se promener par ici, l'autre jour, poursuivit Frankie. Il cherchait une maison, paraît-il.

– Drôle d'idée ! Qu'est-ce que des gens pourraient bien faire d'une maison par ici ?

« C'était bien là, se dit Frankie, toute la question. »

Le lendemain, elle rendit visite à Messrs Wheeler & Owen, agents immobiliers de leur état.

Mr Owen en personne tint à se précipiter pour l'accueillir. Frankie lui adressa son plus gracieux sourire et se laissa tomber dans un fauteuil.

– Qu'aurai-je l'infini plaisir de faire pour vous, lady Frances ? Vous ne songez pas à vendre le château, j'espère ? Ha ! Ha ! lança Mr Owen, ravi de tant d'esprit.

– Ce n'est pas l'envie qui m'en manque. Mais non… Je crois que l'un de mes amis — un certain Mr Bassington-ffrench — est passé l'autre jour à Marchbolt. Il était à la recherche d'une maison.

– En effet. Je me souviens parfaitement : Bassington-ffrench, avec deux *f* minuscules.

79

– C'est bien ça, confirma Frankie.

– Il s'est renseigné sur plusieurs petites propriétés avec l'idée d'en acheter une. Mais il devait retourner à Londres dès le lendemain et n'a donc pas eu le temps d'en voir beaucoup. Il n'était pas pressé, à ce que j'ai cru comprendre. Depuis, on nous a confié plusieurs affaires susceptibles de l'intéresser et nous lui avons adressé un courrier, mais il n'a pas répondu.

– Lui avez-vous écrit à Londres, ou bien à sa euh… enfin son adresse à la campagne ?

– Attendez voir. (Owen appela un de ses clercs.) Frank ! L'adresse de Mr Bassington-ffrench, je vous prie.

– Voilà, monsieur, répondit aussitôt le jeune homme.

– Mr Robert Bassington-ffrench, Merroway Court, Straverley, Hampshire.

– Alors ce n'est pas mon Bassington-ffrench, déclara Frankie. Ça doit être un cousin. Je trouvais bizarre qu'il soit passé dans le coin sans donner signe de vie.

– Certes, certes, hasarda Mr Owen d'un air entendu.

– Si je réfléchis deux secondes… il serait venu mercredi dernier, non ?

– Exact… Juste avant 6 heures et demie, nous fermons à 6 heures et demie. Je m'en souviens bien, c'est le jour où s'est produit ce malheureux accident. L'homme qui est tombé de la falaise. D'ailleurs, Mr Bassington-ffrench est resté près du corps jusqu'à l'arrivée de la police. Il en était tout retourné. Triste histoire ! Il serait grand temps que l'on prenne des mesures au sujet de ce sentier. Le conseil municipal a été vertement critiqué, je vous prie de le croire. C'est très dangereux. Que nous

80

n'ayons pas eu plus d'accidents jusqu'ici m'étonnera toujours.

– C'est miraculeux, convint Frankie.

Elle quitta l'agence, l'air songeur. Comme l'avait prédit Bobby, rien dans les agissements de Mr Bassington-ffrench ne paraissait louche. C'était un Bassington-ffrench du Hampshire, il avait donné sa véritable adresse et n'avait pas cherché à dissimuler à l'agent immobilier son rôle dans le drame. Fallait-il donc en conclure que Mr Bassington-ffrench était aussi innocent que son comportement semblait l'indiquer ?

Frankie connut un instant de flottement. Puis elle se reprit.

« Non, se dit-elle. Un type qui veut acheter une bicoque s'arrange pour arriver plus tôt, ou reste jusqu'au lendemain soir. On ne va pas chez un agent immobilier à 6 heures et demie du soir pour reprendre le premier train pour Londres le lendemain matin. À quoi bon faire le voyage ? Pourquoi ne pas écrire ? » Pas de doute, trancha-t-elle. C'était Bassington-ffrench qui avait fait le coup.

Sa visite suivante fut pour la police.

L'inspecteur Williams était une vieille connaissance. N'avait-il pas réussi à mettre la main au collet d'une femme de chambre qui, embauchée au château grâce à de fausses références, avait disparu avec une partie des bijoux de Frankie ?

– Bonjour, inspecteur.

– Bonjour, Votre Seigneurie. Pas de problème, j'espère ?

– Pas pour l'instant, mais j'envisage de braquer prochainement une banque pour arrondir mes fins de mois.

81

Cette remarque spirituelle déclencha le rire tonitruant de l'inspecteur.

– En fait, reprit Frankie, je venais vous poser quelques questions, par pure curiosité.

– Des questions, lady Frances ?

– Dites-moi un peu, inspecteur : cet homme qui est tombé de la falaise — Pritchard ou je ne sais pas trop quoi...

– Pritchard, c'est bien ça.

– Il n'avait qu'*une* photographie sur lui, n'est-ce pas ? Quelqu'un m'a raconté qu'il en avait *trois* !

– Une seule, répondit l'inspecteur. La photo de sa sœur, c'était. Celle qui est venue identifier le corps.

– Quelle ânerie de prétendre qu'il y en avait trois !

– C'est pas étonnant, Votre Seigneurie : les journalistes s'en fichent d'exagérer et, la plupart du temps, ils débitent les pires bobards.

– Ça, je sais. J'ai entendu les histoires les plus extravagantes.

Elle hésita un instant avant de donner libre cours à son imagination.

– Il paraît que ses poches étaient bourrées de papiers prouvant que c'était un bolchevik. Une autre version suggère que c'était de la drogue qu'il avait plein les poches. Une autre encore que c'était de faux billets.

L'inspecteur rit de bon cœur.

– Elle est bien bonne !

– En fait, je parie qu'il n'avait rien sur lui que de très banal.

– Et pas grand-chose, d'ailleurs. Un mouchoir, sans initiales. Un peu de monnaie. Un paquet de cigarettes.

Et puis deux billets de banque… même pas dans un portefeuille. Pas de lettres. Sans cette photo, ça n'aurait pas été commode de l'identifier. C'est ce qui s'appelle providentiel.

– Je me le demande, murmura Frankie.

À la lumière de ce qu'elle savait, ça lui semblait tout sauf providentiel.

Aussi préféra-t-elle changer de conversation.

– J'ai été rendre visite, hier, à Robert Jones, le fils du pasteur. Celui qu'on a empoisonné. Quelle histoire !

– Une histoire pas croyable. Je n'avais jamais entendu parler d'un truc pareil. Un garçon tout ce qu'il y a de bien, qui ne devrait pas avoir un seul ennemi au monde. Il y a tout de même de drôles de types sur cette terre, lady Frances. Comme je vous le disais, je n'ai jamais entendu parler d'un maniaque homicide qui ait déjà utilisé cette technique.

Frankie écarquilla de grands yeux dévorés de curiosité.

– A-t-on des lueurs sur l'identité du coupable ?… Tout ce que vous me racontez est si passionnant.

L'inspecteur était aux anges. Quel bonheur que cette conversation à bâtons rompus avec lady Frances ! Rien de snob ni de compassé chez cette fille de duc.

– Une voiture a été repérée dans les parages, lui confia-t-il. Une conduite intérieure Talbot bleu nuit. D'après l'individu qui l'a vue à Lock's Corner, il s'agirait d'une Talbot bleu nuit, immatriculée GG 8282. Elle roulait dans la direction de St. Botolph.

– Et à votre avis ?

– GG 8282 est le numéro de la voiture de l'évêque de St. Botolph.

Frankie envisagea un instant l'éventualité d'un évêque catholique sacrifiant les fils de pasteurs anglicans sur l'autel de sa foi. Puis elle y renonça avec un soupir.

– Vous ne soupçonnez quand même pas l'évêque ? interrogea-t-elle néanmoins.

– Notre enquête a prouvé que la voiture n'avait pas quitté le garage de l'évêché de tout l'après-midi.

– Il s'agissait donc d'un faux numéro ?

– Oui, c'est ce que nous en avons déduit.

Après quelques remarques élogieuses, Frankie prit congé. Bien décidée à chasser toute velléité de découragement, elle ne put cependant s'empêcher d'évoquer en pensée cette vérité profonde : « Il doit y avoir pas mal de Talbot bleu nuit en Angleterre. »

De retour au château, elle alla chercher dans la bibliothèque l'annuaire de Marchbolt, et l'emporta dans sa chambre. Elle passa plusieurs heures à le consulter. Le résultat n'eut rien de réjouissant.

Marchbolt ne comptait pas moins de quatre cent quatre-vingt-deux Evans.

– Zut et flûte !

Elle se mit à échafauder des plans pour la suite des opérations.

84

10

Les préparatifs d'un accident

Une semaine plus tard, Bobby avait rejoint son ami Badger à Londres. Il avait reçu entre-temps plusieurs messages de Frankie — tous plus sibyllins les uns que les autres, et d'une écriture tellement illisible qu'il n'avait guère pu qu'en deviner tant bien que mal le sens. Il semblait toutefois en ressortir que Frankie avait un plan en tête et que lui — Bobby — ne devait pas broncher avant plus ample information. C'était d'ailleurs aussi bien comme ça, car le jeune homme n'aurait guère eu le loisir de bouger le petit doigt tant il était occupé à démêler l'épouvantable imbroglio où l'infortuné Badger avait déjà réussi à se fourrer.

En attendant, Bobby faisait montre de la plus extrême prudence. Une rasade de morphine vous rend quelque peu timoré pour tout ce qui touche à la nourriture ou à la boisson, et, bien qu'il lui en coûtât beaucoup, il avait emporté à Londres son revolver d'ordonnance.

Il commençait cependant à se persuader que toute cette affaire n'était qu'un mauvais rêve lorsque la Bentley de Frankie vrombit un beau matin dans l'impasse avant de stopper devant le garage. Sans même ôter sa salopette maculée de cambouis, il se précipita. Frankie était au volant, avec à son côté un jeune homme à la mine funèbre.

– Salut, Bobby ! Je te présente George Arbuthnot. Il est médecin et nous allons avoir besoin de ses lumières.

85

Bobby tiqua avant d'échanger avec George Arbuthnot un petit hochement de tête guindé.

– Tu es sûre que nous allons avoir besoin d'un médecin ? demanda-t-il. Tu n'es pas un peu pessimiste ?

– Tu n'y es pas du tout. Si j'ai besoin de lui, c'est dans le cadre du plan que j'ai mis sur pied. Dis donc, il n'y a pas un coin où nous pourrions parler tranquillement ?

Bobby regarda autour de lui.

– Il y a bien ma chambre…, suggéra-t-il sans grande conviction.

– Parfait.

Elle sauta de voiture et, escortée de George Arbuthnot, gravit le petit escalier extérieur menant à une chambre microscopique.

– Je ne sais pas s'il y a de quoi s'asseoir, s'excusa Bobby.

Il n'y avait pas de quoi s'asseoir. L'unique chaise croulait en effet sous ce qui constituait sans doute toute la garde-robe de Bobby.

– Le lit fera l'affaire, décréta Frankie.

Elle s'y laissa tomber, imitée par George Arbuthnot. Le sommier protesta en grinçant.

– J'ai tout réglé dans le détail, préluda Frankie. Pour commencer, il nous faut une voiture. Alors pourquoi pas une de vos occasions ?

– Tu veux acheter une de ces voitures ?

– Oui.

– C'est très chic de ta part, dit Bobby, touché. Mais c'est inutile. Et je me refuse à escroquer mes amis.

– Tu n'y es pas. Tu n'y es pas du tout ! Je vois très bien ce que tu veux dire : c'est comme se croire obligé

86

d'acheter des frusques ou des galurins invraisemblables à des gens sous prétexte qu'ils viennent d'ouvrir une boutique. C'est assommant, mais on le fait. Non, là c'est autre chose. J'ai vraiment besoin d'une voiture.

– Et ta Bentley ?

– En l'occurrence, elle ne convient pas.

– Tu es folle.

– Pas du tout ! La Bentley ne convient pas pour ce que je veux en faire.

– Et tu veux en faire quoi ?

– La réduire en bouillie.

Bobby gémit et porta la main à son front.

– Je crois que je ne me sens pas très bien, ce matin.

George Arbuthnot ouvrit la bouche pour la première fois. Il parlait d'une voix de basse profonde, et mélancolique :

– Elle veut dire qu'elle va avoir un accident.

– Comment le sait-elle ? s'exclama Bobby, égaré.

Frankie poussa un soupir d'exaspération.

– J'ai l'impression très nette que nous nous y sommes pris de travers. Alors écoute-moi bien, Bobby, et essaie de comprendre ce que je vais te dire. D'accord, tu n'as pas grand-chose dans le crâne, mais en te concentrant, tu devrais y arriver.

Elle marqua un temps, puis déclara :

– Je suis sur la piste de Bassington-ffrench.

– Bravo !

– Bassington-ffrench — le Bassington-ffrench qui nous intéresse — vit à Merroway Court, à deux pas de Staverley, dans le Hampshire. Merroway Court appartient au frère

87

de Bassington-ffrench, et notre Bassington-ffrench à nous vit là, avec son frère et sa femme.

– La femme de qui ?

– Du frère, bien entendu. Mais là n'est pas la question. La question, c'est de savoir comment toi, moi, ou nous deux allons nous y faufiler. Je suis déjà allée reconnaître les lieux. Staverley n'est qu'un patelin. Des étrangers y seraient repérés illico. Le classique truc à ne pas faire. J'ai donc élaboré un plan. Voici ce qui va se passer : conduisant sa voiture plutôt mal que bien, lady Frances Derwent percute le mur d'enceinte non loin des grilles de Merroway Court. La voiture est en bouillie. Lady Frances — un peu moins en bouillie — est véhiculée jusqu'à la maison où, souffrant de traumatismes variés et jugée intransportable, il sera impératif qu'elle y demeure quelque temps.

– Qui dira ça ?

– George. Tu vois à présent le rôle de George. Nous ne pouvons courir le risque qu'un médecin inconnu me déclare indemne. Ni même qu'un passant trop zélé me ramasse inanimée et m'emmène à l'hôpital le plus proche. Non, voici le topo : George, qui passe par là, également en voiture — tu ferais bien de nous en vendre une seconde —, voit l'accident, se précipite et prend la situation en main. « Je suis médecin. Écartez-vous tous ! (Si tant est qu'il y ait des gens à écarter.) Nous devons la transporter dans cette maison. C'est quoi… Merroway Court ? Ça ira. Il faut que je puisse l'examiner à fond. » Je suis donc transportée dans la meilleure chambre, sous le regard compatissant — ou réticent — des Bassington-ffrench, que George mate au besoin. George m'ausculte

88

et livre son diagnostic. Par bonheur, mon état est moins critique qu'il ne le craignait. Pas de fractures, mais risque de traumatisme. Interdiction formelle de bouger avant deux ou trois jours. Après ça, libre à moi de regagner Londres.

» Sur quoi George prend congé, et c'est à moi de m'insinuer dans les bonnes grâces de tout un chacun.

– Et moi ? Quand est-ce que j'interviens ?

– Tu n'interviens pas.

– Mais enfin…

– Ne fais pas l'enfant. N'oublie pas que Bassington-ffrench te connaît. Moi, il ne m'a jamais vue. Par ailleurs, avec mon nom, j'occupe une position inexpugnable. Tu vois à quoi sert un titre. Je ne suis pas une petite jeune femme quelconque qui essaie de forcer leur porte dans un but inavoué. Je suis fille de duc, et par conséquent tout ce qu'il y a de respectable. Et avec George, qui est vraiment médecin et tout, il n'y a pas le moindre soupçon à avoir.

– Ça a l'air de tenir debout, reconnut Bobby, tout triste.

– C'est un plan remarquablement combiné, si tu veux mon avis, se rengorgea Frankie.

– Et moi, je ne fais rien du tout ?

Bobby se sentait lésé, un peu comme un chien à qui on retire brusquement un os. Ce crime était le sien, après tout, et il se sentait lésé.

– Mais bien sûr que si, mon chou ! Toi, tu te fais pousser la moustache.

– La moustache ! Rien que ça !

– Oui. Tu en as pour combien de temps ?

89

– Deux ou trois semaines, au bas mot.

– Seigneur ! Je n'aurais jamais cru que ça prenait tout ce temps ! Tu ne peux pas accélérer le processus ?

– Non. Mais pourquoi n'en porterais-je pas une fausse ?

– Parce qu'elles ont toujours l'air fausses, et puis elles se rebiquent, elles se détachent, et elles sentent la colle. Bien que... Attends une seconde. Je me suis laissé dire qu'il en existe dont on colle quasiment chaque poil un par un et qui sont parfaites. Un perruquier de théâtre devrait pouvoir t'arranger ça.

– Et il pensera que je suis un criminel en vadrouille.

– On ne lui demandera pas ce qu'il pense.

– Une fois que j'aurai cette moustache, qu'est-ce que je ferai ?

– Tu endosseras une livrée de chauffeur et tu conduiras ma Bentley jusqu'à Staverley.

Bobby s'épanouit.

– Ah, très bien.

– Mon idée est la suivante, reprit Frankie. Personne ne considère un chauffeur comme un être humain. De plus, Bassington-ffrench t'a juste entrevu un instant, et sans doute était-il trop préoccupé par l'échange des photos pour t'accorder beaucoup d'attention. Pour lui, tu n'étais qu'un jeune crétin de golfeur. Ce n'est pas comme les Cayman, qui sont venus te rendre visite pour essayer de te tirer les vers du nez. Je te parie tout ce que tu voudras qu'en te voyant en uniforme Bassington-ffrench ne te reconnaîtra jamais — même sans moustache. Peut-être lui rappelleras-tu vaguement quelqu'un, sans plus. Avec moustache, il devrait y avoir encore

90

moins de problèmes. Alors ? Qu'est-ce que tu penses de mon plan ?

Bobby réfléchit deux secondes.

– Si tu veux le fond de ma pensée, déclara-t-il magnanime, je le trouve épatant.

– Dans ce cas, allons acheter quelques voitures. Désolée, mais je crois que George a déglingué ton lit.

– Aucune importance, répondit Bobby, bon prince. Ce n'était pas un très bon lit.

Ils descendirent au garage, où un jeune homme à l'air timide et au menton fuyant leur adressa un sourire aimable assorti d'un laborieux « Bon-bon-bon-bonjour ». Ses yeux semblaient répugner à regarder dans la même direction — ce qui n'ajoutait pas à sa séduction.

– Salut, Badger, dit Bobby. Tu te souviens de Frankie, non ?

Badger ne se souvenait pas. Il n'en répéta pas moins « Bon-bon-bon-bonjour » avec la plus extrême gentillesse.

– La dernière fois que je vous ai vu, précisa Frankie, vous étiez tombé tête la première dans une fosse à purin, et nous avons dû vous tirer par les pieds pour vous en extraire.

– V-v-v-vraiment ? bégaya Badger. Ça d-d-d-devait être au p-p-p-pays de g-g-g-Galles, non ?

– Oui, confirma Frankie. Exact.

– J-j-j'ai t-t-toujours été un c-c-cavalier la-la-lamentable, remarqua Badger. Je le s-s-suis t-t-toujours, d'ailleurs, ajouta-t-il d'un ton chagrin.

– Frankie veut acheter une voiture, expliqua Bobby.

– Deux voitures, rectifia Frankie. Il en faut une aussi pour George. Il vient de mettre la sienne en bouillie.

– Nous pouvons lui en louer une, suggéra Bobby.

– V-v-venez voir ce que nous avons à vous p-p-pro-poser.

– Elles sont d'un chic ! s'extasia Frankie au vu de coloris rouge cerise et vert pomme.

– Elles ont l'*air* bien, s'assombrit Bobby.

– P-p-pour une o-o-occasion cette Chry-Chrysler est une f-f-formidable af-affaire et…

– Non, Badger, protesta Bobby, pas celle-là. Pour ce qu'elle veut en faire, il faut quand même qu'elle puisse atteindre au moins le 70 à l'heure !

Badger lança à son associé un regard peiné.

– La Standard a connu des jours meilleurs, estima Bobby. Mais elle devrait pouvoir t'emmener jusque là-bas. L'Essex est trop bien pour ce que tu lui demandes. Elle a encore trois cents kilomètres devant elle.

– Parfait, dit Frankie. Va pour la Standard.

Badger prit Bobby à part.

– Et p-p-pour le p-p-prix ? murmura-t-il. Je ne v-v-voudrais pas rou-rouler une amie à toi. D-d-dix livres ?

– D'accord pour dix livres, intervint Frankie. Je vous règle tout de suite.

– Q-q-qui c'est vraiment ? chuchota bruyamment Badger.

En réponse, Bobby chuchota sur le même ton.

– P-p-première fois que je vois une a-aristo payer com-comptant, déclara Badger avec un infini respect.

Bobby raccompagna les deux autres jusqu'à la Bentley.

– Pour quand est prévue l'opération ?

– Le plus tôt sera le mieux. Nous avions songé à demain après-midi.

– Dis-moi, je ne peux pas être là ? Je mettrai une barbe, si tu insistes.

– Pas question, trancha Frankie. Une barbe flanquerait tout par terre en se décollant au mauvais moment. Mais pourquoi ne te baladerais-tu pas dans les parages sur une moto, avec casquette, lunettes et tout ce qui s'ensuit ? Qu'en pensez-vous, George ?

George Arbuthnot s'exprima pour la seconde fois :

– D'accord. Plus on est de fous, plus on rit.

Sa voix était encore plus lugubre que précédemment.

11

L'accident

Le point de ralliement pour les festivités de l'accident avait été fixé à deux kilomètres de Staverley, là où le chemin vicinal s'écarte de la grand-route d'Andover.

Tous trois y parvinrent sans encombre, bien que la Standard de Frankie eût manifesté à chaque côte des signes évidents de décrépitude.

Le moment choisi ? 1 heure de l'après-midi.

– Pas question que nous soyons dérangés dans notre mise en scène, avait décrété Frankie. Il ne doit jamais y avoir trois chats sur cette route et, à l'heure du déjeuner, nous devrions être tranquilles comme Baptiste.

Ils suivirent le chemin sur huit cents mètres et Frankie leur désigna l'endroit choisi comme théâtre des opérations.

– Difficile de trouver mieux, à mon avis, dit-elle. Juste en bas de la déclivité, comme vous pouvez le constater, le chemin tourne à angle droit pour éviter le mur en décrochement. Ce mur, c'est précisément celui de Merroway Court. Si nous faisons démarrer la voiture en haut de la côte et la laissons dévaler la pente, elle ira percuter le mur et il ne devrait pas en rester grand-chose.

– Ça ne fait pas l'ombre d'un doute, convint Bobby. Mais quelqu'un devrait aller faire le guet là-bas au coin pour s'assurer que quelqu'un n'arrive pas de l'autre côté.

– Très juste, approuva Frankie. Pas question de fourrer un tiers dans la mêlée et de risquer de l'estropier pour le restant de ses jours. George va descendre faire demi-tour comme s'il venait de l'autre côté. Il n'aura qu'à agiter son mouchoir pour nous signaler que la voie est libre.

– Tu es toute pâle, Frankie, s'inquiéta Bobby. Tu es sûre que tu te sens bien ?

– Je me suis maquillée en cadavre, expliqua Frankie. Prête pour le choc. Tu ne voudrais tout de même pas qu'on trimbale dans cette maison une moribonde resplendissante de santé !

– Les femmes sont merveilleuses ! s'extasia Bobby. On jurerait un singe à l'agonie.

– Je te trouve bien grossier. Bon, je vais aller inspecter la grille de la propriété. Elle se trouve de ce côté du décrochement. Dieu merci, il n'y a pas de gardiens. Dès

94

que George et moi aurons agité nos mouchoirs, tu fais démarrer la voiture.

– Compris. Je vais rester sur le marchepied pour tenir le volant jusqu'à ce que ça devienne trop risqué, et puis je sauterai.

– Ne va pas te blesser, recommanda Frankie.

– Je serai prudent. Ça nous compliquerait l'existence d'avoir un véritable accident juste sur les lieux du faux.

– Bon, allez-y, George, ordonna Frankie.

George acquiesça, sauta dans sa voiture, et descendit lentement la côte sous les yeux de Frankie et de Bobby.

– Tu… tu feras bien attention à toi, hein, Frankie ? fit soudain Bobby d'un ton bourru. Je veux dire… ne te mets pas à faire toutes les âneries qui te passeront par la tête.

– Je saurai me tenir. Circonspecte en diable. À propos, il vaudra mieux que je ne t'écrive pas directement. J'écrirai à George, ou à ma femme de chambre, ou à n'importe qui capable de faire suivre.

– Je me demande si George fera une belle carrière.

– Pourquoi pas ?

– On ne peut pas dire qu'il ait le mot qui soulage.

– Ça lui viendra, j'en suis sûre. Bon, j'y vais. Je te ferai savoir quand j'aurai besoin de toi avec la Bentley.

– Et moi, je m'occupe de ma moustache. À bientôt, Frankie.

Ils échangèrent un long regard, puis Frankie fit un petit signe de tête et entreprit de descendre la colline à pied.

George avait fait demi-tour et s'était rangé à l'entrée du virage.

95

Frankie disparut un instant, puis réapparut sur la route en agitant son mouchoir. Un second mouchoir fut agité, au virage.

Bobby enclencha la troisième, puis, toujours sur le marchepied, desserra le frein à main. La voiture, en prise, eut d'abord quelques ratés. La pente était cependant assez raide. Le moteur démarra. La voiture prit de la vitesse. Bobby se cramponna au volant. Au tout dernier moment, il sauta.

La voiture dévala la pente et percuta le mur de plein fouet. Tout était parfait — l'accident s'était déroulé comme prévu.

Bobby vit Frankie accourir sur la scène de son forfait et se glisser à l'intérieur du tas de ferraille. George déboucha au coin du chemin et stoppa.

Avec un soupir, Bobby enfourcha sa moto et reprit la route de Londres.

Sur les lieux de l'accident, on ne perdait pas son temps.

– Est-ce que je ne devrais pas me rouler par terre pour me salir un peu ? hasarda Frankie.

– Ça vaudrait mieux, approuva George. Hé ! donnez-moi votre chapeau.

D'un coup de poing énergique, il le cabossa tandis que Frankie étouffait un gémissement de détresse.

– C'est le choc, expliqua George. Maintenant, écroulez-vous et jouez l'évanouissement. Je crois que j'entends un vélo.

Deux secondes plus tard, un gringalet de dix-sept ans déboucha du virage en sifflotant. Il freina net, enchanté du spectacle qui s'offrait à ses yeux.

96

– Ça alors ! Il y a eu un accident ?

– Non, répondit George, sarcastique. Cette jeune personne a fait exprès de foncer dans le mur.

Ne voyant là, comme de juste, qu'un trait d'humour et non l'expression de la vérité, le garçon s'enquit avec délectation.

– Ça a l'air sérieux, dites donc. Elle est morte ?

– Pas encore, répondit George. Il faut la transporter quelque part, et vite. Je suis médecin. C'est quoi, cette propriété ?

– Merroway Court. Ça appartient à Mr Bassington-ffrench. Juge de paix, qu'il est.

– Il faut la transporter là-bas tout de suite, déclara George d'un ton sans réplique. Lâchez votre vélo et donnez-moi un coup de main.

N'en demandant pas tant, le garçon cala sa bicyclette contre le mur et vint prêter main-forte. George et lui transportèrent Frankie le long d'une allée menant à un charmant vieux manoir.

On avait dû les voir arriver car un vénérable majordome sortit pour les accueillir.

– Il y a eu un accident, dit George d'un ton abrupt. Où y a-t-il une chambre où l'on puisse transporter cette dame ? Il lui faut des soins immédiats.

Tout agité, le majordome se précipita à l'intérieur. George et le gringalet lui emboîtèrent le pas, portant toujours le corps flasque de Frankie. Le majordome avait disparu par une porte située sur leur gauche — d'où émergea une femme. Grande et rousse, elle paraissait la trentaine. Elle avait les yeux d'un bleu lumineux.

Elle prit aussitôt la situation en main.

97

– Il y a une chambre d'amis au rez-de-chaussée. Voulez-vous l'y porter ? Dois-je appeler un médecin ?

– Je suis médecin, précisa George. Je passais en voiture, et l'accident a eu lieu sous mes yeux.

– C'est une chance ! Suivez-moi, je vous prie.

Elle les mena jusqu'à une chambre ravissante dont les fenêtres ouvraient sur le parc.

– Est-elle grièvement blessée ?

– Je ne peux pas encore me prononcer.

Mrs Bassington-ffrench saisit l'allusion et se retira, suivie du garçon qui se lança dans une description de l'accident aussi détaillée que s'il en avait été le témoin oculaire.

– Droit dans le mur qu'elle est rentrée, expliqua-t-il. Sa voiture, elle est fichue. Et elle, elle était là par terre avec son chapeau tout cabossé. Le monsieur, il passait par là en voiture…

Il continua sans reprendre son souffle jusqu'à ce qu'une pièce de monnaie l'incite à déguerpir.

Dans le même temps, Frankie et George discutaient à voix basse.

– George, mon chou, est-ce que ça ne va pas briser votre carrière ? Ils ne vont pas vous radier ou Dieu sait quoi, n'est-ce pas ?

– Si, sûrement, murmura George, lugubre, du moins si jamais ça se sait.

– Ça ne se saura pas. Ne vous inquiétez pas, George. Je ne vous laisserai pas tomber. Vous vous êtes débrouillé comme un as… Je ne vous avais jamais entendu parler autant, ajouta-t-elle, songeuse.

George poussa un soupir et consulta sa montre.

– Encore trois minutes et je diffuse mon diagnostic.

– Et la voiture ?

– Je m'arrangerai pour qu'un garagiste vienne la chercher.

– Parfait.

George continua de regarder sa montre.

– Le compte est bon, déclara-t-il soudain, l'air soulagé.

– Vous avez été un ange, s'émut Frankie. Je ne comprends pas pourquoi vous avez fait tout ça.

– Moi non plus ! On n'a pas idée.

De la tête, il lui adressa un petit salut.

– Bye, bye ! Amusez-vous bien.

– Ça, c'est une autre paire de manches, répondit Frankie.

Elle songeait à la voix calme, un peu impersonnelle et teintée d'accent américain de la personne qui les avait accueillis.

George partit à la recherche de la voix en question et trouva sa propriétaire au salon.

– Ce n'est pas si grave que je le craignais, dit-il sans préambule. Léger traumatisme, qui tend déjà à passer. Il vaudrait toutefois mieux qu'elle garde la chambre un jour ou deux… J'ai cru comprendre qu'il s'agissait de lady Frances Derwent.

– Ça par exemple ! s'écria Mrs Bassington-ffrench. Je connais très bien des cousins à elle — les Draycott.

– J'ignore dans quelle mesure cela vous gêne de l'héberger. Mais s'il était possible de ne pas la déplacer…

– Mais bien sûr ! Aucun problème, Dr… ?

– Arbuthnot. À propos, je vais m'occuper de sa voiture. Je passerai bien devant un garage.

– Merci infiniment, Dr Arbuthnot. Quelle chance que vous soyez passé par là ! J'imagine qu'il faudra la faire examiner demain par un médecin, pour s'assurer qu'elle se rétablit.

– Je ne crois pas que ce soit nécessaire. Tout ce qu'il lui faut, c'est du repos.

– Je me sentirais plus tranquille. Et puis sa famille devrait être prévenue.

– Je m'en charge. Pour ce qui est des soins, euh… elle est adepte de la Science chrétienne et refuse toute assistance médicale. Elle paraissait assez contrariée de me voir à son chevet.

– Seigneur ! s'exclama Mrs Bassington-ffrench.

– Elle se rétablira sans problèmes. Je vous le garantis.

– Si vous en êtes sûr, docteur, murmura Mrs Bassington-ffrench, un peu sceptique.

– J'en suis sûr. Au revoir ! Oh, mon Dieu ! J'ai oublié un de mes instruments dans la chambre.

Il retourna précipitamment et gagna la tête de lit.

– Frankie, chuchota-t-il. Vous êtes adepte de la Science chrétienne. N'oubliez pas.

– Pourquoi diable ?

– Il le fallait. C'était le seul moyen.

– D'accord. Je n'oublierai pas.

100

12

En territoire ennemi

« Cette fois, j'y suis, se dit Frankie. Saine et sauve en territoire ennemi. À moi de jouer. »

On frappa à la porte et Mrs Bassington-ffrench entra.

Frankie se redressa un peu sur ses oreillers.

– Je suis confuse de vous causer tout ce dérangement, dit-elle d'une voix mourante.

– Pas du tout ! répondit Mrs Bassington-ffrench.

En réentendant cette voix calme et un peu traînante, teintée d'accent yankee, Frankie se rappela ce que lui avait confié son père : l'un des Bassington-ffrench de la branche Hampshire avait épousé une héritière américaine.

– Le Dr Arbuthnot affirme que vous serez sur pied d'ici un jour ou deux, à condition que vous vous reposiez.

Désireuse de proférer quelques vertueuses sentences sur la « notion de culpabilité » d'une part et les prodiges de la « guérison par la prière » de l'autre, Frankie préféra néanmoins s'abstenir — de peur de tout mélanger.

– Il a l'air très bien, se contenta-t-elle de dire. Il a été très gentil.

– Il semble très compétent, acquiesça Mrs Bassington-ffrench. Quelle chance qu'il se soit trouvé là par hasard !

– Oui, c'est vrai. Même si, au fond, je n'avais pas besoin de lui.

– Mais il ne faut pas que vous parliez, reprit son hôtesse. Je vais vous envoyer ma femme de chambre avec du linge, et elle vous installera confortablement au lit.

101

– Merci infiniment.

– C'est bien naturel.

Quand Frankie se retrouva seule, un remords l'effleura.

« Elle est adorable, se dit-elle. Et divinement peu soupçonneuse. »

Pour la première fois, elle songea qu'elle jouait un sale tour à son hôtesse. Obnubilée jusque-là par sa vision d'un Bassington-ffrench assassin précipitant sa victime sans méfiance du haut d'une falaise, elle n'avait pas pensé une seconde qu'elle aurait à côtoyer des personnages secondaires.

« Bah ! Trop tard pour reculer. Mais j'aurais quand même préféré qu'elle soit moins gentille. »

Frankie passa un après-midi et une soirée moroses dans la chambre aux rideaux tirés. Mrs Bassington-ffrench vint une ou deux fois voir comment elle se portait, mais ne s'attarda pas.

Le lendemain, Frankie affirma qu'elle pouvait supporter la lumière et réclama de la compagnie. Son hôtesse vint donc passer un moment à son chevet. Elles se découvrirent nombre de relations et d'amis communs ; et, à la fin de la journée, Frankie se rendit compte, avec un sentiment de culpabilité, qu'elles étaient devenues amies.

Mrs Bassington-ffrench avait fait plusieurs fois allusion à son mari, ainsi qu'à son petit garçon, Tommy. C'était une femme simple, très attachée à son foyer et, pourtant, Frankie avait l'impression qu'elle n'était pas heureuse. Une expression inquiète dans son regard démentait son calme apparent.

Le troisième jour, Frankie se leva et fit la connaissance du maître de maison.

102

C'était un homme robuste, au visage massif, d'une politesse distraite. Il semblait passer le plus clair de son temps enfermé dans son bureau. Visiblement amoureux de sa femme, il semblait peu enclin à partager ses soucis.

Leur fils Tommy, un garnement de sept ans, respirait la santé. De toute évidence, Sylvia Bassington-ffrench l'adorait.

– On est si bien ici ! dit Frankie avec un soupir d'aise.

Elle se prélassait sur une chaise longue, dans le jardin.

– J'ignore si c'est le coup sur le crâne ou quoi, mais je n'ai aucune envie de bouger. Je voudrais rester étendue là *ad vitam aeternam*.

– Faites-le, déclara Sylvia Bassington-ffrench de sa voix calme et sans passion. Je parle sérieusement. Pourquoi vous presser de retourner en ville ? C'est un tel plaisir pour moi de vous avoir ici. Vous êtes si gaie, si drôle et si pleine d'esprit. Ça me change les idées.

« Elle a donc besoin de se changer les idées », songea Frankie pleine de remords.

– J'ai l'impression que nous sommes devenues amies, reprit Sylvia.

Frankie se sentait de plus en plus coupable.

C'était moche, ce qu'elle faisait là. Moche, moche, moche. Il fallait mettre fin à tout cela et regagner Londres...

– La vie ici va cesser d'être monotone, poursuivit son hôtesse. Mon beau-frère rentre demain. Il vous plaira, j'en suis sûre. Tout le monde adore Roger.

– Il vit ici, avec vous ?

– Par périodes. Il ne tient jamais en place. Il se définit comme le bon à rien de la famille, et c'est peut-être vrai,

103

en un sens. Il n'a aucune suite dans les idées ; je crois même qu'il n'a jamais rien fait de sa vie. Il y a des tas de gens comme ça — surtout dans les vieilles familles. Ils sont souvent bourrés de charme et pétris de bonnes manières. Roger est follement sympathique. Et je ne sais pas ce que j'aurais fait sans lui au printemps, quand Tommy a été si mal.

– Que lui est-il arrivé ?

– Une mauvaise chute de balançoire. Elle devait être fixée à une branche morte, qui a cassé. Roger était bouleversé : c'est lui qui poussait la balançoire — et il l'envoyait très haut, comme le réclament les enfants. Nous avons d'abord craint que la colonne vertébrale ne soit touchée, mais il y a eu plus de peur que de mal et il est parfaitement rétabli maintenant.

– Il m'en a tout l'air, constata Frankie qui entendait au loin les cris de guerre de l'enfant.

– Il se porte comme un charme, Dieu merci ! Mais il a la poisse avec les accidents : il a failli se noyer l'hiver dernier.

– Vraiment ?

Frankie ne songeait déjà plus à regagner Londres. Et ses remords s'étaient envolés.

Des accidents !

Roger Bassington-ffrench serait-il par hasard un récidiviste de l'accident ?

– Si vous n'y voyez vraiment pas d'inconvénient, j'adorerais rester un peu plus. Mais votre mari ne va pas trouver que j'abuse ?

– Henry ? fit Mrs Bassington-ffrench avec une moue bizarre.

104

» Non, ça lui sera égal. Tout lui est égal, depuis quelque temps.

Frankie la dévisagea.

« Si nous nous connaissions mieux, elle se lancerait dans les confidences, se dit-elle. J'ai l'impression qu'il se passe ici des tas de choses pas très catholiques. »

Henry Bassington-ffrench se joignit à elles pour le thé et Frankie en profita pour l'observer. Pas de doute, cet homme était bizarre. Type même du propriétaire terrien classique — jovial et sportif —, pourquoi diable paraissait-il crispé, nerveux, agité, tantôt perdu dans des pensées dont il était impossible de le tirer, tantôt sarcastique et amer ? Ce même soir, au dîner, changement à vue : gai, plein d'esprit, il sut se montrer remarquable conteur et brillant causeur — trop brillant, peut-être, pour que cela paraisse compatible avec son personnage.

« Et ses yeux ! songea Frankie. Ils me font un peu peur. »

Allons ! Elle n'allait tout de même pas se mettre à soupçonner Henry Bassington-ffrench ! C'était son frère, et non pas lui qui se trouvait à Marchbolt le jour fatal.

Quant au frère, Frankie brûlait de le rencontrer. Pour elle comme pour Bobby, l'homme était un assassin.

Elle allait bientôt se trouver face à face avec un assassin.

Est-ce que ça n'était pas un peu effrayant ? Mais après tout comment pourrait-il bien deviner ?

Comment pourrait-il faire le rapprochement entre sa présence à Merroway et le crime parfait perpétré à

Marchbolt ? « Tu te fiches la frousse pour moins que rien », se morigéna-t-elle.

Roger Bassington-ffrench arriva le lendemain après-midi.

Frankie, encore censée garder la chambre, ne le vit qu'à l'heure du thé.

Comme elle traversait la pelouse pour rejoindre ses hôtes, Sylvia s'exclama en souriant :

– Ah ! Voici notre malade. Lady Frances Derwent, je vous présente mon beau-frère.

Frankie vit un grand garçon mince dans la trentaine. Tout en admettant le bien-fondé du commentaire de Bobby — « il avait le genre de physionomie inexpressive que son détenteur se croit volontiers obligé d'agrémenter d'un monocle et d'une moustache en brosse » —, elle ne s'en intéressa pas moins, personnellement, à ses yeux d'un bleu à s'y noyer. Ils se serrèrent la main.

– On m'a raconté comment vous avez essayé de démolir le mur du parc…

– Je dois reconnaître que je suis la plus mauvaise conductrice de la planète, répondit-elle. Mais je pilotais une effroyable guimbarde que je venais d'acheter pour une bouchée de pain en attendant que ma voiture soit réparée.

– Un jeune et séduisant médecin l'a sortie de ce tas de ferraille, ajouta Sylvia.

– Il a été adorable, voulut bien admettre Frankie.

Sur ces entrefaites, Tommy vint se jeter au cou de son oncle en poussant des cris de joie.

– Tu m'as apporté mon train électrique ? Tu me l'avais promis ! Tu me l'avais promis !

106

– Voyons, Tommy, on ne réclame pas comme ça.

– Ne le grondez pas, Sylvia. Chose promise, chose due. Oui, je te l'ai apporté, ton train… Henry ne vient pas prendre le thé ?

– Je ne crois pas, balbutia Sylvia. Il ne se sent pas très bien, aujourd'hui.

Puis, soudain joyeuse :

– Oh, Roger ! je suis si contente que vous soyez de retour !

Il lui tapota le bras.

– Allons, allons ! Ne vous en faites pas.

Après le thé, Roger joua au train électrique avec son neveu. Frankie les observait, l'esprit en ébullition.

Ce n'était pas le genre d'individu à balancer les gens du haut d'une falaise. Ce garçon charmant ne pouvait être un assassin de sang-froid.

Dans ce cas, Bobby et elle avaient fait fausse route — du moins en ce qui concernait cette partie de l'affaire.

Elle aurait maintenant donné sa main à couper que ce n'était pas Bassington-ffrench qui avait précipité Pritchard de la falaise.

Mais alors, qui ?

Elle demeurait persuadée que Pritchard avait bel et bien été poussé. Mais qui avait fait le coup ? Et qui avait mis de la morphine dans la bière de Bobby ?

À propos de morphine, pourquoi Henry Bassington-ffrench avait-il un regard si étrange, et les pupilles comme des têtes d'épingle ?

Henry Bassington-ffrench était-il un drogué ?

107

13

Alan Carstairs

Chose curieuse, Frankie reçut confirmation de ses soupçons pas plus tard que le lendemain — et ce par Roger.

Ils venaient de terminer une partie de tennis et sirotaient des boissons glacées.

Ils bavardaient en abordant tous les sujets possibles et imaginables, et Frankie se sentait de plus en plus conquise par le charme de cet homme qui avait parcouru le monde. Roger Bassington-ffrench était peut-être le bon à rien de la famille, mais, comparé à son frère si sérieux et si lourd, il l'emportait haut la main.

Frankie en était là de ses réflexions lorsque Roger déclara d'une tout autre voix que précédemment :

– Lady Frances, je vais sans doute vous surprendre. Cela ne fait pas vingt-quatre heures que je vous connais, mais j'ai l'impression que vous êtes la seule personne à qui je puisse demander conseil.

– Conseil ?

– Oui. Je me trouve devant un dilemme.

Il marqua un temps. Penché en avant, il balançait sa raquette entre ses genoux. Il semblait soucieux, préoccupé.

– C'est au sujet de mon frère, lady Frances.

– Oui ?

– Henry se drogue, j'en mettrais ma main au feu.

– Qu'est-ce qui vous fait croire ça ?

– Tout. Son aspect, ses sautes d'humeur. Et avez-vous remarqué ses yeux ? Ses pupilles sont comme des têtes d'épingle.

– Je l'ai remarqué, reconnut Frankie. Que prend-il, à votre avis ?

– De la morphine, ou un opiacé quelconque.

– Depuis longtemps ?

– Je fais remonter ça à six mois. Je me rappelle qu'il se plaignait d'insomnies. Comment en est-il arrivé à prendre cette saleté ? Je l'ignore. Mais il a dû commencer à ce moment-là.

– Comment se la procure-t-il ? s'enquit Frankie, toujours pratique.

– Elle doit lui arriver par la poste. Avez-vous remarqué que, certains jours, il se montre particulièrement nerveux et irritable à l'heure du thé ?

– Oui, en effet.

– J'ai l'impression que ça se passe toutes les fois qu'il a fini son stock et qu'il attend un arrivage. Car, sitôt après le courrier de 6 heures, il s'enferme dans son bureau pour n'en ressortir qu'à l'heure du dîner, métamorphosé.

Frankie hocha la tête. Elle se souvenait de ce que Bassington-ffrench pouvait parfois se montrer étrangement brillant au dîner.

– Mais qui peut bien la lui fournir ? demanda-t-elle encore.

– Ça, je l'ignore. Aucun médecin digne de ce nom en tout cas. Mais on doit pouvoir s'en procurer sans trop de mal à Londres en y mettant le prix.

Frankie se rappelait avoir envisagé l'hypothèse d'un trafic de drogue, idée que Bobby avait écartée. Bizarre qu'à peine leur enquête entamée ils tombent sur un élément de ce genre.

Plus bizarre encore que ce soit leur suspect numéro un qui leur mette le doigt dessus. Frankie ne s'en retrouvait que davantage encline à disculper Roger Bassington-ffrench.

Restait cependant l'inexplicable substitution des photographies. À cet égard, tout continuait de l'accuser. Seule plaidait en sa faveur la personnalité de ce garçon. Mais ne dit-on pas que les assassins sont souvent des gens pleins de charme ?

Elle chassa ces pensées et se tourna vers son compagnon.

– Pourquoi me dites-vous tout cela ? demanda-t-elle brusquement.

– Parce que je ne sais pas quoi faire vis-à-vis de Sylvia.

– Vous voulez dire qu'elle ignore tout ?

– Bien sûr, qu'elle ignore tout. Dois-je la mettre au courant ?

– Ça n'est pas facile.

– C'est très difficile. C'est bien pourquoi j'ai pensé que vous pourriez m'aider. Sylvia semble vous avoir prise en amitié. Elle n'est pas très liante, vous savez, mais elle vous a tout de suite adoptée, elle me l'a dit elle-même. Que dois-je faire, lady Frances ? En lui ouvrant les yeux, je ne peux que l'accabler d'un souci supplémentaire !

– Si elle était au courant, elle pourrait l'aider.

– J'en doute. Personne ne peut aider un drogué, pas même ses proches.

– Vous ne seriez pas un peu pessimiste ?

– Non, réaliste. Il existe d'autres moyens, bien sûr. Si

110

seulement Henry acceptait de subir une cure… Il y a une clinique pas loin d'ici, dirigée par un certain Dr Nicholson.

– Il ne voudra jamais.

– Peut-être que si. Quand un morphinomane se trouve dans une phase de culpabilité, il est prêt à tout pour guérir. Henry s'y déciderait peut-être plus facilement s'il pensait que Sylvia ne sait rien, mais s'il sentait peser sur lui la menace qu'elle l'apprenne. Et si le traitement réussissait, Sylvia n'en saurait jamais rien — on ne parlerait que de « dépression nerveuse ».

– Il devrait s'éloigner pour faire cette cure ?

– La clinique en question se trouve à cinq kilomètres d'ici, de l'autre côté du village. Elle est dirigée par un Canadien, le Dr Nicholson. Un type brillant, paraît-il. Et, par bonheur, Henry l'aime bien. Chut !… Voilà Sylvia…

Mrs Bassington-ffrench vint les rejoindre.

– La partie était dure ?

– Trois sets, dit Frankie. Et j'ai perdu les trois.

– Vous jouez très bien, protesta Roger.

– Moi, je suis bien trop paresseuse pour le tennis, remarqua Sylvia. Un de ces jours, nous devrions inviter les Nicholson. Elle adore ça. Mais qu'y a-t-il ? demanda-t-elle en remarquant le coup d'œil qu'ils avaient échangé.

– Rien… si ce n'est que je venais justement de parler des Nicholson à lady Frances.

– Appelez-la Frankie, comme moi, suggéra Sylvia. Vous ne trouvez pas ça bizarre ? Chaque fois qu'on cite

111

un nom, il revient tout de suite dans la bouche de quelqu'un d'autre.

– Ils sont canadiens, non ? demanda Frankie.

– Lui, sans l'ombre d'un doute. Elle, je dirais plutôt qu'elle est anglaise, mais je n'en jurerais pas. En tout cas, elle est ravissante — vraiment ravissante avec ses grands yeux à l'expression rêveuse. Dieu sait pourquoi, je n'ai pas l'impression qu'elle soit très heureuse. Sa vie ne doit pas être rose tous les jours.

– Il dirige une maison de santé, si j'ai bien compris ?

– Oui, pour neurasthéniques et toxicomanes. Ça marche, paraît-il. C'est un homme impressionnant.

– Vous le trouvez sympathique ?

– Non, décréta Sylvia avec une certaine véhémence. Non. Je... non, pas du tout.

De retour à la maison, elle prit sur le piano la photo d'une délicieuse jeune femme aux yeux immenses.

– C'est Moïra Nicholson. Un visage qu'on n'oublie pas, non ? Un homme qui est récemment venu ici avec des amis en a été frappé. Pour un peu il nous aurait demandé à être présenté.

Elle eut un petit rire.

– Je vais les inviter à dîner demain soir. J'aimerais savoir ce que vous pensez de lui.

– De lui ?

– Oui. Je vous l'ai dit, je ne peux pas le souffrir. N'empêche qu'il est follement séduisant.

Frappée par le ton sur lequel cette déclaration avait été faite, Frankie l'observa. Mais Sylvia Bassington-ffrench s'était détournée pour ôter d'un vase quelques fleurs fanées.

112

« Je devrais faire le point, se dit Frankie tout en passant un peigne dans son épaisse tignasse brune avant de s'habiller pour le dîner. Par ailleurs, il serait grand temps que je procède à quelques expériences. »

Roger Bassington-ffrench était-il, oui ou non, le misérable que Bobby et elle soupçonnaient ?

Une chose était sûre : la personne qui avait tenté d'éliminer Bobby devait pouvoir se procurer aisément de la morphine. Or c'était le cas de Roger Bassington-ffrench. Si son frère en recevait par la poste, il n'était pas sorcier pour lui d'en subtiliser un sachet.

Mémo, écrivit Frankie sur une feuille de papier.

1) Découvrir où se trouvait Roger le 16 — jour où Bobby a été empoisonné.

Ça, elle savait déjà comment s'y prendre.

2) continua-t-elle, *faire circuler une photo du mort et noter les réactions éventuelles. Noter également si R.B.F. reconnaît s'être trouvé à Marchbolt ce jour-là.*

Cette seconde résolution l'inquiétait un peu. Elle l'obligeait à se trahir. Bah ! le drame s'était presque déroulé sur ses terres... Quoi de plus naturel que d'y faire allusion en passant ?

Elle froissa la feuille de papier et la brûla.

Au cours du dîner, elle s'arrangea pour aborder son premier point avec le maximum de naturel.

– Je n'arrive pas à m'ôter de l'idée que nous nous sommes déjà rencontrés, déclara-t-elle à Roger sans ambages. Et tout récemment, encore. Est-ce que ce n'était pas à la soirée donnée par lady Frances, au *Claridge* ? C'était le 16.

– Vous n'avez pas pu le rencontrer le 16, rétorqua

113

Sylvia. Roger se trouvait ici. Je m'en souviens parce qu'il y avait un goûter d'enfants et que je ne sais pas comment je m'en serais sortie sans Roger.

Elle jeta un coup d'œil reconnaissant à son beau-frère qui lui sourit en retour.

– Moi, je n'ai pas l'impression de vous avoir déjà rencontrée, répondit-il après réflexion. Je suis persuadé que je m'en souviendrais.

On ne pouvait être plus galant.

« Voilà un point réglé, songea Frankie. Roger Bassington-ffrench ne se trouvait pas au pays de Galles le jour où Bobby a été empoisonné. »

Elle n'eut guère de mal, un peu plus tard, à passer à son second point. Elle avait orienté la conversation sur la vie à la campagne, l'ennui qu'on y ressent et l'intérêt suscité par le moindre événement local :

– Le mois dernier, nous avons eu droit à un type tombé de la falaise. Tout le pays a vécu dans un état d'excitation folle. J'ai fait des pieds et des mains pour participer à l'enquête, mais tout ça n'avait finalement pas le moindre intérêt.

– Cela s'est passé dans un coin qui s'appelle Marchbolt, non ? demanda soudain Sylvia.

– Si. Derwent Castle n'est qu'à dix kilomètres de Marchbolt.

– Roger ! Il ne peut s'agir que de votre homme ! s'écria Sylvia.

Frankie écarquilla les yeux.

– J'y étais effectivement quand il est mort, acquiesça Roger. Je suis resté auprès du corps jusqu'à l'arrivée de la police.

114

– Je croyais que c'était un des fils du pasteur qui s'en était chargé, hasarda Frankie.

– Il fallait qu'il aille tenir l'harmonium ou quelque chose d'approchant — alors j'ai pris la relève.

– C'est ex-tra-or-di-naire ! s'extasia Frankie. J'avais entendu parler de quelqu'un d'autre, mais sans que l'on cite de nom. Alors c'était *vous* ?

Il y eut les habituels feux croisés de « ça, pour une coïncidence ! » et de « ce que le monde est petit, quand même ! ». Et Frankie estima avoir bien manœuvré.

– C'est peut-être là que vous m'avez déjà vu ? suggéra Roger. À Marchbolt ?

– Non. Je n'y étais pas au moment de l'accident. Je ne suis rentrée de Londres que deux jours plus tard. Avez-vous assisté à l'enquête ?

– Non. Je suis retourné à Londres dès le lendemain du drame.

– Il avait l'idée absurde d'acheter une maison dans les environs, expliqua Sylvia.

– Complètement grotesque, grommela Henry Bassington-ffrench.

– Mais pas du tout ! protesta Roger en riant.

– Vous savez très bien, Roger, que sitôt cette maison achetée vous seriez de nouveau saisi par la bougeotte et que vous fileriez Dieu sait où.

– Je finirai bien par me ranger un jour, Sylvia.

– Ce jour-là, vous ferez mieux de vous installer près de chez nous. Et pas dans le pays de Galles.

Roger se remit à rire. Puis, se tournant vers Frankie :

– Des détails intéressants au sujet de cet accident ?

115

On n'a pas découvert qu'il s'agissait d'un suicide ou d'un truc dans ce goût-là ?

– Hélas non ! Tout ça était à mourir d'ennui, et des parents hideux sont venus identifier le corps. Il semblerait qu'il faisait une randonnée à pied. C'est d'ailleurs assez triste, parce qu'il était d'une séduction folle. Vous avez vu sa photo dans les journaux ?

– Je crois que oui, répondit Sylvia d'un ton vague. Mais j'ai oublié à quoi il pouvait bien ressembler.

– J'ai là-haut une coupure du journal local.

Surexcitée, Frankie se précipita à l'étage et en redescendit avec la coupure en question. Elle la tendit à Sylvia. Roger vint y jeter un coup d'œil par-dessus l'épaule de sa belle-sœur.

– Vous ne le trouvez pas beau comme un dieu ? leur demanda Frankie avec des mines de collégienne.

– Si, admit Sylvia. Il ressemble beaucoup à Alan Carstairs, vous ne trouvez pas, Roger ? Je crois l'avoir fait remarquer, sur le moment.

– Sur la photo, il lui ressemble assez, dit Roger. Mais en réalité, il n'y avait guère de similitude entre eux.

– Difficile de juger d'après une photo de presse, conclut Sylvia en rendant la coupure à Frankie.

Celle-ci convint que ça n'était pas commode.

La conversation dériva ensuite vers d'autres sujets.

Frankie monta se coucher, plutôt perplexe. Ils avaient tous réagi avec un naturel parfait. Roger n'avait pas fait mystère de ses démarches pour trouver une maison.

Seul élément positif, elle avait obtenu un nom. Le nom d'Alan Carstairs.

116

14

Le Dr Nicholson

Frankie entreprit Sylvia dès le lendemain matin.

Pour commencer, elle dit d'un air détaché :

– Quel était le nom de cet homme dont vous me parliez hier soir ? Alan Carstairs, c'est ça ? J'ai l'impression de l'avoir déjà entendu.

– Ça ne m'étonnerait pas. C'est une célébrité, à sa façon. Il est canadien — naturaliste, explorateur et chasseur de gros gibier. Mais je ne le connais pas vraiment. Des amis, les Rivington, nous l'ont amené un jour à déjeuner. Un homme très séduisant… grand, le teint hâlé, avec de beaux yeux bleus.

– Je suis certaine d'avoir entendu parler de lui.

– Il n'était jamais venu en Angleterre, à ce que je crois. L'année dernière, il avait fait une expédition en Afrique avec John Savage, le millionnaire, et qui s'est tué d'une façon si horrible, parce qu'il croyait avoir un cancer. Carstairs a écumé le monde entier. Afrique orientale, Amérique du Sud… et il est allé partout.

– Tout le charme de l'aventurier, résuma Frankie.

– Oui. La séduction même.

– C'est curieux qu'il ressemble tellement à l'homme tombé de la falaise à Marchbolt, remarqua Frankie.

– On prétend que tout le monde a un double. C'est peut-être vrai.

Elles passèrent en revue un certain nombre de cas exemplaires, tel celui d'Adolphe Beck et de l'Affaire du

117

courrier de Lyon. Frankie se garda bien de prononcer à nouveau le nom d'Alan Carstairs. Manifester trop d'intérêt pour cet homme pouvait tout compromettre.

Dans son for intérieur, elle estimait cependant avoir progressé. La victime du drame de Marchbolt était Alan Carstairs, ça ne faisait pas l'ombre d'un doute. Sans amis intimes ni proches parents dans le pays, un homme peut disparaître un bon moment sans que son absence ne soit remarquée. Qui pourrait s'étonner de ne pas voir un voyageur si souvent parti pour l'Afrique ou l'Amérique du Sud ? Frankie était en outre frappée par le fait que, malgré ses commentaires sur la ressemblance entre Carstairs et la photo, Sylvia Bassington-ffrench n'avait pas envisagé un instant qu'il pût s'agir de *lui*.

Très instructif, cet échantillon de psychologie élémentaire ! Tant il est vrai que l'on soupçonne rarement les célébrités à la mode d'être des individus que le commun des mortels aurait pu croiser dans la rue.

Eh bien, parfait. Alan Carstairs était la victime. Il convenait maintenant d'en apprendre davantage sur cet Alan Carstairs. Ses liens avec les Bassington-ffrench semblaient des plus ténus. Des amis l'avaient amené chez eux par hasard. Comment s'appelaient-ils déjà ? Rivington. Encore un nom à garder dans un coin de sa mémoire pour une utilisation ultérieure.

C'était là une nouvelle piste à suivre. Mais la plus grande prudence s'imposait. Toutes questions concernant Alan Carstairs devaient être posées de manière discrète.

« Inutile que je me fasse empoisonner ou assommer, songea Frankie avec une grimace. Ils étaient déjà prêts à supprimer Bobby pour moins que ça. »

118

Ses pensées prirent la tangente et la phrase qui avait déclenché toute l'affaire lui revint comme un leitmotiv.

Evans ! Qui était Evans ? Que venait-il faire dans tout ça ?

« Un gang de trafiquants de drogue », décréta Frankie. Peut-être s'en étaient-ils pris à un proche de Carstairs. Celui-ci avait décidé de leur ôter l'envie de nuire. Peut-être même était-il en Angleterre exprès pour ça. Evans pouvait avoir appartenu au gang avant de se retirer des affaires au pays de Galles. Carstairs aurait persuadé Evans moyennant finance de dénoncer ses complices. Evans y ayant consenti, Carstairs serait venu pour le rencontrer, mais quelqu'un l'aurait suivi et supprimé.

Ce quelqu'un était-il Roger Bassington-ffrench ? Peu probable. Dans le rôle des trafiquants de drogue, les Cayman paraissaient beaucoup plus vraisemblables. Et pourtant... cette histoire de photographie... Si seulement il y avait une explication à cette histoire de photographie...

Ce soir-là, le Dr Nicholson et son épouse étaient attendus à dîner. Frankie finissait de se changer quand elle entendit leur voiture s'arrêter devant le perron.

Elle jeta un coup d'œil par la fenêtre.

Un homme assez grand descendait d'une Talbot bleu nuit.

Frankie rentra la tête, songeuse.

Carstairs était canadien. Le Dr Nicholson l'était également. Et il possédait une Talbot bleu nuit.

Absurde d'en tirer des conclusions, bien sûr. Mais est-ce que ça ne donnait quand même pas à réfléchir ?

Le Dr Nicholson était un homme de carrure imposante — et sans doute de tempérament dominateur. Il

119

avait l'élocution lente et parlait peu, mais chacun de ses mots semblait lourd de signification. Derrière ses verres épais, ses yeux d'un bleu délavé brillaient d'intelligence.

Son épouse, svelte jeune femme de vingt-sept printemps, était très jolie — pour ne pas dire ravissante. Assez nerveuse, elle tentait de le dissimuler en se montrant volubile.

– J'ai cru comprendre que vous avez eu un accident, lady Frances, dit le Dr Nicholson en prenant place à côté d'elle à la table du dîner.

Frankie répéta comment elle avait embouti le mur. Et, ce faisant, elle s'étonna de se sentir si tendue.

Le médecin ne manifestait qu'un intérêt poli. En ce cas, pourquoi avait-elle l'impression de récapituler les arguments de sa défense alors qu'elle n'était pas en position d'accusée ? Pour quelle raison le médecin douterait-il de l'authenticité de l'accident ?

– Vous avez joué de malchance, conclut-il comme elle finissait de relater l'affaire avec plus de détails qu'il n'était nécessaire. Mais vous semblez vous être étonnamment bien rétablie.

– Nous préférons considérer qu'elle n'est pas encore guérie. Nous la gardons avec nous, déclara Sylvia.

Le médecin regarda Sylvia, et l'ombre d'un sourire — sitôt dissipé — effleura ses lèvres.

– À votre place, je la garderais le plus longtemps possible, acquiesça-t-il gravement.

Frankie était assise entre son hôte et le Dr Nicholson. Ce soir-là, Henry Bassington-ffrench semblait d'humeur sombre. Ses mains tremblaient, il toucha à peine à son assiette et ne se prêta pas à la conversation.

120

Lassée de n'en pouvoir rien tirer, Mrs Nicholson se tourna vers Roger avec un soulagement manifeste. Tout en bavardant avec lui à bâtons rompus, elle ne quittait guère son mari des yeux.

Le Dr Nicholson parlait de la vie à la campagne.

– Savez-vous ce qu'est une culture, lady Frances ?

– Vous voulez parler d'une culture livresque ? demanda Frankie, assez déconcertée.

– Non, non. Je faisais allusion aux germes, aux virus. Ils se développent dans un sérum adéquat. La campagne, lady Frances, c'est un milieu adéquat. Temps, espace, désœuvrement — tout y concourt à la formation d'un véritable bouillon de culture.

– Vous voulez dire qu'elle a une mauvaise influence ? demanda-t-elle, plus déconcertée encore.

– Tout dépend du type de germes que chacun y cultive.

« Quelle conversation idiote, songea Frankie. Mais pourquoi elle me donne la chair de poule, ça je me le demande ! »

– Je suppose que je suis en train de développer toutes sortes de bas instincts ! lança-t-elle avec désinvolture.

– Ça non, je ne pense pas, lady Frances. Je crois que vous resterez toujours du côté de l'ordre et de la loi.

Y avait-il eu une légère emphase sur le mot « loi » ?

– Mon mari se pique d'analyser le genre humain ! lança soudain Mrs Nicholson.

Son mari acquiesça d'un air paterne.

– C'est exact, Moïra. Je m'intéresse à son comportement ainsi qu'aux mille et un petits riens de l'existence.

Il revint à Frankie :

– J'avais déjà entendu parler de votre accident. Et un détail ne cesse de m'intriguer.

– Oui ? balbutia Frankie, le cœur battant soudain la chamade.

– Le médecin qui passait — celui qui vous a conduite ici...

– Oui ?

– Un bien curieux personnage... faire ainsi demi-tour en voiture avant de se porter à votre secours.

– Je ne comprends pas.

– Bien sûr. Vous étiez inconsciente. Mais le jeune Reeves, le télégraphiste, venait de Staverley à bicyclette et aucune voiture ne l'avait doublé. Or voilà-t-il pas qu'en arrivant dans le tournant il découvre l'accident et la voiture du médecin, orientée dans la même direction que lui — c'est-à-dire le nez tourné vers Londres. Vous voyez là où je veux en venir ? Ce médecin ne venait pas de Staverley, donc il venait d'en face, il avait descendu la côte. Mais alors sa voiture aurait dû avoir le capot dans le sens de Staverley. Ce qui n'était pas le cas. Conclusion, il n'a pu que faire demi-tour.

– À moins qu'il ne soit venu de Staverley un instant plus tôt, objecta Frankie.

– En ce cas, sa voiture aurait été là quand vous avez dévalé la colline. Y était-elle ?

Les yeux délavés du médecin fixaient Frankie avec une extrême attention derrière ses verres épais.

– Je ne m'en souviens pas. Je ne crois pas.

– On jurerait un détective, Jasper, dit Mrs Nicholson. Et tout ça pour trois fois rien.

– Les petits riens m'intéressent, répéta Nicholson.

Sur quoi il se tourna vers son hôtesse, et Frankie poussa un soupir de soulagement.

Pourquoi l'avait-il ainsi tenue sur la sellette ? Comment avait-il obtenu ces renseignements sur l'accident ? « Les petits riens m'intéressent. » Y avait-il autre chose derrière tout ça ?

Frankie repensa à la Talbot bleu nuit et au fait que Carstairs était canadien. Ce Dr Nicholson ne lui disait rien qui vaille.

Après le dîner, elle s'efforça de l'éviter, et s'attacha à la charmante et douce Mrs Nicholson. Et elle nota que celle-ci ne quittait toujours pas son mari des yeux. Était-ce par amour… ou bien par peur ?

Nicholson, lui, se consacra à Sylvia et, à 10 heures et demie, il donna le signal du départ. Le couple prit congé.

– Alors ? demanda Roger après leur départ. Que pensez-vous de notre Dr Nicholson ? Une forte personnalité, non ?

– Je partage l'avis de Sylvia, je ne le trouve pas très sympathique. Je préfère sa femme.

– Elle est très séduisante, mais elle n'a pas inventé la poudre. De deux choses l'une : ou elle l'adore, ou elle en a une peur bleue, déclara Roger.

– C'est la question que je me posais, dit Frankie.

– Moi, je le trouve plutôt antipathique, dit Sylvia, mais je dois avouer qu'il se dégage de lui une impression de… de force. Je crois qu'il a obtenu des spectaculaires guérisons de drogués. Des gens pour lesquels tout espoir était perdu. Des gens venus le trouver en tout dernier recours, et qu'il a sauvés.

– Oui ! vociféra soudain Henry Bassington-ffrench. Mais est-ce que vous savez ce qui se passe là-bas ? Est-ce que vous avez entendu parler des souffrances atroces, de la cruauté mentale ? Un individu accroché à sa drogue, ils le sèvrent... ils le sèvrent... au point qu'en état de manque il devient fou et se tape la tête contre les murs. Voilà ce qu'il fait, votre médecin à la si « forte personnalité », il torture les gens ! Il les fait vivre en enfer ! Il les rend fous !

Tremblant de tous ses membres, il pivota sur ses talons et quitta la pièce.

Sylvia Bassington-ffrench en resta toute saisie.

– Mais qu'est-ce qui lui prend ? On dirait qu'il est bouleversé !

Frankie et Roger n'osaient se regarder.

– Il n'a pas eu l'air très bien de toute la soirée, risqua Frankie.

– Non, je l'avais remarqué. Il a de curieuses sautes d'humeur, ces derniers temps. Dommage qu'il ne monte plus à cheval. Oh, à propos, le Dr Nicholson a invité Tommy pour demain, mais je n'aime pas beaucoup qu'il aille traîner là-bas, au milieu de tous ces neurasthéniques et ces drogués...

– Je ne pense pas que Nicholson le laisserait les approcher, rétorqua Roger. Il a l'air d'adorer les enfants.

– Oui. Je crois qu'il regrette de ne pas en avoir. Elle aussi, probablement. Elle semble si triste... si vulnérable...

– Elle a des airs de Madone mélancolique, dit Frankie.

– Oui, ça la décrit très bien.

– Si le Dr Nicholson aime tant les enfants, il a dû

124

assister à votre petite fête, hasarda Frankie avec un sourire innocent.

– Malheureusement, il s'était absenté pour un jour ou deux. Je crois qu'il devait participer à un colloque à Londres.

– Je vois.

Ils montèrent se coucher. Avant de s'endormir, Frankie écrivit à Bobby.

15

Une découverte

Bobby s'ennuyait à périr. L'inaction forcée lui était intolérable. Et il ne supportait pas d'avoir à rester à Londres à se tourner les pouces. Il avait eu un coup de fil de George Arbuthnot qui, en termes laconiques, lui avait appris que tout s'était bien passé. Deux jours plus tard, il avait reçu, par l'intermédiaire de la caministe de Frankie, une lettre adressée à la résidence londonienne de lord Marchington.

Depuis, plus de nouvelles.

– Une lettre pour toi, lui cria Badger.

Bobby se précipita, mais la lettre en question, postée à Marchbolt, était de la main de son père.

Au même instant, il aperçut toutefois la femme de chambre de Frankie qui remontait l'impasse dans son impeccable uniforme noir. Deux minutes plus tard, il ouvrait fébrilement la seconde lettre de Frankie.

Cher Bobby,

Je crois qu'il est temps que tu viennes. J'ai donné des instructions chez moi pour qu'on te remette la Bentley sitôt que tu la demanderas. Procure-toi une livrée de chauffeur — chez nous elles sont invariablement vert bouteille — prends-la chez Harrods et fais-la mettre sur le compte de mon père. Mieux vaut ne négliger aucun détail. Applique-toi à réussir ta moustache. C'est fou ce que ça vous change un visage.

Ensuite, viens ici et demande à me voir. Tu pourrais m'apporter ostensiblement un mot de père. Et m'annoncer que mon tas de ferraille est à nouveau en état de rouler. Ici le garage ne peut abriter que deux voitures, et, avec la Daimler familiale et le cabriolet de Roger Bassington-ffrench, il est Dieu merci complet : tu iras donc t'installer avec la Bentley à Staverley.

Tu tâcheras d'y glaner toutes les informations possibles, en particulier sur un certain Dr Nicholson, propriétaire d'une clinique de désintoxication. Plusieurs indices suspects plaident contre lui : il possède une Talbot bleu nuit, il était absent le 16, jour où ta bière a été trafiquée, et, par-dessus le marché, il s'intéresse d'un peu trop près aux circonstances de mon accident.

Je crois avoir identifié le cadavre !!!

Bye-bye, cher codétective.

Tendresses de ta bien accidentée,

Frankie

PS : Je vais poster cette lettre moi-même.

126

Le moral de Bobby remonta d'un bond. Se débarrassant de sa salopette tout en annonçant à Badger son départ immédiat, il s'apprêtait à filer quand il s'aperçut qu'il n'avait pas encore ouvert la lettre de son père. Il le fit avec un enthousiasme d'autant plus mitigé que les missives du pasteur — toujours moins inspirées par le sens du plaisir que par celui du devoir — avaient le don de le déprimer.

Le pasteur s'y appliquait à lui donner les dernières nouvelles de Marchbolt, lui exposait en détail ses difficultés avec l'organiste et lui commentait l'état d'esprit peu chrétien d'un de ses marguilliers. La nécessité de faire relier à neuf le recueil de cantiques était en outre évoquée. Le pasteur espérait que Bobby travaillait d'arrache-pied à son gagne-pain, et l'assurait de son affection paternelle.

Il avait ajouté un post-scriptum :

À propos, quelqu'un est passé demander ton adresse à Londres. J'étais absent et cette personne n'a pas laissé son nom. Mrs Roberts le décrit comme un « monsieur », grand, voûté, et portant pince-nez. Il semblait désolé de ne pas te trouver et très désireux de te revoir.

Un « monsieur » grand, voûté, et portant pince-nez ! Bobby passa en revue ses amis et connaissances, et ne vit personne qui corresponde peu ou prou à ce signalement.

Soudain, un soupçon lui traversa l'esprit. S'agissait-il là du signe avant-coureur d'une nouvelle menace contre sa vie ? Ses mystérieux ennemis — ou son mystérieux ennemi — s'acharnaient-ils à le retrouver ?

127

Il resta un instant à réfléchir. Quels qu'ils soient, ils venaient de découvrir qu'il avait quitté les lieux. Et, en toute innocence, Mrs Roberts leur avait donné sa nouvelle adresse.

De telle sorte que, toujours quels qu'ils soient, ils surveillaient peut-être le garage. S'il sortait, il serait suivi — ce qui, étant donné les circonstances, ne faisait pas du tout son affaire.

– Badger !

– Oui, mon pote.

– Viens ici.

Les cinq minutes suivantes ne furent pas de la tarte. Au bout de dix, Badger se montra capable de répéter ses instructions par cœur.

Quand tout fut paré, Bobby prit le volant d'un cabriolet Fiat 1902 et dévala les Mews en trombe. Il alla se garer à St James Square, puis, de là, gagna à pied son club d'où il donna quelques coups de fil et où, deux heures plus tard, divers colis lui furent livrés. Finalement, vers 3 heures et demie, un chauffeur en livrée vert bouteille regagna St James Square et se dirigea vers une grosse Bentley garée là depuis une demi-heure. Le gardien du parc de stationnement lui adressa un léger salut. Affligé d'un léger bégaiement de bon aloi, l'homme qui avait laissé la voiture l'avait prévenu que son chauffeur ne tarderait pas à venir la chercher.

Bobby embraya et s'éloigna avec style. La Fiat abandonnée se mit en devoir d'attendre bien sagement son propriétaire. En dépit de ses problèmes de lèvre supérieure, Bobby commençait à s'amuser. Il mit le cap sur le nord — et non le sud — et son puissant moteur ne tarda pas à vrombir sur la grand-route.

C'était un surcroît de précautions qu'il prenait là. Il était sûr et certain de n'avoir pas été suivi. Il tourna bientôt à gauche et, par des chemins détournés, reprit la direction du Hampshire.

Peu après l'heure du thé, la Bentley remonta en ronronnant l'allée de Merroway Court, un chauffeur digne et compassé au volant.

– Tiens ! dit Frankie. Voici ma voiture.

Elle sortit sur le perron. Sylvia et Roger l'accompagnaient.

– Tout va bien, Hawkins ?

Le chauffeur effleura la visière de sa casquette.

– Oui, milady. Elle a été entièrement révisée.

– Parfait.

Le chauffeur lui tendit une enveloppe.

– De la part de Sa Seigneurie, milady.

Frankie l'ouvrit.

– Vous descendrez à… quel est ce nom, déjà ? Ah oui ! Aux *Anglers' Arms,* à Staverley. Je vous appellerai demain matin si j'ai besoin de la voiture.

– Très bien, Votre Grâce.

Bobby recula, fit demi-tour et redescendit rapidement l'allée.

– Je regrette que nous n'ayons pas de place, dit Sylvia. C'est une voiture splendide.

– Elle doit être formidable pour faire des pointes de vitesse, dit Roger.

– J'en fais, avoua Frankie.

Elle était ravie. Rien n'indiquait que Roger ait reconnu Bobby. Le contraire l'eût étonnée. Elle-même ne l'aurait pas fait si elle l'avait croisé par hasard. Sa petite moustache

129

paraissait tout ce qu'il y a de naturelle, et son allure guindée — si loin de la décontraction du Bobby habituel —, jointe à sa livrée de chauffeur, lui faisait un déguisement parfait.

Sa voix aussi était remarquable — très différente de celle de Bobby. Frankie en vint à se dire que ce garçon avait après tout beaucoup plus de dons qu'elle ne lui en avait jusque-là prêté.

Dans le même temps, Bobby avait réussi à établir ses quartiers aux *Anglers' Arms*. Il ne lui restait plus qu'à y créer le rôle d'Edward Hawkins, chauffeur attitré de lady Frances Derwent.

Fâcheusement mal informé quant au comportement des chauffeurs de maître dans leur vie privée, Bobby décida qu'une certaine morgue était de mise. Il s'efforça donc de se couler dans la peau d'un personnage hors du commun et d'agir en conséquence. Il y fut d'ailleurs grandement encouragé par l'admiration béate des jeunes servantes de l'auberge. Et il ne tarda pas à découvrir que l'accident de Frankie continuait d'alimenter les conversations du village. Condescendant, il accepta de prêter au patron de l'auberge — formidable gaillard rubicond qui répondait au nom de Thomas Askew — une oreille distraite.

– Le petit Reeves, il était sur les lieux et il a tout vu, lui déclara Mr Askew.

Bobby bénit la propension naturelle de la jeunesse au mensonge. Le fameux accident se trouvait ainsi confirmé par un témoin oculaire.

– Il a cru sa dernière heure arrivée, ça oui ! poursuivit Mr Askew. La voiture lui dévalait droit dessus — et puis

130

elle a foncé dans le mur. Un miracle que cette jeune femme n'y ait pas laissé sa peau.

– Ce n'est pas la première fois que Sa Seigneurie la risque, sa peau, dit Bobby.

– Elle s'en est souvent payé, des accidents ?

– Elle a toujours eu de la veine, répondit Bobby. Mais je vous garantis, cher Mr Askew, que quand Sa Seigneurie prend le volant à ma place comme ça se produit parfois j'ai toujours une peur bleue de ne pas en réchapper.

Plusieurs des personnes présentes opinèrent gravement du bonnet et déclarèrent que, loin de les étonner, ces révélations renforçaient leurs inquiétudes intimes.

– Charmant estaminet que vous possédez là, Mr Askew ! remarqua Bobby avec une aimable condescendance. Gentil tout plein et bien tenu.

Mr Askew en fut aux anges.

– Merroway Court est la seule résidence de quelque importance dans le pays ?

– Il y a aussi le manoir de Mr Hawkins. Mais ce n'est pas ce qu'on pourrait appeler une résidence. Il n'y a pas de famille qui y vit. Non, c'est resté vide pendant des années, jusqu'à ce que ce toubib américain vienne prendre les choses en main.

– Un médecin américain ?

– Ouais. Nicholson, qu'il s'appelle. Et si vous voulez mon avis, Mr Hawkins, il s'en passe de drôles, là-dedans.

La serveuse au comptoir en profita pour préciser que le Dr Nicholson lui faisait froid dans le dos — et pas qu'un peu.

131

– Il s'en passe de drôles, Mr Askew ? s'enquit Bobby. Qu'est-ce que vous voulez dire au juste ?

L'aubergiste secoua la tête d'un air sombre.

– Il y en a qui sont là et qui n'ont pas demandé à y être. Que leur famille a voulu s'en débarrasser. Je vous jure, Mr Hawkins, les hurlements, les plaintes et les gémissements qu'on entend sont à n'y pas croire.

– Et la police n'intervient pas ?

– Bah ! vous savez ce que c'est, tout semble en règle. Des malades nerveux, que c'est, ce genre-là, quoi. Des fous pas encore trop violents. Et comme ce type est toubib... et qu'à vue de nez tout est réglé...

Ici l'aubergiste enfouit le nez en question dans un pichet de bière dont il ne le fit émerger que pour secouer la tête d'un air dubitatif.

– Ah ! murmura Bobby sur un ton lourd de sous-entendus, si les gars savaient tout ce qui se passe dans ce genre d'établissements...

Et il plongea lui aussi le nez dans son pichet d'étain.

La serveuse s'empressa de mettre son grain de sel.

– C'est aussi ce que je dis toujours, Mr Hawkins. Qu'est-ce qui se manigance là-dedans ? Bon sang, une nuit, une pauvre gamine s'est sauvée — en chemise de nuit, qu'elle était — avec le médecin et deux infirmières à ses trousses. « Au secours ! Ne les laissez pas me ramener là-bas ! » Voilà ce qu'elle braillait. Pitoyable, que c'était. Et puis qu'elle était riche et que c'était pour mettre le grappin sur ses sous que sa famille l'avait fait boucler. Eh bien vous me croirez si vous voulez, mais ils l'ont recollée au trou dare-dare, même que le docteur il nous a dit comme ça qu'elle avait la manie de la persécu-

132

tion — c'est comme ça qu'il appelait ça. Le genre de truc où on croit comme ça que tout le monde il vous veut du mal. Mais c'est pas qu'une fois que je me suis posé des questions… Ça non, alors. C'est pas qu'une fois que je me suis posé…

– Ça ! coupa Mr Askew. C'est rien de le dire !

Une des personnes présentes déclara qu'il y avait des endroits eh bien on ne savait pas ce qui s'y passait. Et quelqu'un d'autre fit remarquer que c'était bien vrai.

Finalement la réunion se dispersa, et Bobby annonça qu'il allait faire un tour avant de se coucher.

Le manoir, il le savait, se trouvait à l'opposé de Merroway Court, aussi poussa-t-il dans cette direction. Ce qu'il avait appris ce soir-là justifiait qu'on s'y inté-ressât. Oh, bien sûr, il devait y avoir là-dedans à boire et à manger. Dans tout village, un nouveau venu est géné-ralement regardé de travers — à plus forte raison si le nouveau venu en question est étranger par-dessus le marché. Si Nicholson pratiquait chez lui des cures de désintoxication, rien d'étonnant à ce qu'on entendît dans les parages des cris à tous les échos — des gémisse-ments, voire des hurlements, dépourvus de toute conno-tation louche. Il n'en demeurait pas moins que l'histoire de la jeune fugueuse laissait à Bobby un sentiment pénible.

Mais à supposer que le manoir soit réellement un endroit où des gens étaient retenus contre leur volonté ?… Quelques cas réels pouvaient tenir lieu d'excellent camouflage.

Il en était là de ses réflexions, lorsqu'il arriva devant un mur élevé. Entre deux piliers épais, une double grille

133

de fer forgé défendait l'accès de la propriété. Il tourna doucement la poignée d'une des grilles. Elle était fermée à double tour. Bah ! après tout, pourquoi pas ?

Et pourtant le simple contact de cette grille verrouillée lui avait fait une impression sinistre. Cet endroit ressemblait à une prison.

Il longea la route en jaugeant la hauteur du mur. Pouvait-on l'escalader ? Aussi lisse que haut, il n'offrait guère de prise. Bobby secoua la tête. Soudain, il avisa un portillon, qu'il essaya de pousser, sans trop d'espoir. À sa stupeur, il pivota sur ses gonds. Il n'était pas verrouillé.

« Il y a comme de la négligence dans l'air », se dit Bobby avec un petit sourire.

Il se faufila en refermant doucement le portillon derrière lui.

Il se retrouva dans une allée qui s'enfonçait entre des bouquets d'arbustes. Il en suivit le tracé sinueux, tellement sinueux qu'on se serait cru dans le monde d'*Alice au pays des merveilles*.

Bientôt, sans que rien l'annonçât, l'allée décrivit une courbe à angle droit avant de déboucher sur un terreplein proche de la maison. La lune était pleine et la nuit sans nuages, il était parfaitement éclairé. Avant même de songer à s'arrêter, Bobby se retrouva soudain à découvert.

Au même instant, la silhouette d'une femme surgit de derrière la maison. Elle avançait prudemment, jetant des regards autour d'elle, sur le qui-vive, comme un animal traqué — telle fut du moins l'impression de Bobby. Soudain, elle s'arrêta net et chancela comme si elle allait tomber.

Bobby s'élança pour la retenir. Elle avait les lèvres

134

exsangues, et une terreur indicible se peignait sur ses traits.

– Vous ne risquez rien, chuchota-t-il pour la rassurer. Vous ne risquez plus rien du tout.

La jeune femme — presque encore une jeune fille — poussa un faible gémissement et son regard chavira.

– J'ai peur, souffla-t-elle. J'ai tellement peur.

– Que se passe-t-il ? demanda Bobby.

La jeune femme se contenta de secouer la tête et de balbutier :

– J'ai peur. J'ai atrocement peur.

Soudain, il lui sembla qu'elle avait entendu un bruit. Elle bondit, s'écarta de Bobby. Puis elle lui lança :

– Sauvez-vous ! Sauvez-vous vite !

– Je veux vous aider, répliqua Bobby.

– M'aider ?

Elle lui jeta un regard implorant, bouleversant, comme si elle voulait sonder les tréfonds de son âme.

Puis elle dodelina de la tête.

– Personne ne peut m'aider.

– Moi, si, dit Bobby. Je ferais n'importe quoi. Dites-moi ce qui vous fait si peur !

– Pas maintenant. Oh ! Vite… ils arrivent ! Vous ne pourrez pas m'aider si vous ne vous sauvez pas maintenant ! Tout de suite… tout de suite !

Face à une telle prière, Bobby ne put que céder.

Après lui avoir confié dans un murmure : « Je suis aux *Anglers' Arms* », il se coula dans la pénombre de l'allée. La dernière vision qu'il eut d'elle ? Ses mains tendues lui enjoignant de se hâter.

Soudain, il entendit des pas devant lui. Quelqu'un

135

remontait l'allée depuis le portillon. Bobby plongea dans les buissons.

Il ne s'était pas trompé. Un homme arrivait, qui passa à deux pas de lui, mais Bobby ne put distinguer ses traits dans l'obscurité.

Quand l'homme eut disparu, Bobby poursuivit son chemin. Il ne pouvait rien faire de mieux cette nuit.

Mais déjà mille pensées tourbillonnaient sous son crâne.

Car il avait reconnu la jeune femme — reconnu sans aucun doute possible.

C'était l'original de la photographie si mystérieusement subtilisée.

16

Bobby joue les avocats

– Mr Hawkins ?

– Oui, gargouilla Bobby, la bouche pleine d'œufs au bacon.

– On vous demande au téléphone.

Bobby avala une gorgée de café, s'essuya la bouche et se précipita. Le téléphone était installé dans un couloir étroit et sombre. Il saisit le combiné.

– Allô ! dit la voix de Frankie.

– Allô, Frankie ! répondit Bobby sans réfléchir.

– Lady Frances Derwent à l'appareil, continua-t-elle, glaciale. C'est vous, Hawkins ?

– C'est moi, milady.

– J'aurai besoin de la voiture à 10 heures pour me rendre à Londres.

– Très bien, Votre Seigneurie.

Bobby raccrocha.

« Quand dit-on "milady", et quand "Votre Seigneurie" ? médita-t-il. Je devrais le savoir, mais je n'en sais rien. Or c'est à partir de ce genre de détail qu'un véritable chauffeur ou un majordome saura m'épingler. »

À l'autre bout du fil, Frankie raccrocha elle aussi et se tourna vers Roger Bassington-ffrench.

– Quelle barbe, fit-elle d'un ton léger, que d'être obligée d'aller à Londres aujourd'hui. Tout ça parce que père fait encore des siennes.

– Mais vous reviendrez ce soir, n'est-ce pas ?

– Bien sûr !

– Je vous aurais presque demandé si vous accepteriez de me déposer en ville, dit négligemment Roger.

Frankie hésita un quart de seconde avant de répondre — aussi naturelle que possible :

– Mais cela va de soi !

– Et puis tout compte fait, reprit Roger, je ne crois pas que je vais y aller aujourd'hui. Henry a l'air encore plus bizarre que d'habitude. Et l'idée de laisser Sylvia seule avec lui m'inquiète un peu.

– Je comprends ça, déclara Frankie.

– Vous allez conduire vous-même ? demanda Roger de son ton le plus naturel, tandis qu'ils s'éloignaient du téléphone.

137

– Oui, mais je vais me faire accompagner par Hawkins. J'ai quelques courses à faire et ce qui est assommant, quand on conduit soi-même, c'est qu'on ne peut se garer nulle part.

– Ça, c'est bien vrai.

Il ne fit pas d'autres commentaires, mais lorsque la voiture — avec un Bobby plus digne et compassé que nature au volant — vint tourner devant le perron, il sortit pour assister au départ.

– Au revoir ! lui lança Frankie.

Vu les circonstances, elle n'avait pas songé à lui tendre la main, mais Roger la lui saisit et la retint un instant dans la sienne.

– Vous reviendrez, c'est juré ? demanda-t-il avec une curieuse insistance.

Frankie rit de bon cœur.

– Bien sûr ! Je vous ai dit au revoir... jusqu'à ce soir.

– Tâchez de ne pas avoir encore un accident.

– Je vais laisser le volant à Hawkins, si ça peut vous rassurer.

Elle sauta à côté de Bobby, qui toucha la visière de sa casquette. La voiture descendit l'allée, sous l'œil de Roger qui n'avait pas quitté les marches.

– Dis-moi, Bobby, tu crois que Roger pourrait avoir un faible pour moi ?

– Il en a l'air ?

– Justement, je me le demande.

– J'imagine que tu dois assez bien connaître ce genre de symptômes, grommela Bobby.

Il avait dit ça d'un air absent. Frankie lui jeta un coup d'œil en coin.

138

– Est-ce que, par hasard, il y aurait… du nouveau ?

– C'est le moins qu'on puisse dire ! J'ai retrouvé l'original de la photographie !

– Tu veux dire *celle-là*… celle dont tu m'as tant parlé, celle qui était dans la poche du mort ?

– Oui.

– Oh, Bobby ! Moi aussi, j'ai quelques nouvelles à t'apprendre, mais rien d'aussi sensationnel. Où l'as-tu dénichée ?

Bobby fit un signe de tête par-dessus son épaule.

– Dans la maison de santé du Dr Nicholson.

– Raconte.

Bobby fit un récit détaillé des événements de la soirée précédente. Frankie l'écoutait, haletante.

– Alors nous sommes bien sur la bonne piste, déclarat-elle enfin. Et le Dr Nicholson est mêlé à l'affaire. Ce type me flanque la frousse.

– Comment est-il ?

– Grand, et il vous en impose. Et, derrière ses grosses lunettes, il a un regard qui vous… qui vous radiographie. On a l'impression de ne rien pouvoir lui cacher.

– Quand l'as-tu rencontré ?

– Il est venu dîner.

Frankie raconta le dîner en question, et l'obstination du Dr Nicholson à revenir sur les détails de son « accident ».

– J'ai eu l'impression qu'il avait des soupçons, conclut Frankie.

– C'est vrai que c'est bizarre d'ergoter comme ça. Que crois-tu que ça cache ?

– Eh bien, j'en suis à me demander si ton hypothèse

139

d'un trafic de drogue, qui me semblait tellement tirée par les cheveux de prime abord, n'aurait pas un peu plus de consistance que je ne l'imaginais.

– Toujours le Dr Nicholson en chef de gang ?

– Oui. Sa maison de santé constituerait le paravent idéal pour ce genre de trafic. Il disposerait le plus légalement du monde d'un stock de drogue sur place. Et tout en prétendant les désintoxiquer, il pourrait en réalité leur fournir des cochonneries.

– Ça a l'air de se tenir, acquiesça Bobby.

– Et je ne t'ai pas encore parlé de Henry Bassington-ffrench…

Bobby l'écouta attentivement lui conter par le menu les curieuses façons d'agir de son hôte.

– Sa femme ne se doute de rien ?

– Je suis sûre que non.

– Comment est-elle ? Intelligente ?

– Je n'ai pas l'impression. Non, sans doute pas très. Et pourtant, elle est assez maligne pour certaines choses. C'est quelqu'un d'agréable, de direct.

– Et notre Bassington-ffrench ?

– Là, je suis perplexe, avoua Frankie. Tu crois qu'on aurait pu se tromper complètement sur son compte ?

– C'est grotesque ! Nous avons tout retourné dans tous les sens — et nous en avons conclu que c'était lui le salaud de la pièce.

– À cause de la photo ?

– À cause de la photo. Personne d'autre que lui n'a pu opérer la substitution.

– Exact, dit Frankie. Mais c'est bien le seul élément que l'on puisse retenir contre lui.

140

– Ça suffit amplement.

– Sans doute, mais pourtant…

– Mais pourtant quoi ?

– Je ne sais pas, mais j'ai le sentiment bizarre qu'il est innocent — qu'il n'a rien à voir là-dedans.

Bobby lui jeta un regard glacial.

– Tu m'as dit qu'il avait un faible pour toi ou que tu avais un faible pour lui ? s'enquit-il poliment.

Frankie rougit.

– Ne sois pas idiot, Bobby. Je me demandais simplement s'il n'existait pas une explication toute simple. Rien d'autre.

– Je ne vois pas ce que ça pourrait être ! Surtout maintenant que l'on a bel et bien découvert la fille en question dans les parages. Ça lui rive son clou. Si seulement on avait une idée sur qui pouvait bien être le mort…

– Oh, j'en ai une ! Je te l'ai dit dans ma lettre. Je suis presque sûre que l'homme qui a été assassiné était un dénommé Alan Carstairs.

Elle se lança une fois de plus dans les explications.

– Tu sais, dit Bobby, nous commençons à progresser. Essayons à présent de reconstituer plus ou moins le crime. Récapitulons les faits, et voyons ce que nous pouvons en tirer.

Il s'absorba un instant dans ses pensées et la voiture ralentit en signe de sympathie. Puis il pesa à nouveau sur l'accélérateur.

– Primo, supposons que tu aies vu juste en ce qui concerne Alan Carstairs. Pas de doute qu'il ait la tête de l'emploi : il a roulé sa bosse un peu partout, il ne connaît pas trois chats en Angleterre — s'il disparaissait, il n'y

141

aurait pas grand monde pour en faire un drame. Jusque-là, rien à dire. Alan Carstairs vient à Staverley avec ces gens… comment les appelles-tu, déjà ?

– Rivington. On pourrait enquêter de ce côté-là. Plus j'y pense, plus je me dis qu'on devrait suivre cette piste.

– On le fera. Très bien : Carstairs vient à Staverley avec les Rivington. Que peut-on tirer de ça ?

– Tu veux dire : est-ce que c'est lui qui les a persuadés de l'y amener ?

– Il y a de ça. Ou alors est-ce que tout se serait passé par le plus grand des hasards ? Ils l'amènent là par hasard. Il y rencontre la jeune femme, comme moi, par hasard… Franchement, je préfère la version selon laquelle il la connaissait déjà. Sans quoi, il n'aurait pas eu sa photo sur lui.

– L'autre proposition de l'alternative, raisonna Frankie, étant qu'il traquait déjà Nicholson et son gang.

– Auquel cas il se serait servi des Rivington pour s'introduire, mine de rien, dans le secteur.

– Possible. Il se trouvait sur la piste de ce gang, et…

– Ou alors tout bêtement sur celle de la fille.

– De la fille ?

– Oui. Elle a pu être kidnappée. Et lui, il serait venu en Angleterre pour la retrouver.

– Je veux bien, mais à supposer qu'il l'ait pistée jusqu'à Staverley, pourquoi diable serait-il allé au pays de Galles ?

– Manifestement, il y a encore des tas de choses qui nous échappent.

– Reste Evans, dit Frankie d'un air songeur. Nous ne disposons d'aucun indice concernant Evans. La partie

142

« Evans » du mystère a certainement quelque chose à voir avec le pays de Galles.

Ils se turent pendant quelques instants. Puis Frankie prit soudain conscience du changement de paysage.

– Mon cher, nous voici à Putney Hill. Le trajet a passé comme un éclair. Maintenant, où allons-nous et qu'allons-nous y faire ?

– À toi de le dire ! Je ne sais même pas pourquoi nous sommes venus en ville.

– Ce n'était qu'un subterfuge pour être à même de discuter avec toi. Je ne pouvais tout de même pas prendre le risque qu'on me croise en grande conversation avec mon chauffeur, dans tous les chemins de Staverley. J'ai pris prétexte de la prétendue lettre de père pour justifier ce déplacement, qui a d'ailleurs failli être compromis par la présence de Bassington-ffrench.

– Ça aurait tout fichu par terre !

– Pas forcément. Nous l'aurions déposé là où il voulait, et nous serions allés discuter tranquillement à Brook Street. D'ailleurs, je crois que c'est ce que nous aurions de mieux à faire. Ton garage risque d'être surveillé.

Bobby était bien de cet avis. Et il raconta à Frankie comment quelqu'un était venu poser des questions à son sujet à Marchbolt.

– Allons à l'hôtel particulier des noblissimes Derwent. Il n'y a que ma femme de chambre et un couple de gardiens.

Ils se rendirent donc à Brook Street. Frankie sonna et se fit ouvrir tandis que Bobby patientait dehors. Quelques instants plus tard, elle revint lui faire signe d'entrer.

143

Ils gagnèrent le grand salon, relevèrent quelques stores et ôtèrent la housse de l'un des canapés.

– Il y a encore un truc que j'ai oublié de te dire, déclara Frankie. Le 16 — jour où tu as été empoisonné —, Bassington-ffrench se trouvait à Staverley, mais Nicholson s'était absenté, soi-disant pour assister à une réunion à Londres. Par-dessus le marché, sa voiture est une Talbot bleu nuit.

– Et il a accès à la morphine.

Ils échangèrent un regard entendu.

– Ce n'est peut-être pas une preuve, remarqua Bobby, mais ça colle drôlement bien tout de même.

Frankie alla chercher un annuaire du téléphone.

– Qu'est-ce que tu mijotes ?

Elle feuilletait les pages à toute allure.

– Je pointe la liste des Rivington…

» A. Rivington & fils, entrepreneurs. B. A. C. Rivington, chirurgien-dentiste. D. Rivington, Shooters Hills, ça ne doit pas être ça. Miss Florence Rivington. Colonel H. Rivington — ça me paraît plus vraisemblable —, Tite Street, Chelsea.

Elle continua à parcourir des pages et des pages.

– Il y a un Mr R. Rivington à Onslow Square. Il me semble envisageable. Et puis un William Rivington à Hampstead. À mon avis, nos Rivington sont ou bien ceux d'Onslow Street, ou alors ceux de Tite Street. Il faut passer voir ces Rivington, il n'y a pas une minute à perdre.

– Tu as sans doute raison. Mais qu'allons-nous leur dire ? Concocte-nous un ou deux personnages en béton, Frankie. Moi, je ne suis pas très doué pour ça.

144

Frankie réfléchit un instant.

– C'est toi qui vas devoir aller au feu, Bobby. Est-ce que tu te crois capable de te faire passer pour un avocat ?

– Le rôle vous a un petit côté homme du monde. Venant de toi, je redoutais le pire. Seulement là, il y a maldonne.

– Pourquoi ça ?

– Eh bien, les avocats n'ont pas pour habitude de se déranger, non ? Ils sont plutôt du genre à vous écrire sur du papier timbré et à vous prier de passer les voir à leur cabinet.

– Le cabinet qui nous occupe pratique des méthodes tout ce qu'il y a de moins conventionnelles, voilà tout. Attends un peu.

Elle s'absenta un instant et revint, une carte de visite à la main.

– *Mr Frederick Spragge,* dit-elle en la tendant à Bobby. Tu es le plus jeune associé du cabinet Spragge, Spragge, Jenkinson & Spragge, de Bloomsbury Square.

– Tu viens d'inventer cette boîte, Frankie ?

– Absolument pas ! Ce sont les avocats de mon père.

– Et s'ils m'attaquent pour faux et usage de faux ?

– Pas de problème. Il n'y a pas de Spragge junior. L'unique Spragge est centenaire et me mange dans la main. Si ça tourne mal, j'arrangerai les choses. Il est snob comme pas deux — il raffole des ducs et des lords, même s'il sait très bien qu'ils ne leur rapportent pas un sou.

– Et pour les vêtements ? Est-ce que je téléphone à Badger de m'en apporter ?

145

Frankie eut une moue dubitative.

– Ce n'est pas que je veuille critiquer ton style vesti-mentaire, Bobby. Ni te renvoyer ta pauvreté dans les gencives. Mais tu crois franchement que tes vêtements seraient convaincants ? Nous ferions mieux de puiser dans la garde-robe de père. Vous êtes à peu près du même gabarit.

Un quart d'heure plus tard, Bobby, en veston uni et pantalon rayé — de coupe parfaite sinon de taille tout à fait adéquate —, se contemplait dans le trumeau de lord Marchington.

– Ton père s'habille avec beaucoup de goût, remarqua-t-il aimablement. Grâce aux doigts de fées des tailleurs de Savile Row, je ne vais pas tarder à me sentir des tré-sors d'éloquence.

– Tu ferais bien de garder ta moustache.

– Oui, c'est devenu une vieille amie fidèle. Et par-dessus le marché c'est une œuvre d'art que je ne saurais reconstituer dans la précipitation.

– Ça règle la question. Quoiqu'un visage glabre soit plutôt de mise chez les membres du barreau.

– C'est toujours mieux qu'une barbe. À propos, Frankie, tu crois que ton père pourrait me prêter un chapeau ?

17

Les confidences de Mrs Rivington

– Et si ce Mr M. R. Rivington d'Onslow Square était lui-même avocat ? lança Bobby qui s'apprêtait à sortir. Ce serait un coup dur !

– Mieux vaut commencer par le colonel de Tite Street. Il ne doit pas savoir ce que c'est qu'un avocat.

Bobby fréta un taxi pour gagner Tite Street. Le colonel était sorti, mais son épouse se trouvait là. Bobby remit à une domestique stylée une carte sur laquelle il avait écrit : *De la part de Messrs Spragge, Spragge, Jenkinson & Spragge. Très urgent.*

Le bristol et les vêtements empruntés à lord Marchington produisirent leur petit effet sur la domestique. Pas un instant elle ne soupçonna Bobby de chercher à vendre des miniatures, ou à placer des contrats d'assurance. Il fut donc introduit dans un salon de fort bon goût et luxueusement meublé, où vint bientôt le rejoindre Mrs Rivington, vêtue et maquillée avec une élégance tout aussi luxueuse.

– Veuillez me pardonner cette intrusion, déclara Bobby, mais l'affaire étant assez urgente, nous désirions éviter les délais d'un courrier.

Qu'un homme de loi souhaite éviter les délais paraissait en soi chose si curieuse que Bobby craignit un instant que Mrs Rivington ne le perçât à jour.

Mais celle-ci semblait briller davantage par ses charmes

147

que par son esprit et appartenir au genre de femme qui ne se pose pas de questions.

– Je vous en prie, asseyez-vous, répondit-elle. Votre étude vient de téléphoner pour m'annoncer votre visite.

Bobby vota à Frankie un applaudissement muet pour cette trouvaille de dernière minute.

Il prit place et s'efforça de coller à son personnage.

– C'est au sujet de notre client Mr Alan Carstairs, dit-il.

– Ah bon ?

– Peut-être vous a-t-il confié que nous gérions ses intérêts ?

– L'a-t-il fait ? C'est fort possible après tout, convint Mrs Rivington en ouvrant de grands yeux bleus.

Elle appartenait de toute évidence au type influençable.

– Mais ce qu'il y a de sûr, c'est que j'ai entendu parler de vous. Vous avez défendu Dolly Maltravers, lorsqu'elle a tué cet horrible couturier, non ? J'imagine que vous connaissez tous les détails de l'affaire ?

Mrs Rivington ne cachait pas sa curiosité. Elle mordait sans difficulté à l'hameçon.

– Nous savons bien des choses qui ne sont jamais évoquées devant la Cour, convint Bobby en souriant.

– Je m'en doute !

Mrs Rivington darda sur lui des yeux pleins d'envie.

– Dites-moi, était-elle vraiment… comment dire ? dans la tenue qu'a déclarée cette femme ?

– La défense s'est efforcée de démontrer le contraire, déclara sentencieusement Bobby, en appuyant cette remarque d'un regard entendu.

– Oh !… je vois, souffla Mrs Rivington, captivée.

– Si nous en revenions à Mr Carstairs ? reprit-il, la sen-

148

tant en confiance. Il a quitté brusquement l'Angleterre, comme vous le savez sans doute. Et…

Mrs Rivington secoua la tête.

– Il a quitté l'Angleterre ? Je l'ignorais. Cela fait un petit moment que nous ne l'avons pas vu.

– Vous avait-il dit combien de temps il comptait rester ici ?

– Une semaine, une quinzaine, six mois, un an… il n'avait pas l'air très fixé.

– Où était-il descendu ?

– Au *Savoy*.

– Et vous l'avez vu pour la dernière fois… quand ?

– Il y a de ça trois semaines ou un mois. Je ne saurais vous dire au juste.

– Vous l'avez emmené un jour à Staverley ?

– Bien sûr ! Je crois d'ailleurs que c'était notre dernière rencontre. Il nous avait téléphoné pour nous demander quand il pourrait nous voir. Il venait d'arriver à Londres et Hubert était très contrarié parce que nous devions partir le lendemain pour l'Écosse, et que nous étions attendus à déjeuner à Staverley avant de sortir dîner avec des gens assommants dont il n'y avait jamais moyen de se débarrasser, et il tenait à voir Carstairs, qu'il aime beaucoup, sur quoi je lui ai dit : « Chéri, emmenons-le chez les Bassington-ffrench. Ça ne les dérangera pas du tout. » Et c'est ce que nous avons fait. Et bien entendu, ça ne les a pas dérangés du tout.

Elle s'arrêta, un peu hors d'haleine.

– Vous a-t-il parlé des raisons qui l'amenaient à revenir en Angleterre ? demanda Bobby.

149

– Non. Lui fallait-il vraiment de bonnes raisons pour ça ? Ah, mais si ! Je sais ! Nous avons pensé que son retour était lié à la mort tragique de son ami le fameux millionnaire. Un médecin lui avait dit qu'il avait un cancer, et il s'était suicidé. C'est scandaleux de la part d'un médecin, non ? D'ailleurs, ils se trompent les trois quarts du temps. Le nôtre a soutenu l'autre jour que ma fille avait la rougeole, et il ne s'agissait que de boutons de chaleur. J'ai même annoncé à Hubert que j'allais en changer.

Sans chercher à contrer les opinions de Mrs Rivington, qui semblait changer de médecin comme d'autres de chemise, Bobby revint à son sujet.

– Est-ce que Mr Carstairs connaissait les Bassington-ffrench ?

– Oh, non ! Mais je crois qu'il les a trouvés charmants… encore qu'il se soit montré bizarre et préoccupé sur le chemin du retour. Quelqu'un a dû faire une réflexion qui lui aura déplu. Il est canadien, vous savez, et je les trouve parfois tellement susceptibles !

– Vous ne savez pas ce qui a pu lui déplaire ?

– Je n'en ai pas la moindre idée. Il s'agit souvent des choses les plus anodines, non ?

– S'est-il promené dans les environs ?

– Promené ? Mon Dieu, non ! Quelle idée bizarre ! s'exclama-t-elle en écarquillant les yeux.

Bobby tenta sa chance autrement.

– Était-ce un raout ? Les Bassington-ffrench avaient-ils invité des voisins ?

– Non, il n'y avait qu'eux et nous. Mais c'est drôle que vous me demandiez ça…

– Ah bon ? fit Bobby, pressant.

150

– Parce qu'il a posé une kyrielle de questions sur des gens qui habitent les parages.

– Vous souvenez-vous du nom qu'il a cité ?

– Non, pas du tout. Ce n'était pas quelqu'un de très intéressant… un médecin quelconque.

– Le Dr Nicholson.

– Il me semble qu'il s'agissait en effet de ce nom-là. Il voulait tout savoir sur lui, et sur sa femme, et quand ils étaient arrivés, et j'en passe… C'était d'autant plus bizarre qu'il ne les connaissait pas, et qu'il n'est d'habitude pas curieux. Mais, après tout, peut-être qu'il s'efforçait tout bonnement d'alimenter la conversation sans trop savoir quoi dire. C'est un genre de choses qui arrive à tout le monde.

Bobby en convint bien volontiers et demanda comment ils en étaient venus à parler des Nicholson, mais Mrs Rivington n'en savait rien. Elle était allée faire un tour au jardin avec Henry Bassington-ffrench, et c'est en revenant qu'elle avait trouvé les autres lancés sur le sujet des Nicholson.

Jusque-là, la conversation s'était poursuivie sans heurt, Bobby cuisinant la digne personne sans précautions superfétatoires. Mais elle finit par manifester quelque curiosité.

– Mais que désirez-vous savoir au juste à propos de Mr Carstairs ?

– À vrai dire, j'ai besoin de son adresse. Comme vous le savez, nous gérons ses biens et nous venons de recevoir de New York un télégramme assez important. Vous êtes sûrement au fait des dernières fluctuations du dollar, et…

151

Mrs Rivington hocha la tête dans un terrible effort de compréhension.

– Et c'est pour ça, enchaîna-t-il, volubile, que nous souhaiterions le joindre… pour recevoir ses instructions… or il n'a pas laissé d'adresse… mais l'ayant entendu mentionner que vous étiez de ses amis, j'ai pensé que vous auriez peut-être de ses nouvelles.

– Oh, je vois, fit Mrs Rivington, que cette explication satisfaisait pleinement. Quel dommage ! Mais je crois que ça a toujours été un garçon d'une extrême imprécision, si vous voulez le fond de ma pensée.

– Vous avez mille fois raison, convint Bobby en se levant. Il ne me reste qu'à m'excuser d'avoir abusé de votre temps.

– Mais pas du tout ! protesta Mrs Rivington. Et c'est tellement fascinant de savoir que Dolly Maltravers a bel et bien… fait ce que vous m'avez dit.

– Je n'ai rien dit du tout, corrigea Bobby.

– Oui, mais les hommes de loi sont connus pour leur discrétion, roucoula Mrs Rivington avec un petit effet de glotte.

« Et voilà le travail, se dit Bobby tout en redescendant Tite Street. Je crains d'avoir définitivement ruiné la réputation de Dolly Machinchose, mais elle le mérite sûrement. Quant à cette charmante gourde, elle ne se demandera jamais pourquoi, si je voulais l'adresse de Carstairs, je n'ai pas tout bonnement téléphoné. »

De retour à Brook Street, Frankie et lui examinèrent le problème sous tous ses angles.

– On dirait bien que c'est le seul hasard qui a conduit

152

Carstairs chez les Bassington-ffrench, conclut pensivement Frankie.

– Je sais. Et quand il s'est trouvé là, c'est une remarque fortuite qui a attiré son attention sur les Nicholson.

– De sorte qu'en fin de compte c'est Nicholson qui serait au cœur de l'affaire, et pas les Bassington-ffrench.

Bobby la foudroya du regard.

– Toujours décidée à blanchir ton héros, remarqua-t-il, glacial.

– Mon cher, je me contente de souligner les évidences. C'est à la seule mention de Nicholson et de sa clinique que Carstairs a réagi. Qu'il ait été emmené déjeuner chez les Bassington-ffrench est le fruit du seul hasard. Tu dois bien admettre ça, quand même !

– Ça a l'air de s'être passé comme ça, d'accord.

– Pourquoi ce « ça a l'air » ?

– Eh bien, parce qu'il y a une autre possibilité. Dieu sait comment, Carstairs peut avoir appris que les Rivington devaient aller déjeuner chez les Bassington-ffrench. Il l'a peut-être entendu dire par hasard dans un restaurant — à celui du *Savoy,* je ne sais pas, moi ! Du coup, il leur téléphone, très pressé de les voir, et ce qu'il espérait se produit : très pris, ils lui proposent de se joindre à eux — leurs amis n'y verront aucun inconvénient et eux seront tellement ravis de le retrouver. C'est possible, non ?

– C'est *possible,* je veux bien. Mais ce n'est pas un tantinet alambiqué, comme procédé ?

– Pas plus alambiqué que ton accident.

– Mon accident relevait de l'action directe, répliqua fraîchement Frankie.

153

Bobby se dépouilla de la défroque de lord Marchington et la replaça là où il l'avait prise. Puis il rendossa sa livrée de chauffeur et ils foncèrent bientôt vers Staverley.

– Si Roger a un faible pour moi, minauda Frankie, il sera ravi de me voir revenir si vite. Il s'imaginera que je ne peux plus me passer de lui.

– Et moi, je ne suis pas sûr du tout que tu puisses le faire. J'ai toujours entendu dire que les criminels notoires sont d'une séduction folle.

– Je n'arrive pas à voir en lui un criminel.

– Tu l'as déjà dit.

– Eh bien, c'est plus fort que moi.

– Tu ne peux pas nier qu'il y ait la photo.

– Au diable la photo !

Bobby remonta l'allée en silence. Frankie sauta par la portière et pénétra dans la maison sans même se retourner. Bobby repartit.

La demeure semblait étrangement silencieuse. Frankie jeta un coup d'œil à la pendule. Il était 2 heures et demie.

« Ils ne m'attendent pas avant des heures, se dit-elle. Je me demande où ils sont passés ? »

Elle ouvrit la porte de la bibliothèque et resta figée sur le seuil…

Assis sur le canapé, le Dr Nicholson tenait les mains de Sylvia Bassington-ffrench serrées dans les siennes.

Sylvia se leva d'un bond et se précipita vers Frankie.

– Il m'a tout raconté, dit-elle.

Elle avait la voix rauque et elle enfouit son visage dans les mains.

154

– C'est trop affreux, sanglota-t-elle — et, bousculant presque Frankie, se précipita hors de la pièce.

Le Dr Nicholson s'était levé. Frankie fit un pas en avant. Et ses yeux rencontrèrent le regard perçant du médecin.

– La pauvre femme, fit-il d'un ton doucereux. Le choc a été rude.

Les commissures de ses lèvres frémissaient. L'espace d'un instant, Frankie crut qu'il allait pouffer de rire. Et puis, brusquement, elle comprit qu'il s'agissait là des signes d'une émotion bien différente.

L'homme était furieux. Il se maîtrisait, il dissimulait sa colère sous un masque impassible — mais la colère était bien présente. La contenir était tout ce qu'il pouvait faire.

Il y eut un moment de silence.

– Il était préférable que Mrs Bassington-ffrench apprenne la vérité, déclara le médecin. Je veux qu'elle persuade son époux de s'en remettre à moi.

– Je crains de vous avoir dérangés, murmura Frankie.

Elle se tut, la gorge serrée, avant de reprendre :

– Je suis revenue plus tôt que je ne pensais.

18

La fille de la photographie

À son retour à l'auberge, Bobby fut informé que quelqu'un désirait le voir.

– C'est une dame. Elle vous attend dans le petit salon de Mr Askew.

Bobby s'y rendit, un peu perplexe. À moins qu'elle ne soit venue à tire-d'aile, il ne voyait pas comment Frankie aurait pu arriver avant lui aux *Anglers' Arms*. Quant à imaginer que la visiteuse puisse être quelqu'un d'autre, l'idée ne l'en effleura même pas.

Il ouvrit la porte du petit salon privé de Mr Askew et aperçut une jeune femme svelte, toute de noir vêtue, assise bien droite dans un fauteuil. C'était la fille de la photographie.

Bobby en fut si surpris qu'il resta quelques instants sans voix. La jeune femme paraissait très agitée. Ses petites mains tremblantes agrippaient et relâchaient en crispations spasmodiques les accoudoirs de son fauteuil. Trop perturbée pour parler, elle ouvrait de grands yeux implorants.

– Ainsi, c'est vous, dit enfin Bobby.

Il referma la porte derrière lui et s'approcha de la table.

Là encore, la jeune femme demeura muette — là encore elle se contenta de plonger dans les siens ses grands yeux terrifiés. Enfin, les premiers mots tombèrent de ses lèvres — sorte de gémissement rauque :

156

– Vous avez dit… vous avez dit… que vous alliez m'aider. Peut-être n'aurais-je pas dû venir…

Bobby recouvra tout à la fois son assurance et l'usage de la parole.

– Pas dû venir ? Absurde ! Vous avez très bien fait. Évidemment, que vous deviez venir ! Je ferais n'importe quoi — n'importe quoi au monde — pour vous venir en aide ! N'ayez pas peur. Vous êtes en sûreté, à présent.

Les joues de la jeune femme retrouvèrent un peu de couleur. Elle lui demanda brusquement :

– Qui êtes-vous ? Vous n'êtes… vous n'êtes pas un chauffeur. Je veux dire… vous êtes peut-être chauffeur pour le moment, mais vous n'êtes pas chauffeur.

En dépit de la confusion de son discours, Bobby comprit ce qu'elle voulait dire.

– Par les temps qui courent, il faut savoir faire tous les métiers, dit-il. Moi, j'étais dans la Marine. C'est vrai, je ne suis pas au juste chauffeur, mais peu importe… En tout cas, vous pouvez me faire confiance… et tout me raconter.

La jeune femme rougit presque.

– Vous devez me croire folle ! murmura-t-elle. Vous devez me croire complètement folle !

– Mais non, voyons !

– Mais si… pour venir ici comme ça. Mais j'avais si peur… si affreusement peur.

Sa voix se brisa et ses yeux s'ouvrirent plus grand, comme devant quelque vision de terreur.

Bobby lui saisit fermement la main.

– Allons, tout va bien. Tout va s'arranger. Vous êtes en sûreté, maintenant… avec… avec un ami. Il ne peut rien vous arriver.

157

Pour toute réponse, il sentit la pression de ses doigts.

– Quand vous avez surgi au clair de lune, l'autre nuit, fit-elle d'une voix haletante, ç'a été comme un rêve… comme si vous veniez me délivrer. Je ne savais pas qui vous étiez, ni d'où vous veniez, mais cela m'a redonné de l'espoir et j'ai décidé de venir vous trouver pour… pour tout vous dire.

– Parfait, l'encouragea Bobby. Racontez-moi… Dites-moi tout.

Elle retira brusquement sa main.

– Si je le fais, vous allez croire que je suis folle… que j'ai le cerveau malade à force de vivre là-bas, avec tous les autres.

– Mais non. Mais non, je vous assure.

– Mais si. Ça a l'air tellement fou.

– Je sais que ce n'est pas le cas. Racontez-moi. Je vous en supplie, racontez-moi tout.

Elle s'écarta un peu de lui et se rassit, toute droite, le regard fixé devant elle.

– Eh bien voilà. J'ai peur qu'on m'assassine.

Elle parlait d'une voix âpre et rauque. Et elle avait beau essayer de se dominer, ses mains tremblaient toujours.

– Qu'on vous assassine ?

– Oui. Ça paraît délirant, n'est-ce pas ? On jurerait qu'il s'agit de… — comment appellent-ils ça ? — de manie de la persécution.

– Non, dit Bobby, vous n'avez pas l'air folle du tout — seulement terrifiée. Dites-moi…, qui veut vous assassiner et pourquoi ?

Elle resta quelques instants silencieuse, à se tordre les mains. Puis elle murmura dans un souffle.

158

– Mon mari.

– Votre mari ?

Mille pensées se bousculèrent dans la tête de Bobby.

– Qui êtes-vous ? demanda-t-il tout à trac.

Ce fut à son tour à elle d'avoir l'air surpris.

– Vous ne le savez pas ?

– Je n'en ai pas la moindre idée.

– Je suis Moïra Nicholson. Mon mari est le Dr Nicholson.

– Alors vous n'êtes pas là en traitement ?

– En traitement ? Oh, non !

Son expression s'assombrit.

– Vous trouvez sans doute que je m'exprime comme une malade.

– Non, non, ce n'est pas du tout ce que je voulais dire, protesta Bobby, soucieux de la rassurer. Je vous jure que ce n'est pas ça. Je suis tellement étonné d'apprendre que vous êtes mariée… et… et tout ça, quoi ! Mais reprenez ce que vous étiez en train de dire… Votre mari veut vous assassiner ?

– Ça a l'air fou, je sais. Mais ça ne l'est pas… ça ne l'est pas ! Je le vois dans ses yeux quand il me regarde. Et puis il s'est passé des choses bizarres… des accidents.

– Des accidents ? grinça Bobby.

– Oui. Oh ! je sais que vous devez me croire en crise, que vous devez penser que je suis en train de tout inventer…

– Pas du tout. Ça paraît tout ce qu'il y a de sensé, au contraire. Parlez-moi donc de ces accidents.

– Ce n'étaient que des accidents. Il a fait marche arrière sans voir que j'étais là… je n'ai eu que le temps

159

de bondir… et puis du poison qui n'était pas dans le bon flacon… Oh ! des bêtises… des choses que la plupart des gens trouveraient tout à fait normales… mais qui ne l'étaient pas. Je le sais. Et ça me démolit d'être tout le temps sur mes gardes… sur le qui-vive… à essayer de sauver ma peau.

Elle déglutit avec peine.

– Pourquoi votre mari veut-il se débarrasser de vous ? demanda Bobby.

Peut-être n'osait-il espérer de réponse précise — pourtant celle-ci ne se fit guère attendre.

– Parce qu'il veut épouser Sylvia Bassington-ffrench.

– Quoi ? Mais elle est déjà mariée !

– Je sais. Mais il est en train de prendre ses dispositions.

– Que voulez-vous dire ?

– Je ne sais pas au juste. Mais je sais qu'il cherche à faire interner Mr Bassington-ffrench dans sa clinique pour une cure.

– Et après ?

– Je n'en sais rien. Mais je pense qu'il se passera quelque chose.

Elle frissonna.

– Il tient Mr Bassington-ffrench. Je ne sais pas comment.

– Bassington-ffrench prend de la morphine, dit Bobby.

– C'est donc ça ? Jasper lui en fournit, sans doute.

– Elle arrive par la poste.

– Peut-être que Jasper n'opère pas à découvert… il est très malin. Mr Bassington-ffrench ne sait sans doute pas qu'elle lui est envoyée par Jasper… mais je suis sûre que c'est le cas. Et puis Jasper le fera entrer au manoir sous prétexte de le guérir... et une fois qu'il y sera...

Elle se tut et frissonna à nouveau.

– Il se passe toutes sortes de choses, au manoir. Des choses bizarres. Les gens y viennent pour guérir et ils ne guérissent pas... ils vont de plus en plus mal.

À l'écouter, Bobby entrevoyait un univers étrange, maléfique. Et il ressentait un peu de la terreur qui était depuis si longtemps le lot quotidien de Moïra Nicholson.

Il s'ébroua.

– Vous dites que votre mari veut épouser Mrs Bassington-ffrench ?

Moïra hocha la tête.

– Il est fou d'elle.

– Et elle ?

– Je ne sais pas, fit lentement Moïra. Je ne sais pas quoi penser. Vue comme ça, elle a l'air d'adorer son mari et son petit garçon, et de mener une vie paisible, heureuse. On dirait une femme toute simple, en somme. Mais parfois je me dis qu'elle n'est pas aussi simple qu'elle en a l'air. Je me suis même demandé souvent si elle n'est pas complètement différente de ce que nous croyons... si elle ne joue pas un rôle et si elle ne le joue pas très bien... Mais je crois vraiment que c'est absurde, que mon imagination fait des siennes... À force de vivre dans un endroit comme le manoir, on finit par perdre la tête, et par voir son cerveau battre la campagne.

– Que savez-vous de Roger ? demanda Bobby.

– Pas grand-chose. Il est très gentil, mais sans doute du genre à se laisser facilement rouler dans la farine. Il est fasciné par Jasper, ça saute aux yeux. Et Jasper lui

161

monte la tête pour l'amener à convaincre Mr Bassington-ffrench de venir au manoir. Au point qu'il doit être persuadé d'en avoir eu l'idée lui-même.

Elle se pencha soudain et saisit Bobby par la manche.

– Empêchez-le de venir au manoir ! l'implora-t-elle. S'il vient, il se passera des choses atroces. Je le sais, j'en suis sûre.

Bobby resta silencieux un moment, à tourner et à retourner cette histoire dans sa tête.

– Depuis combien de temps êtes-vous mariée avec Nicholson ? demanda-t-il enfin.

– Un peu plus d'un an, frissonna-t-elle.

– Vous n'avez jamais songé à le quitter ?

– Comment le pourrais-je ? Je n'ai pas d'endroit où aller. Je n'ai pas d'argent. Si quelqu'un me recueillait, quelle histoire pourrais-je raconter ? Que mon mari veut m'assassiner ? Qui irait croire ça ?

– Moi, je vous crois.

Il se tut un instant, comme pour décider de la marche à suivre.

– Écoutez, fit-il enfin, n'y allant pas par quatre chemins. Je vais vous poser une question très directe. Connaissez-vous un certain Alan Carstairs ?

Il la vit s'empourprer.

– Pourquoi me demandez-vous ça ?

– Parce qu'il est important que je le sache. J'ai dans l'idée que vous connaissez Alan Carstairs depuis un petit bout de temps, et même que vous lui avez donné un jour une photo de vous.

Elle resta un instant silencieuse, les yeux baissés. Puis elle releva la tête et le regarda bien en face.

162

– C'est exact, dit-elle.

– Vous le connaissiez avant votre mariage ?

– Oui.

– Est-il venu vous voir ici depuis ?

Elle hésita un peu avant d'acquiescer.

– Oui, une fois.

– Il y a un mois environ ?

– Oui, c'est à peu près ça.

– Il savait que vous habitiez ici ?

– J'ignore comment il l'a appris… Pas par moi, en tout cas. Je ne lui ai pas écrit une seule fois depuis mon mariage.

– Il vous a pourtant retrouvée, et il est venu vous voir. Votre mari l'a su ?

– Non.

– C'est ce que vous croyez. Mais il l'a peut-être appris quand même ?

– C'est possible… Mais il ne m'en a jamais rien dit.

– Aviez-vous parlé à Carstairs de votre mari ? Lui avez-vous confié que vous craigniez pour votre vie ?

Elle secoua la tête.

– Je ne me doutais encore de rien.

– Mais vous étiez malheureuse ?

– Oui.

– Et vous le lui avez dit ?

– Non. J'ai tout fait pour qu'il ne s'aperçoive pas que mon mariage était un échec.

– Mais il s'en est peut-être quand même rendu compte, insista Bobby avec douceur.

– C'est possible, convint-elle d'une voix sourde.

– Pensez-vous que… comment dire ?… Pensez-vous

163

qu'il ait su quelque chose au sujet de votre mari ?…
Qu'il ait soupçonné, par exemple, que sa maison de
santé n'était pas tout à fait ce qu'elle voudrait paraître ?

Elle fronça les sourcils dans son effort pour s'éclaircir
les idées.

– C'est possible, déclara-t-elle enfin. Il m'a posé deux
ou trois questions assez bizarres… mais… non. Je ne
crois pas qu'il ait pu être au courant de quoi que ce soit.

– Je… Diriez-vous de votre mari que c'est un jaloux ?

À la surprise de Bobby, elle répondit :

– Oui. Très jaloux.

– Jaloux en ce qui vous concerne, par exemple ?

– Vous voulez dire… bien qu'il ne m'aime pas ? Oh,
oui, ça ne l'empêche pas de se montrer jaloux. Je lui
appartiens, vous comprenez ? C'est un homme bizarre…
un homme très bizarre.

Elle frissonna. Puis elle demanda soudain :

– Vous n'êtes pas de la police, au moins ?

– Moi ? Oh, non !

– Je me demandais. Je veux dire…

Bobby contempla sa livrée de chauffeur.

– C'est une assez longue histoire, dit-il.

– Vous êtes bien le chauffeur de lady Frances
Derwent, non ? C'est ce que m'a dit l'aubergiste. Je l'ai
rencontrée à dîner, l'autre jour.

– Je sais. Je… Oh ! Il faut absolument que nous parvenions à la joindre. Mais c'est un peu compliqué pour moi
de le faire. Croyez-vous que vous pourriez lui téléphoner
et lui proposer de vous retrouver ailleurs que chez vous ?

– Je devrais en être capable…

– Je sais que tout ça doit vous paraître extrêmement

164

étrange. Mais cela cessera de l'être quand je vous aurai expliqué la situation. Il faut que nous parvenions à joindre Frankie de toute urgence. C'est indispensable.

Moïra se leva.

– Très bien, dit-elle.

La main sur la poignée de la porte, elle hésita.

– Alan… Alan Carstairs, vous disiez que vous l'aviez vu ?

– Je l'ai vu, dit lentement Bobby. Je l'ai vu, mais pas récemment.

Et il songea, bouleversé.

« Bien sûr, elle ne sait pas qu'il est mort… »

Il s'éclaircit la voix, puis :

– Appelez lady Frances. Après ça, je vous raconterai tout.

19

Conciliabule à trois

Moïra revint quelques minutes plus tard.

– J'ai pu la joindre. Je lui ai demandé de venir me retrouver dans un pavillon d'été, au bord de la rivière. Elle doit me juger bizarre, mais elle dit qu'elle arrive.

– Bien. Où est-ce que ça se trouve au juste ?

Moïra le lui expliqua en détail.

– Parfait, dit Bobby. Partez la première. Je vous y rejoindrai.

Moïra sortit. Quant à Bobby, il s'attarda pour échanger quelques mots avec Mr Askew.

– Le monde est petit, non ? Cette Mrs Nicholson, eh bien j'ai travaillé pour un de ses oncles, un Canadien.

La visite de Moïra risquait de faire jaser, et il ne craignait rien tant que le bruit n'en revienne aux oreilles du Dr Nicholson.

– Ah ! c'est donc ça ! s'exclama Mr Askew. Je me demandais aussi…

– Eh oui. Elle m'a reconnu et elle est passée pour me demander ce que je devenais. C'est gentil de sa part. Et c'est une femme qui sait causer, comme dit l'autre.

– C'est bien vrai, ça. N'empêche que ça ne doit pas être une vie pour elle, de vivre au manoir.

– Moi, je n'irais pas m'y enterrer de bon cœur, convint Bobby.

Estimant avoir atteint son but, il sortit « faire un tour dans le village » et prit, mine de rien, la direction indiquée par Moïra.

Il gagna le lieu du rendez-vous sans encombre, et la trouva qui l'attendait déjà. Frankie n'avait pas encore fait son apparition.

Face au regard suppliant de Moïra, Bobby estima venue l'heure de difficiles explications.

– Il y a une quantité de choses qu'il faut que je vous dise…, préluda-t-il avant de s'arrêter net, pris de court.

– Quoi ?

– Pour commencer, dit Bobby, se jetant à l'eau, je ne suis pas chauffeur, même si je travaille dans un garage à Londres. Et je ne m'appelle pas Hawkins… je m'appelle

166

Jones… Bobby Jones. Je suis de Marchbolt, dans le pays de Galles.

Moïra ne perdait pas une miette de son discours, mais manifestement le nom de Marchbolt ne lui disait rien du tout. Bobby serra les mâchoires et entra bravement dans le vif du sujet.

– Écoutez, j'ai bien peur de vous faire de la peine. Votre ami. Alan Carstairs… il est… bah ! Il faudra bien que vous le sachiez… Il est mort.

La jeune femme eut un haut-le-corps et Bobby, plein de tact, détourna les yeux. Était-elle très affectée ? Avait-elle été… — oh, et puis zut ! — avait-elle été amoureuse de lui ?

Elle resta un instant silencieuse, puis murmura d'une voix sourde :

– Voilà pourquoi il n'est jamais revenu. Je me demandais…

Bobby lui jeta un regard à la dérobée. Et il reprit courage. Elle semblait triste et pensive — sans plus.

– Racontez-moi ce qui s'est passé, fit-elle.

Bobby s'exécuta :

– Il est tombé d'une falaise à Marchbolt, le patelin où j'habite. C'est le toubib et moi qui avons découvert son corps.

Il fit une pause, puis ajouta :

– Il avait votre photo sur lui.

– C'est vrai ?

Elle eut un petit sourire, doux et triste à la fois.

– Cher Alan, il était… si fidèle !

Il y eut à nouveau un silence. Puis elle demanda :

– Quand est-ce arrivé ?

167

– Il y a un mois environ. Le 3 octobre, pour être exact.

– C'était juste après sa visite.

– Oui. Vous avait-il dit qu'il comptait se rendre dans le pays de Galles ?

Elle secoua la tête.

– Et vous ne connaissez personne qui s'appelle Evans ?

– Evans ?

Moïra en fronça les sourcils.

– Non, je ne crois pas. C'est un nom très répandu, c'est vrai, mais il ne me rappelle rien. Qui est-ce ?

– Précisément, nous n'en savons rien. Ah ! enfin… voilà Frankie.

Frankie arrivait en toute hâte. Son visage, au spectacle de Bobby et de Mrs Nicholson assis à bavarder, refléta toutes sortes de pensées contradictoires.

– Salut, Frankie ! lança Bobby. Je suis content que tu aies pu venir. Il va nous falloir tenir un sérieux palabre. Pour commencer, voici Mrs Nicholson, l'original de la fameuse photo.

– Oh !

Frankie examina Moïra puis éclata de rire.

– Mon cher, confia-t-elle à Bobby, je commence à comprendre pourquoi l'apparition de Mrs Cayman à l'instruction t'a tellement traumatisé.

– Tu ne crois pas si bien dire.

Quel imbécile il avait été ! Comment avait-il pu croire un instant que le temps pourrait jamais métamorphoser une Moïra Nicholson en Amelia Cayman ?

– Seigneur ! Quel imbécile j'ai été ! s'exclama-t-il.

Moïra semblait déconcertée.

168

– J'ai tellement de choses à vous raconter, s'excusa Bobby, que je ne sais pas par où commencer.

Il décrivit les Cayman et la façon dont ils avaient identifié le cadavre.

– Mais je ne comprends pas ! s'écria Moïra, ahurie. C'était le corps de son frère, ou celui d'Alan Carstairs ?

– C'est là que tout se gâte, expliqua Bobby.

– Car sur ces entrefaites Bobby a été empoisonné, ajouta Frankie.

– Avec-cinq-cents-mil-li-gram-mes-de-mor-phi-ne, précisa Bobby.

– Ne recommence pas, protesta Frankie. Tu es capable de tartiner là-dessus pendant des heures et c'est rasoir pour tout le monde, sauf apparemment pour toi. Laisse-moi parler.

Elle prit une profonde inspiration.

– Vous comprenez, dit-elle, ces Cayman sont passés voir Bobby après l'enquête du coroner pour lui demander si le frère — le prétendu frère — avait dit quelque chose avant de mourir, et Bobby a répondu « Non ». Mais après ça, il s'est rappelé qu'il avait dit quelque chose au sujet d'un certain Evans, et il a écrit aux Cayman pour le leur dire, et quelques jours plus tard il a reçu une lettre lui offrant une situation au Pérou ou je ne sais où et quand il a décidé de ne pas l'accepter, c'est là que quelqu'un lui a fourré une rasade de morphine…

– Cinq-cents-mil-li-grammes…, chevrota Bobby.

– … dans sa bière. Seulement grâce à son exceptionnelle constitution — est-ce que ça te va ? —, Bobby n'en est pas mort. Et c'est depuis ce moment-là que nous

169

sommes persuadés que Pritchard — ou Carstairs, vous savez bien — a été poussé du haut de la falaise.

– Mais pourquoi ?

– Vous ne saisissez pas ? Nous, ça nous semble d'une clarté aveuglante. Je ne me suis peut-être pas bien expliquée. Quoi qu'il en soit, nous avons décidé qu'il avait bien été poussé et que c'était Roger Bassington-ffrench qui avait sans doute fait le coup.

– Roger Bassington-ffrench ! répéta Moïra, qui parut soudain trouver l'idée du plus haut comique.

– C'est la conclusion à laquelle nous sommes parvenus. Vous comprenez, il se trouvait sur les lieux au moment propice, et votre photo a disparu, et il avait tout l'air d'être la seule personne qui ait pu la faire disparaître.

– Je comprends, dit Moïra, pensive.

– Sur quoi il se trouve, poursuivit Frankie, que j'ai un accident dans les parages. Curieuse coïncidence, non ? fit-elle avec un regard d'admonestation à Bobby. Je téléphone donc à Bobby de venir me rejoindre ici en lui suggérant de se faire passer pour mon chauffeur afin que nous ayons les mains libres pour aller un peu au fond des choses.

– Vous saisissez, maintenant ? demanda Bobby, acceptant la légère entorse faite par Frankie à la vérité. Et le bouquet, ç'a été lorsque je me suis introduit la nuit dernière dans le parc du manoir et que je suis tombé sur vous — l'original de la mystérieuse photo.

– Vous m'avez reconnue tout de suite, fit Moïra avec l'ombre d'un sourire.

170

– Oui. J'aurais reconnu n'importe où l'original de cette photo.

Sans raison précise, Moïra rougit.

Puis, comme frappée d'une idée subite, elle les dévisagea tour à tour.

– Vous me dites bien la vérité ? C'est bien vrai que vous êtes arrivés ici par… par hasard, ou à cause d'un accident, et pas parce que… (sa voix se mit à trembler) parce que vous soupçonniez mon mari ?

Bobby et Frankie échangèrent un regard. Puis Bobby déclara :

– Je vous donne ma parole d'honneur que nous n'avions jamais entendu parler de votre mari avant de venir ici.

Moïra se tourna vers Frankie.

– Excusez-moi, lady Frances, mais je me suis souvenue du soir où nous avons dîné ensemble. Jasper n'a pas cessé de vous asticoter — de vous demander des détails sur votre accident. Je ne comprends pas pourquoi. Mais je crois maintenant qu'il devait vous soupçonner de l'avoir… truqué.

– Ma foi, pour tout vous dire, c'était bien le cas. Ouf… je me sens mieux ! C'était truqué jusque dans les moindres détails. Mais ça n'avait rien à voir avec votre mari. Nous avions monté toute cette mise en scène parce que nous voulions nous… nous… bon sang, quel est le mot ?… nous tuyauter sur Roger Bassington-ffrench.

– Sur Roger ?

Moïra fronça les sourcils puis sourit avec le même air de perplexité.

171

– Mais ça me paraît insensé, ajouta-t-elle dans un bel élan de franchise.

– Et pourtant les faits sont là, objecta Bobby.

– Roger ?... Oh non ! trancha Moïra en secouant la tête. Il peut se montrer faible, ou fantasque, parfois. Il est capable de s'endetter, ou de se trouver mêlé à un scandale... mais précipiter quelqu'un du haut d'une falaise... non, ça, je ne le pense pas une seconde.

– Eh bien, moi non plus, je ne le pense pas une seconde, avoua Frankie.

– N'empêche qu'il a quand même bien dû subtiliser cette photo ! insista Bobby. Écoutez, Mrs Nicholson, laissez-moi récapituler toute l'histoire...

Il le fit, lentement et sans omettre le moindre détail. Quand il eut terminé, Moïra hocha la tête, apparemment satisfaite de ses explications.

– Je comprends votre point de vue, dit-elle. C'est vraiment très bizarre.

Elle se tut un instant, puis leur demanda tout à trac :

– Pourquoi ne lui posez-vous pas carrément la question ?

172

20

Conciliabule à deux

L'espace d'un moment, la belle simplicité de cette question les laissa sans voix. Puis Frankie et Bobby exprimèrent le fond de leur pensée avec un ensemble parfait.

« Il n'y a pas moyen ! » s'écria Bobby, tandis que Frankie s'exclamait : « Ça ne donnerait rien du tout ! »

Tous deux s'interrompirent net en déclarant que l'idée n'était peut-être, malgré tout, pas si bête.

– Je comprends votre point de vue, reprit Moïra avec animation. Selon toute vraisemblance, Roger a bel et bien subtilisé cette photo, mais je ne crois pas une seconde qu'il ait pu pousser Alan du haut de la falaise. Pourquoi l'aurait-il fait ? Il ne le connaissait même pas ! Ils ne s'étaient rencontrés qu'une fois — ici, à déjeuner. Il n'y a pas de mobile.

– Quelqu'un l'a quand même bien poussé ! gronda Frankie. Alors qui ?

Une ombre passa sur le visage de Moïra.

– Je n'en sais rien, fit-elle à regret.

– Écoutez, dit Bobby. Ça ne vous ennuie pas si je raconte à Frankie ce que vous m'avez raconté ? Sur vos angoisses, vos peurs et tout ?

Moïra détourna la tête.

– Comme vous voudrez. Mais ça paraît tellement délirant et mélodramatique ! J'en viens à ne plus y croire moi-même.

Et de fait, le récit sans passion ni fioritures auquel se

173

livra Bobby revêtit, dans ce cadre de paisible campagne anglaise, un caractère étrangement irréel.

Moïra se leva brusquement.

– J'ai vraiment l'impression d'avoir été grotesque, dit-elle, les lèvres tremblantes. Oubliez ce que j'ai pu vous dire, Mr Jones. C'était… c'était mes nerfs. De toute façon, il faut que je rentre. Au revoir.

Elle s'éloigna rapidement. Bobby voulut sauter sur ses pieds pour la rattraper, mais Frankie le força à se rasseoir.

– Reste là, espèce de crétin ! Et laisse-moi faire.

Elle rejoignit Moïra en deux temps trois mouvements. Quelques instants plus tard, elle était de retour.

– Alors ?

– Tout va bien. Je l'ai calmée. Elle a du mal à supporter que ses angoisses soient étalées devant un tiers. Je lui ai fait jurer de revenir bientôt nous voir pour une nouvelle réunion tripartite. Et maintenant que tu n'es plus gêné par sa présence, dis-moi tout.

Bobby s'exécuta. Frankie fut tout ouïe. Puis elle déclara :

– Deux éléments collent avec sa version. Primo, je viens juste de rentrer pour découvrir Nicholson en train de pétrir les mains de Sylvia Bassington-ffrench — tu aurais dû voir sa tête ! Si un regard pouvait tuer, je serais tombée raide.

– Et le deuxième élément ?

– Oh ! une broutille qui m'est revenue en mémoire. Sylvia m'avait raconté comment la photo de Moïra avait fait forte impression sur un invité surprise. Pas de doute qu'il s'agissait de Carstairs. Il reconnaît la photo,

174

Mrs Bassington-ffrench lui dit que c'est le portrait d'une Mrs Nicholson, et ça explique comment il a retrouvé sa trace. Mais, ce que je ne comprends pas, Bobby, c'est le rôle de Nicholson dans cette histoire. Pourquoi aurait-il pu vouloir se débarrasser d'Alan Carstairs ?

– Tu crois que c'est lui qui a fait le coup — et pas Bassington-ffrench ? Drôle de coïncidence que Bassington-ffrench et Nicholson se soient trouvés le même jour à Marchbolt !

– Les coïncidences, ça existe, mon vieux. Mais si c'est Nicholson, je ne vois toujours pas bien son mobile. Carstairs courait-il après Nicholson-chef-d'un-gang-de-trafiquants-de-drogue ? Ou bien ta nouvelle amie de cœur est-elle le motif du meurtre ?

– L'un ne va peut-être pas sans l'autre. Si Carstairs et sa femme s'étaient rencontrés, elle pouvait aussi bien l'avoir trahi.

– Ce n'est pas impossible, convint Frankie. Mais l'urgence, c'est de tirer au clair le cas Roger Bassington-ffrench. La seule chose que l'on puisse retenir contre lui jusqu'à présent, c'est cette histoire de photo. S'il peut s'expliquer là-dessus...

– Tu envisages de l'attaquer sur le sujet ? Est-ce bien raisonnable, Frankie ? Si c'est lui le méchant — et nous avons décidé que ça ne pouvait être que lui —, ça revient à lui dévoiler notre jeu.

– Pas tout à fait... Pas de la façon dont je vais m'y prendre. Après tout, il s'est toujours montré archi-franc et archi-honnête. Nous avons pris ça pour le comble de la ruse, mais peut-être qu'il s'agit tout bonnement d'innocence. S'il est capable d'expliquer le coup de la photo

175

— et je te prie de croire que je l'aurai à l'œil quand il le fera : aucune de ses hésitations ou de ses réticences ne m'échappera —, alors, fais-moi confiance, il sera pour nous un allié précieux.

– Comment ça, un allié ?

– Mon cher, ta petite amie est peut-être une froussarde à l'imagination délirante, mais suppose que ce ne soit pas le cas, que tout ce qu'elle dit soit parole d'évangile, et que le mari veuille se débarrasser d'elle pour épouser Sylvia... Est-ce que tu te rends compte que, dans ce cas-là, Henry Bassington-ffrench court lui aussi un danger mortel ? Nous devons à tout prix empêcher qu'il n'entre en traitement au manoir. Et, pour l'instant, Roger Bassington-ffrench est du côté de Nicholson.

– Bien raisonné, Frankie. Mets ton plan à exécution.

Frankie se leva pour partir. Puis elle parut se raviser et murmura :

– C'est bizarre, non ? J'ai l'impression que nous nageons entre les pages d'un roman — au beau milieu d'une histoire qui n'est pas vraiment la nôtre. C'est un sentiment extrêmement troublant.

– Je vois ce que tu veux dire ! Ça a quelque chose d'assez inquiétant. Pour moi, ce serait plutôt une pièce qu'un livre. C'est comme si on débarquait sur scène, en plein milieu du deuxième acte, pour jouer des personnages qui n'ont pas été prévus et ce qui rend notre jeu encore plus difficile, c'est que nous n'avons pas la moindre idée de ce qui s'est passé au premier.

Frankie opina énergiquement du bonnet.

– Seulement, est-ce qu'il s'agit bien du deuxième ? À mon avis, ce serait plutôt le troisième. Nous devons

176

remonter très avant dans le scénario, Bobby. Et vite. Parce que j'ai l'impression que le tomber de rideau n'est pas loin.

– Sur une scène jonchée de cadavres, renchérit Bobby. Et dire que nous avons été entraînés jusque-là par une simple phrase — quatre petits mots — rigoureusement dénués de sens en ce qui nous concerne.

– « Et pourquoi pas Evans ? »... Tu ne trouves pas bizarre qu'après avoir découvert pas mal d'éléments et de plus en plus de protagonistes nous n'en sachions pas davantage sur le compte de ce mystérieux Evans ?

– J'ai une idée au sujet d'Evans. Je crois qu'Evans n'a aucune espèce d'importance, que même s'il en est le point de départ il ne joue qu'un rôle négligeable dans cette histoire. Ça me rappelle cette nouvelle de Wells dans laquelle un prince fait bâtir un merveilleux palais autour de la tombe de sa bien-aimée. Une fois l'édifice achevé, un seul détail cloche. « Ôtez-moi ça ! » dit-il. Mais ce détail, c'était en fait la tombe elle-même.

– Parfois, dit Frankie, j'en arrive à croire qu'Evans n'existe pas.

Sur quoi elle salua Bobby et reprit le chemin de Merroway Court.

21

La réponse de Roger

La chance favorisa Frankie : elle rencontra Roger à trois pas du perron.

– Déjà de retour ? fit-il.

– Je n'étais pas d'humeur londonienne.

– Vous êtes déjà passée à la maison ? ajouta-t-il, le visage soudain grave. Je viens d'apprendre que Nicholson a mis Sylvia au courant, à propos de ce pauvre Henry. La malheureuse, ça lui a fichu un coup. J'ai l'impression qu'elle ne se doutait de rien.

– Je sais, dit Frankie. Ils étaient encore tous deux dans la bibliothèque lorsque j'y suis arrivée comme une bombe. Sylvia avait l'air dans tous ses états.

– Écoutez, Frankie, dit Roger. Il est impératif que Henry se fasse soigner. Ce n'est pas comme s'il était dépendant de la drogue. Après tout, il n'en prend pas depuis si longtemps. Et puis il a toutes les raisons du monde d'avoir envie qu'on l'en guérisse : Sylvia, Tommy, son foyer. Il faut qu'on lui montre ce qui est en jeu. Nicholson est l'homme de la situation. Il m'en parlait l'autre jour encore. Il a obtenu des résultats étonnants — même chez certains patients qui étaient esclaves de cette cochonnerie depuis des années. Si Henry consentait seulement à se faire interner au manoir, il…

Frankie l'interrompit :

– Écoutez vous-même. Il y a quelque chose que je

178

veux vous demander. Une simple question. J'espère que vous ne me trouverez pas effroyablement indiscrète.

– De quoi s'agit-il ? demanda Roger, interloqué.

– Accepteriez-vous de me dire si vous avez subtilisé une photographie dans la poche de cet homme — du malheureux qui est tombé de la falaise à Marchbolt ?

Elle l'examinait de près, lui scrutait le visage, attentive au moindre changement d'expression. Et elle fut satisfaite de ce qu'elle vit…

Une gêne légère, un soupçon d'embarras… mais rien qui trahît le trouble ni encore moins la culpabilité.

– Comment diable avez-vous deviné ça ? s'étonna-t-il. Ou alors est-ce que c'est Moïra qui vous l'a dit ?… Mais non, elle n'est même pas au courant…

– Alors, c'est bien vous ?

– Je crois qu'il me faut bien l'admettre.

– Mais pourquoi ?

Roger eut à nouveau l'air gêné.

– Mettez-vous à ma place. Je suis là, à veiller le cadavre d'un inconnu. Quelque chose dépasse de sa poche. Je regarde. Coïncidence hallucinante, il s'agit de la photo d'une femme que je connais — une femme mariée —, une femme que je sais pas très heureuse en ménage. Que va-t-il se passer ? Une enquête policière. Des tas de détails étalés au grand jour. Peut-être même le nom de cette malheureuse à la une des journaux. Ça a été plus fort que moi. J'ai pris la photo et je l'ai déchirée. Je reconnais que je n'aurais pas dû le faire, mais Moïra Nicholson est une brave gosse, et je voulais lui épargner tout ce gâchis.

Frankie eut un soupir de soulagement.

179

– C'était donc ça ! Si vous saviez…

– Si je savais quoi ?

– Je crois ne pas pouvoir vous le dire tout de suite. Plus tard, peut-être. C'est assez compliqué. Je comprends pourquoi vous avez fait main basse sur la photo, mais qu'est-ce qui vous a empêché d'identifier la victime ? Vous ne pouviez pas dire à la police de qui il s'agissait ?

– L'identifier ? fit Roger, stupéfait. Comment aurais-je pu l'identifier ? Je ne savais même pas de qui il s'agissait !

– Vous l'aviez pourtant rencontré ici, une semaine avant.

– Ma chère amie, vous perdez la tête.

– Alan Carstairs ! Vous avez bien rencontré Alan Carstairs, non ?

– Ah, oui ! Le type qui a débarqué avec les Rivington. Mais le mort n'avait rien à voir avec Carstairs !

– Bien sûr que si, c'était *lui* !

Ils se dévisagèrent un moment, et Frankie se sentit de nouveau gagnée par le soupçon.

– Vous l'avez quand même bien reconnu !

– Je n'ai même pas vu son visage, répondit Roger.

– Quoi ? !

– Non. On lui avait mis un mouchoir sur la figure.

Frankie le regarda, éberluée. Et puis elle se rappela soudain que Bobby, lorsqu'il lui avait raconté son aventure, avait bien précisé qu'il avait étendu son mouchoir sur le visage du mort.

– Et vous n'avez pas eu l'idée de regarder dessous ?

– Non, voyons ! Pourquoi aurais-je fait ça ?

« Bien sûr, songea Frankie. Si c'était *moi* qui avais

180

trouvé la photo de quelqu'un que je connais dans la poche d'un mort, j'aurais regardé la tête du mort en question. Les hommes sont divinement peu curieux. »

– La pauvre, murmura-t-elle. Je la plains de tout mon cœur.

– Qui ça ? Moïra Nicholson ? Pourquoi la plaignez-vous tant ?

– Parce qu'elle meurt de peur.

– Oui, elle a toujours l'air terrifié. Qu'est-ce qui l'épouvante à ce point-là ?

– Son mari.

– Je ne crois pas que j'aimerais avoir affaire à Jasper Nicholson, convint Roger.

– Elle est persuadée qu'il veut l'assassiner.

– Bon sang de bonsoir ! Je veux dire… vous croyez ?

Il lui jeta un regard dubitatif.

– Asseyez-vous, reprit Frankie. Je vais vous dire un tas de choses. Et vous prouver que le Dr Nicholson est un criminel dangereux.

– Un criminel ?

Le ton de Roger trahissait la plus parfaite incrédulité.

– Attendez de connaître le fin fond de l'histoire.

Elle lui fit un compte rendu clair et détaillé de tout ce qui s'était passé depuis le jour où Bobby et le Dr Thomas avaient découvert le cadavre. Elle ne passa sous silence que la vérité sur son « accident », mais insista bien fort sur le fait que son désir d'éclaircir ce mystère l'avait seul incitée à s'incruster à Merroway Court.

Elle ne put se plaindre du manque d'intérêt de son auditoire. Roger semblait fasciné.

181

– C'est bien vrai, tout ça ? Même cette histoire d'empoisonnement de votre ami Jones ?

– Je le jure et je crache par terre, mon cher.

– Pardon de me montrer incrédule, mais les faits sont plutôt difficiles à avaler.

Il parut réfléchir un instant.

– Écoutez, déclara-t-il enfin, si invraisemblable que toute cette histoire puisse paraître, j'estime fondée votre première hypothèse. Cet homme, Alex Pritchard — ou Alan Carstairs —, a bien dû être assassiné. Sinon, l'agression contre Jones ne s'expliquerait pas. Quant à savoir si la question « Et pourquoi pas Evans ? » est la phrase clé de l'affaire, cela ne me paraît pas très important dans la mesure où vous ignorez qui est Evans et ce qu'il conviendrait de lui demander.

» D'accord, le ou les meurtriers ont cru que Jones détenait — peut-être même à son insu — des informations compromettantes pour eux. Ils ont donc essayé de le supprimer, et ils recommenceront s'ils retrouvent sa trace. Jusqu'ici, c'est logique. Mais ce que je ne comprends pas, c'est par quel raisonnement vous en arrivez à accuser le Dr Nicholson.

– Il a une tête qui ne me revient pas, il possède une Talbot bleu nuit et il n'était pas ici le jour où Bobby a été empoisonné.

– En fait de preuve, c'est un peu maigrichon.

– Et puis il y a tout ce que Mrs Nicholson a raconté à Bobby.

Elle lui raconta les confidences de Moïra. Mais, dans ce cadre bucolique si peu fait pour l'horreur, elles eurent une fois de plus d'étranges accents de mauvais mélodrame.

182

Roger haussa les épaules.

– Elle est persuadée que c'est lui qui fournit la drogue à Henry. Mais ça n'est qu'une supposition — elle n'en a pas la moindre preuve. Elle est persuadée que son mari veut faire interner Henry au manoir. Mais enfin, c'est là un désir bien naturel de la part d'un médecin. Tout médecin qui se respecte veut un maximum de patients dans son service. Elle est persuadée qu'il est amoureux de Sylvia. Et là, je vous l'avoue, je n'ai pas la moindre opinion.

– Si elle en est persuadée, elle a sans doute raison, le coupa Frankie. Une femme sait toujours à quoi s'en tenir sur le compte de son mari.

– Même si c'était le cas, cela ne ferait pas de ce type un maniaque homicide. Des tas d'individus respectables tombent amoureux de femmes mariées !

– Elle croit dur comme fer qu'il veut l'assassiner, insista Frankie.

Roger lui jeta un regard perplexe.

– Vous prenez ça au sérieux ?

– Elle, en tout cas, n'a pas l'air de prendre ça pour de la blague.

Roger hocha la tête et alluma une cigarette.

– Dans quelle mesure faut-il accorder du crédit aux idées qu'elle peut se faire ? C'est un endroit à vous coller la chair de poule, le manoir, une pépinière de cinglés. Vivre là-dedans saperait le moral de n'importe qui — alors vous imaginez l'effet que ça peut produire sur le cerveau d'une femme impressionnable.

– Donc, vous n'accordez aucun crédit à ce qu'elle raconte ?

183

– Je n'ai pas dit ça. Elle croit peut-être très sincèrement qu'il veut l'assassiner. Mais pouvez-vous me citer un fait — un seul — qui vienne étayer ses craintes ? Je n'ai pas l'impression qu'ils se bousculent ?

Avec une curieuse acuité, Frankie crut soudain réentendre Moïra balbutier : « C'était… c'était mes nerfs. » Et, par un étrange cheminement de la pensée, elle en vint à la conclusion que le seul fait que la jeune femme ait prononcé ces mots prouvait très précisément le contraire… Oui, mais comment faire comprendre ça à Roger ?

De son côté, celui-ci poursuivait :

– Notez bien que si vous pouviez prouver que Nicholson se trouvait à Marchbolt le jour du drame de la falaise la face des choses en serait changée — de même que si nous lui découvrions un indiscutable lien avec Carstairs. Mais j'ai comme l'impression que vous négligez les vrais suspects ?

– Quels vrais suspects ?

– Les… — comment les appelez-vous, déjà ? — Hayman ?

– Les Cayman.

– C'est ça. Ceux-là sont indubitablement mouillés jusqu'au cou. Primo, vous avez la fausse identification du corps. Secundo, leur insistance à savoir si ce malheureux avait ou non dit quelque chose avant de mourir. Tertio, je crois logique de les estimer à l'origine de l'offre d'emploi à Buenos Aires.

– C'est quand même un petit peu embêtant, se lamenta Frankie, que tant d'efforts soient déployés pour vous écarter sous prétexte que vous savez quelque chose

184

— alors que vous ne savez même pas ce que peut bien être cette chose que vous savez. Oh et puis zut et flûte ! Se bagarrer avec des mots n'est pas non plus de la tarte !

– Oui, convint sombrement Roger, c'est une erreur de leur part. Une erreur qu'ils auront un mal de chien à réparer.

– Oh ! s'écria Frankie. Je viens de penser à un truc. Jusqu'à présent, voyez-vous, j'étais persuadée que la photo de Mrs Cayman avait été substituée à celle de Moïra Nicholson.

– Je peux vous jurer, déclara solennellement Roger, que je n'ai jamais serré contre mon cœur le faciès de Mrs Cayman. Elle m'a tout l'air d'une effroyable gorgone.

– Bof ! elle est assez spectaculaire dans son genre — le genre ex-vamp un tantinet peuple sur les bords. Mais, ce qu'il y a de sûr, c'est que Carstairs devait avoir sa photo sur lui en plus de celle de Moïra Nicholson.

Roger acquiesça.

– Et vous pensez… ? commença-t-il.

– Je pense que pour l'une il s'agissait d'amour, et pour l'autre d'un boulot quelconque. Il y avait bien une raison pour que Carstairs trimbale le portrait de Mrs Cayman. Il voulait peut-être le faire identifier par quelqu'un, qui sait ? Sur quoi, que se passe-t-il ? Quelqu'un d'autre, peut-être le jules Cayman, le suit à la trace et, saisissant l'occasion par les cheveux, se glisse derrière lui dans le brouillard et le propulse du haut de la falaise. Carstairs bascule dans le vide en poussant un cri d'effroi. Le jules Cayman prend ses cliques et ses claques en se disant qu'il y a peut-être bien du monde dans le secteur. Supposons qu'il ne sache pas qu'Alan Carstairs se baladait

185

avec la photo en question... Que se passe-t-il par la suite ? La photo est publiée et...

– Et consternation du gentil couple Cayman, glissa Roger, désireux de participer.

– Tout juste. Alors, que faire ? Ne pas y aller de main morte. Risquer le tout pour le tout ! Qui sait que Carstairs est Carstairs ? Quasiment personne dans le coin. Mrs Cayman rapplique alors dare-dare avec des larmes de crocodile et reconnaît le corps d'un frère providentiel. Et ils manigancent l'envoi de colis pour accréditer la thèse de la randonnée pédestre.

– Alors là, j'avoue, Frankie : je trouve votre théorie éblouissante ! s'extasia Roger.

– Je la trouve moi-même pas mal du tout, convint Frankie. Et vous avez cent pour cent raison. Il faudrait que nous nous lancions sur la piste des Cayman. Je ne comprends d'ailleurs pas pourquoi nous ne l'avons pas fait plus tôt.

Mensonge éhonté. Frankie savait très bien pourquoi : tout bonnement parce qu'ils étaient lancés sur la piste de Roger en personne. Mais il lui aurait paru déplacé, à ce stade, de le lui avouer.

– Qu'allons-nous faire à propos de Mrs Nicholson ? demanda-t-elle tout à trac.

– Faire à son propos ?... Qu'est-ce que vous voulez dire ?

– Bon sang ! Cette pauvre femme meurt de terreur. Je vous trouve bien insensible à son égard, Roger.

– Moi ? Pas du tout. Mais les gens incapables de se prendre par la main m'exaspèrent.

186

– Ne soyez pas injuste ! Que peut-elle faire ? Elle n'a pas un sou, et pas le moindre endroit où aller.

– Si vous étiez à sa place, Frankie, vous trouveriez une solution.

– Vous croyez vraiment ? fit Frankie, rose d'émotion.

– Bien sûr, si vous pensiez que quelqu'un veut vous tuer, vous ne resteriez pas là à attendre la mort en vous croisant les bras. Non, vous prendriez la poudre d'escampette et vous trouveriez un moyen de subsistance — à moins que vous ne commenciez par tuer votre assassin vous-même ! En tout cas, vous feriez quelque chose.

Frankie essaya de se représenter comment elle agirait.

– C'est vrai que je prendrais le taureau par les cornes, dit-elle d'un ton songeur.

– Le fond du problème c'est que vous avez du cran et qu'elle n'en a pas, conclut Roger.

Frankie se sentit flattée. Elle n'admirait guère les femmes du type Moïra Nicholson, et le fait que Bobby s'intéressait tant à elle l'agaçait. « Bobby aime les femmes sans défense », songea-t-elle. Elle se souvenait de l'étrange fascination que la photo avait exercée sur lui dès le début de l'affaire.

« Bah ! se dit-elle, Roger est différent. »

Roger, c'était évident, ne les aimait pas sans défense. Moïra, de son côté, ne semblait pas penser grand bien de lui. Qu'en avait-elle dit ? Que c'était un faible. Et elle avait même repoussé du pied l'idée qu'il soit capable de commettre un meurtre. C'était un faible, peut-être bien... mais doté d'un charme indéniable. Frankie l'avait senti dès son arrivée à Merroway Court.

187

– Pour peu que vous le vouliez, Frankie, vous pourriez mener un homme par le bout du nez.

Cette déclaration sans fioritures troubla Frankie jusques aux tréfonds — et la plongea tout à la fois dans le plus vif des embarras. Elle s'empressa de dévier le cours de la conversation.

– À propos, et votre frère ? Vous croyez toujours qu'il doive se rendre au manoir ?

22

La deuxième victime

– Non, déclara Roger. Je ne crois pas. Après tout, des cliniques où il pourrait se faire soigner, ce n'est pas ça qui manque. L'important c'est que Henry en accepte l'idée.

– Et vous estimez que ce sera difficile ? demanda Frankie.

– J'en ai bien peur. Vous l'avez entendu, l'autre soir. En revanche, si nous pouvions le coincer au cours d'une de ses crises de culpabilité, ça changerait tout. Tiens !… Sylvia.

Mrs Bassington-ffrench venait d'apparaître sur le perron. Elle jeta un coup d'œil alentour puis, avisant Roger et Frankie, traversa la pelouse pour les rejoindre.

Elle semblait au comble de l'inquiétude et de la nervosité.

– Roger, je vous cherchais partout. (Frankie se levait pour les laisser seuls :) Mais non, ma chère, restez. À quoi bon les messes basses ? De toute façon, je suis certaine que vous êtes parfaitement au courant de tout. Vous vous en doutiez depuis quelque temps déjà, n'est-ce pas ?

Frankie fit signe que oui.

– Tandis que moi, je me suis montrée aveugle... aveugle, dit Sylvia avec amertume. L'un comme l'autre, vous avez vu ce que moi-même je n'avais jamais soupçonné. Je me demandais juste pourquoi Henry avait changé à ce point vis-à-vis de nous. Cela me faisait beaucoup de peine, mais j'étais à mille lieues d'en comprendre la raison.

Elle se tut un instant, puis reprit sur un ton légèrement différent.

– Dès que le Dr Nicholson m'a mise au courant, j'ai couru voir Henry. Je le quitte à l'instant.

À nouveau, elle se tut, ravalant un sanglot.

– Roger... tout ira bien. Il est d'accord. Il entrera au manoir s'en remettre aux mains du Dr Nicholson dès demain.

– Oh, non !

L'exclamation avait été poussée par Roger et Frankie de concert.

Sylvia les regarda, surprise.

Roger lui parla gauchement.

– Vous savez, Sylvia, j'ai réfléchi, et j'en suis arrivé à la conclusion que le manoir n'était peut-être finalement pas une bonne idée.

189

– Vous pensez qu'il peut s'en sortir tout seul ? demanda Sylvia, sceptique.

– Non, pas une seconde. Mais il y a d'autres endroits… des endroits plus… moins… euh… moins proches. Je suis convaincu que ce serait une erreur de le soigner dans les environs immédiats.

– Moi aussi, décréta Frankie, venant à la rescousse.

– Alors là, je ne suis pas d'accord, objecta Sylvia. Je ne pourrais pas supporter de laisser Henry partir n'importe où. Et puis le Dr Nicholson s'est montré si gentil, si compréhensif. Je me sentirai rassurée de savoir qu'il prodigue ses soins à Henry.

– Je croyais que vous n'aimiez pas Nicholson, Sylvia, remarqua Roger.

– Eh bien, j'ai révisé mon jugement. Personne n'aurait jamais pu se montrer aussi gentil et prévenant qu'il l'a fait cet après-midi. Les préjugés ridicules que je nourrissais à son égard se sont envolés.

Il y eut un moment de silence. La situation était délicate. Ni Roger ni Sylvia ne savaient plus que dire.

– Pauvre Henry, soupira Sylvia. Il a craqué. Le fait que je sache l'a bouleversé. Il a reconnu qu'il lui fallait se débarrasser de cet abominable assujettissement — pour mon bien et celui de Tommy —, mais il a ajouté que je n'avais aucune idée de la torture que cela représentait. Et c'est sans doute exact, même si le Dr Nicholson m'a fait un exposé détaillé sur la question. Ça devient une sorte de névrose — les gens ne sont, paraît-il, plus maîtres de leurs faits et gestes. Oh, Roger, c'est atroce ! Mais le Dr Nicholson s'est montré vraiment si gentil. J'ai confiance en lui.

– Je crois qu'il vaudrait quand même mieux que…

Sylvia lui fit front.

– Je ne vous comprends pas, Roger. Pourquoi avez-vous changé d'avis ? Il y a une demi-heure, vous ne juriez que par le manoir.

– Eh bien, je… j'ai réfléchi et…

À nouveau, Sylvia l'interrompit.

– De toute façon, ma décision est prise. Henry ira au manoir, et pas ailleurs.

Ils lui opposèrent un silence éloquent, puis Roger reprit :

– Voyez-vous, je pense que je vais appeler le Dr Nicholson. Il devrait être déjà rentré, à l'heure qu'il est. J'aimerais… oh ! juste lui parler de certaines choses.

Sans attendre de commentaire, Roger regagna vite la maison. Les deux femmes le regardèrent s'éloigner.

– Je n'arrive pas à comprendre Roger, fit Sylvia, exas-pérée. Il y a un quart d'heure, il me pressait d'envoyer Henry au manoir.

Elle paraissait assez en colère.

– Quoi qu'il en soit, glissa Frankie, je suis d'accord avec lui. Il me semble avoir lu quelque part que les gens devaient toujours aller se faire traiter loin de chez eux.

– À mon avis, c'est stupide ! trancha Sylvia.

Frankie était la proie d'un dilemme. L'entêtement sur-prenant de Sylvia rendait les choses difficiles, et elle paraissait soudain devenue aussi pro-Nicholson qu'elle avait auparavant été anti. Difficile de savoir quels argu-ments employer. Frankie envisagea un instant de lui confier toute l'histoire — mais Sylvia la croirait-elle ? Roger lui-même ne semblait guère prêt à adhérer à la

191

thèse de la culpabilité du Dr Nicholson. Sylvia, désormais partisan farouche du médecin, le serait moins encore. Elle s'empresserait même peut-être d'aller tout lui répéter. Ça n'était vraiment pas une situation commode.

Un avion passa au-dessus de leurs têtes dans le ciel crépusculaire, emplissant l'air du grondement sourd de ses moteurs. Sylvia et Frankie levèrent les yeux, également soulagées par cette diversion qui leur évitait de poursuivre cette conversation. Frankie en profita pour rassembler ses esprits et Sylvia pour calmer son subit accès de colère.

Dès que l'avion disparut derrière la ligne de frondaison et que le vrombissement s'éloigna, Sylvia se tourna vers Frankie.

– Tout cela est déjà assez affreux, dit-elle d'un ton saccadé. Et vous voudriez, par-dessus le marché, envoyer Henry au loin ? le séparer de moi ?

– Non, dit Frankie. Non, ce n'est pas du tout ça. Seulement, je… (Elle battit un instant la campagne.) Seulement je crois qu'il a besoin du meilleur traitement possible. Et je suis intimement persuadée que le Dr Nicholson est plutôt du genre… — comment dire ? — plutôt du genre charlatan.

– Je n'en crois pas un mot. J'estime que c'est un homme remarquable, exactement le type de médecin dont Henry a besoin.

Elle défiait maintenant Frankie du regard. Celle-ci n'en revenait pas. Quel ascendant le Dr Nicholson avait pris sur elle, en si peu de temps ! Toutes ses réticences passées avaient bel et bien disparu.

Ne sachant plus que dire ni que faire, Frankie se cantonna dans le silence. Bientôt, Roger ressortit de la maison. Il paraissait quelque peu essoufflé.

– Nicholson n'est pas encore rentré. J'ai laissé un message.

– Je ne comprends pas quelle mouche vous pique ! s'emporta Sylvia. C'est vous qui aviez suggéré cette solution, et tout est arrangé, et Henry lui-même a donné son accord.

– Il me semble que j'ai mon mot à dire, Sylvia, objecta Roger gentiment. Après tout, Henry est mon frère.

– C'est vous qui aviez suggéré cette solution, répéta Sylvia avec obstination.

– D'accord, mais j'ai appris depuis un certain nombre de choses sur le compte de Nicholson.

– Quelles choses ? Oh, je ne vous crois pas !

Serrant les lèvres, elle pivota sur ses talons, et se précipita vers la maison.

Roger échangea un regard avec Frankie.

– Tout cela est bien embarrassant.

– Embarrassant est le moins qu'on puisse dire.

– Une fois que Sylvia s'est mis une idée en tête, elle est butée comme une mule.

– Qu'allons-nous faire ?

Ils s'assirent de nouveau sur le banc pour reconsidérer la situation. Tous deux tombèrent d'accord pour dire que raconter toute l'histoire à Sylvia serait une erreur. La meilleure solution, selon Roger, consistait encore à neutraliser le médecin.

– Mais comment allez-vous vous y prendre ? Qu'allez-vous lui dire, au juste ?

193

– Je serais étonné d'avoir à déployer des flots d'éloquence. Je procéderai surtout par allusions. Quoi qu'il en soit — et je suis bien d'accord sur ce point —, Henry ne doit pas aller au manoir. Quitte à dévoiler nos batteries, il faut empêcher cela à tout prix.

– Si c'est le cas, tout est fichu en l'air, remarqua Frankie.

– Je sais. C'est bien pourquoi nous devons d'abord tout essayer. Satanée Sylvia ! Pourquoi faut-il qu'elle s'entête précisément maintenant.

– Ça démontre bien les pouvoirs de ce type, commenta Frankie.

– Oui. Vous savez, ça m'incite bigrement à croire que, preuves ou pas preuves, vous avez sans doute après tout raison en ce qui le concerne et… bon sang ! Mais qu'est-ce que c'est que ça ?

Ils s'étaient tous deux levés d'un bond.

– On aurait dit un coup de feu, balbutia Frankie. Ça vient de la maison.

Ils échangèrent un regard, puis coururent vers la maison. Ils entrèrent par la baie vitrée du salon et traversèrent le hall. Sylvia Bassington-ffrench se tenait là, pâle comme la mort.

– Vous avez entendu ? cria-t-elle. C'était un coup de feu. Ça venait du bureau de Henry !

Elle chancela et Roger dut l'entourer de son bras pour l'empêcher de tomber.

Frankie alla jusqu'à la porte du bureau et tourna la poignée.

– C'est fermé à clé, gémit-elle.

– La fenêtre ! dit Roger.

194

Il installa Sylvia, qui était au bord de l'évanouisse-ment, sur un canapé providentiel avant de retraverser le salon en courant, Frankie sur les talons. Ils firent le tour de la maison jusqu'à la fenêtre du bureau. Elle était éga-lement fermée, mais ils collèrent le nez au carreau et écarquillèrent les yeux. Le soleil se couchait et la lumière déclinait — mais ce qu'ils virent leur suffit...

Henry Bassington-ffrench était affalé en travers de sa table de travail. L'impact d'une balle lui avait troué la tempe et un revolver gisait sur le tapis, juste en dessous de sa main grande ouverte.

— Il s'est suicidé ! s'écria Frankie. Quelle horreur !

— Reculez un peu, dit Roger. Je vais casser un carreau.

Il enveloppa sa main dans son veston et donna un coup violent dans la vitre, qu'il fracassa. Puis, ayant écarté les éclats de verre, il pénétra dans la pièce, tou-jours suivi de Frankie. À ce moment précis, Mrs Bassington-ffrench et le Dr Nicholson arrivèrent en courant sur la terrasse.

— Voilà le docteur ! cria Sylvia. Il vient de descendre de voiture. Est-ce que... est-ce qu'il est arrivé quelque chose à Henry ?

Sur quoi elle avisa le corps prostré et poussa un gémissement.

D'un bond, Roger ressortit par la fenêtre — juste à temps pour recevoir Sylvia, que le Dr Nicholson lui jeta presque dans les bras.

— Emmenez-la, ordonna le médecin d'un ton bref. Occupez-vous d'elle. Donnez-lui du cognac, si elle l'accepte. Et empêchez-la d'en voir davantage.

Sur ce, il enjamba la fenêtre à son tour, rejoignit Frankie et secoua lentement la tête.

– Quel drame ! Pauvre garçon… Il n'a pas eu le cran de regarder l'avenir en face. C'est moche. Très moche.

Il se pencha un instant sur le corps, puis se redressa.

– Rien à faire. Il a dû mourir sur le coup. Je me demande s'il a écrit un mot avant d'en finir. D'habitude, c'est ce qu'ils font tous.

Frankie s'approcha jusqu'à frôler le cadavre. Une feuille de papier portant quelques mots griffonnés — manifestement quelques instants plus tôt — était coincée sous le coude de Bassington-ffrench. Leur sens ne prêtait pas à équivoque.

Je crois que c'est le meilleur moyen d'en finir, avait-il écrit. *Ce penchant funeste a désormais sur moi trop d'emprise pour que je puisse encore le combattre. Je veux faire l'impossible pour Sylvia — pour Sylvia et Tommy. Dieu vous garde tous deux, mes chéris. Pardonnez-moi…*

Frankie eut la sensation qu'une boule lui remontait dans la gorge.

– Ne touchez à rien, dit le Dr Nicholson. Il y aura une enquête, cela va de soi. Il faut que nous allions appeler la police.

Obéissant à son geste, Frankie se dirigeait vers la porte lorsqu'elle s'arrêta net.

– La clé n'est pas dans la serrure, dit-elle.

– Non ? Elle est peut-être dans sa poche ?

Il s'agenouilla près du mort et lui fouilla les poches avec précaution. Il en tira bientôt une clé.

Il l'essaya dans la serrure. C'était la bonne. Ensemble,

196

ils regagnèrent le hall. Le Dr Nicholson fonça droit sur le téléphone.

Frankie sentit soudain ses genoux flageoler sous elle. Et elle succomba à la nausée.

23

Moïra disparaît

Frankie appela Bobby une heure plus tard.

– C'est vous, Hawkins ? Salut, Bobby... tu as déjà entendu parler de ce qui vient d'arriver ? Oui ? Il faut qu'on se voie quelque part, et vite. Je crois que demain matin à la première heure serait la meilleure solution. J'irai faire un tour avant le petit déjeuner. Disons 8 heures — même endroit qu'aujourd'hui.

Elle raccrocha tandis qu'à l'autre bout du fil Bobby répétait pour la troisième fois : « Bien, Votre Seigneurie » à l'intention des oreilles indiscrètes.

Bobby arriva le premier au rendez-vous, mais Frankie ne le fit guère attendre. Elle était pâle et nerveuse.

– Salut, Bobby. Atroce, non ? Je n'ai pas pu fermer l'œil de la nuit.

– Moi, je n'ai pas eu de détails. Tout ce que j'ai appris, c'est que Mr Bassington-ffrench s'était suicidé. C'est bien exact au moins ?

– Oui. Sylvia venait de lui parler... d'essayer de le

197

convaincre d'entreprendre un traitement — et il avait dit qu'il était d'accord. Après ça, j'imagine qu'il a dû flancher. Il est allé dans son bureau, il a fermé la porte à clé, il a griffonné quelques mots sur une feuille de papier… et puis… il s'est tiré une balle dans la tête. Oh, Bobby, c'est abominable ! c'est… c'est tellement moche !

– Je sais, fit Bobby.

Ils demeurèrent un instant silencieux.

– Avec ça, il va naturellement falloir que je parte aujourd'hui, déclara bientôt Frankie.

– Oui, bien sûr. Comment est-elle — Mrs Bassington-ffrench, je veux dire ?

– Elle s'est effondrée, la pauvre. Je ne l'ai pas vue depuis que nous… depuis que nous avons trouvé le corps. Pour elle, le choc a dû être terrible.

Bobby hocha la tête.

– Tu ferais bien d'amener la voiture vers 11 heures, poursuivit Frankie.

Bobby ne réagit pas. Frankie lui lança un regard exaspéré.

– Qu'est-ce qui t'arrive, bon sang ? J'ai l'impression que tu te balades à des kilomètres.

– Excuse-moi. En fait, je…

– Tu… quoi ?

– Eh bien, je me posais des questions. J'imagine que… enfin, j'imagine qu'il n'y a pas de problème, non ?

– Qu'est-ce que tu veux dire avec ton histoire qu'il n'y a pas de problème ?

– Je veux dire que… est-ce qu'on est sûr qu'il s'agit bien d'un suicide ?

198

– Ah ! ça y est, je comprends ! (Elle réfléchit deux secondes.) Oui, c'est un suicide, il n'y a pas de doute.

– Tu en mettrais ta main au feu ? Rappelle-toi ce que nous a dit Moïra — que Nicholson voulait se débarrasser de deux personnes. Eh bien, *en voici déjà une sur le carreau.*

Frankie réfléchit à nouveau. Puis, une fois encore, elle secoua la tête.

– Il ne peut s'agir que d'un suicide. J'étais dans le jardin avec Roger quand nous avons entendu la déto-nation. Nous sommes passés du salon dans le hall en courant. La porte du bureau était fermée de l'intérieur. Nous avons fait le tour de la maison. La fenêtre était fermée elle aussi et Roger a été obligé de casser un car-reau. Ce n'est qu'à ce moment-là que Nicholson est entré en scène.

Bobby digéra cette information.

– Rien à redire, admit-il. Mais Nicholson m'a tout l'air d'avoir bien rapidement déboulé sur les lieux.

– Il avait oublié sa canne au début de l'après-midi, et il venait la chercher.

Bobby réfléchissait si fort qu'il en avait le front plissé.

– Écoute, Frankie. Et si c'était lui qui avait tiré sur Bassington-ffrench ?

– Après l'avoir préalablement persuadé d'écrire une lettre d'adieu ?

– À mon avis, il n'y a rien de plus simple à truquer. Après coup, n'importe quelle différence d'écriture peut être mise sur le compte de l'agitation d'esprit du suicidaire.

– Oui, c'est exact. Vas-y, développe ta théorie.

– Nicholson tue Bassington-ffrench, dépose sa lettre

d'adieu et file en fermant la porte à double tour — le tout pour réapparaître quelques minutes plus tard, comme s'il venait d'arriver.

Frankie secoua la tête, déçue.

– L'idée est bonne — mais ta théorie ne tient pas la route. Pour commencer, la clé était dans la poche de Bassington-ffrench.

– Qui l'a dénichée là ?

– Bon, en fait, c'est Nicholson.

– Tu vois bien ! Qu'est-ce qu'il y avait de plus facile pour lui que de prétendre qu'il l'avait trouvée là ?

– Je le surveillais, souviens-toi ! Je te fiche mon billet que la clé était bel et bien dans la poche.

– C'est ce qu'on prétend toujours quand on regarde un prestidigitateur. On le *voit* mettre un lapin dans le chapeau ! Si Nicholson est bien un criminel de première grandeur, un petit tour de passe-passe dans ce goût-là serait un jeu d'enfant pour lui !

– Bon, tu as peut-être raison sur ce point-là, mais honnêtement, Bobby, le reste de ton histoire ne fonctionne pas. Sylvia Bassington-ffrench se trouvait dans la maison et pas ailleurs quand le coup est parti. Dès qu'elle l'a entendu, elle s'est précipitée dans le hall. Si c'était Nicholson qui avait tiré — et s'il était sorti du bureau —, elle n'aurait pas pu faire autrement que de le voir. Par-dessus le marché, elle nous a dit qu'elle l'avait vu remonter l'allée. Elle l'a vu arriver au moment précis où nous faisions le tour de la maison. Et elle est allée à sa rencontre pour le conduire jusqu'à la fenêtre du bureau. Non, Bobby, ça m'embête bien, mais ce type a un alibi.

200

– Par principe, je me méfie de tous les gens qui ont des alibis.

– Moi aussi. Mais je ne vois pas comment tu peux esquiver celui-ci.

– Non. La parole de Sylvia Bassington-ffrench doit nous suffire.

– Bien sûr.

– Bon, soupira Bobby. Il va bien falloir nous en tenir au suicide. Pauvre type ! Quel est le nouvel angle d'attaque, ma vieille ?

– Les Cayman.

– Je n'arrive d'ailleurs pas à comprendre comment nous avons pu être assez négligents pour ne pas commencer par là. Tu as conservé l'adresse d'où Cayman t'a écrit, non ?

– Si. C'est la même que celle qu'ils ont donnée lors de l'enquête du coroner. 17, St Leonard's Gardens, Paddington.

– Tu es bien d'accord, nous avons négligé cette piste ?

– Absolument. Mais j'ai comme une idée que nous trouverons les oiseaux envolés. Les Cayman ne me donnent pas l'impression d'être nés de la dernière pluie.

– Même s'ils ont mis les voiles, je dénicherai bien quelque chose sur leur compte.

– Comment ça — *je* ?

– Parce que, une fois encore, j'estime préférable que tu ne montres pas le bout de ton nez. C'est comme quand on a débarqué ici, lorsqu'on croyait que Roger était le salaud de la pièce. Ils savent qui tu es, tandis que moi, ils m'ignorent.

– Et comment envisages-tu de faire leur connaissance ?

201

– Je donnerai dans le style politicard. Je ferai celle qui recrute pour les conservateurs. J'arriverai les bras chargés de tracts.

– Ça devrait coller, admit Bobby. Mais, comme je te l'ai déjà dit, je crois que tu trouveras nos oiseaux envolés. Bon, maintenant nous devons aborder un autre sujet de préoccupation : Moïra.

– Bon sang ! fit Frankie. Elle m'était complètement sortie de la tête.

– C'est bien ce que j'avais cru remarquer, constata Bobby, un soupçon de froideur dans le ton.

– En tout cas, tu as raison, reconnut Frankie, songeuse. Il faut que nous nous occupions d'elle.

Bobby hocha légèrement la tête. Une fois de plus, l'étrange visage au charme envoûtant s'en venait le hanter. Il avait quelque chose de tragique, ce visage. Cette aura de drame, le jeune homme l'avait perçue à l'instant où il avait sorti la photographie de la poche d'Alan Carstairs.

– Si tu l'avais vue, la nuit où je me suis faufilé au manoir, dit-il. Elle était folle de terreur — et, je te le garantis, Frankie, elle est tout ce qu'il y a de *normale*. Il ne s'agit pas de nerfs, ni d'imagination, ni de tout ce qu'on voudra. Si Nicholson veut épouser Sylvia Bassington-ffrench, deux obstacles doivent sauter. Pour le premier, c'est déjà fait. J'ai le pressentiment que la vie de Moïra ne tient qu'à un fil et que tout ce retard peut lui être fatal.

Frankie ne manqua pas d'être impressionnée par le ton posé de cette déclaration.

– Tu as raison, mon cher. Il ne s'agit pas de traîner. Qu'entreprenons-nous ?

202

– Il faut que nous la convainquions de quitter le manoir — et tout de suite.

Frankie manifesta son approbation.

– Je vais te dire un truc. Le mieux, ce serait qu'elle parte pour le pays de Galles, qu'elle file au château. Dieu sait, là-bas, elle devrait être en sécurité.

– Si tu peux arranger ça, Frankie, ce serait l'idéal.

– Aucun problème. Père ne remarque jamais qui entre ou qui sort. Moïra lui plaira — elle doit plaire à tous les hommes —, elle est si féminine. C'est fou ce que les hommes peuvent aimer le style femelle aux abois et les créatures évanescentes.

– Moïra ne me paraît pas spécialement évanescente, protesta Bobby.

– Allons donc ! On jurerait un oiseau fasciné par un serpent et qui va se laisser bouffer tout cru sans réagir.

– Que pourrait-elle faire d'autre ?

– Des tas de choses ! clama Frankie.

– Je ne vois pas lesquelles. Sans foyer, sans argent, sans amis…

– Je t'en prie, Bobby ! Arrête de piauler comme si tu la recommandais à un foyer pour rosières en détresse !

– Excuse-moi.

Un certain malaise s'instaura.

– Bon, reprit Frankie, après avoir retrouvé son calme. Puisque c'est ainsi, mieux vaut s'atteler tout de suite à la tâche.

– C'est bien mon avis. Vraiment, Frankie, c'est très chic de ta part de…

– Minute ! l'interrompit Frankie. Je veux bien me décarcasser pour ta copine, mais à condition que tu

203

cesses de bêtifier à son sujet comme si c'était une débile profonde qui n'avait par-dessus le marché ni pieds ni pattes.

– Je ne vois absolument pas ce que tu veux dire, murmura Bobby.

– Eh bien, n'en parlons plus, décréta Frankie. Quoi que nous nous préparions à faire, il s'agit pour nous de le faire en vitesse. Tiens ! c'est une citation que je viens de sortir là, ou quoi ?

– Tout au plus une paraphrase de l'acte I. Continue, lady Macbeth…

– Vois-tu, dit Frankie, se lançant dans une digression folle qui n'avait plus grand-chose à voir avec leur sujet de préoccupation, j'ai toujours pensé que si cette fichue lady Macbeth poussait son mari à commettre tous ces meurtres c'était pour la simple et unique raison qu'elle s'ennuyait comme un rat mort — et en particulier avec Macbeth. Je parierais que c'était un de ces bonshommes un peu mollassons et tout ce qu'il y a d'inoffensifs, qui rendent leur femme dingue d'ennui. Sur quoi, ayant commis un meurtre pour la première fois de son existence, ce balourd se prend pour un type hors du commun et se met à cultiver un ego hypertrophié pour compenser son ancien complexe d'infériorité.

– Tu devrais écrire un ouvrage sur la question, Frankie.

– J'ignore tout de l'orthographe. Où en étions-nous, déjà ? Ah oui, au sauvetage de Moïra. Tu feras bien d'amener la voiture à 10 heures et demie. Je foncerai au manoir, je demanderai à voir Moïra, et si jamais le Dr Nicholson pointe le bout de son nez pendant ce

204

temps-là, je rappellerai à Moïra sa promesse de venir passer quelques jours chez moi pour que je la trimbale un peu partout, que je la sorte dans le monde, et cætera et cætera…

– Bravo, Frankie ! Je suis ravi que nous ne perdions pas de temps. J'ai affreusement peur de voir arriver un autre drame.

– Eh bien, à 10 h 30, très cher.

Le temps qu'elle regagne Merroway Court, il était 9 heures et demie. On venait de servir le petit déjeuner et Roger se versait une tasse de café. Il avait l'air éreinté.

– Bonjour, dit Frankie. J'ai abominablement mal dormi. En fin de compte, je me suis levée sur le coup de 7 heures pour aller faire un tour.

– Je suis navré que vous ayez été mêlée à ce drame, dit Roger.

– Comment va Sylvia ?

– On lui a administré un opiacé quelconque hier soir. Je crois qu'elle dort encore. Pauvre fille, je la plains de tout mon cœur. Elle tenait tellement à lui.

– Oui, je sais.

Frankie laissa passer quelques secondes, puis annonça les modalités de son départ.

– Il faut sans doute que vous partiez en effet, grommela Roger, non sans quelque ressentiment dans la voix. L'instruction aura lieu vendredi. Je vous ferai savoir si votre présence est nécessaire. C'est au juge d'en décider.

Il ingurgita son café et un toast avant de s'éclipser pour régler les innombrables problèmes qui lui incombaient désormais. Frankie se sentit prise de pitié à son égard. Elle n'imaginait que trop bien la quantité de

205

ragots et de commérages qu'un suicide dans la famille allait susciter. Tommy entra, et Frankie s'ingénia à le distraire.

À 10 heures et demie, Bobby rangea la voiture devant le perron. Les bagages de Frankie furent descendus. Elle fit ses adieux à Tommy et laissa un mot pour Sylvia. La Bentley prit le large.

Ils rallièrent le manoir en un temps record. Frankie n'y était jamais venue et les imposantes grilles de fer ainsi que les buissons quasi retournés à l'état sauvage douchèrent son enthousiasme.

– Sinistre, murmura-t-elle. Pas étonnant que Moïra se soit mise à délirer de frousse.

Ils allèrent se ranger devant la porte, et Bobby descendit pour tirer la sonnette. Quelques minutes passèrent sans que personne ne daigne se déranger. Puis une créature en uniforme d'infirmière entrebâilla le battant.

– Mrs Nicholson, demanda Bobby.

La femme hésita un instant, puis recula afin d'ouvrir en grand. Frankie sauta de voiture et entra. La porte se referma dans son dos. Le bruit qu'elle fit éveilla un écho sinistre dans toute la maison. Frankie remarqua qu'elle était bardée de lourds verrous et de robustes barres de fer. Elle se sentit envahir par une angoisse irrationnelle, comme si elle se trouvait soudain prisonnière de cette inquiétante demeure.

« C'est stupide, songea-t-elle. Bobby m'attend dans la voiture. Je suis venue ici au vu et au su de tout un chacun. Il ne peut rien m'arriver. »

Et, chassant ces pensées ridicules, elle suivit l'infirmière à l'étage et tout au long d'un corridor. Celle-ci

206

ouvrit bientôt une porte à la volée, et Frankie entra dans un petit salon coquettement meublé, tendu de chintz et où des fleurs se courbaient dans les vases. Elle retrouva tout son allant. Marmonnant quelques borborygmes incompréhensibles, l'infirmière se retira.

Quelque cinq bonnes minutes passèrent avant que la porte ne se rouvre enfin, livrant passage au Dr Nicholson.

Frankie ne put réprimer un petit sursaut, qu'elle crut dissimuler en tendant la main avec un sourire.

– Bonjour, dit-elle.

– Bonjour, lady Frances. Vous ne m'apportez pas de mauvaises nouvelles de Mrs Bassington-ffrench, j'espère ?

– Elle dormait encore lorsque je suis partie.

– Pauvre femme. Son médecin habituel est sans doute auprès d'elle.

– Bien sûr. (Elle laissa planer un court silence.) Je vous sais très occupé, docteur. Et je m'en voudrais d'abuser de votre temps. C'est en fait votre femme que je suis venue voir.

– Vous êtes venue voir Moïra ? C'est trop gentil à vous.

Était-ce pure imagination ou bien le regard d'un bleu délavé s'était-il imperceptiblement durci ?

– Oui, trop gentil, répéta-t-il.

– Si elle n'est pas encore levée, déclara Frankie avec son plus charmant sourire, je prends mon mal en patience, et je l'attends.

– Oh, levée, elle l'est déjà, dit le Dr Nicholson.

– Parfait. Je compte bien la persuader de venir passer quelques jours chez moi. Elle me l'a déjà pratiquement promis, ajouta-t-elle avec un nouveau sourire.

207

– Ça, c'est vraiment très gentil de votre part, lady Frances — très, très gentil. Je suis certain que Moïra aurait été ravie.

– *Aurait été* ? souligna Frankie d'un ton sec.

Le Dr Nicholson sourit à son tour, montrant ainsi une double rangée d'un blanc éblouissant.

– Hélas ! ma femme est partie ce matin.

– Partie ? répéta Frankie, abasourdie. Où ça ?

– Oh ! juste un petit changement d'air… Vous savez comment sont les femmes, lady Frances. Cet endroit n'est pas très gai. De temps en temps, Moïra éprouve le besoin de se donner du bon temps… et alors elle largue les amarres.

– Vous ne savez pas où elle est allée ?

– À Londres, sans doute. Boutiques et théâtres. Vous connaissez ça.

Frankie se dit qu'elle n'avait jamais rien vu d'aussi déplaisant que son sourire.

– Je pars moi-même aujourd'hui pour Londres, dit-elle d'un ton dégagé. Soyez assez aimable pour me donner son adresse.

– Elle descend d'ordinaire au *Savoy*. J'aurai probablement de ses nouvelles d'ici un jour ou deux. Encore qu'elle n'aime guère écrire… Bah ! je prône la plus totale liberté entre époux. Encore une fois, le *Savoy* est le meilleur endroit où la joindre.

Frankie n'eut que le temps de lui serrer la main avant de se faire reconduire jusqu'à la porte d'entrée. L'infirmière s'apprêtait déjà à boucler le lourd battant. Et la dernière chose que Frankie entendit fut la voix suave du Dr Nicholson. Une voix — qui sait ? — quelque peu teintée d'ironie.

– C'est trop gentil à vous d'avoir pensé à inviter ma femme, lady Frances.

24

Sur la piste des Cayman

Bobby eut toutes les peines du monde à conserver l'impassibilité du parfait chauffeur de maître en voyant Frankie ressortir seule.

– Nous rentrons à Staverley, Hawkins, lui lança cette dernière à l'intention de l'infirmière.

La voiture dévala l'allée et franchit les grilles. Dès qu'ils eurent atteint une portion de route déserte, Bobby leva le pied.

– Alors ?

– Ça ne me plaît pas du tout, répondit Frankie, un tantinet blafarde. Apparemment, elle est partie.

– *Partie* ? Ce matin ?

– Ou hier soir.

– Sans nous laisser un mot ?

– Bobby, je n'y crois pas. Cet homme mentait, j'en suis sûre.

Bobby était devenu tout pâle.

– Trop tard, murmura-t-il. Ce que nous avons pu être

bêtes ! Nous n'aurions jamais dû la laisser retourner là-bas hier.

– Tu ne crois tout de même pas qu'elle est… qu'elle est morte ? souffla Frankie, la voix cassée.

– Non ! s'emporta Bobby, comme pour se rassurer lui-même.

Tous deux broyèrent du noir en silence pendant une minute ou deux. Puis Bobby fit état de ses déductions d'un ton plus calme.

– Elle est sûrement encore vivante, à cause de la difficulté de se débarrasser d'un cadavre et de tout ce tintouin. Sa mort devra paraître naturelle et même accidentelle. Non, il l'a escamotée Dieu sait où, contre son gré. À moins — et c'est ce que je crois — qu'elle ne soit toujours là.

– Au manoir ?

– Oui, au manoir.

– Alors, demanda Frankie, qu'est-ce que tu suggères ?

Bobby s'accorda un instant de réflexion.

– Je ne crois pas que tu puisses te rendre utile ici, dit-il enfin. Mieux vaut que tu rentres à Londres. Tu envisageais qu'on remonte la piste des Cayman. Vas-y, fais-le.

– Oh, Bobby !

– Ma chère, tu es « brûlée » dans le secteur. Tout le monde te connaît ici — et ne t'y connaît que trop bien. Tu as annoncé ton départ : tu ne peux pas t'incruster à Merroway. Et pas question que tu viennes t'installer aux *Anglers' Arms.* Les commérages iraient bon train. Non, il faut que tu files. Nicholson peut te soupçonner de savoir quelque chose, mais pas en être certain. Rentre chez toi. Moi, je reste ici.

210

– Aux *Anglers' Arms* ?

– Non. Ton chauffeur va disparaître. Je vais établir mes quartiers à Ambledever — c'est à une quinzaine de kilomètres d'ici — et je te fiche mon billet que si Moïra se trouve toujours dans cette saleté de clinique je la sortirai de là.

– Tu seras prudent ? s'inquiéta Frankie.

– Aussi malin qu'une tribu de Sioux.

Le cœur serré, Frankie céda. Les arguments de Bobby semblaient frappés au coin du bon sens. Elle ne pouvait plus rien faire de bon ici. Bobby la reconduisit à Londres. Mais, une fois dans l'hôtel particulier de Brook Street, elle mesura tout le poids de sa solitude.

Elle n'était cependant pas du genre à rester les deux pieds dans le même sabot. À 3 heures de l'après-midi, on aurait pu croiser aux abords de St Leonard's Gardens une jeune femme d'une sobre élégance, à l'air pénétré, au pince-nez vengeur, une liasse de tracts sous le bras.

St Leonard's Gardens, Paddington, était un conglomérat de villas miteuses dont la plupart trahissaient un état de décrépitude avancé.

Frankie les longea, l'œil rivé sur les numéros. Elle s'arrêta bientôt, la mine soudain déconfite.

Placardée sur le numéro 17, une pancarte annonçait que la villa était à vendre ou à louer non meublée.

Frankie se débarrassa aussitôt de son pince-nez et de son air pénétré.

La militante conservatrice pouvait être remisée au placard.

Les noms de plusieurs agences immobilières étaient

211

indiqués. Elle en élut deux, qu'elle nota. Puis ayant établi son plan de campagne, elle passa à l'action.

Son choix s'était tout d'abord porté sur la firme Gordon & Porter, dans Praed Street.

– Bonjour, dit-elle. Peut-être pourriez-vous m'indiquer la nouvelle adresse de Mr Cayman ? Tout récemment encore, il habitait au 17 St Leonard's Gardens.

– C'est exact, lui répondit le jeune homme auquel elle s'était adressée. Mais il n'y était pas depuis longtemps. Nous représentons les propriétaires, voyez-vous. Il n'avait loué que pour un trimestre, dans l'attente d'un poste à l'étranger. Je crois savoir qu'il s'est expatrié.

– Vous n'avez donc pas son adresse actuelle.

– Ma foi, non. Il nous a réglé, un point c'est tout.

– Il vous a bien fourni une adresse quand il a signé le bail ?

– Celle d'un hôtel. Je crois que c'était le *Great Western Railway*, vous savez, en face de la gare de Paddington.

– Des références ?

– Il a réglé le trimestre d'avance, et versé une provision pour le gaz et l'électricité.

– Oh ! gémit Frankie, gagnée par le désespoir.

Elle vit que le jeune homme la dévisageait avec curiosité. Tout agent immobilier sait jauger le niveau social de la clientèle. Il trouvait manifestement l'intérêt de Frankie pour les Cayman des plus inattendus.

– Il me doit pas mal d'argent, mentit Frankie.

Le visage du jeune homme trahit son indignation.

Sensible à la beauté en détresse, il fouilla ses dossiers. Peine perdue. Aucune indication de domicile passé ou présent de Mr Cayman n'y figurait.

212

Frankie remercia et s'en fut. Elle héla un taxi pour se faire conduire à la seconde agence. Là, elle ne perdit pas de temps à répéter la même histoire. La première agence avait loué la maison aux Cayman. La seconde devait être tout au plus chargée de trouver un nouveau locataire. Frankie demanda à visiter.

Cette fois-ci, face à l'étonnement qu'elle lut sur les traits de l'employé, elle expliqua qu'elle cherchait une maison modeste afin d'y ouvrir une pension pour jeunes filles. L'expression de surprise s'évanouit et Frankie ressortit avec les clés du 17 St Leonard's Gardens, celles des deux autres « propriétés » qu'elle n'avait pas la moindre intention de passer voir, plus un bon de visite pour une quatrième maison…

Frankie s'estima heureuse que l'employé n'ait pas manifesté le désir de l'accompagner : mais après tout, peut-être ne le faisaient-ils que lorsqu'il s'agissait de locations meublées.

Dès qu'elle poussa la porte d'entrée du 17, une odeur de renfermé lui emplit les narines. C'était une baraque peu ragoûtante, décorée de façon misérable et aux peintures sales et cloquées. Frankie la parcourut méthodiquement de la cave au grenier. Les derniers occupants étaient partis sans nettoyer les lieux. De vieux journaux traînaient, des bouts de ficelle, quelques vieux clous ou trois outils. Mais en fait d'objets personnels, pas même le plus petit fragment de lettre déchirée.

Seul objet de quelque intérêt, un indicateur des chemins de fer, ouvert sur l'un des appuis de fenêtre. Rien ne permettait de penser que les localités ainsi mises en évidence offraient le moindre intérêt, mais Frankie n'en

213

recopia pas moins tous les noms dans un petit carnet, histoire de ne pas repartir bredouille. Pour ce qui était de retrouver la trace des Cayman, elle avait fait chou blanc.

Après tout, c'était couru d'avance, se dit-elle pour se consoler. Si Mr et Mrs Cayman étaient des malfrats, rien d'étonnant à ce qu'ils prennent leurs dispositions pour qu'on ne puisse pas leur mettre la main dessus. Il fallait prendre ça comme une preuve a contrario.

Frankie n'en demeurait pas moins cruellement déçue. Elle rendit les clés à l'agent immobilier avec de vagues promesses de reprendre contact sous peu.

Assez déprimée, elle dirigea ses pas vers Hyde Park. Que diable allait-elle bien pouvoir faire maintenant ? Une averse, aussi violente que subite, mit fin à sa délectation morose. Pas un taxi en vue. Histoire de protéger désespérément son chapeau favori, Frankie se précipita vers la station de métro toute proche. Elle prit un billet pour Piccadilly Circus et acheta quelques journaux au kiosque.

Lorsqu'elle monta dans un wagon — presque vide à cette heure-là —, elle chassa résolument jusqu'au souvenir de cet échec vexatoire et, ouvrant un journal, tenta de se concentrer sur sa lecture.

Elle cueillit çà et là quelques articles en tout genre. Tant de victimes de la route. Mystérieuse disparition d'une écolière. Soirée de lady Peterhampton au *Claridge*. Convalescence de sir John Milkington après son accident sur l'*Astradora*, le fameux yacht qui avait appartenu à feu Mr John Savage, le millionnaire. Ce bateau portait-il la poisse ? Son constructeur était mort de mort vio-

214

lente — Mr Savage s'était suicidé —, sir John Milkington venait d'échapper à la mort par miracle.

Frankie posa son journal et fronça le sourcil.

Par deux fois déjà, le nom de Mr Savage avait été prononcé : par Sylvia Bassington-ffrench, d'abord, quand elle avait parlé d'Alan Carstairs, et ensuite par Bobby, quand il lui avait rapporté sa conversation avec Mrs Rivington.

Alan Carstairs avait été l'ami de John Savage. Mrs Rivington avait laissé entendre que la présence de Carstairs en Angleterre était sans doute liée à la mort de Savage. Savage avait… — de quoi s'agissait-il au juste ? — ah oui ! il s'était suicidé parce qu'il se croyait atteint d'un cancer.

Et si… et si Carstairs n'avait pas admis cette explication de la mort de son ami ? S'il était venu en Angleterre pour mener sa propre enquête ? Si c'était là, autour des circonstances de la mort de Savage, que se situait le premier acte de la pièce dans laquelle Frankie et Bobby tenaient un rôle ?

« C'est horrible, se dit Frankie. Oui, c'est bien possible. »

Elle se plongea dans ses réflexions. Compte tenu de ce nouvel éclairage de l'affaire, quel était le meilleur angle d'attaque ? Elle n'avait pas la moindre idée de qui pouvaient bien être les amis ou même les relations de John Savage.

Une idée lui traversa soudain l'esprit : son testament ! S'il y avait quoi que ce soit de suspect dans la façon dont il était mort, son testament pouvait peut-être fournir un indice précieux.

Il existait, quelque part à Londres, Frankie en était sûre, un bureau où l'on pouvait consulter les testaments

215

moyennant un shilling. Mais du diable si elle savait où c'était !

Le métro s'arrêtait. Frankie leva le nez et s'aperçut qu'il s'agissait du British Museum. Elle avait dépassé Oxford Circus, où elle aurait dû changer, de deux stations.

Elle sauta sur le quai. Quand elle émergea au grand air, une idée lui vint. Cinq minutes de marche à pied l'amenèrent à la porte de l'étude de Messrs Spragge, Spragge, Jenkinson & Spragge.

Frankie y fut accueillie avec infiniment de respect et tout de suite introduite dans le saint des saints — en l'occurrence le cabinet de Mr Spragge lui-même, doyen de la firme.

Mr Spragge était la courtoisie faite homme. Il avait une voix chaude et onctueuse qui réconfortait ses aristo-cratiques clients venus là pour se faire tirer du pétrin. On murmurait que, mieux que quiconque, Mr Spragge connaissait les secrets inavouables du gratin.

– Quel plaisir, lady Frances ! déclara Mr Spragge. Asseyez-vous. Êtes-vous sûre que ce fauteuil soit assez confortable ? Bien, bien. Le temps est exquis, n'est-il pas vrai ? Un véritable été de la Saint-Martin. Comment va lord Marchington ? Bien, j'espère ?

Frankie répondit à ces questions — et à bien d'autres encore — ainsi qu'il convenait.

Puis Mr Spragge ôta son pince-nez et se fit plus conseiller juridique, plus homme de loi.

– Voyons, lady Frances, que me vaut l'avantage de votre présence dans ma... hum... misérable étude par ce bel après-midi ?

216

« Chantage ? suggéraient ses sourcils. Lettres compromettantes ? Liaison avec un jeune homme peu recommandable ? Facture de couturier impayée ? »

Mais les sourcils en question vous interrogeaient avec toute la discrétion qui sied à un avocat pouvant se targuer de l'expérience et du chiffre d'affaires de Mr Spragge.

– Je veux consulter un testament, dit Frankie. Mais je ne sais ni où aller ni comment m'y prendre. Il existe un endroit où on paie un shilling, non ?

– Somerset House, répondit Mr Spragge. Mais de quel testament s'agit-il ? Je suis sans doute en mesure de vous apprendre tout ce que vous voulez sur les... hum !... divers testaments de votre famille. Je crois pouvoir affirmer que notre étude a l'honneur de les établir depuis bien longtemps déjà.

– Il ne s'agit pas de la famille.

– Non ? fit Mr Spragge.

Son don quasi hypnotique de provoquer les confidences était tel que Frankie, bien résolue pourtant à se tenir coite, succomba et lui avoua :

– Je voudrais voir le testament de Mr Savage... John Savage.

– Vraiment ?

L'étonnement le plus vif perçait sous la voix de Mr Spragge. Il s'était attendu à tout mais pas à ça.

– Voilà qui est singulier... très singulier.

Devant cette réaction inhabituelle, Frankie le regarda à son tour d'un air surpris.

– Vraiment, dit-il. Vraiment, vous me voyez très embarrassé. Peut-être, lady Frances, pourriez-vous m'indiquer

217

les raisons qui vous poussent à vouloir consulter ce testament ?

– Non, répondit Frankie. C'est… impossible.

Force lui était de constater avec stupeur que Mr Spragge s'était départi de son calme olympien. Il avait l'air bel et bien inquiet.

– Je crois de mon devoir, dit-il, de vous mettre en garde.

– Me mettre en garde ?

– Oui. Les indications sont certes très vagues, très vagues… mais il se trame quelque chose de pas net. Je ne voudrais, pour rien au monde, vous voir mêlée à une affaire… douteuse.

Au point où elle en était, Frankie aurait pu lui avouer qu'elle trempait déjà jusqu'au cou dans des histoires qu'il eût fortement réprouvées. Mais elle préféra se contenter de lui jeter un regard interrogateur.

– Tout ceci relève de la plus extraordinaire des coïncidences, poursuivit Mr Spragge. Voyez-vous, il y a là un élément louche… éminemment louche. Mais il ne m'est pas possible de vous en dire davantage pour le moment.

Et comme Frankie avait toujours l'air désireuse d'en savoir davantage :

– Un fait inouï vient d'être porté à ma connaissance, lady Frances, reprit-il, le torse spasmodiquement soulevé par l'indignation. Quelqu'un s'est fait passer pour moi. Quelqu'un a osé froidement se faire passer pour moi. Que dites-vous de *cela* ?

De *cela* précisément, Frankie ne put hélas rien dire, rendue muette qu'elle était par le plus complet affolement.

218

25

Ce que dit Mr Spragge

Au bout d'une minute, elle parvint enfin à bégayer :
– Co-comment l'avez-vous découvert ?

Ce n'était pas du tout ce qu'elle avait l'intention de dire. Elle s'en serait volontiers mordu la langue, mais le mal était fait, et Mr Spragge eût été bien médiocre homme de loi s'il n'avait pas perçu l'aveu que sous-entendait cette question.

– Vous êtes donc au courant de cette supercherie, lady Frances ?

– Oui, avoua Frankie.

Elle prit son courage à deux mains :

– J'en suis même l'instigatrice, Mr Spragge.

– Vous m'en voyez stupéfait, dit Mr Spragge.

Le ton de sa voix trahissait un conflit intérieur. L'avocat bafoué le disputait en lui au paterne conseiller juridique de la famille.

– D'où vous est venue cette idée ?

– C'était pour faire une farce, avoua piteusement Frankie. C'était… c'était pour s'amuser.

– Et qui a eu le front de *s'amuser* à assumer Mon Personnage ? demanda Mr Spragge.

Frankie le regarda dans les yeux et, redevenant elle-même, prit une rapide décision :

– C'était le fils du duc de No… Oh ! et puis non. Je ne peux pas vous donner de nom. Ce ne serait pas bien de ma part.

De toute évidence, le vent tournait en sa faveur. Mr Spragge n'aurait jamais pardonné une telle audace à un obscur fils de vicaire, mais son faible pour les titres nobiliaires le rendait indulgent aux frasques d'un jeune duc. Retrouvant sa bonhomie coutumière, il agita un index magnanime.

– Ah ! jeunesse… folle jeunesse ! Dans quelles histoires allez-vous vous jeter ! Vous seriez étonnée, lady Frances, de la multiplicité des problèmes juridiques que peut entraîner une farce de ce genre, décidée dans l'euphorie du moment. On est un peu trop gai, et puis… et puis il peut parfois s'avérer difficile d'échapper aux foudres des tribunaux.

– Vous êtes trop généreux, Mr Spragge ! s'exclama Frankie d'un ton pénétré. Si, si, je vous assure ! Personne d'autre n'aurait réagi comme vous le faites. J'ai honte, si vous saviez…

– Mais non, mais non, lady Frances, fit Mr Spragge, paternel.

– Mais si, j'ai honte. Dites-moi, c'est cette gourde de Mrs Rivington qui… Mais que vous a-t-elle dit, au juste ?

– J'ai sa lettre ici. Je l'ai ouverte il y a une demi-heure à peine.

Frankie tendit la main et Mr Spragge lui remit la lettre en question d'un air de dire : « Tenez ! Voyez à quoi mènent vos enfantillages ! »

Cher Mr Spragge (avait écrit Mrs Rivington), *c'est trop bête de ma part, mais je viens seulement de me remémorer un détail qui aurait pu vous paraître intéres-*

220

sant le jour où vous êtes venu me rendre visite. Alan Carstairs nous avait confié qu'il comptait se rendre dans un patelin qui s'appelle Chipping Somerton. Peut-être ce renseignement pourra-t-il vous aider. Ce que vous m'avez raconté sur l'affaire Maltravers m'a littéralement fascinée. Croyez à mon meilleur souvenir,

Edith Rivington

– Vous comprenez maintenant quelles conséquences fâcheuses aurait pu avoir cette histoire, déclara Mr Spragge, sévère — mais d'une sévérité nuancée de bienveillance. J'en ai déduit qu'il y avait derrière tout cela quelque chose de louche, touchant soit à l'affaire Maltravers, soit aux intérêts de mon client Mr Carstairs, et...

Frankie l'interrompit.

– Alan Carstairs était un client à vous ? s'exclama-t-elle, surexcitée.

– C'est un client à moi. Il est venu me consulter lors de son dernier passage en Angleterre, il y a de cela un mois. Vous connaissez Mr Carstairs, lady Frances ?

– Je crois pouvoir dire que oui.

– C'est un personnage fascinant. Quand il est entré dans ce bureau, c'est un peu du souffle du grand large qui y a pénétré avec lui.

– Il était venu vous consulter au sujet du testament de Mr Savage, n'est-ce pas ? poursuivit Frances.

– Ah ! fit Mr Spragge. C'est donc vous qui lui aviez conseillé de s'adresser à moi ? Il n'a pas su me dire de

221

qui il s'agissait. Je n'ai, hélas, pas pu faire grand-chose pour lui.

– Que lui avez-vous conseillé, au juste ? Si toutefois le secret professionnel ne vous empêche pas de me répondre.

– En l'occurrence, non, répondit Mr Spragge en souriant. Selon moi, on ne pouvait rien faire — rien, à moins que la famille de Mr Savage ne soit prête à de gros sacrifices d'argent pour contester le testament, ce qui ne devait pas être le cas si j'en juge par leur situation financière. Je ne pousse jamais à plaider si toutes les chances de succès ne sont pas réunies. La loi, lady Frances, est un animal capricieux. Elle a ses tours et détours, susceptibles de désarçonner qui n'a pas l'esprit juridique. L'arrangement à l'amiable, telle a toujours été ma devise.

– Il est vrai que l'affaire était peu banale, hasarda Frankie.

Elle se faisait l'effet de marcher sur des œufs. Au moindre faux pas, elle risquait d'en écraser un — et par là, de tout compromettre.

– Les cas de ce genre sont plus fréquents que vous ne pourriez le penser, dit Mr Spragge.

– Les cas de suicide ?

– Non, non. De manœuvres captatoires. Mr Savage était un homme d'affaires redoutable, mais il n'était que cire molle entre les mains de cette femme. Nul doute que celle-ci connaissait l'art et la manière.

– Racontez-moi donc toute l'histoire en détail, risqua Frankie. Mr Carstairs était tellement… tellement remonté que je n'y ai jamais rien compris.

– C'est pourtant d'une extrême simplicité. Mais ces

222

faits étant de notoriété publique, rien ne s'oppose après tout à ce que je les récapitule.

– Alors, je vous écoute.

– Mr Savage est revenu des États-Unis en novembre de l'année passée. Il était, comme vous le savez, immensément riche et dépourvu de parents proches. Au cours de la traversée, il a fait la connaissance d'une femme, une certaine… heu… Mrs Templeton. On ne sait pas grand-chose sur son compte sinon qu'elle avait — comment dire ? — beaucoup de « chien » et de surcroît un mari capable de rester dans l'ombre.

« Les Cayman », songea Frankie.

– Ces croisières transatlantiques sont parfois redoutables, poursuivit Mr Spragge avec un sourire doublé d'un hochement de tête navré. Mr Savage a été conquis. Il a accepté l'invitation de cette dame à se rendre dans son cottage de Chipping Somerton. Combien de fois y est-il allé ? J'avoue mon ignorance. Mais ce qui est certain, c'est qu'il est tombé entièrement sous la coupe de Mrs Templeton.

» C'est alors que tout a basculé dans la tragédie. Mr Savage se préoccupait depuis quelque temps déjà de son état de santé. Il se croyait atteint d'une maladie qui…

– Un cancer ?

– Eh bien, oui, en fait, un cancer ! C'était devenu une obsession. Il demeurait chez les Templeton à l'époque. Ils le convainquirent d'aller à Londres consulter un spécialiste. Ce qu'il fit. Pour la suite, lady Frances, je ne me risquerai qu'à des conjectures. Ce spécialiste — l'un des membres les plus éminents de sa profession — devait

223

déclarer lors de l'enquête que Mr Savage n'était pas atteint de cancer et qu'il l'en avait lui-même assuré, mais que Mr Savage, incapable de se débarrasser de son obsession, n'avait pas accepté son diagnostic. Cela dit, connaissant le corps médical, lady Frances, j'inclinerais à penser — et ceci, sans parti pris — que les choses ont pu se passer un peu différemment.

» Si les symptômes de Mr Savage ont inquiété ce médecin, il aura sans doute pris un air de circonstance, adopté un ton grave, proposé un traitement coûteux et, tout en rejetant l'hypothèse du cancer, donné l'impression que le cas était à tout le moins sérieux. Sachant que les médecins répugnent à avouer à leurs patients qu'ils sont atteints de cette maladie, Mr Savage n'aura pas manqué d'interpréter ces conclusions à sa façon : il n'y avait *pas* un mot de vrai dans les propos rassurants du spécialiste, il avait *bien* le cancer qu'il croyait avoir.

» Quoi qu'il en soit, Mr Savage retourna à Chipping Somerton dans un état d'extrême dépression. L'avenir tel qu'il l'envisageait ? une longue et douloureuse agonie. Il semble que plusieurs membres de sa famille étaient morts d'un cancer et qu'il était bien décidé à ne pas endurer ce qu'il les avait vus souffrir. Il s'adressa à un homme de loi — membre très distingué d'une étude réputée — afin de faire établir un testament, qu'il signa aussitôt et confia à la garde dudit homme de loi. Le soir même, Mr Savage absorbait une forte dose de chloral et rédigeait une lettre expliquant qu'il préférait une mort rapide et sans souffrance à une longue et douloureuse agonie.

» Par testament, Mr Savage laissait à Mrs Templeton

la somme de sept cent mille livres libres de tout droit. Le reste de sa fortune allait à diverses œuvres de bienfaisance.

Pris par son propre récit, Mr Spragge s'était carré dans son fauteuil. Il poursuivit :

– Le jury prononça l'habituel verdict de suicide en état de démence passagère, mais je ne pense pas que l'on puisse arguer de cette décision qu'il était en état de démence passagère lors de la rédaction de son testament. Pas un jury, à mon humble avis, n'admettrait une telle prétention. Ce testament avait été rédigé par les soins et en présence d'un avocat pour qui le défunt était alors sain de corps et d'esprit. Impossible aussi, je crois, de prouver qu'il y avait eu manœuvres captatoires. Mr Savage n'avait déshérité ni proche ni être cher — sa seule famille se composant de lointains cousins qu'il ne voyait jamais. Ils vivent en Australie.

Mr Spragge marqua un temps.

– Mr Carstairs soutenait une thèse selon laquelle ce testament ne correspondait en rien à la personnalité de Mr Savage. Mr Savage n'éprouvait aucune sympathie pour les œuvres de bienfaisance et avait toujours professé que la fortune doit se transmettre selon les liens du sang. Bien entendu, Mr Carstairs ne pouvait produire aucun document à l'appui de telles assertions et, ainsi que je le lui avais fait remarquer, il arrive à tout le monde de changer d'avis. Contester la validité du testament aurait entraîné des procès avec les œuvres de bienfaisance tout autant qu'avec Mrs Templeton. En outre, ce testament avait été homologué.

– Sans que personne ne proteste à ce moment-là ? demanda Frankie.

– Comme je vous l'ai dit, les seuls parents de Mr Savage ne vivaient pas en Angleterre et ne disposaient donc pas de beaucoup d'éléments. C'est Mr Carstairs qui a pris le mors aux dents. De retour d'une expédition au cœur de l'Afrique noire, il s'est mis à collecter les détails de l'affaire et puis il a regagné l'Angleterre pour voir ce qui pouvait être tenté. Je me suis efforcé de lui faire partager mon point de vue — à savoir qu'il n'y avait rien à faire. La jouissance d'un bien met la loi à quatre-vingt-dix pour cent de votre côté, or Mrs Templeton était entrée en jouissance de son héritage. De surcroît, elle avait quitté le pays pour aller vivre dans le sud de la France et refusait tout contact. Je suggérai à Mr Carstairs de consulter le Conseil de la Couronne, mais il y renonça, jugeant la partie perdue — ou estimant en tout cas que, quoi que l'on ait pu tenter au début de l'affaire, il était maintenant trop tard.

– Je vois, dit Frankie. Et personne ne sait rien sur le compte de cette Mrs Templeton ?

Mr Spragge pinça les lèvres.

– Un homme comme Mr Savage, un homme connaissant bien la vie, n'aurait jamais dû se laisser passer la corde au cou ainsi, mais que voulez-vous…

Et Mr Spragge de hocher tristement la tête à la vision, dans son esprit, des innombrables clients qui « n'auraient jamais dû » et qui venaient à lui pour qu'il les soustraie aux foudres de la justice.

Frankie se leva.

– Les hommes m'étonneront toujours, dit-elle.

Elle tendit la main.

– Au revoir, Mr Spragge. Vous avez été merveilleux,

226

tout bonnement merveilleux. Si vous saviez combien j'ai honte…

– Ah, jeunesse… folle jeunesse ! s'émut Mr Spragge avec un dodelinement de tête. Faites quand même un peu plus attention la prochaine fois.

– Vous avez été un ange.

Elle lui serra la main avec ferveur et s'en fut.

Mr Spragge se rassit derrière son bureau.

Il réfléchissait.

Ainsi, c'était donc le fils du duc de…

Il ne voyait que deux ducs susceptibles de répondre à cette description.

Lequel était-ce ?

Il empoigna son *Nobiliaire.*

26

Une aventure nocturne

L'absence inexplicable de Moïra inquiétait plus Bobby qu'il ne voulait l'admettre. Il se répétait sans cesse qu'il était absurde de sauter à des conclusions hâtives — qu'il était inimaginable que l'on ait pu éliminer Moïra dans une maison pleine de témoins potentiels —, que tout devait s'expliquer de façon beaucoup plus simple et que, au pis, elle était séquestrée au manoir.

Qu'elle ait dû quitter Staverley de son plein gré, Bobby n'y croyait pas une minute. Jamais elle ne serait

227

partie sans lui faire parvenir un mot d'explication. Elle avait en outre répété à satiété qu'elle n'avait aucun endroit où aller.

Non, le machiavélique Dr Nicholson se profilait derrière tout ça. Avisé d'une manière quelconque des agissements de sa femme, il avait contre-attaqué. Moïra devait donc être prisonnière entre les murs sinistres du manoir, sans moyen aucun de communiquer avec l'extérieur.

Mais elle ne resterait pas longtemps prisonnière. Bobby croyait sans discussion chaque mot qu'elle avait balbutié. Ses peurs ne devaient rien à son imagination, pas plus qu'à l'état de ses nerfs. Elles reflétaient la pure et simple réalité.

Nicholson voulait se débarrasser de sa femme. À plusieurs reprises déjà, ses plans avaient échoué. En confiant ses craintes à des tiers, elle lui avait forcé la main. Il lui fallait agir vite ou renoncer. Aurait-il oui ou non l'audace d'agir ?

Bobby en était persuadé. Cet individu devait savoir que, même si ces étrangers avaient accordé foi aux dires de sa femme, ils ne possédaient aucune preuve. Il devait croire en outre que seule Frankie se dressait contre lui. Il devait la soupçonner depuis le début — les questions embarrassantes qu'il lui avait posées au cours du dîner chez les Bassington-ffrench l'attestaient. Quant au chauffeur de lady Frances, Bobby ne voyait pas vraiment pourquoi on l'aurait pris pour autre chose qu'un chauffeur.

Oui, Nicholson allait passer aux actes. On retrouverait le corps de Moïra loin de Staverley. Il serait rejeté par la mer. Ou découvert au pied d'une falaise. Et ce serait un

228

accident, bien entendu. Nicholson n'était-il pas spécialiste des accidents ?

Bobby estimait néanmoins que l'élaboration du projet et sa mise en œuvre prendraient du temps — pas des masses, bien sûr, mais un certain temps quand même. Nicholson s'était vu forcer la main — il lui faudrait agir plus tôt qu'il ne l'avait prévu. Il semblait néanmoins raisonnable d'estimer que vingt-quatre heures s'écouleraient au moins avant qu'il ne puisse entreprendre quoi que ce soit.

Or Bobby se promettait bien, si Moïra se trouvait au manoir, de lui mettre la main dessus avant l'expiration de ce délai.

Après avoir déposé Frankie à Brook Street, il s'organisa pour le combat. Éviter les Mews lui parut mesure de sagesse. Qui sait si les alentours n'en étaient pas surveillés ? En tant que Hawkins, personne à son avis ne devait déjà le soupçonner. Seulement voilà, Hawkins allait maintenant disparaître à son tour.

Le soir même, un jeune homme — moustache et complet bleu marine de confection — débarqua dans la trépidante agglomération d'Ambledever. Il gagna un hôtel proche de la gare, où il s'inscrivit sous le nom de George Parker. Après avoir déposé sa valise, il descendit faire un tour en ville et négocia la location d'une motocyclette.

À 10 heures du soir, un motard casqué et lunetté traversa Staverley puis, ayant repéré un endroit tranquille à deux pas du manoir, coupa les gaz.

Une fois sa moto dissimulée derrière un buisson providentiel, Bobby jeta un coup d'œil sur la route. Elle était déserte.

229

Il longea le mur de la clinique jusqu'au portillon. Il n'était toujours pas verrouillé. Un dernier regard circulaire pour s'assurer à nouveau que personne ne l'épiait, et il s'engouffra dans les profondeurs du parc. Sa poche de pardessus se gonflait d'une protubérance rassurante : son revolver d'ordonnance.

Alentour, tout semblait calme et tranquille.

Bobby sourit tout seul en se remémorant les histoires terrifiantes où le méchant confie à un guépard ou à une quelconque bête féroce et déchaînée le soin de déloger les intrus.

Le Dr Nicholson semblait se contenter de serrures à deux sous et de simples barres de fer — et encore se montrait-il plutôt négligent en la matière. La petite porte n'aurait pas dû rester ouverte. Décidément, le méchant, dans cette histoire, ne se montrait guère à la hauteur.

« Pas de pythons apprivoisés, songea Bobby. Pas de guépards, pas de barbelés électrifiés… ce type est au-dessous de tout ! »

Autant de réflexions surtout destinées à conjurer la peur. Car dès que Bobby pensait à Moïra, une main de fer lui étreignait le cœur.

Il revoyait son visage… ses lèvres tremblantes… ses yeux dilatés de terreur. C'était à cet endroit précis qu'elle lui était apparue la première fois en chair et en os. Un frisson le parcourut au souvenir de l'instant où il l'avait serrée dans ses bras pour apaiser ses craintes…

Moïra… Où était-elle, à présent ? Qu'en avait fait ce médecin de malheur ? Pourvu qu'elle soit encore vivante…

230

– Elle l'est, gronda Bobby entre ses dents. Pas question qu'elle ne le soit pas.

Avec mille précautions, il inspecta les alentours de la maison. Plusieurs fenêtres étaient éclairées à l'étage, et une au rez-de-chaussée.

Un rai de lumière filtrait entre les rideaux tirés. Bobby rampa jusqu'à la fenêtre et se redressa sans bruit. Puis il risqua un œil entre les rideaux.

Il apercevait l'épaule et le bras d'un homme, qui se mouvaient comme s'il écrivait. L'homme changea bientôt de position. Bobby reconnut le profil du Dr Nicholson.

Étrange situation. Sans se douter qu'on l'épiait, le médecin continuait tranquillement d'écrire. Quant à Bobby, il se voyait la proie d'une étrange fascination. Cet homme était si près de lui que, sans la vitre qui les séparait, il aurait pu le toucher.

Pour la première fois, Bobby pouvait l'examiner à loisir. Il avait le profil énergique, le nez fort, le menton volontaire. L'oreille, petite et collée, se terminait par un lobe qui se confondait presque avec la joue. Un type d'oreille qui signifiait quelque chose de particulier, à ce que l'on disait.

Sans se presser, le médecin continuait d'écrire, s'interrompant de temps à autre pour trouver le mot juste. Puis la plume se remettait à courir sur le papier, d'un mouvement précis et régulier. À un moment donné, il ôta son pince-nez, en essuya les verres, puis le remit.

Avec un soupir, Bobby se laissa bientôt tomber sans bruit à terre. À vue de nez, Nicholson n'était pas au bout de son pensum. C'était le moment ou jamais d'essayer de pénétrer dans la place.

231

Si Bobby parvenait à s'introduire par l'une des fenêtres de l'étage pendant que Nicholson écrivait dans son bureau, il pourrait alors explorer la bâtisse plus tard dans la soirée.

Il refit le tour de la maison et porta son choix sur une fenêtre du premier étage. L'imposte était ouverte, mais la pièce dans la pénombre, donc sans doute inoccupée pour l'instant. Qui plus est, un arbre en surplomb semblait promettre une escalade facile.

Deux secondes plus tard, Bobby y grimpait déjà. Tout allait bien et il tendit la main pour agripper le rebord de la fenêtre quand un craquement affreux se fit entendre. La branche sur laquelle il était juché céda et Bobby fut précipité tête la première dans un massif d'hortensias, qui amortit fort heureusement sa chute.

La fenêtre du bureau de Nicholson se trouvait sur le même côté du bâtiment. Bobby entendit l'exclamation du médecin au moment où ce dernier ouvrait tout grand sa fenêtre. Remis de sa chute, le jeune homme se releva d'un bond, s'extirpa des hortensias et fonça dans la nuit en direction du sentier menant au portillon. Il le remonta sur quelques mètres, puis plongea dans les buissons.

Il y eut des éclats de voix, et des lumières s'approchèrent des hortensias piétinés au milieu desquels il avait atterri. Bobby se terra, retenant son souffle. Sans doute allaient-ils remonter le sentier. Auquel cas ils trouveraient le portillon grand ouvert et, persuadés que le rôdeur avait pris la poudre d'escampette, abandonneraient sans doute les recherches.

Quoi qu'il en soit, les minutes passaient et personne

ne montrait le bout de son nez. Il entendit le Dr Nicholson poser une question et une voix rauque, à l'accent vulgaire, qui répondait :

– Tout est en ordre, monsieur. J'ai fait le tour.

Les bruits s'estompèrent, les lumières s'éteignirent. Tout le monde semblait avoir regagné la maison.

Multipliant les précautions, Bobby sortit de sa cachette. Il redéboucha sur le sentier, l'oreille aux aguets. Tout était calme. Il fit un pas, puis deux, en direction de la maison.

Et, soudain, un objet jailli de l'obscurité vint le frapper à la nuque. Il s'écroula et sombra dans les ténèbres.

27

« Mon frère a été assassiné »

Dans la matinée du vendredi, la Bentley verte se gara devant l'*Hôtel de la Gare*, à Ambledever.

Frankie avait télégraphié à Bobby sous le nom d'emprunt dont ils étaient convenus ensemble — George Parker — qu'elle était appelée à témoigner lors de l'enquête sur le cas Henry Bassington-ffrench, et qu'elle s'arrêterait en route pour le voir.

Sans réponse de sa part lui fixant un rendez-vous précis, elle avait décidé d'effectuer une descente à son hôtel.

– Mr Parker, mademoiselle ? s'étonna le chasseur. Je ne crois pas que nous ayons un Mr Parker chez nous. Mais je vais m'en assurer.

Il revint quelques instants plus tard.

– Il est arrivé mercredi soir, mademoiselle, il a laissé sa valise et dit qu'il rentrerait sans doute tard. Sa valise est toujours là, il n'est pas revenu la chercher.

Frankie faillit s'en trouver mal. Elle se cramponna à une table pour ne pas tomber. Le chasseur l'enveloppa d'un regard compatissant.

– Ça ne va pas, mademoiselle ?

– Si, si, parvint-elle à dire. Il n'a pas laissé de message ?

Le chasseur retourna vérifier et revint en secouant la tête.

– Il y a un télégramme pour lui. Un point c'est tout.

Il la regarda d'un drôle d'air.

– Y a-t-il quelque chose que je puisse faire pour vous, mademoiselle ?

Tout ce qu'elle voulait, pour le moment, c'était s'en aller. S'en aller et réfléchir à la conduite à adopter.

– Non, rien, merci, répondit-elle — et, remontant dans la Bentley, elle prit le large.

Le chasseur hocha la tête d'un air entendu en suivant la voiture des yeux.

« Il lui a posé un lapin ou je ne m'y connais pas, se dit-il. Il l'a plaquée. Il s'est fait la malle. Pas vilaine, la môme. Je me demande bien à quoi il ressemblait. »

Il s'en fut questionner la réceptionniste — mais la réceptionniste ne s'en souvenait même plus.

« Un couple d'aristos, conclut le chasseur, sagace. Ils

234

allaient se marier en douce… et puis, total, il a mis sa clé sous le paillasson… »

Pendant ce temps, Frankie roulait en direction de Merroway Court, l'esprit en ébullition.

Pourquoi Bobby n'était-il jamais rentré à l'*Hôtel de la Gare* ? De deux choses l'une : soit il était sur une piste — et cette piste l'avait entraîné Dieu sait où, soit… soit les choses avaient mal tourné. La Bentley tangua dangereusement.

Elle était stupide d'imaginer ainsi des choses. Bobby ne courait pas le moindre risque, c'était sûr et certain. Il était sur une piste, un point c'est tout. Il était sur une piste…

Mais alors pourquoi, l'interrogea une petite voix insidieuse, pourquoi ne lui avait-il pas envoyé un mot pour la rassurer ?

Ça, c'était plus difficile à expliquer, et pourtant ce n'étaient pas les explications qui manquaient. Circonstances défavorables… pas le temps… pas moyen… et puis Bobby qui devait se dire qu'elle, Frankie, n'était pas du genre à se biler pour son compte. Non, tout allait bien… Il fallait que tout aille bien.

L'enquête se déroula dans une atmosphère irréelle, en présence de Roger et de Sylvia, à qui les voiles de veuve seyaient à ravir. Elle sut se montrer tout à la fois digne et infiniment émouvante. Frankie se surprit à l'admirer, comme elle eût admiré le jeu d'une tragédienne.

La procédure se déroula sans heurt. Les Bassington-ffrench étant fort connus dans le pays, tout fut mis en œuvre pour ménager la sensibilité de la veuve et du frère du défunt.

Frankie et Roger firent leur déposition, le Dr Nicholson, la sienne, et la lettre d'adieu du défunt fut déposée au dossier. Le verdict fut aussitôt rendu dans un délai record : suicide en état de démence passagère.

Le même verdict que pour le décès de John Savage.

Frankie fit aussitôt le rapprochement.

Deux suicides commis en état de démence passagère. Y avait-il — pouvait-il y avoir un lien entre les deux ?

Que le suicide de Henry Bassington-ffrench ne fasse aucun doute, elle ne le savait que trop car elle se trouvait sur les lieux. La thèse du meurtre, soutenue par Bobby, avait dû être abandonnée : elle ne tenait pas debout. L'alibi du Dr Nicholson, irréfutable, était confirmé par la veuve en personne.

Frankie et le Dr Nicholson s'attardèrent après que le coroner eut serré la main de Sylvia en murmurant quelques phrases de condoléances.

– Je crois qu'il est arrivé ce matin du courrier pour vous, ma chère Frankie, dit Sylvia. Vous ne m'en voudrez pas si je vous quitte pour aller m'étendre. Je viens de vivre des moments atroces.

Elle quitta la pièce en frissonnant. Nicholson sortit dans son sillage en marmonnant quelque chose à propos d'un sédatif. Frankie se tourna vers Roger.

– Roger, Bobby a disparu.

– Disparu ?

– Oui.

– Où ça ? Comment ?

Frankie lui dépeignit la situation en quelques mots rapides.

– Et on ne l'a pas revu depuis ? demanda Roger.

236

– Non. Qu'est-ce que vous en pensez ?

– Rien de bon, fit lentement Roger.

Frankie sentit son cœur s'arrêter de battre.

– Vous ne croyez tout de même pas que...

– Bah ! il ne lui est peut-être rien arrivé du tout, mais... chut ! voici Nicholson.

Le médecin venait en effet de regagner la pièce de son pas silencieux. Sourire aux lèvres, il se frottait les mains.

– Tout s'est bien passé, dit-il. Tout s'est très bien passé. Davidson s'est montré plein de tact et de considération. Nous pouvons nous féliciter de l'avoir comme coroner.

– Oui, peut-être bien, murmura machinalement Frankie.

– Mais c'est que ça peut changer les choses du tout au tout, lady Frances. La conduite d'une enquête dépend complètement du coroner. Ses pouvoirs sont énormes. Il peut, comme bon lui semble, aplanir ou multiplier les difficultés. Ici, tout s'est passé au mieux.

– Oui, c'était du bon théâtre, fit-elle d'une voix dure.

Nicholson la dévisagea, stupéfait.

– Je comprends les sentiments de lady Frances, dit Roger. Je les partage. Mon frère a été assassiné, docteur Nicholson.

Le médecin lui tournant le dos, Roger ne put voir, comme le fit Frankie, l'expression d'épouvante qui lui traversa le regard.

– Je suis convaincu de ce que j'avance, insista Roger comme Nicholson s'apprêtait à répliquer. Même si la loi ne l'a pas jugé ainsi, il y a bien eu meurtre. Les odieux

237

criminels qui ont fait de mon frère un esclave de la drogue l'ont aussi sûrement tué que s'ils lui avaient planté un couteau dans le dos.

Il s'avança d'un pas et planta son regard dans celui du médecin.

– Je leur revaudrai ça, ajouta-t-il, et ces mots résonnèrent comme une menace de mort.

Les yeux pâles du Dr Nicholson cillèrent. Et le médecin hocha tristement la tête.

– Je ne peux que me déclarer d'accord avec vous, dit-il. J'en sais plus que vous sur la toxicomanie, Mr Bassington-ffrench. Pousser un homme à se droguer est le plus effroyable des crimes.

Les idées se bousculaient dans la tête de Frankie — une en particulier.

« C'est impossible, songeait-elle. Ce serait monstrueux. Et pourtant... Son alibi tout entier repose sur le témoignage de Sylvia. Mais alors... »

La voix du Dr Nicholson l'arracha à ses pensées :

– Vous êtes venue en voiture, lady Frances ? Pas d'accident, cette fois-ci ?

Frankie haïssait désormais l'espèce de rictus qui lui tenait lieu de sourire.

– Non, lança-t-elle. Les accidents, je trouve que c'est amusant un temps, mais qu'il ne faut pas en abuser... pas vous ?

Elle se demanda si elle avait rêvé ou s'il avait bel et bien accusé le coup.

– Peut-être était-ce cette fois votre chauffeur qui vous conduisait ?

238

– Mon chauffeur, répliqua Frankie, a disparu. Ce disant elle avait fixé Nicholson dans les yeux.

– Vraiment ?

– La dernière fois qu'on l'a vu, il se rendait au manoir.

Nicholson haussa les sourcils.

– Bigre ! Dissimulerais-je un trésor... dans mes cuisines ? J'ai peine à le croire.

– En tout cas, c'est par là qu'il a été vu pour la dernière fois.

– Vous semblez prendre ça bien au tragique, chère mademoiselle. Sans doute êtes-vous trop sensible aux racontars locaux. Il ne faut pas se fier aux racontars locaux. J'ai moi-même entendu les bruits les plus extravagants.

Il marqua un temps. Sa voix se fit plus sourde :

– Il m'est même revenu aux oreilles une histoire selon laquelle ma femme et votre chauffeur auraient été vus en train de deviser au bord de la rivière. C'est sans doute un jeune homme tout à fait hors du commun, lady Frances.

« Je rêve ou quoi ? se demanda Frankie. Est-ce qu'il a l'intention d'insinuer que sa femme s'est enfuie avec mon chauffeur ? Est-ce que c'est ça qu'il veut nous faire accroire ? »

À voix haute, elle déclara :

– Hawkins est en effet un chauffeur très au-dessus du commun.

– Je ne vous le fais pas dire, sourit Nicholson.

Il se tourna vers Roger.

– Il faut que je vous quitte. Encore une fois, toutes mes condoléances à Mrs Bassington-ffrench et à vous.

Roger le raccompagna dans le hall et Frankie leur emboîta le pas. Sur la table d'entrée, elle trouva deux lettres qui lui étaient adressées. La première n'était qu'une facture. La seconde...

Le cœur de Frankie cogna plus fort.

La seconde était de l'écriture de Bobby.

Nicholson et Roger étaient sur le seuil.

Elle déchira l'enveloppe.

Chère Frankie,

Je tiens une piste. Enfin ! Rejoins-moi le plus tôt possible à Chipping Somerton. Par le train plutôt qu'en voiture. Ta Bentley est trop voyante. Le train n'est pas très confortable, mais tu devrais arriver sans encombre. Il faudra que tu déniches une maison appelée Tudor Cottage. Je t'indique comment t'y prendre. Ne demande pas ton chemin. (Suivait un plan détaillé.) *Tu as pigé ? Ne parle de ça* à personne. (C'était lourdement souligné.) À personne au monde.

Bien à toi,

Bobby

Au comble de l'excitation, Frankie froissa aussitôt la lettre.

Ainsi, tout allait bien.

Il était sur une piste — et, par une heureuse coïncidence, sur la même piste qu'elle. Elle s'était en effet rendue à Somerset House pour consulter enfin le testament de John Savage. Rose Emily Templeton y figurait en bonne place en tant qu'épouse d'Edgar Templeton, résidant à Tudor Cottage, Chipping Somerton. Pardessus le marché, ça collait avec l'horaire des chemins de fer trouvé dans la maison de St Leonard's Gardens.

240

Chipping Somerton faisait partie des stations énumérées dans la page ouverte. Les Cayman étaient partis pour Chipping Somerton.

Toutes les pièces du puzzle se mettaient en place. Ils touchaient au but.

Roger l'avait rejointe.

– Quelque chose d'intéressant dans ce courrier ? s'enquit-il négligemment.

Un instant, Frankie hésita. Bobby n'avait quand même pas pensé à Roger en l'adjurant de ne rien dire à personne ?

Mais elle se remémora les mots soulignés si énergiquement… elle se remémora aussi l'horrible soupçon qui lui avait traversé l'esprit quelques minutes plus tôt. Si ce soupçon-là était fondé, Roger pourrait très bien les trahir tous deux le plus innocemment du monde. Elle n'osait cependant formuler devant lui une telle abomination.

Elle prit donc sa décision et répondit :

– Non. Rien du tout.

Mais, cette décision, il ne devait pas se passer vingt-quatre heures avant qu'elle ne la regrette.

Plus d'une fois au cours des heures qui suivirent, elle devait également regretter d'avoir cédé au diktat de Bobby et renoncé à sa Bentley. À vol d'oiseau, Chipping Somerton ne se trouvait pas au bout du monde, mais le trajet n'en supposait pas moins trois correspondances en rase campagne, chacune assortie d'une attente interminable, et la fougue de Frankie ne s'accommodait guère de ces excès de lenteur.

Force lui était cependant d'admettre que Bobby avait

241

raison sur un point : sa Bentley n'était peut-être après tout pas l'idéal pour passer inaperçue.

Les prétextes qu'elle avait invoqués pour abandonner sa voiture à Merroway Court avaient été tout ce qu'il y a de plus fallacieux, mais elle n'avait pas été fichue de trouver mieux sur le moment.

Il faisait presque nuit quand le train de Frankie — sorte de tortillard peu coopératif — s'immobilisa enfin en tremblant dans la petite gare de Chipping Somerton. Pour Frankie, il aurait aussi bien pu être minuit, tant il lui semblait avoir roulé pendant des heures.

Et, pour couronner le tout, il commençait à pleuvoir.

Frankie boutonna son manteau jusqu'au cou, profita de la lueur d'un bec de gaz pour jeter un dernier coup d'œil à la lettre de Bobby et se bien mettre l'itinéraire en tête, puis s'élança bravement.

Les instructions étaient faciles à suivre. Dès qu'elle vit les lumières du village, elle prit à main gauche un sentier qui escaladait la colline. Parvenue au sommet, elle bifurqua sur sa droite, et aperçut bientôt un groupe de maisons en contrebas — le village — et, devant elle, un bouquet de pins. Lorsqu'elle se trouva enfin devant une petite barrière de bois bien entretenue, elle frotta une allumette et put lire : Tudor Cottage.

Pas un chat en vue. Frankie souleva le loquet et entra. Elle discernait la silhouette de la maison, au cœur des pins. Pour avoir une vue d'ensemble, elle alla se poster au pied d'un arbre. Puis, le cœur battant un peu plus vite, elle imita du mieux qu'elle put le ululement de la chouette. Quelques minutes s'écoulèrent sans que rien ne se produisît. Elle répéta le signal convenu.

La porte du cottage s'ouvrit et elle vit un homme en livrée de chauffeur regarder prudemment à l'extérieur. Bobby ! Il lui fit signe d'entrer et disparut à l'intérieur, laissant la porte entrouverte.

Frankie sortit de sous les arbres et s'approcha. Aucune fenêtre n'était éclairée. Tout baignait dans la pénombre et le silence.

Frankie passa furtivement du seuil dans le hall. Là, elle s'immobilisa, cherchant à se repérer.

– Bobby, chuchota-t-elle.

Ce fut son odorat qui la mit en alerte. Où avait-elle déjà senti cette odeur lourde et douceâtre tout à la fois ?

Son cerveau n'avait eu que le temps de prendre la relève et de lui fournir la réponse « Chloroforme » quand deux bras puissants se saisirent d'elle par-derrière. Elle ouvrit la bouche pour hurler, mais un tampon humide vint l'obstruer. L'odeur écœurante la submergea.

Elle se débattit avec l'énergie du désespoir, se tourna et se retourna, donna des coups de pied. Mais l'issue du combat n'était que trop prévisible. Le sang lui battait aux oreilles. Elle suffoquait. Et puis tout devint noir…

28

Quand sonne la onzième heure

Lorsque Frankie revint à elle, son état n'était pas brillant. Tant il est vrai que les effets secondaires du chloroforme n'ont rien de romantique. Affalée qu'elle

243

était, pieds et poings liés, sur un parquet abominablement dur. Elle se démena pour rouler sur le côté, mais sa tête manqua de peu entrer en collision avec un seau à charbon. Ce qui se passa ensuite ne contribua pas à lui remonter le moral.

Quelques minutes plus tard, Frankie parvint enfin, sinon à s'asseoir, du moins à prendre conscience de ce qui l'entourait.

Tout près d'elle, elle entendait un grognement étouffé. Elle écarquilla les yeux. Pour autant qu'elle puisse juger, elle se trouvait apparemment dans une sorte de grenier. La seule lumière venait d'une lucarne dans le toit et, vu l'heure, le résultat était plutôt chiche. Quelques minutes encore et il ferait nuit noire. Contre le mur s'entassaient quelques tableaux brisés, un lit de fer défoncé, deux ou trois chaises bancales ainsi que le seau à charbon susmentionné.

Il lui semblait que le grognement émanait de l'angle opposé.

Les liens de Frankie n'étaient pas très serrés. Ils lui permettaient de se mouvoir à la manière d'un crabe. À force de se contorsionner, elle réussit à traverser le grenier poussiéreux.

– Bobby ! s'écria-t-elle.

C'était lui, saucissonné tout comme Frankie. Et bâillonné de surcroît.

Son bâillon, il était d'ailleurs presque arrivé à s'en défaire. Frankie lui vint en aide. Ses mains, bien que liées, pouvaient encore être de quelque utilité. Et ses dents firent le reste.

– Frankie ! bafouilla-t-il.

244

– C'est chouette de se retrouver, grinça Frankie. Mais j'ai l'impression très nette que nous nous sommes fait piéger.

– Oui, admit Bobby, lugubre. Ou avoir au tournant, comme tu préfères.

– Comment est-ce qu'ils t'ont coincé ? demanda Frankie. Ça s'est passé après que tu m'as envoyé cette lettre ?

– Quelle lettre ? Je ne t'ai jamais envoyé de lettre.

– Ça y est, j'y suis ! dit Frankie qui continuait à comprendre. En fait de gourde, je me pose un peu là. Toute cette salade sur le fait qu'il fallait que je me taise, ça aurait dû me mettre la puce à l'oreille, non ?

– Écoute, Frankie, je vais te dire ce qui m'est arrivé, et puis tu me raconteras ton histoire ensuite, d'accord ?

Il lui décrivit son équipée au manoir et les déboires qui s'étaient ensuivis.

– Je suis revenu à moi dans ce trou à rats, conclut-il. Il y avait de la nourriture et de quoi boire sur un plateau. Je mourais de faim, alors je ne me suis pas fait prier. J'imagine qu'on y avait collé un somnifère, parce que je me suis endormi illico. On est quel jour ?

– Vendredi.

– Et je me suis fait étendre mercredi soir. Bon sang de bonsoir ! Dire que je suis resté K.O. pendant tout ce temps… Bon, à toi, maintenant. Il t'est arrivé quoi, au juste ?

Frankie raconta par le menu ses faits et gestes en commençant par sa visite chez Mr Spragge et ce qu'elle y avait appris pour en arriver enfin au moment où elle

245

avait cru reconnaître la silhouette de Bobby sur le seuil de Tudor Cottage.

– Et là, ils m'ont chloroformée, conclut-elle. Et… oh, Bobby ! j'ai rendu tripes et boyaux dans le seau à charbon.

– C'est ce qui s'appelle posséder un sens aigu de l'à-propos, applaudit Bobby. Surtout ligotée comme tu l'étais et tout ! Bon, ça ne nous dit pas ce que nous allons faire maintenant ? Nous avons gardé l'initiative un petit bout de temps, mais maintenant les cartes nous ont filé entre les doigts.

– Si seulement j'avais parlé de ton message à Roger ! gémit Frankie. Un moment j'ai hésité — et puis j'ai décidé de suivre « tes » conseils à la lettre et de rester muette comme une carpe.

– Ce qui fait que personne ne sait où nous sommes, dit Bobby d'un ton grave. Ma pauvre Frankie, j'ai bien *peur* de t'avoir fourrée dans le pétrin.

– Nous étions trop sûrs de nous, décréta Frankie, morose.

– Ce que je n'arrive pas à comprendre, c'est pourquoi ils ne nous ont pas fait carrément le coup du lapin, histoire de se débarrasser de nous une bonne fois pour toutes, fit Bobby, songeur. Ce n'est pas le genre de solution radicale qui devrait beaucoup le gêner, Nicholson.

– Il a sûrement son plan, dit Frankie en frissonnant.

– Un plan ? Nous ne ferions pas mal d'en avoir un, nous aussi. Il faut qu'on se débrouille pour sortir d'ici, Frankie. Mais par quel bout allons-nous nous y prendre ?

– On pourrait se mettre à hurler, proposa Frankie.

– Ouais… ça supposerait que quelqu'un passe par là

246

et nous entende. Mais comme Nicholson n'a même pas pris la peine de te bâillonner, les chances qu'on nous entende doivent être quasi nulles. Tes mains ont l'air moins serrées que les miennes. Je vais voir si je ne peux pas essayer de te libérer avec mes dents.

Cinq minutes passèrent, toutes à l'honneur du dentiste de Bobby.

– C'est pas croyable ce que ces trucs idiots ont l'air faciles dans les bouquins, fit-il, un peu essoufflé. Je n'ai pas l'impression de progresser pour deux sous.

– Mais si, dit Frankie. Ça se relâche. Écoute !… Il y a quelqu'un qui vient !

Elle se coula à l'écart. Un pas lourd montait l'escalier lentement, posément. Un rai de lumière filtra sous la porte. Et puis on entendit une clé tourner dans la serrure. Enfin la porte pivota tout doucement sur ses gonds.

– Eh bien ? Comment se portent mes deux oisillons ? fit la voix du Dr Nicholson.

Il portait un bougeoir à la main et, en dépit de son chapeau rabattu sur ses yeux et de son lourd manteau au col relevé, sa voix l'aurait trahi n'importe où. Ses yeux brillaient, très pâles, derrière les verres épais de ses lunettes. Il les salua tous deux d'un signe de tête amusé.

– Tomber ainsi dans le panneau, voilà qui n'est guère digne de vous, chère petite mademoiselle.

Ni Frankie ni Bobby ne trouvèrent la réplique. Nicholson semblait en effet trop bien tenir désormais les rênes de la situation.

Nicholson posa son bougeoir sur une chaise.

– Voyons au moins, dit-il, si vous êtes à votre aise.

Il examina les liens de Bobby, sourit d'un air satisfait et passa à Frankie. Là, il secoua la tête.

– Comme on me le répétait quand j'étais gosse, les doigts ont été fabriqués avant les fourchettes, et on s'est servi de ses dents avant de savoir se servir de ses doigts. Les dents de votre jeune ami ont bien mastiqué, à ce que je vois.

Une lourde chaise de chêne au dossier cassé trônait dans un coin.

Nicholson souleva Frankie, la transporta sur une chaise et l'y attacha solidement.

– Pas trop mal installée ? De toute façon, il n'y en aura pas pour longtemps.

Frankie retrouva sa langue :

– Qu'est-ce que vous comptez faire de nous ?

Nicholson ramassa son bougeoir et marcha vers la porte.

– Vous m'avez vertement reproché, lady Frances, mon penchant pour les accidents. Sans doute aviez-vous raison. Quoi qu'il en soit, je compte bien en risquer un de plus.

– Qu'est-ce que vous nous chantez là ? fit Bobby.

– Faut-il vous le dire ? Oui, je crois que je vais le faire. Lady Frances Derwent au volant, son chauffeur assis à côté d'elle, se trompe d'embranchement et fonce sur une route désaffectée menant droit à une carrière. La voiture bascule dans le vide. Lady Frances et son chauffeur sont tués.

Après un silence, Bobby laissa tomber :

– Pas sûr. Les meilleurs plans peuvent échouer. Ç'a été le cas d'un des vôtres au pays de Galles.

248

– Vous avez montré en effet une tolérance exceptionnelle à la morphine — et que je déplore, croyez-m'en,
rétorqua Nicholson. Mais ne vous inquiétez pas pour
moi, cette fois : lady Frances et vous serez bien morts
quand on retrouvera vos corps.

Bobby ne put réprimer un frisson. Il décelait chez
Nicholson des accents singuliers, ceux de l'artiste
contemplant son chef-d'œuvre.

« Il est en train de bicher, se dit Bobby. En train
d'éprouver un plaisir évident. »

Tant qu'il lui resterait un souffle de vie, il entendait
bien faire l'impossible pour le lui gâcher, ce plaisir. Il
adopta son ton le plus détaché :

– Vous commettez une bourde... particulièrement en
ce qui concerne lady Frances.

– Oui, enchaîna Frankie. Dans cette fausse lettre de
Bobby que vous m'avez envoyée, vous m'intimiez l'ordre
de ne rien dire à personne. Mais, que voulez-vous, j'ai
fait une exception. J'ai parlé à Roger Bassington-ffrench.
Il sait tout sur votre compte. S'il nous arrive quelque
chose, il saura qui en est responsable. Vous feriez bien
de nous lâcher et de quitter le pays en quatrième vitesse.

Nicholson se tut un instant. Puis il sourit.

– Bravo pour le coup de bluff ! Mais ce n'est que du
bluff !

Il se tourna vers la porte.

– Et votre femme, espèce de saligaud ? vociféra
Bobby. Vous l'avez assassinée, elle aussi ?

– Moïra est encore vivante. Combien de temps elle le
restera, je n'en sais rien. Les circonstances en décideront.

Il exécuta une courbette ironique.

249

– À vous revoir ! Il va me falloir encore quelques heures pour mettre la touche finale. Je ne voudrais pour rien au monde vous priver du plaisir de bavarder. Je ne vous bâillonnerai donc pas, à moins bien sûr que vous ne m'y obligiez. Compris ? Si vous appelez au secours, comptez sur moi pour vous faire taire.

Il sortit et referma la porte à clé derrière lui.

– Ce n'est pas vrai ! s'écria Bobby. Ce n'est pas possible ! Ça ne peut pas se passer comme ça !

Mais il ne pouvait pas s'empêcher de penser que ça risquait pourtant bien de se passer comme ça... pour Frankie et pour lui.

– Dans les romans, il y a immanquablement quelqu'un qui vient vous sauver sur le coup de la onzième heure, murmura Frankie, histoire de dire quelque chose d'encourageant.

Elle n'y croyait cependant guère. Et son moral était au plus bas.

– Toute cette histoire, c'est trop pour moi ! plaida Bobby comme pour convaincre un auditoire invisible. C'est un mauvais rêve. Nicholson lui-même a un je ne sais trop quoi qui ne colle pas. Je donnerais cher pour que quelqu'un déboule à la onzième heure pour nous sauver la peau, comme tu dis. Mais je ne vois vraiment pas qui.

– Si seulement j'avais parlé à Roger ! se lamenta Frankie.

– Peut-être qu'après tout Nicholson est bel et bien persuadé que tu l'as fait.

– Non ! Ça n'a pas pris. Il est bien trop futé pour ça.

– Trop futé pour nous, tu veux dire, marmonna Bobby, sinistre. Tu sais ce qui m'embête le plus, dans tout ça, ma vieille ?

– Non. Quoi ?

– Que même maintenant, au moment où nous allons nous faire expédier dans l'autre monde, nous ne sachions toujours pas qui était Evans.

– Demandons-le-lui, dit Frankie. Tu sais bien… notre ultime faveur. Il ne peut pas nous refuser ça. Je suis bien d'accord avec toi. Je ne pourrai jamais mourir tranquille tant que ma curiosité ne sera pas satisfaite.

Un long silence s'instaura entre eux. Puis Bobby proposa :

– Tu ne crois pas que nous devrions appeler au secours ? Tenter le tout pour le tout ? C'est notre dernière chance, non ?

– Pas encore, dit Frankie. D'abord parce que je suis sûre que personne ne nous entendrait — sans ça, il n'aurait jamais couru un tel risque — et ensuite parce que je refuse de rester là à attendre la mort sans pouvoir parler à quelqu'un. Le moment de crier au secours, je veux le reculer jusqu'à la dernière limite possible. Tu vois, c'est… c'est si bon de t'avoir là et de pouvoir bavarder tous les deux.

Sur ces derniers mots, sa voix avait tremblé un peu. Oh ! un tout petit peu…

– Je t'ai mise dans un drôle de pétrin, Frankie.

– Penses-tu. Tu n'aurais jamais pu me tenir hors du coup. Tu me connais, non ?… Dis-moi, tu crois vraiment qu'il va y arriver ? À nous supprimer, je veux dire.

251

– J'en ai terriblement peur. Il a l'air efficace, dans son genre.

– Bobby… est-ce que tu crois que c'est lui qui a tué Henry Bassington-ffrench ?

– Cette hypothèse tiendrait la route si…

– Elle tient la route à une condition : *il faut et il suffit que Sylvia Bassington-ffrench ait été dans le coup, elle aussi.*

– Frankie !

– Oh, je sais. Quand j'y ai pensé, j'en ai eu la chair de poule. Tout concorde ! Pourquoi était-elle si bouchée quand il s'agissait de morphine… pourquoi s'est-elle aussi obstinément opposée à Roger et à moi quand nous avons suggéré que son mari aille se faire désintoxiquer ailleurs qu'au manoir ? Et puis elle était dans la maison lorsque le coup de feu a été tiré.

– Elle a très bien pu le tirer elle-même, ce coup de feu.

– Oh, ça non, sûrement pas.

– Bien sûr que si. Et puis avoir donné la clé du bureau à Nicholson pour qu'il la fourre dans la poche de Henry.

– C'est insensé ! s'écria Frankie, atterrée. C'est comme regarder à travers un miroir déformant. Tous les gens qu'on croyait bien, les gentils, ceux avec qui on est à tu et à toi, sont en fait des créatures abominables. Les criminels, on devrait pouvoir les repérer à un signe particulier : à leurs sourcils, à leurs oreilles, je ne sais pas, moi.

– Bon sang ! s'écria soudain Bobby.

– Qu'est-ce qui te prend ?

– Ce n'est pas Nicholson qui vient de monter.

252

– Tu deviens fou, ou quoi ? C'était qui, alors ?

– Je n'en sais rien… mais ce n'était pas Nicholson. Pendant tout le temps qu'il est resté, je me suis dit que quelque chose ne collait pas, mais je ne savais pas quoi. Et tout d'un coup, avec ton histoire d'oreilles, j'ai compris. Quand j'espionnais Nicholson à travers la vitre, l'autre nuit, j'ai remarqué ses oreilles : ses lobes lui sont quasiment collés aux joues. Mais l'homme de ce soir… ses oreilles n'étaient pas comme ça.

– Mais qu'est-ce que ça signifie ? balbutia Frankie, égarée.

– Qu'un acteur prodigieux se fait passer pour Nicholson.

– Mais pourquoi ? Et qui est-ce que ça pourrait être ?

– Bassington-ffrench, souffla Bobby. *Roger Bassington-ffrench !* Nous avions désigné le coupable dès le début et puis, comme des imbéciles, nous avons foncé de fausse piste en fausse piste.

– Bassington-ffrench ! murmura Frankie. Tu as raison, Bobby. Ça ne peut être que lui. Il était seul présent quand j'ai reproché à Nicholson son goût pour les accidents.

– Dans ce cas, nous sommes fichus. J'espérais encore vaguement que Roger Bassington-ffrench aurait pu retrouver notre trace par Dieu sait quel miracle, mais à présent… Moïra est prisonnière, et nous sommes tous deux pieds et poings liés. Personne au monde n'a la moindre idée de l'endroit où nous nous trouvons. Nous sommes fichus, Frankie.

Il avait à peine prononcé ces mots qu'un coup sourd fut frappé au-dessus de leurs têtes. L'instant d'après, au milieu d'un vacarme infernal, un corps pesant s'abattit dans le grenier.

Il faisait trop sombre pour distinguer quoi que ce fût.

– Qu'est-ce que ça peut bien…, commença Bobby.

Une voix s'éleva d'un monticule de verre brisé.

– B-b-b-bobby !

– Bon Dieu de bois ! s'écria Bobby. C'est Badger !

29

Le récit de Badger

Il n'y avait pas une minute à perdre. Déjà, on entendait du bruit monter de l'étage au-dessous.

– Vite, Badger ! Grouille-toi, espèce d'idiot ! s'écria Bobby. Retire-moi une de mes chaussures ! Ne pose pas de questions et ne discute pas ! Débrouille-toi pour me l'enlever. Balance-la là au milieu et fourre-toi sous le lit ! Magne-toi, bon sang !

Des pas gravissaient l'escalier. La clé tourna dans la serrure.

Nicholson — le pseudo-Nicholson — se tenait sur le seuil, bougeoir à la main.

Il retrouva Bobby et Frankie tels qu'il les avait laissés, mais au milieu du grenier il y avait maintenant un monticule de verre brisé — et au milieu du monticule de verre brisé, il y avait une chaussure.

254

Les yeux écarquillés, Nicholson passa de la chaussure à Bobby. Le pied gauche de Bobby était déchaussé.

– Très ingénieux, mon jeune ami, fit-il, pince-sans-rire. Et remarquablement acrobatique.

Il s'approcha de Bobby, examina les liens qui l'enserraient et fit quelques nœuds supplémentaires. Il paraissait intrigué.

– J'aimerais bien savoir comment vous vous y êtes pris pour expédier cette chaussure en plein dans la lucarne. C'est presque incroyable. Vous avez tout d'un Robert-Houdin, mon bon.

Il toisa les deux amis, leva les yeux vers la lucarne brisée, quitta la pièce en haussant les épaules.

– Vite, Badger !

Badger ressortit de dessous le lit. Il avait un couteau de poche, à l'aide duquel il eût tôt fait de les libérer tous deux.

– Je me sens mieux ! fit Bobby en s'étirant. Bouh ! Je suis raide comme un piquet. Alors, Frankie, ton avis sur notre ami Nicholson.

– Tu as raison, répondit Frankie. C'est Roger Bassington-ffrench. Maintenant que je *sais* qu'il s'agit de Roger, je *vois* que c'est lui. N'empêche que c'est une jolie performance d'acteur.

– Tout dans la voix et dans les binocles, commenta Bobby.

– M-m-moi, j-j-j'ai été à Oxford avec un B-b-bassington-ffrench, dit Badger. Un m-m-m-merveilleux acteur, c'était. Mm-m-mais un t-t-t-truand. Un s-s-s-sale coup qu'il a f-f-f-fait un j-j-j-jour : im-im-im-imiter la s-s-s-signature de son p-p-p-paternel sur un ch-ch-chèque.

255

Son v-v-v-vieux, il a f-f-f-fallu qu'il é-é-é-étouffe l'af-affaire.

Au même moment, Bobby et Frankie eurent la même pensée : Badger qu'ils avaient préféré tenir à l'écart, aurait pu, depuis le début, leur fournir de précieuses informations.

– Faux et usage de faux ! soupira Frankie. Ta lettre, elle était drôlement bien imitée, Bobby. Ce que je me demande, c'est comment il connaissait ton écriture.

– S'il est de mèche avec les Cayman, il aura sans doute vu la lettre que je leur ai envoyée à propos d'Evans.

– Q-q-q-qu'est-ce qu'on f-f-f-fait main-maintenant ? geignit Badger.

– On va se poster tous les deux bien peinardement derrière cette porte, répondit Bobby. Et quand notre ami reviendra — ce qui, à mon avis, ne se fera pas de sitôt — nous lui sauterons sur le paletot, histoire de lui donner la surprise de son existence. Qu'est-ce que tu en penses, Badger ? Tu es chiche ?

– Et comment !

– Toi, Frankie, dès que tu l'entends monter, retourne sur ta chaise. Il te verra en ouvrant la porte et entrera sans se méfier.

– D'accord. Mais dès que Badger et toi vous l'aurez cloué au sol, je vous rejoins pour lui mordre les chevilles ou tout ce qui me tombera sous la dent.

– Voilà au moins qui est féminin en diable, approuva Bobby. Pour le moment, asseyons-nous tous les trois par terre et briefons-nous les uns les autres. Je voudrais savoir par quel miracle Badger est venu atterrir ici à travers la lucarne.

– Eh bien, t-t-t-tu vois, commença Badger, après ton d-d-d-départ, je m-m-m-me suis retrouvé dans le p-p-p-pétrin.

Il marqua un temps. Progressivement, son histoire lui fut arrachée : dettes, créanciers, huissiers — une épopée cataclysmique bien dans le style de Badger. Bobby était parti sans laisser d'adresse en disant seulement qu'il devait conduire la Bentley de Frankie à Staverley. C'est ainsi que Badger s'était rendu à Staverley.

– Je p-p-p-pensais que tu p-p-p-pourrais p-p-p-eut-être bien me p-p-p-prêter cinq livres, expliqua-t-il.

Bobby se sentit pris de remords. Il était venu à Londres pour aider son ami à démarrer son entreprise. Sur quoi il l'avait aussitôt laissé tomber pour aller jouer les fins limiers avec Frankie. Et pourtant le fidèle Badger n'avait pas un mot de reproche à formuler.

Pas un instant Badger n'avait voulu compromettre les mystérieux plans de Bobby, mais il était d'avis qu'une voiture comme la Bentley verte serait facile à repérer dans un patelin comme Staverley.

Mais en fait, avant même d'arriver à Staverley, il lui était tombé dessus. Garée devant un pub, elle était vide.

– D-d-d-du coup, je me suis dit que j'allais vous faire une d-d-d-drôle de s-s-s-surprise. Il y avait tout un tas de p-p-p-plaids à l'arrière, je me suis fau-fau-faufilé d-d-d-dessous. Je me d-d-d-disais que j'allais vous f-f-f-faire une sacrée surprise.

Ce qui s'était passé, c'était qu'un chauffeur en livrée verte était sorti du pub et que Badger, qui l'épiait depuis sa cachette, n'avait pas reconnu Bobby. Son visage ne lui

257

était pas inconnu, mais il ne parvenait pas à l'identifier. L'étranger s'était glissé derrière le volant et avait démarré.

Dans cette fâcheuse situation, Badger n'avait su quelle décision prendre. Fournir des explications ou présenter des excuses lui avait paru délicat. Et, d'ailleurs, comment expliquer quoi que ce soit à quelqu'un qui fonçait à cent à l'heure ? Badger avait donc préféré faire le mort et attendre le premier arrêt pour se faufiler dehors.

La voiture avait finalement atteint sa destination : Tudor Cottage. Le chauffeur avait garé la Bentley dans la remise et s'était éclipsé en bouclant les portes derrière lui. Badger s'était donc retrouvé prisonnier. Une petite imposte s'ouvrait sur un des côtés de la remise et c'était par là que, une demi-heure plus tard, Badger avait vu Frankie s'approcher, lancer une sorte de hurlement, et s'engouffrer dans la maison.

Tout cela avait fini par intriguer grandement Badger. Il s'était mis à penser que les choses ne tournaient pas très rond. Et il avait décidé qu'il ne ferait pas mal d'aller se rendre compte par lui-même de ce qui se tramait dans le cottage en question.

Grâce aux quelques outils qui traînaient dans le garage, il était parvenu à forcer la serrure. Sur quoi il était parti en tournée d'inspection. Les volets du rez-de-chaussée étaient fermés, mais un tour par le toit lui permettrait de jeter un œil par les fenêtres du premier étage. Ça ne posait d'ailleurs pas de problème. Un chéneau montait à l'assaut du garage et, de là, poursuivait son ascension jusqu'au toit du cottage. Grimper là-haut ? Aucune difficulté. Mais au cours de sa progression, Badger devait passer sur la vitre de la lucarne. Le poids

258

dudit Badger et les lois de la gravitation universelle avaient fait le reste.

Quand Badger eut achevé son récit, Bobby poussa un long soupir.

– Tu es le Messie, lui déclara-t-il d'un ton pénétré. Le Messie. Le Messie dans toute sa gloire. Sans toi, mon vieux Badger, Frankie et moi aurions été réduits à l'état de charmants cadavres d'ici à moins d'une heure.

Il fournit à Badger un bref aperçu de ses faits et gestes et de ceux de Frankie. Il en arrivait presque à la fin lorsqu'il s'interrompit.

– Quelqu'un monte ! À ton poste, Frankie ! Voici venu le moment où Bassington-ffrench-la-super-vedette va connaître le plus grand coup de théâtre de sa carrière.

Frankie retourna prendre un air prostré sur sa chaise cassée. Badger et Bobby se postèrent derrière la porte.

Les pas gravissaient l'escalier, un rai de lumière filtra sous le battant. La clé tourna dans la serrure et la porte s'ouvrit en grand. La lueur de la bougie éclaira Frankie, effondrée sur son siège. Le geôlier franchit le seuil.

Badger et Bobby se jetèrent sur lui avec jubilation.

L'affaire fut rondement menée. Attaqué complètement par surprise, l'homme fut aussitôt terrassé et laissa échapper sa bougie que Frankie rattrapa au vol. Quelques instants plus tard, les trois amis toisaient avec une volupté non feinte la forme ligotée sur le sol avec les cordes mêmes qui avaient servi à attacher deux d'entre eux.

– Bien le bonsoir, Mr Bassington-ffrench ! lança Bobby — et si dans sa voix perçait une exultation un tantinet triviale, qui eût pu songer à l'en blâmer ? Belle nuit pour un enterrement, pas vrai ?

30

La fuite

L'homme saucissonné par terre les regardait d'un air furibond. Dans la bagarre, ses bésicles avaient volé au loin ainsi que son chapeau. Plus question de déguisement. Malgré quelques restes de fond de teint autour des sourcils, c'était le visage séduisant mais toujours un peu inexpressif de Roger Bassington-ffrench.

Il avait également retrouvé sa chaude voix de ténor, dans la tonalité ironico-grandiloquente :

– Très instructif. Je me disais bien que, ficelé comme vous l'étiez, vous n'aviez pas pu lancer votre chaussure jusqu'à cette lucarne. Et pourtant, en la voyant parmi les débris de verre, j'avais raisonné en termes de cause à effet et j'en avais déduit que, bien que ce soit impossible, l'impossible était arrivé. Voilà qui jette une lueur des plus instructives sur les limites du raisonnement humain.

Personne ne soufflant mot, il poursuivit sur le même ton :

– Ainsi donc, vous avez au bout du compte gagné cette manche. Très inattendu, et extrêmement regrettable. J'étais pourtant certain de vous avoir possédés dans les grandes largeurs.

– Ce n'était quand même pas si mal, dit Frankie. C'est vous qui avez fabriqué la fameuse lettre de Bobby, non ?

– J'ai plus d'une corde à mon arc, avoua Roger, modeste.

– Et pour Bobby, comment vous y êtes-vous pris ?

260

Couché sur le dos et souriant aux anges, Roger paraissait prendre un vif plaisir à leur apporter tous les éclaircissements souhaitables.

– J'étais sûr qu'il irait au manoir. Tout ce que j'avais à faire, c'était de me cacher dans les buissons et d'attendre. J'étais juste derrière lui quand il a fichu le camp après être très maladroitement tombé de son arbre. J'ai attendu que le remue-ménage se soit calmé, puis je lui ai donné un joli petit coup de matraque sur la nuque. Il ne me restait qu'à le traîner jusqu'à ma voiture, à le fourrer dans le coffre et à l'amener ici. Avant l'aube, j'étais rentré à Merroway.

– Et Moïra ? demanda Bobby. Vous l'avez prise au piège, elle aussi ?

Roger gloussa. Il avait l'air de trouver la question tordante.

– Piéger les gens est chez moi une seconde nature, Mr Jones.

– Salopard ! s'écria Bobby.

Frankie s'interposa. Elle voulait en savoir davantage et leur prisonnier paraissait dans de bonnes dispositions.

– Pourquoi vous êtes-vous fait passer pour le Dr Nicholson ?

– Je me le demande moi-même, avoua Roger. En partie, je crois, pour le simple plaisir de voir si je pouvais vous faire marcher. Vous aviez l'air tous les deux tellement persuadés que ce pauvre vieux Nicholson était mouillé jusqu'au cou.

Il éclata de rire et Frankie rougit.

– Et tout ça parce qu'il vous avait posé quelques questions sur votre accident avec son air pontifiant habituel.

261

C'est une de ses manies exaspérantes, cette façon d'ergoter sur les détails.

– Et, en fait, il est innocent ? murmura Frankie.

– Comme l'enfant qui vient de naître. Il m'a tout de même rendu à moi un fier service. Il a attiré mon attention sur votre prétendu accident. Ça, plus un autre détail, m'a amené à comprendre que vous n'étiez pas la douce oie blanche que vous jouiez. Et puis j'étais à côté de vous dans le hall, un jour où vous avez téléphoné, et j'ai eu la surprise d'entendre votre chauffeur vous appeler « Frankie ». J'ai l'ouïe fine. Je vous ai alors proposé de vous accompagner à Londres et vous avez accepté — mais vous avez eu l'air soulagé lorsque je me suis ravisé. Ensuite je…

Il s'interrompit et — pour autant que sa posture le lui permettait — haussa les épaules.

– C'était tordant de vous voir vous acharner contre ce pauvre Nicholson. Cet imbécile ne ferait pas de mal à une mouche, mais c'est vrai qu'il a la tête de ces super-criminels en blouse blanche qu'on voit au cinéma. J'ai préféré ne pas vous détromper. Après tout, on ne sait jamais. Les meilleurs plans peuvent échouer comme vous pouvez le constater.

– Il reste un truc qu'il *faut* que vous disiez, insista Frankie. Ça me rend folle : qui est Evans ?

– Allons, bon ! s'exclama Bassington-ffrench. Alors vous ne savez pas ça ?

Il éclata de rire — un rire à n'en plus finir.

– C'est hi-la-rant, parvint-il enfin à articuler. Ça prouve à quel point on peut être stupide.

– C'est à nous que ça s'adresse ? se froissa Frankie.

262

– Non. Dans le cas précis, à moi. Vous savez un truc ? Si vous ne savez toujours pas qui est Evans, eh bien, je crois que je ne vais pas vous le dire. Je vais le garder pour moi. Ce sera mon petit secret.

La situation était singulière ! Les rôles étaient inversés et ils tenaient Bassington-ffrench à leur merci, et pourtant celui-ci s'arrangeait encore pour les frustrer de leur victoire. Allongé par terre, pieds et poings liés, il dominait toujours la situation.

– Puis-je savoir ce que vous comptez faire maintenant ? s'enquit-il.

Personne n'avait encore eu le loisir d'y penser. Bobby marmonna vaguement quelque chose au sujet de la police.

– C'est la meilleure solution, fit Roger d'un ton enjoué. Appelez-les et remettez-moi entre leurs mains. On m'inculpera sans doute d'enlèvement. J'aurai du mal à nier. (Il regarda Frankie.) Je plaiderai la passion irrépressible.

Frankie piqua un fard.

– Et pour ce qui est de votre crime ? grinça-t-elle.

– Ma chère, vous n'avez aucune preuve. Absolument aucune. Réfléchissez-y, vous verrez.

– Badger, intervint Bobby. Reste ici et tiens-le à l'œil. Moi, je descends appeler la police.

– Pas d'imprudence, dit Frankie. Rien ne nous dit combien ils sont dans la maison.

– Personne d'autre que moi, fit Roger. J'ai fait tout ça tout seul.

– Je n'ai pas l'intention de vous croire sur parole, gronda Bobby.

Il se courba pour vérifier ses nœuds.

– C'est bon. On peut être tranquilles. Autant descendre tous les trois. Il suffira de fermer la porte à double tour.

– Vous ne vous trouvez pas un peu trop méfiants, jeune homme ? railla Roger. J'ai un revolver dans ma poche, si vous le voulez. Vous vous sentirez mieux avec, et moi je n'en ai guère l'usage dans l'état où je suis.

Sans s'émouvoir de ces remarques sarcastiques, Bobby se pencha sur le prisonnier pour lui soustraire son arme.

– C'est fort aimable à vous, dit-il. Et si vous voulez le savoir : oui, cela me rassure.

– Tant mieux.

– Attention, il est chargé.

Bobby ramassa le bougeoir et ils quittèrent le grenier, laissant Roger allongé par terre. Bobby ferma la porte et mit la clé dans sa poche. Il braquait le revolver devant lui.

– Je passe devant, dit-il. Ce serait trop bête de se faire surprendre maintenant.

– D-d-d-drôle de type, tou-tout de même, bégaya Badger avec un petit signe de tête en direction du grenier.

– En tout cas, il est sacrément beau joueur, tint à faire remarquer Frankie.

Même à présent, elle ne semblait pas complètement affranchie du charme qui émanait de cet étonnant Roger Bassington-ffrench.

Une volée de marches branlantes menait à l'étage inférieur. Tout semblait calme. Bobby se pencha sur la rampe et avisa le téléphone dans le hall.

– Nous ferions bien de commencer par inspecter les chambres, dit-il. Je n'ai aucune envie d'être pris à revers.

Badger ouvrit une à une toutes les portes du palier. Sur les quatre chambres, trois étaient vides. Dans la dernière, une forme mince était étendue sur le lit.

– C'est Moïra ! s'écria Frankie.

Les autres accoururent aussitôt. Moïra reposait là, comme morte. Seule sa poitrine se soulevait faiblement.

– Elle dort ? demanda Bobby.

– À mon avis, elle est droguée, répondit Frankie.

Elle parcourut la pièce des yeux et s'arrêta à la table près de la fenêtre. Une seringue hypodermique y était posée sur un petit plateau émaillé. À côté, il y avait aussi une lampe à alcool et une de ces aiguilles qui servent à injecter la morphine.

– Je crois qu'elle reprendra le dessus, pronostiqua Frankie. Mais il vaudrait quand même mieux appeler un médecin.

– Allons téléphoner, trancha Bobby.

Ils gagnèrent le hall. Frankie avait craint un instant que les fils du téléphone ne soient arrachés, mais ce n'était pas le cas. S'ils n'eurent aucun problème pour appeler le poste de police, expliquer de quoi il retournait fut, en revanche, beaucoup plus malaisé. Les policiers semblaient persuadés qu'il s'agissait d'une farce de mauvais goût.

Bobby réussit tout de même à les convaincre et raccrocha avec un soupir de soulagement. Il avait demandé un médecin, et le policier avait promis de faire le nécessaire.

265

Au bout de dix minutes, une voiture arriva avec trois personnes à son bord : le policier, un inspecteur et un homme d'un certain âge dont tout l'aspect révélait la profession.

Bobby et Frankie les firent entrer, répétèrent leur histoire pour la forme et les conduisirent au grenier. Bobby tourna la clé dans la serrure, ouvrit la porte et demeura sur le seuil, stupéfait. Au beau milieu du grenier, il n'y avait plus qu'un amas de corde déchiquetée. Une chaise était posée sur le grabat qui avait été traîné jusqu'au-dessous de la lucarne.

Mais de Roger Bassington-ffrench, plus aucune trace.

Bobby, Badger et Frankie en demeurèrent bouche bée.

– Lui qui parlait de Robert-Houdin, murmura Bobby, il aurait pu lui en remontrer. Comment diable a-t-il bien pu faire pour couper ces cordes ?

– Il devait avoir un couteau sur lui, hasarda Frankie.

– Mais comment a-t-il pu l'attraper ? Il avait les mains liées dans le dos.

L'inspecteur toussota. Ses premiers soupçons lui revenaient. Cette histoire avait tout d'un canular.

Frankie et Bobby se surprirent en train de raconter une interminable saga qui paraissait plus invraisemblable de minute en minute.

Leur salut vint du médecin. Conduit au chevet de Moïra, il déclara aussitôt qu'elle avait été droguée à la morphine ou au moyen d'une préparation à base d'opium. Il ne considérait pas son état comme sérieux et estimait qu'elle se réveillerait sans doute d'elle-même dans quatre ou cinq heures.

Il proposa de la transporter dans une clinique des environs.

Ce à quoi Bobby et Frankie souscrivirent, n'ayant rien de mieux à proposer. Ayant ensuite décliné leurs identités respectives à l'inspecteur — qui semblait mettre en doute celle de Frankie —, ils furent autorisés à quitter Tudor Cottage. Grâce à l'entremise de l'inspecteur, ils trouvèrent même à se loger pour la nuit au *Seven Stars,* l'auberge du village.

Là, ayant encore le sentiment d'être considérés comme des malfaiteurs, c'est avec soulagement qu'ils se retirèrent dans leurs chambres — l'une à deux lits pour Bobby et Badger, l'autre minuscule pour Frankie.

Quelques minutes plus tard, on frappait à la porte de Bobby.

C'était Frankie.

– Je viens de penser à un truc, dit-elle. Si cet imbécile d'inspecteur persiste à nous prendre pour des farceurs, je peux en tout cas lui fournir la preuve que j'ai été chloroformée.

– Ah oui ? Et où est-elle, cette preuve ?

– Dans le seau à charbon, déclara Frankie d'un ton déterminé.

31

Frankie pose une question

Épuisée par toutes ces aventures, Frankie s'éveilla tard, le lendemain matin. Il était 10 heures et demie lorsqu'elle fit son apparition dans la petite salle à manger où l'attendait Bobby.

– Salut, Frankie ! Te voilà enfin !

– Ma parole, tu as mangé du lion, fit Frankie en s'affalant sur une chaise.

– De quoi as-tu envie ? Ils ont du haddock, des œufs, du bacon, du jambon et…

– Des toasts et un thé léger, ça me suffira amplement. Dis-moi, qu'est-ce qui te met dans un état pareil ?

– Sans doute le coup de matraque, ça a dû me remettre les idées en place. Je déborde d'entrain, d'énergie et d'idées géniales, et je meurs d'envie de passer à l'action.

– Eh bien, vas-y, fit Frankie, dolente.

– Je me suis déjà donné à fond. Je viens de passer une demi-heure avec l'inspecteur Hammond. Pour l'instant, nous avons intérêt à laisser croire que c'est bel et bien un canular.

– Mais…

– Je dis bien *pour l'instant*. Ce qui importe, c'est que, toi et moi, nous découvrions le fin mot de l'affaire, ma vieille. Nous sommes au bon endroit, il suffit de creuser. Nous n'avons aucune envie de traîner Roger Bassington-ffrench devant les tribunaux pour enlèvement. Nous voulons qu'il soit condamné pour meurtre !

– Et c'est comme si c'était fait ! s'écria Frankie, retrouvant son punch.

– Je te préfère comme ça. Reprends donc un peu de thé.

– Comment va ta Moïra ?

– Elle n'est pas brillante. Elle s'est réveillée dans un état de nerfs épouvantable. Terrifiée, apparemment. Elle vient de partir pour une maison de repos, à Londres, du côté de Queen's Gate. Elle dit qu'elle se sentira plus en sécurité là-bas. Ici, elle était morte de peur.

– Le sang-froid n'a jamais été son fort, fit observer Frankie.

– Avec un meurtrier aussi cinglé et aussi déterminé que Roger Bassington-ffrench lâché dans la nature, n'importe qui aurait la frousse.

– Mais ce n'est pas *elle* qu'il veut assassiner. C'est nous !

– Il a probablement trop de problèmes personnels pour se soucier de nous pour l'instant. Maintenant, Frankie, nous devons nous remettre au travail. Le point de départ de l'affaire, c'est probablement la mort de John Savage et son testament. Il y a là quelque chose de louche. Ou bien le testament est un faux, ou bien Savage a été assassiné, ou alors…

– Si Bassington-ffrench est dans le coup, ta première hypothèse est la bonne, remarqua Frankie d'un air songeur. Les faux ont l'air d'être sa spécialité.

269

– Il peut y avoir eu faux *et* meurtre. C'est à nous de le découvrir.

Frankie hocha la tête en signe d'assentiment.

– J'ai gardé les notes que j'avais prises lorsque j'ai consulté le testament, fit-elle, les témoins sont : Rose Chudleigh, cuisinière, et Albert Mere, jardinier. Nous devrions les retrouver facilement. J'ai également les noms des notaires qui ont établi l'acte : Messrs Elford et Leigh — une étude tout à fait respectable, à en croire Mr Spragge.

– Parfait, commençons par là. Je suggère que tu t'occupes des notaires. Ils t'en diront sans doute plus qu'à moi. De mon côté, je vais essayer de dénicher la cuisinière et le jardinier.

– Mais dis-moi… et Badger ?

– Ne t'en fais pas pour lui. Badger se lève rarement avant l'heure du déjeuner.

– Non, je voulais dire que nous devrions l'aider à débrouiller ses affaires un de ces jours, Bobby. Après tout il m'a sauvé la vie !

– Tu sais, il aura vite fait de les embrouiller à nouveau. Mais, à propos, que penses-tu de ceci ?

Et il sortit de sa poche un rectangle de carton un tantinet crasseux. C'était une photographie.

– C'est Mr Cayman ! s'écria aussitôt Frankie. Où l'as-tu trouvée ?

– J'ai mis la main dessus hier soir. Elle avait glissé derrière le téléphone.

– Du coup, l'identité de Mr et Mrs Templeton ne fait plus de doute. Attends une minute…

270

Une serveuse apportait les toasts. Frankie lui montra la photo.

– Est-ce que vous savez qui c'est ? demanda-t-elle.

La serveuse examina la photo, la tête légèrement penchée sur le côté.

– J'ai déjà vu ce monsieur. Mais je n'arrive pas à me rappeler... Ah, mais si ! C'est le monsieur qui habitait Tudor Cottage... Mr Templeton. Mais ils sont partis maintenant... À l'étranger, je crois bien.

– Quel genre d'homme était-ce ?

– Je ne saurais trop vous dire. Ils ne venaient pas très souvent... un week-end par-ci, par-là. Lui, on le voyait rarement. Elle, c'était une bien jolie personne. Mais ils n'ont pas gardé Tudor Cottage longtemps — six mois à peu près —, sur quoi un monsieur très riche est mort en laissant toute sa fortune à Mrs Templeton et ils sont partis vivre à l'étranger. Pourtant, ils n'ont jamais vendu Tudor Cottage. Je crois qu'ils prêtent quelquefois la maison à des gens pour le week-end. Mais avec tout leur argent, ça m'étonnerait qu'ils reviennent un jour vivre ici.

– Ils avaient une cuisinière du nom de Rose Chudleigh, n'est-ce pas ? demanda Frankie.

Mais la serveuse ne semblait pas s'intéresser aux cuisinières. Ce qui excitait son imagination, c'était que quelqu'un pût recevoir en héritage la fortune d'un homme richissime. À la question de Frankie, elle répondit vaguement qu'elle n'était pas sûre, que ce nom ne lui disait rien, et elle repartit pour la cuisine en emportant son plateau.

– Voilà qui paraît clair, commenta Frankie. Les Cayman

271

ne viennent plus ici, mais ils conservent leur cottage pour leur bande.

Les deux amis se répartirent la tâche ainsi que Bobby l'avait proposé. Frankie fit quelques achats destinés à améliorer sa toilette, puis sauta dans la Bentley, tandis que Bobby partait à la recherche d'Albert Mere, le jardinier.

Ils se retrouvèrent à l'heure du déjeuner.

– Alors ? fit Bobby.

Frankie secoua la tête.

– Le testament n'est pas un faux, répondit-elle d'un ton découragé. J'ai eu une longue entrevue avec Mr Elford — un vieux monsieur charmant, soit dit en passant. Il avait eu des échos de notre aventure d'hier soir et mourait d'envie d'en savoir davantage. J'imagine que les gens d'ici manquent de distractions. En tout cas, au bout d'un moment, Mr Elford était prêt à tout pour me faire plaisir. J'ai alors abordé l'affaire Savage, en prétendant avoir rencontré des amis à lui qui mettaient en doute l'authenticité du testament. Il a failli en avoir une attaque, le cher homme ! Selon lui, pareille chose est i-ni-ma-gi-na-ble. Ça ne s'était pas passé par courrier ni rien de ce genre. Il s'était rendu lui-même auprès de Mr Savage, qui avait insisté pour que l'acte soit immédiatement rédigé sur place. Mr Elford aurait préféré regagner son étude, histoire de refaire les choses selon les règles et d'avoir l'occasion de pondre des pages et des pages pour ne rien dire — tu connais les notaires.

– Non. Pas très bien, observa Bobby. Je n'ai jamais fait de testament.

– Moi, si. Deux fois. Le second date de ce matin

272

même… Il fallait bien que je trouve une raison pour rendre visite à un notaire.

– Puis-je savoir à qui tu laisses ta fortune ?

– À toi, mon cher.

– Ce n'est pas très malin. Si jamais Roger Bassington-ffrench réussissait à t'éliminer, il est désormais probable que c'est moi qu'on pendrait.

– Je n'avais pas pensé à ça. Bon, qu'est-ce que je disais ? Oui, Mr Savage était si nerveux et si tendu que Mr Elford s'est vu contraint d'établir le testament sur-le-champ. On a appelé la cuisinière et le jardinier comme témoins, et Mr Elford a emporté l'acte pour l'enfermer dans son coffre.

– En ce cas, l'hypothèse du faux ne tient plus, convint Bobby.

– Non. Il ne peut y avoir faux quand un document a été signé sous les yeux du notaire. En ce qui concerne ta seconde hypothèse — celle du meurtre —, il sera difficile de la vérifier à présent, étant donné que le médecin qui a été appelé au chevet de John Savage est décédé depuis. Le médecin que nous avons vu, la nuit dernière, n'est ici que depuis deux mois.

– Décidément, on meurt beaucoup, dans les parages, remarqua Bobby.

– Pourquoi ? Qui d'autre est mort ?

– Albert Mere.

– Tu penses qu'ils ont tous été éliminés ? En tout cas, ça a un petit côté « soldes de fin d'année ». Mais accordons le bénéfice du doute en ce qui concerne Albert Mere — il avait soixante-douze ans, le pauvre bougre.

– D'accord, dit Frankie. J'admets qu'il peut s'agir là

273

d'un cas de mort naturelle. Et Rose Chudleigh ? Tu as pu retrouver sa trace ?

– Oui. Après le départ des Templeton, elle a trouvé une place, dans le nord de l'Angleterre, mais elle est revenue par ici pour épouser un type qu'elle fréquentait depuis dix-sept ans. La malheureuse est un peu simplette. Elle n'a pratiquement plus aucun souvenir de rien ni de personne. Peut-être toi, tu pourrais en tirer quelque chose.

– Je vais essayer. Je ne me débrouille pas mal avec les simplets. À propos, et Badger ?

– Bon sang ! Je l'avais oublié, celui-là, s'écria Bobby en se levant d'un bond.

Quelques minutes plus tard, il était de retour.

– Il dormait encore. Il se lève, à présent. La femme de chambre a essayé de le réveiller à quatre reprises, sans résultat.

– En ce cas, nous ferions aussi bien d'aller rendre visite à notre simplette, déclara Frankie. Ensuite, il faudra que j'aille m'acheter une brosse à dents et une chemise de nuit, ainsi que diverses babioles essentielles à une vie civilisée. J'étais tellement épuisée hier soir que je n'ai pensé à rien de tout ça. J'ai enlevé mon manteau et je me suis effondrée sur le lit.

– Je comprends ça. J'en ai fait autant.

– Bon, allons voir Rose Chudleigh.

Rose Chudleigh — désormais épouse Pratt — était une énorme matrone au regard bovin qui habitait un pavillon encombré de meubles et de bibelots hideux.

– Bonjour, madame, lança Bobby. C'est encore moi.

274

Mrs Pratt respira à fond, et contempla Bobby et Frankie d'un œil inexpressif.

– Nous avons été très intéressés d'apprendre que vous aviez servi chez Mrs Templeton, préluda Frankie. Et...

– Oui, m'dame.

– Et euh... Je crois savoir que cette dame vit à l'étranger maintenant ? reprit Frankie, s'efforçant de donner l'impression qu'elle connaissait bien le couple.

– Oui, c'est ce qu'on dit, confirma Mrs Pratt.

– Vous êtes restée un certain temps à son service, n'est-ce pas ? demanda Frankie.

– Au service de qui, m'dame ?

– De Mrs Templeton, répéta Frankie en articulant de son mieux.

– Je dirais pas ça, m'dame, vu que j'y suis restée que deux mois.

– Ah, bon. J'aurais cru que vous y étiez restée plus longtemps.

– Non. C'était Gladys, m'dame. La femme de chambre. Elle, elle y est restée six mois.

– Vous étiez donc deux, si je comprends bien ?

– C'est exact. Sauf qu'elle, c'était la femme de chambre, tandis que moi, je faisais la cuisine.

– Vous étiez là lorsque Mr Savage est mort, n'est-ce pas ?

– Je vous demande pardon, m'dame ?

– Est-ce que vous étiez dans la maison quand Mr Savage est mort ?

– Mr Templeton n'est pas mort. Du moins, je ne l'ai pas entendu dire. Il est parti à l'étranger...

– Non, pas Mr Templeton, intervint Bobby. Mr Sa-vage !

275

Mrs Pratt considéra le jeune homme d'un air stupide.

– Le monsieur qui a laissé tout son argent à Mrs Templeton, insista Frankie.

Une pâle lueur — d'intelligence ? — passa sur le visage de Mrs Pratt.

– Ah oui, m'dame, le monsieur pour qui il y a eu l'enquête.

– Oui, c'est ça, dit Frankie, toute contente de s'être fait comprendre. Il venait très souvent chez eux, non ?

– J'pourrais pas dire, m'dame, non… Je venais d'arriver. Gladys, elle vous raconterait ça mieux que moi.

– Mais vous avez bien servi de témoin pour le testament, non ?

Mrs Pratt n'avait pas l'air de comprendre.

– Vous l'avez vu signer un papier que vous avez dû signer aussi.

Nouvelle lueur d'intelligence.

– Oui, m'dame, même que j'étais avec Albert. J'avais jamais fait ça avant, et d'ailleurs, ça ne m'a pas plu. Je l'ai dit à Gladys : signer des papiers, j'aime pas ça. Et c'est vrai. Gladys, elle m'a répondu que je n'avais pas à me faire du mauvais sang, vu que Mr Elford était là et que c'est un monsieur bien et un notaire, en plus.

– Que s'est-il passé au juste ? demanda Bobby.

– J'vous d'mande pardon, m'sieur ?

– Qui vous a demandé de venir signer ce papier ? reprit Frankie.

– C'était Madame. Elle est venue me trouver dans ma cuisine pour me dire d'aller chercher Albert et de le ramener dans la grande chambre. La veille au soir, elle avait laissé cette chambre à Mr… euh… au monsieur,

276

quoi. J'ai fait tout comme elle avait dit et, quand on est entrés, j'ai vu le monsieur assis sur le lit. Il était revenu de Londres, et il s'était couché tout de suite. Même qu'il n'avait pas l'air bien du tout. Mais avant ça, moi, je ne l'avais jamais vu. En tout cas, il avait une tête à faire peur — et il y avait aussi Mr Elford, qui nous a parlé très gentiment, comme quoi y avait pas de crainte à avoir et qu'on devait juste signer notre nom à côté de celui du monsieur. Alors j'ai signé en mettant « cuisinière » après mon nom et mon adresse. Albert a fait pareil, et puis je suis redescendue. Comme une feuille, que je tremblais, et j'ai dit à Gladys que j'avais jamais vu un monsieur aussi malade. Alors Gladys, elle m'a dit que la veille le monsieur avait l'air tout à fait bien et que c'était son voyage à Londres qui l'avait mis dans cet état. Je me rappelle qu'il était parti très tôt, avant que personne soit réveillé. C'est là que j'ai dit à Gladys que j'aimais pas signer n'importe quel papier, et qu'elle m'a répondu que j'avais probablement pas à me faire du mauvais sang, vu que Mr Elford était là.

– Et ensuite, Mr Savage, enfin… le monsieur, est mort, c'est bien ça ? Quand ?

– Le matin d'après, m'dame. Le soir, il s'était enfermé dans sa chambre et ne voulait plus voir personne, et quand Gladys est entrée le matin d'après, il était déjà raide mort et il y avait une lettre à côté de lui. « Pour le coroner », qu'il y avait de marqué. Oh ! ça l'a drôlement secouée, Gladys ! Et puis il y a eu l'enquête et tout et tout. Deux mois après, Mrs Templeton, elle m'a dit comme ça qu'elle s'en allait vivre à l'étranger. Mais elle m'a trouvé une bonne place bien payée dans le Nord, et

277

elle m'a fait un beau cadeau. C'était une bien jolie et bien charmante personne, Mrs Templeton.

Mrs Pratt semblait maintenant intarissable.

Frankie se leva.

– Eh bien, merci pour tous ces renseignements, Mrs Pratt, fit-elle. (Et, tirant un billet de son porte-feuille :) J'espère que vous accepterez ce… euh… petit cadeau pour nous avoir ainsi consacré votre temps.

– Merci m'dame. Merci beaucoup, à vous comme à vot' mari. Au revoir.

Frankie rougit et effectua une retraite précipitée. Bobby la rejoignit quelques minutes plus tard. Il avait l'air préoccupé.

– Et voilà, dit-il. Elle nous a dit tout ce qu'elle savait.

– Oui. Et tout concorde. Il paraît certain que Savage a dicté et signé lui-même son testament. Et je suis per-suadée que sa peur du cancer était bien réelle. Difficile d'imaginer qu'ils auraient pu corrompre un spécialiste de Harley Street. À mon avis, ils ont profité de ce qu'il avait fait ce testament pour se débarrasser de lui avant qu'il ne change d'avis. Mais ça, comment le prouver, je n'en ai pas la moindre idée.

– Je sais. Rien n'interdit de penser que Mrs Templeton lui a donné « quelque chose pour le faire dormir », mais nous n'en avons aucune preuve. Il est possible éga-lement que Bassington-ffrench soit l'auteur de la lettre adressée au coroner, mais là encore, nous ne pouvons rien prouver dans l'état actuel des choses. Il y a de fortes chances pour qu'elle ait été détruite après avoir servi de pièce à conviction lors de l'enquête.

– Ce qui nous ramène toujours au même problème :

278

qu'est-ce que Bassington-ffrench & Cie ont si peur de nous voir découvrir ?

– Il n'y a rien de spécial qui te frappe ?

– Non. Sauf peut-être une chose : pourquoi Mrs Templeton a-t-elle fait chercher le jardinier pour servir de témoin alors que la femme de chambre se trouvait dans la maison ? Pourquoi pas la femme de chambre ?

– Curieux que tu dises ça, Frankie.

Il avait prononcé sa phrase sur un ton si bizarre qu'elle le dévisagea.

– Ah bon ! pourquoi ? demanda-t-elle.

– Parce que avant de partir j'ai demandé à Mrs Pratt le nom de famille de Gladys.

– Et alors ?

– Et alors, cette fameuse femme de chambre, *elle s'appelait Evans !*

32

Evans

Frankie en avait le souffle coupé.

– Tu te rends compte ? s'écria Bobby, au comble de l'excitation. Tu viens de poser la même question que Carstairs. Pourquoi pas la femme de chambre ? Pourquoi pas Evans ?

– Oh, Bobby ! Nous touchons au but !

– C'est bien ce qui a étonné aussi Carstairs. Il fouinait

un peu au hasard, tout comme nous, flairant quelque chose de louche, et c'est ce détail qui lui a mis la puce à l'oreille, à lui aussi. Et voilà pourquoi il s'est rendu chez nous, au pays de Galles. Car Gladys Evans est un nom gallois, et il y a de fortes chances pour que cette fille soit galloise. Il aura suivi sa trace jusqu'à Marchbolt et lui-même aura été suivi. Et il n'est jamais arrivé jusqu'à elle.

– Pourquoi pas Evans ? répéta Frankie. Il doit y avoir une bonne raison. Un petit détail, mais qui a son importance. Pourquoi ont-ils été chercher le jardinier, alors qu'ils avaient deux domestiques sous la main ?

– L'une des explications serait que Albert Mere et Rose Chudleigh étaient un peu demeurés, tandis que Gladys Evans était plutôt maligne.

– Ça ne me paraît pas une raison suffisante. N'oublions pas que Mr Elford était présent, et que c'est quelqu'un de très perspicace. Oh, Bobby, nous tenons la solution, je le sens. Seulement il nous reste à découvrir la raison de tout ça. Evans... Pourquoi Chudleigh et Mere ? Et pourquoi pas Evans ?

Frankie se tut brusquement et mit sa tête dans les mains.

– Attends, je crois que ça vient... J'ai comme un éclair. Oui, ça vient...

Elle demeura plongée dans ses réflexions quelques instants encore, puis leva les yeux sur Bobby, une étrange lueur dans le regard.

– Bobby, fit-elle, si tu séjournais chez des amis qui avaient deux domestiques, à laquelle donnerais-tu un pourboire ?

– À la femme de chambre, cela va de soi, répondit

Bobby, étonné. On ne donne pas de pourboire à la cuisinière. D'ailleurs on ne la voit jamais.

– Exactement. Pas plus que la cuisinière ne voit les invités, à moins qu'ils ne restent longtemps, auquel cas elle peut les apercevoir. En revanche, la femme de chambre vous sert à table, s'adresse à vous, vous apporte votre café.

– Où veux-tu en venir, Frankie ?

– Eh bien, ils ne pouvaient demander à Evans de servir de témoin — *pour la bonne raison qu'Evans se serait tout de suite aperçue que l'homme assis dans le lit n'était pas Mr Savage !*

– Bon Dieu, Frankie ! Mais alors, c'était qui ?

– Bassington-ffrench, bien sûr ! C'est lui qui s'est fait passer pour Savage ! Je parierais même que c'est lui qui est allé consulter ce spécialiste de Londres et qui a fait toute cette histoire au sujet du cancer. Ensuite de quoi on a fait venir le notaire — notaire qui, je le précise, n'avait jamais rencontré Mr Savage, mais qui pourrait jurer l'avoir vu signer son testament en personne, et sous le regard de deux témoins, dont l'un n'avait jamais vu Mr Savage, et l'autre était un vieil homme bigleux qui ne l'avait sans doute jamais vu lui non plus. Tu piges ?

– Mais le vrai Savage ? Où était-il, pendant ce temps-là ?

– Selon moi, il était bien arrivé à Tudor Cottage, où je soupçonne la bande de l'avoir drogué, enfermé — peut-être au grenier, comme nous — et retenu prisonnier une demi-journée, le temps que Bassington-ffrench fasse son numéro. Puis ils l'ont fourré au lit avec une bonne dose de chloral et Evans devait le découvrir mort le lendemain matin.

281

– Bon sang ! Cette fois, je crois que tu tiens la solution, Frankie. Mais comment allons-nous le prouver ?

– Je n'en sais rien… Et si on montrait une photo du vrai John Savage à Mrs Chudleigh — enfin, à Mrs Pratt ? Tu crois qu'elle pourrait affirmer que ce n'était pas l'homme qui a signé le testament ?

– Franchement, j'en doute. Elle n'est pas vraiment futée.

– C'est bien pour ça qu'ils l'ont choisie ! Mais on pourrait procéder autrement. Faire expertiser la signature et démontrer ainsi qu'elle a été imitée.

– Ça n'a pas été démontré jusqu'à maintenant.

– Non, mais personne n'avait soulevé la question de l'authenticité. Il était admis qu'à aucun moment le testament ne pouvait avoir été falsifié. Il n'en va pas de même à présent.

– Il y a une chose qu'il faut faire. C'est retrouver cette Evans. Elle pourra sans doute nous en apprendre long. Après tout, elle est restée six mois chez les Templeton.

– Tu ne trouves pas la situation assez compliquée comme ça ? gémit Frankie.

– Et si on tentait notre chance à la poste ?

Ils passaient justement devant un petit bureau de poste qui ressemblait plus à une épicerie-mercerie qu'à un bâtiment administratif.

Frankie se précipita et prit la conduite des opérations. Le bureau était vide, à l'exception de l'employée des postes, jeune femme avec un long nez de fouine.

Frankie acheta un carnet de timbres, fit quelques remarques d'ordre climatique et ajouta :

– En tout cas, j'ai l'impression que vous avez meilleur

282

temps ici que là où j'habite. Je viens de Marchbolt au pays de Galles. Si vous saviez comme il pleut là-bas !

L'employée au nez de fouine affirma qu'il pleuvait aussi beaucoup dans la région et que, le week-end dernier, il était tombé des cordes.

– Figurez-vous, reprit Frankie, que nous avons à Marchbolt quelqu'un qui vient d'ici. Vous la connaissez peut-être ? Mrs Evans, Gladys Evans ?

– Bien sûr, répondit la postière sans méfiance. Elle était employée, à Tudor Cottage. Mais elle n'est pas d'ici. En fait, elle est du pays de Galles ; et elle y est retournée pour se marier — elle s'appelle Roberts maintenant.

– Mais oui, c'est bien ça, fit Frankie. Écoutez, il se trouve que je lui ai emprunté un imperméable, il y a quelque temps, et que j'ai oublié de le lui rendre. J'aimerais bien le lui renvoyer. Mais je suppose que vous ne pouvez pas me communiquer son adresse ?

– Oh, si, je crois que c'est possible, répliqua la postière. Elle m'envoie une carte postale de temps en temps. Elle travaille dans la même maison que son mari. Attendez voir…

Elle s'en alla fourrager dans un coin, puis revint avec un morceau de papier à la main.

– Voilà, dit-elle en le tendant à Frankie par-dessus le comptoir.

Frankie et Bobby se penchèrent en même temps. Ils s'attendaient à tout sauf à ça :

Mrs Roberts
Le Presbytère
Marchbolt, Pays de Galles.

283

33

Remue-ménage à l'*Orient Café*

Comment Bobby et Frankie sortirent du bureau de poste sans se trahir, ils auraient bien été en peine de le dire.

Une fois dans la rue, ils se dévisagèrent un instant, puis éclatèrent de rire.

– Au presbytère ! Pendant tout ce temps ! hoqueta Bobby.

– Quand je pense que j'ai relevé le nom de quatre cent quatre-vingt-deux Evans ! gémit Frankie.

– Je comprends maintenant pourquoi Roger Bassington-ffrench trouvait si drôle que nous ne sachions pas qui était Evans.

– Voilà ce qui les inquiétait tellement ! Evans et toi viviez sous le même toit !

– Rentrons à Marchbolt, dit Bobby. Ce sera notre dernière étape.

– Oui, c'est là que se trouve la clé de l'énigme ! Retour au bercail !

– Bon sang ! s'écria Bobby. Il faut absolument faire quelque chose pour Badger. Tu as de l'argent sur toi, Frankie ?

Frankie ouvrit son sac à main et en tira quelques billets de banque.

– Donne-lui déjà ça et dis-lui de faire patienter ses créanciers, le temps que mon père lui rachète son garage et lui en confie la gérance.

284

– Très bien, dit Bobby. Et puis on file en quatrième vitesse.

– Pourquoi cette précipitation ?

– Je ne sais pas, mais… j'ai le sentiment qu'il va y avoir du vilain.

– Ce serait terrible ! Dépêchons-nous !

– Je vais voir Badger. Toi, mets ta voiture en marche !

– Décidément, il est écrit que je n'achèterai pas cette brosse à dents !

Cinq minutes plus tard, Frankie et Bobby quittaient Chipping Somerton en trombe. Mais si Bobby se réjouissait déjà de sa future moyenne, Frankie ne l'entendait pas de cette oreille.

– On ne va pas assez vite, Bobby !

Bobby jeta un coup d'œil au compteur, qui marquait cent trente.

– Je ne vois pas ce que nous pourrions faire de plus, fulmina-t-il.

– Nous pourrions fréter un avion. Nous ne sommes qu'à dix kilomètres de l'aéro-club de Medeshot.

– Mais tu n'y penses pas !

– En avion, nous serons rendus en deux heures.

– Comme tu voudras, Frankie.

Tout cela commençait à prendre des allures de fantasmagorie. Pourquoi fonçaient-ils ainsi vers Marchbolt ? Bobby n'en avait pas la moindre idée. Mais il avait le sentiment que Frankie ne le savait pas davantage.

À l'aéro-club de Medeshot, Frankie se mit en quête d'un dénommé Donald King. C'était un garçon assez mal fagoté qui, sous ses airs nonchalants, parut étonné de voir Frankie.

285

– Salut, Frankie ! lança-t-il. Mais ça fait des siècles ! Qu'est-ce qui vous amène ?

– Je veux un avion taxi. Vous pouvez m'arranger ça, très cher ?

– Bien sûr. Où voulez-vous aller ?

– Je veux rentrer chez moi sans traîner.

Donald King haussa les sourcils.

– C'est tout ?

– Pas tout à fait, mais pour l'instant c'est ça l'idée, répliqua Frankie.

– Bon, eh bien, allons-y.

– Je vous donne un chèque.

Cinq minutes plus tard, ils avaient décollé.

– Sais-tu seulement pourquoi nous faisons tout ça, Frankie ? demanda alors Bobby.

– Je n'en ai pas la moindre idée. Tout ce que je sais, c'est qu'il faut le faire ! Pas toi ?

– Eh bien si, aussi bizarre que cela paraisse. Pourquoi, je n'en sais rien. Après tout, cette brave Mrs Roberts ne va pas enfourcher un balai.

– Pas si sûr ! Songe que Bassington-ffrench est encore dans la course.

– Oui, tu as raison, convint Bobby d'un air songeur.

La nuit tombait lorsqu'ils se posèrent dans le parc. Cinq minutes plus tard, la Chrysler de lord Marchington les amenait à Marchbolt.

Ils laissèrent la voiture devant le portail du presbytère, dont l'allée ne se prêtait guère aux manœuvres des limousines de luxe.

Ils sautèrent de la voiture et se mirent à courir.

286

Bobby avait de plus en plus l'impression de vivre un rêve.

Sur le seuil du presbytère se tenait une mince silhouette que Bobby et Frankie reconnurent au premier coup d'œil.

– Moïra ! s'exclama Frankie.

La jeune femme se retourna. Elle chancelait un peu.

– Oh ! Je suis si contente de vous voir ! Je ne savais plus quoi faire.

– Mais du diable si je sais ce qui vous amène ici !

– La même chose que vous, sans doute.

– Ah ! Vous avez également découvert qui est Evans ? demanda Bobby.

– Oui. C'est une longue histoire, mais…

– Entrez, fit Bobby.

Mais Moïra recula.

– Non, pas ici, dit-elle précipitamment. Allons ailleurs. J'ai quelque chose à vous dire avant que nous n'entrions dans la maison. Il y a bien un café ou un endroit tranquille dans le village ?

– Comme vous voudrez, dit Bobby en s'éloignant à regret de la porte d'entrée. Mais pourquoi…

Moïra eut un geste d'impatience.

– Vous comprendrez lorsque je vous aurai raconté. Allez, venez, il n'y a pas un instant à perdre.

Devant son insistance, Frankie et Bobby cédèrent. Et ils descendirent ensemble la grand-rue jusqu'à l'*Orient Café,* dont la décoration ne justifiait guère le nom. À 6 heures et demie, l'endroit était quasi désert.

Ils s'assirent à une table dans un coin de la salle et Bobby commanda trois cafés.

287

– Alors ? demanda-t-il.

– Attendez qu'on nous ait apporté les cafés.

La serveuse revint d'un pas nonchalant et plaça devant eux trois tasses de liquide tiédasse.

– Alors ? répéta Bobby.

– Je ne sais pas par où commencer, déclara Moïra. J'étais dans le train pour Londres quand… Ah, la vie réserve parfois de ces surprises ! Je me trouvais dans le couloir et soudain…

Elle s'interrompit. De sa place, elle voyait la porte. Elle se pencha en avant, les yeux écarquillés.

– Il a dû me suivre, fit-elle.

– Qui ça ? crièrent ensemble Bobby et Frankie.

– Bassington-ffrench, chuchota Moïra.

– Vous l'avez vu ?

– Il est là, dehors. Je viens de l'apercevoir avec une femme rousse.

– Mrs Cayman ! s'exclama Frankie.

Bobby et elle bondirent de leur chaise et se ruèrent vers la porte. Moïra protesta, mais aucun des deux n'y prêta attention. Une fois sur le seuil, ils regardèrent à droite et à gauche. Mais il n'y avait pas trace de Bassington-ffrench.

Moïra vint les rejoindre.

– Il est parti ? demanda-t-elle d'une voix tremblante. Oh ! soyez prudents. Il est dangereux ! Très dangereux.

– Il ne peut rien contre nous tant que nous sommes ensemble, objecta Bobby.

– Un peu de cran, bon sang ! s'emporta Frankie. Ne soyez pas si froussarde.

– De toute façon, il n'est rien qu'on puisse entre-

288

prendre pour l'instant, ajouta Bobby en les précédant pour regagner leur table. Continuez à nous raconter votre histoire, Moïra.

Il porta sa tasse de café à ses lèvres. À cet instant précis, Frankie perdit l'équilibre et, en se raccrochant à son bras, lui renversa son café sur la table.

– Pardon, dit-elle.

Sur la table voisine déjà dressée pour le dîner se trouvait un huilier avec ses flacons d'huile et de vinaigre.

Fasciné par le comportement bizarre de Frankie, Bobby la vit empoigner le vinaigrier, aller en vider le contenu dans l'évier de la desserte et revenir y verser son café à la place.

– Mais qu'est-ce qui te prend ? Tu deviens folle ? s'écria Bobby.

– Je prélève un échantillon de ce café pour le faire analyser par George Arbuthnot.

Elle se tourna vers Moïra.

– C'est fini ce petit jeu, Moïra. J'ai tout compris en un éclair quand nous étions sur le pas de la porte, il y a un instant. Et j'ai bien vu votre tête quand j'ai bousculé Bobby et renversé son café. Vous aviez fourré je ne sais trop quoi dedans après nous avoir fait courir à la porte, sous prétexte que Bassington-ffrench se trouvait dans les parages. C'est fini ce petit jeu, *Mrs Nicholson, ou Templeton ou quel que soit le nom dont vous soyez affublée !*

– Templeton ? s'exclama Bobby.

– Regarde-la ! Et si elle nie, demande-lui donc de t'accompagner au presbytère — et là, tu verras si Mrs Roberts ne la reconnaît pas !

Bobby s'exécuta. Sous ses yeux, le beau visage qui l'avait si souvent hanté se transforma soudain en un masque de haine. Et la bouche ravissante se mit à déverser un torrent d'injures et d'obscénités.

Elle fouilla dans son sac.

En dépit de sa stupéfaction, Bobby réagit à la vitesse de l'éclair.

Sa main fit dévier le pistolet.

La balle effleura la tête de Frankie avant d'aller se ficher dans le mur de l'*Orient Café*.

Pour la première fois dans l'histoire, une serveuse se précipita.

Avec un hurlement de terreur, elle sortit du café comme un boulet de canon en vociférant :

– Au secours ! Au meurtre ! Police !

34

Une lettre d'Amérique du Sud

Quelques semaines avaient passé !

Frankie venait de recevoir une lettre. Elle portait le timbre d'une des plus obscures républiques d'Amérique du Sud.

Après l'avoir lue de bout en bout, elle la tendit à Bobby.

Voici ce qu'elle disait :

Chère Frankie,

Sincèrement, il faut que je vous félicite. Votre jeune ami de la Marine et vous, vous avez réduit à néant l'œuvre de toute mon existence. Dire que tout avait été si amoureusement agencé.

Aimeriez-vous connaître le fin mot de l'histoire ? Ma bien-aimée comparse m'a tellement chargé (par dépit, j'imagine — les femmes sont tellement rancunières !) que mes pires aveux ne sauraient me nuire davantage. D'ailleurs, j'entame une nouvelle existence. Roger Bassington-ffrench est mort.

Aussi loin que je me remémore, je crois que j'ai toujours été un mauvais sujet. À Oxford déjà, j'avais fait un faux pas. Stupide, d'ailleurs, car l'affaire ne pouvait qu'être découverte. Mon paternel me sauva la mise. Mais il m'exila aux colonies.

Là, je n'ai pas tardé à tomber sur Moïra et sa bande. Elle n'était pas née de la veille, croyez-moi. À quinze ans, c'était déjà une récidiviste notoire. Lorsque je l'ai rencontrée, ça commençait même à sentir un peu trop le roussi. Elle avait la police américaine aux trousses.

On se plaisait bien, tous les deux. On voulait même se marier. Mais, avant ça, nous avions quelques projets à mener à bien.

Tout d'abord, elle épousa Nicholson. Ce faisant, elle changeait de milieu, et il y avait de fortes chances que la police perde sa trace. Nicholson venait de rallier l'Angleterre, afin d'y ouvrir une clinique pour maladies nerveuses. Il cherchait une propriété pas trop chère, et Moïra lui parla du manoir.

291

Elle n'en continuait pas moins, avec sa bande, à se livrer à ses trafics de drogue. Et sans le savoir, Nicholson lui était très utile.

J'ai, toute ma vie, nourri deux ambitions : devenir propriétaire de Merroway Court et rouler sur l'or.

Un Bassington-ffrench a joué un rôle important sous Charles II. Depuis, la famille avait sombré dans la médiocrité. Je me faisais fort de rendre à ce nom tout son éclat. Mais il me fallait de l'argent.

Moïra se rendit plusieurs fois au Canada pour y « voir sa famille ». Nicholson était fou d'elle et gobait tout ce qu'elle lui racontait. La plupart des hommes en faisaient autant. Les aléas du trafic de drogue l'obligeaient à voyager sous des identités variées. C'est sous le nom de Mrs Templeton qu'elle fit la connaissance de John Savage. Bien entendu, elle n'ignorait rien du personnage ni de l'étendue de son immense fortune et entreprit de le séduire. Il se montra sensible à ses charmes, mais pas au point de perdre la tête.

Quoi qu'il en soit, nous échafaudâmes un plan. Cette partie-là de l'histoire, vous la connaissez bien. L'homme que vous appelez Mr Cayman joua le rôle du mari peu jaloux. Savage fut invité à plusieurs reprises à séjourner à Tudor Cottage. À sa troisième visite, nous étions fin prêts. Inutile que j'entre dans les détails, vous êtes au courant.

L'affaire marcha comme sur des roulettes. Moïra empocha l'argent et clama bien haut son départ pour l'étranger. En fait, elle retourna à Staverley et au manoir.

Pendant ce temps, je peaufinais mes projets personnels. Il fallait que Henry et le petit Tommy débarrassent

292

le plancher. Avec Tommy, j'ai joué de malchance. Deux accidents parfaitement plausibles ratèrent coup sur coup. Perdre mon temps avec des accidents, dans le cas de Henry, il n'en était pas question. À la suite d'un accident de chasse, mon frère était sujet à de terribles douleurs rhumatismales. Je lui fis connaître la morphine. Il la prit en toute bonne foi. Henry était une âme simple. Bientôt, ce fut un drogué. Notre plan consistait à ce qu'il soit interné au manoir, où il ne tarderait pas soit à « se suicider », soit à succomber à une dose excessive de morphine. Moïra « ferait le boulot », afin que je ne puisse en aucun cas être impliqué.

C'est alors que cet imbécile de Carstairs est venu tout perturber. Savage lui avait, semble-t-il, écrit du bateau, disant qu'il avait rencontré une certaine Mrs Templeton, dont il lui envoyait même la photo.

Peu de temps après, Carstairs partit pour un safari. Quand il apprit, à son retour, la mort de son ami et la teneur du testament, il n'en crut pas un mot. L'histoire lui paraissait louche. Il était persuadé que l'idée d'une mort prochaine n'avait jamais effleuré Savage et que la peur du cancer était à mille lieues de ses préoccupations. En outre, les termes mêmes du testament ne correspondaient en rien avec son caractère. Savage était un homme d'affaires, un dur à cuire — et s'il ne dédaignait pas de prendre une jolie femme dans ses bras, ce n'était pas pour autant qu'il allait lui laisser une bonne partie de sa fortune, tout en léguant le reste à des œuvres de charité. L'idée « œuvres de charité » était de moi. Ça ajoutait une touche de respectabilité qui devrait écarter d'éventuels soupçons.

293

Carstairs vint donc en Angleterre, bien décidé à en avoir le cœur net. Et il commença à fouiner un peu partout.

D'entrée de jeu, la chance nous fut contraire. Des amis communs l'amenèrent à déjeuner à Merroway Court. Sur le piano, Carstairs aperçut une photo de Moïra, et reconnut la jeune femme dont Savage lui avait envoyé le portrait. Sur quoi il se rendit à Chipping Somerton où il se mit à poser des questions.

Moïra et moi, nous nous sommes affolés... à tort, je me le dis parfois. Mais Carstairs avait le nez creux.

Je le suivis à Chipping Somerton. Il n'avait pas retrouvé la cuisinière, Rose Chudleigh. Elle était partie travailler dans le Nord. En revanche, il était déjà sur la trace d'Evans, dont il avait appris le mariage et la nouvelle adresse, à Marchbolt.

La situation devenait grave. Si Evans découvrait que Mrs Templeton et Moïra Nicholson n'étaient qu'une seule et même personne, nous allions avoir du fil à retordre. Elle avait servi un certain temps à Tudor Cottage... et nous ignorions ce qu'elle savait au juste.

Je décidai donc d'éliminer Carstairs. Il était devenu trop gênant. La chance me sourit. Lorsque le brouillard s'est levé, je me tenais juste derrière lui. Je n'ai eu qu'à me rapprocher un peu. Une bonne bourrade dans le dos et le tour était joué.

Mais il restait un problème. Comment savoir s'il n'avait pas sur lui un quelconque document compromettant ? C'est alors que votre ami l'ex-marin se montra très gentiment coopératif. Il me laissa seul un moment avec le cadavre — assez longtemps pour ce que j'avais à faire, en tout cas. Il y avait une photo de Moïra dans la

294

poche du mort — il avait dû la soutirer au photographe — sans doute pour procéder à son identification. Je la subtilisai, ainsi que quelques lettres et papiers d'identité. Je remplaçai le tout par la photo d'une des femmes de la bande.

Tout marcha comme sur des roulettes. Les prétendus sœur et beau-frère se rendirent à Marchbolt pour reconnaître le corps. L'affaire semblait se dérouler de la manière la plus satisfaisante du monde. Mais c'était compter sans votre ami Bobby.

Carstairs avait repris conscience quelques instants avant sa mort, et il avait parlé. Il avait cité Evans — or Evans travaillait précisément au presbytère.

Je conviens que nous étions coincés. Nous avons un peu perdu la tête. Moïra décréta que nous devions nous débarrasser de Bobby. Nous fîmes une première tentative qui échoua. Puis Moïra décida de prendre l'affaire en main. Elle se rendit à Marchbolt en voiture. En trouvant votre ami endormi, elle sauta sur l'occasion et glissa une bonne dose de morphine dans sa canette de bière. Hélas, ce diable de garçon en réchappa. C'est ce qui s'appelle avoir la poisse.

Comme je vous l'ai dit, c'est l'interrogatoire de Nicholson au sujet de votre accident qui attira mon attention sur vous. Mais imaginez un peu l'effarement de Moïra lorsque, traversant de nuit le parc du manoir pour me retrouver, elle se trouva nez à nez avec Bobby ! Elle avait eu le temps de l'observer lorsqu'elle l'avait trouvé endormi — et elle le reconnut aussitôt. Rien d'étonnant si elle faillit s'évanouir de terreur. Mais elle comprit vite

295

qu'il ne la soupçonnait pas et, recouvrant ses esprits, décida de tirer parti de la situation.

Elle lui rendit visite à l'auberge et le soûla de paroles. Il goba le tout sans sourciller. Elle lui fit croire qu'Alan Carstairs était un ancien flirt et en rajouta sur la terreur que lui inspirait Nicholson. Elle s'appliqua aussi à me disculper à vos yeux. De mon côté j'agis de même et vous brossai un portrait touchant de cette faible femme sans défense. Sachant combien Moïra se débarrassait des gens sans l'ombre d'un scrupule, cela ne manquait pas de piquant !

Notre situation n'était pas rose. D'accord, nous avions l'argent. Le plan destiné à supprimer Henry fonctionnait normalement. En ce qui concernait Tommy, rien ne pressait. Je pouvais attendre encore un peu. Nous débarrasser de Nicholson ne poserait pas de problème le moment venu. Mais Bobby et vous représentiez une menace. Vos soupçons vous ramenaient toujours au manoir.

Cela vous intéressera peut-être d'apprendre que Henry ne s'est pas suicidé. C'est moi qui l'ai tué. Après vous avoir parlé dans le jardin, j'ai compris qu'il n'y avait plus une seconde à perdre — et je suis rentré avec l'intention bien arrêtée de régler le problème.

L'avion qui nous survola à ce moment-là fut une aubaine. J'entrai dans le bureau de Henry qui était occupé à écrire, assis près de lui, lui dis : « Au fait, mon vieux… » et tirai à bout portant. Le vrombissement de l'avion couvrit le bruit de la détonation. J'écrivis ensuite une lettre bien émouvante, effaçai mes empreintes du revolver, pressai la main de Henry autour de la crosse, puis laissai tomber l'arme par terre. Je glissai enfin la clé

296

du bureau dans la poche de Henry et sortis en ver-
rouillant la porte avec la clé de la salle à manger qui
actionne également la serrure du bureau.

Je vous épargnerai ici les détails techniques. Sachez
simplement que j'avais placé dans la cheminée un pétard
à longue mèche, réglé pour éclater quelques minutes plus
tard.

Tout se passa à ravir. Nous étions ensemble dans le
jardin lorsque le « coup » de feu partit. Le suicide parfait ! La seule personne qui prêtât le flanc au soupçon fut
ce pauvre vieux Nicholson. L'andouille était revenue
chercher sa canne ou je ne sais plus trop quoi.

Bien sûr, l'empressement chevaleresque de Bobby
compliquait passablement l'existence de Moïra. Aussi
décida-t-elle de se rendre au cottage. Nous nous doutions
bien que les explications de Nicholson concernant
l'absence de sa femme vous paraîtraient suspectes.

Ce fut au cottage que Moïra donna toute sa mesure.
En entendant du bruit au grenier, elle comprit que j'avais
été maîtrisé, s'injecta illico une bonne dose de morphine
et s'étendit sur le lit. Puis, dès que vous fûtes tous descendus téléphoner, elle se glissa dans le grenier et coupa
mes liens. Ensuite de quoi elle retourna s'allonger. La
drogue fit alors son effet et, lorsque le médecin arriva,
elle était bel et bien terrassée par la drogue.

Mais elle n'en avait pas moins pris un coup. Elle mourait de peur que vous n'ayez retrouvé Evans et découvert
la vérité au sujet du testament et du suicide. Elle mourait
de peur que Carstairs n'ait écrit à Evans avant de se
rendre à Marchbolt ! Elle fit donc croire qu'elle partait
pour une maison de repos à Londres. Et elle fila aussitôt

à Marchbolt — où elle vous trouva sur le pas de la porte !
Elle n'eut plus qu'une idée : en finir une fois pour toutes
avec vous deux. Certes, la méthode employée fut incroya-
blement simpliste, mais je demeure persuadé que ça
aurait pu marcher. Je doute fort, en effet, que la serveuse
de l'Orient Café eût jamais pu se rappeler à quoi elle
pouvait bien ressembler. Moïra s'en serait retournée à
Londres où elle aurait passé quelques semaines dans une
maison de repos. Une fois Bobby et vous éliminés,
l'affaire tombait d'elle-même.

Mais vous l'avez percée à jour, et elle a perdu la tête.
Plus tard, au procès, elle n'a pas hésité à m'impliquer,
moi.

Peut-être avais-je commencé à me lasser un petit peu
d'elle…

Je croyais pourtant n'en avoir rien laissé paraître.

Vous comprenez, c'est elle qui détenait l'argent ! Mon
argent ! Et, une fois marié, j'en aurais forcément eu assez
d'elle au bout d'un moment. J'aime le changement, moi.

Aussi me voilà en train d'entamer une nouvelle exis-
tence…

Et tout cela à cause de vous et de ce Bobby Jones que
je ne peux pas souffrir.

Mais je sais qu'au bout du compte je m'en tirerai
bien !

Même si je dois continuer à donner dans le mal… et
pas dans le bien.

Je ne me suis toujours pas amendé.

Si tu ne gagnes pas du premier coup, essaie, essaie
encore et ne te lasse pas d'essayer.

Adieu, ma chère, ou peut-être au revoir… Sait-on jamais, n'est-ce pas ?
Votre ennemi affectionné
L'infâme, le scélérat, le salaud de la pièce,

Roger Bassington-ffrench

35

Nouvelles du presbytère

En reprenant la lettre que lui tendait Bobby, Frankie soupira.

– Quand même c'est un personnage hors du commun, non ?

– Tu as toujours eu un faible pour lui, répliqua Bobby, plutôt froissé.

– Il ne manquait pas de charme. Moïra non plus, d'ailleurs.

Bobby rougit.

– Pas banal que la clé de l'énigme se soit trouvée ici même depuis le début. Au presbytère. Tu sais que Carstairs avait bel et bien écrit à Evans — à Mrs Roberts, je veux dire ?

Frankie acquiesça :

– Il lui annonçait qu'il allait venir l'interroger sur Mrs Templeton, qu'il soupçonnait d'être un dangereux gangster international, recherché par la police.

– Mais quand il a été balancé de la falaise, Mrs Roberts n'a pas fait le rapprochement ! dit Bobby d'un ton amer.

– Parce qu'il a été identifié sous le nom de Pritchard. Ça, c'était un trait de génie ! Quand un accident survient à un dénommé Pritchard, pourquoi diable irait-on penser à un dénommé Carstairs ? C'est comme ça que raisonne la moyenne des gens.

– Le plus drôle, c'est qu'elle a reconnu Cayman, reprit Bobby. Tout au moins, elle l'a entrevu au presbytère quand Roberts l'a fait entrer. Elle a même demandé à son mari qui c'était. Quand elle a su qu'il s'agissait d'un certain Mr Cayman, elle a dit : « C'est curieux, c'est le portrait craché d'un monsieur chez qui j'ai été employée. »

– Ça, c'est le bouquet ! s'écria Frankie. Remarque, Bassington-ffrench s'est lui-même trahi à une ou deux reprises. Mais, comme une idiote, je n'y ai pas fait attention.

– Vraiment ?

– Oui ! Quand Sylvia a fait remarquer que la photo publiée par les journaux présentait une certaine ressemblance avec Carstairs, il a soutenu le contraire... prouvant par là qu'il avait déjà vu le mort. Or, par la suite, il m'a dit qu'il n'avait pas regardé son visage.

– Mais... et Moïra ? Comment diable l'as-tu démasquée, Frankie ?

– Grâce à la description de Mrs Templeton, il me semble. Tu comprends, tout le monde répétait que c'était « une bien jolie personne ». Ça ne me semblait pas convenir à la mère Cayman. Aucune domestique ne

300

la décrivait comme une « jolie personne ». Là-dessus, nous arrivons au presbytère où nous tombons sur Moïra. Et tout d'un coup, j'ai pensé : *Et si Moïra était Mrs Templeton ?*

– Génial !

– Je suis vraiment peinée pour Sylvia. Le fait que Moïra ait impliqué Roger dans l'affaire l'a mise elle aussi sur la sellette. Heureusement, le Dr Nicholson l'a soutenue sans relâche et je ne serais pas surprise que cela finisse par un mariage.

– Alors tout est bien qui finit bien, dit Bobby. Grâce à ton père, Badger est remis à flot et moi, toujours grâce à ton père, me voilà nanti d'un boulot passionnant.

– Si passionnant que ça ?

– Je pense bien ! Diriger une plantation de café au Kenya, c'est ce dont j'avais toujours rêvé.

Bobby marqua un temps.

– Des tas de gens font désormais souvent des voyages au Kenya, reprit-il d'un ton insidieux.

– Des tas de gens vont même jusqu'à s'y installer, ajouta Frankie, l'air de ne pas y toucher.

– Pas possible, Frankie ? fit Bobby en rougissant.

Il rougit, bafouilla, tenta de se ressaisir.

– Tu… tu accep-accepterais de venir ? bégaya-t-il.

– Bien sûr que oui, j'accepterais ! Je veux dire que j'y vais avec toi, un point c'est tout.

– Je suis amoureux de toi depuis toujours, dit Bobby d'une voix étouffée. Je me morfondais en silence, persuadé que je n'avais pas l'ombre d'une chance.

– Ça explique ton agressivité, l'autre jour, au golf.

– Je me sentais rejeté.

– Hum… Et Moïra, dans tout ça ?

Bobby eut l'air gêné.

– Son visage m'avait ensorcelé, admit-il.

– Oui, il est mieux que le mien, reconnut Frankie, magnanime.

– Ce n'est pas vrai… mais il me hantait. Seulement, quand nous nous sommes retrouvés dans ce grenier et que tu y as montré tant de cran, Moïra s'est effacée de mon esprit. Ce qui pouvait lui arriver ne m'intéressait plus. Il n'y avait plus que *toi* qui comptais — toi, un point c'est tout. Tu étais tellement merveilleuse. Tu faisais preuve d'un tel cran !

– Je t'assure que, vu de l'intérieur, je n'en avais guère, de cran ! Je tremblais comme une feuille. Mais je voulais tant que tu m'admires !

– Je t'ai admirée, ma chérie. Je te le jure. Je t'ai toujours admirée et je t'admirerai toujours. Tu es sûre que tu ne vas pas détester le Kenya ?

– Je vais l'adorer, au contraire ! Ça fait des siècles que j'en ai assez de l'Angleterre.

– Frankie !

– Bobby !

– Si vous voulez bien vous donner la peine d'entrer…, dit le pasteur en ouvrant la porte pour laisser passer le peloton de tête des dames patronnesses.

Apercevant Bobby et Frankie, il la referma précipitamment.

– C'est… euh… un de mes fils, s'excusa-t-il. Il vient… euh… de se fiancer.

– Tout semble l'indiquer, en effet, remarqua l'une de ces dames avec un sourire malicieux.

302

– C'est un brave garçon, poursuivit le pasteur. Peut-être un peu insouciant par le passé. Mais il s'est bien amendé, ces derniers temps. Il va partir pour le Kenya, diriger une plantation de café.

– Vous n'avez pas vu ? souffla l'une des dames patronnesses à sa voisine. C'était bel et bien lady Frances Derwent que ce garçon embrassait !

Une heure plus tard, tout Marchbolt était au courant.

Je ne suis pas coupable

À Peter et Peggy McLeod

Va, va, ô mort,
Et sous ces tristes cyprès laisse-moi reposer ;
Envole-toi, souffle, envole-toi !
Une beauté cruelle m'assassine,
mon blanc linceul, tout brodé d'ifs,
Ô, tends-le-moi ;
Mort, ô mort, nul jamais avec toi
Plus loyal ne sut se montrer.

SHAKESPEARE

Prologue

– Elinor Katharine Carlisle, vous êtes accusée du meurtre commis sur la personne de Mary Gerrard le 27 juillet dernier. Plaidez-vous coupable ou non coupable ?

Elinor Carlisle se tenait très droite, la tête haute. Elle avait un ravissant visage au modelé délicat, des yeux d'un bleu profond, des cheveux noirs. Ses sourcils, épilés selon les derniers canons de la mode, dessinaient une ligne mince.

Le silence se fit, un silence presque palpable.

Le désarroi envahit sir Edwin Bulmer, avocat de la défense.

« Seigneur, pensa-t-il, elle va plaider coupable… Ses nerfs ont craqué. »

Elinor Carlisle ouvrit la bouche :

– Non coupable, déclara-t-elle.

L'avocat de la défense s'affaissa contre son dossier et, avec le sentiment d'avoir frôlé de peu la catastrophe, se passa un mouchoir sur le front.

Sir Samuel Attenbury s'était levé pour l'exposé des faits :

– Votre Honneur, messieurs les jurés, le 27 juillet, à 3 heures et demie de l'après-midi, Mary Gerrard est morte à Hunterbury Hall, Maidensford…

Sa voix coulait, ample, agréable. Bercée par elle, comme anesthésiée, Elinor ne saisissait de l'exposé simple et concis que quelques bribes au hasard.

– ... affaire particulièrement simple qui ne laisse pas de place au doute...

– ... L'accusation se fait fort... prouver l'existence du mobile, de l'occasion et du moyen...

– ... Personne, à notre connaissance — personne, hormis l'accusée —, n'avait de raison de tuer la malheureuse Mary Gerrard...

– ... Une jeune fille charmante, aimée de tous, à qui l'on eût vainement cherché, semble-t-il, un seul ennemi au monde...

Mary, Mary Gerrard ! Comme cela semblait loin. Irréel, même...

– ... Les points suivants, en particulier, retiendront votre attention :

1) De quels moyens, de quelle occasion l'accusée a-t-elle disposé pour administrer le poison ?

2) Quel mobile avait-elle d'agir ainsi ?

» J'appellerai des témoins à la barre qui vous permettront de vous déterminer nettement sur ces questions...

» ... En ce qui concerne l'empoisonnement de Mary Gerrard, je m'efforcerai de vous démontrer que personne, à l'exception de l'accusée, *n'a eu tout à la fois l'occasion et le moyen de commettre ce crime...*

Elinor se sentait prisonnière d'une brume opaque que seuls traversaient quelques mots isolés.

– ... Sandwiches...

– ... Beurre de poisson...

– ... Maison vide...

310

Des mots qui perçaient sa torpeur comme autant de petits coups d'épingle dans un voile cotonneux.

Le tribunal. Des visages. Des rangées et des rangées de visages ! Et, parmi tous ces visages, là, une invraisemblable moustache noire, un regard aigu : Hercule Poirot, la tête penchée de côté, l'observait, pensif.

« Il essaie de comprendre pourquoi j'ai fait ça, songeat-elle. Il essaie de pénétrer mon *cerveau* pour savoir ce que j'ai pensé, ce que j'ai éprouvé… »

Éprouvé… ? Un vague trouble… un choc léger… Le visage de Roddy… son cher visage, grand nez, bouche sensible… Roddy ! Toujours Roddy… toujours, aussi loin que remonte sa mémoire… Hunterbury… les framboises… la garenne… le ruisseau. Roddy… Roddy… Roddy…

D'autres visages ! Miss O'Brien, l'infirmière, lèvres entrouvertes, bonne bouille tachée de son tendue par l'attention. Miss Hopkins, l'infirmière visiteuse, l'air vertueux — vertueux et implacable. Le visage de Peter Lord… Peter Lord… si bon, si perspicace, si… si *rassurant* ! Mais il avait l'air… comment dire ?… *égaré*. Oui… égaré ! Préoccupé… terriblement préoccupé par toute cette histoire ! Alors qu'elle-même, le premier rôle, s'en souciait comme d'une guigne !

Elle était là, calme et froide, au banc des prévenus, accusée de meurtre. Elle était au tribunal.

Un déclic se produisit. L'épais brouillard qui l'enveloppait se leva, s'effilocha. Au *tribunal* !… Les *gens*…

Des gens qui se penchaient en avant, menton pendant, regard avide fixé sur elle avec un horrible plaisir macabre — des gens qui écoutaient avec une sorte de

311

lente, de cruelle délectation, ce que cet homme de haute taille et au nez en bec d'aigle disait d'elle.

– Dans cette affaire, les faits sont à la fois d'une clarté aveuglante et parfaitement incontestables. Je me contenterai donc de vous les exposer avec un maximum de simplicité. Au commencement…

« Au commencement… Quel commencement ? pensa Elinor. Ah, oui ! Le jour où cette affreuse lettre anonyme est arrivée ! C'est là que tout a commencé… »

PREMIÈRE PARTIE

1

Une lettre anonyme !

Elinor la tenait à la main et ne pouvait en détacher son regard. C'était la première fois qu'elle recevait une abomination pareille. De quoi vous donner la nausée. Gribouillée sur un papier rose de mauvaise qualité, truffée de fautes d'orthographe, elle disait :

C'est Histoire de vous prévenir.

Je diré pas de Nom, mais y'a Quelqu'un qui laiche les botes à vot'Tante et si vous faite pas atention Tout Vous Filera Sous le Nez. Les Filles ça sait y faire et les Vieilles elles se laissent prendre quand des Jeunesses y font du Boniment et Plein de Mamours. Je vous prévien vous feriez mieu de venir voir Vous-Mème se qui Se Passe par ici. Ça serait pas juste que le Jeune Monsieur et vous soyent Plumés. Et elle est Maligne comme Pas Deux et la Vieille peu Claquer n'importe quant.

Quelqu'un qui vous veut du Bien.

313

Les sourcils froncés de dégoût, Elinor examinait toujours la lettre lorsque la porte s'ouvrit. La domestique annonça « Mr Welman » et Roddy entra.

Roddy ! Chaque fois qu'elle le voyait, Elinor ressentait un léger vertige, un frisson de plaisir qu'elle s'obligeait à réprimer, car il était évident que Roddy, même s'il l'aimait, n'éprouvait pas pour elle le quart de ce qu'elle éprouvait pour lui. Sa seule présence l'atteignait, lui poignait le cœur presque à lui faire mal. Quelle absurdité qu'un garçon ordinaire — oui, tout ce qu'il y a d'ordinaire — ait un tel pouvoir ! Que sa vue vous fasse tourner la tête, que sa voix, rien qu'un instant, vous mette au bord des larmes… L'amour aurait dû être une émotion agréable, pas cette violence, cette douleur…

Elle était sûre d'une chose : il fallait faire très, très attention de paraître désinvolte. Les hommes n'aiment pas qu'on soit en adoration. Pas Roddy, en tout cas.

Elle opta pour le ton léger :

– Bonjour, Roddy !

Il répondit de même :

– Bonjour, chérie. Tu as l'air bien tragique ! C'est une facture ?

Elinor secoua la tête.

– Ah bon ! j'aurais cru, poursuivit Roddy sur le même ton enjoué. La Saint-Jean, tu sais, quand les fées se mettent à danser et les factures à pleuvoir…

– C'est répugnant. C'est une lettre anonyme.

Roddy plissa le front. Son visage frémissant se figea instantanément. Sa voix exprima un écœurement de bon aloi :

– Non !

– C'est répugnant, répéta Elinor.

Elle fit un pas vers son bureau.

– Je crois que je ferais mieux de la déchirer.

Elle aurait pu le faire — elle le fit presque — tant Roddy et les lettres anonymes appartenaient à deux mondes étrangers. Elle aurait pu jeter la lettre et n'y plus penser. Il ne l'en aurait pas empêchée. La délicatesse l'emportait chez lui sur la curiosité.

Mais, dans un élan, Elinor en décida autrement :

– Il vaudrait peut-être mieux que tu la lises d'abord. Ensuite, nous la brûlerons. Il s'agit de tante Laura.

Roddy haussa les sourcils.

– Tante Laura ?

Il prit la lettre, la lut, eut une expression de dégoût et la lui rendit.

– Oui, dit-il. À brûler sans hésiter ! Avec les êtres humains, on peut vraiment s'attendre à tout !

Elinor semblait dubitative.

– Une des domestiques, tu crois ?

– Oui, sans doute… (Il hésita.) Moi, ce que je me demande, c'est qui… qui peut bien être la fille en question.

Elinor eut l'air songeur.

– Il doit s'agir de Mary Gerrard.

Roddy fronça les sourcils. Il tentait de rassembler ses souvenirs.

– Mary Gerrard ? Qui est-ce ?

– La fille de la loge. La fille des gardiens. Tu l'as connue quand elle était petite, rappelle-toi. Tante Laura l'aime beaucoup, elle s'en est toujours occupée. Elle lui a payé ses études et lui a offert des leçons de piano, de français, etc.

– Ah oui ! acquiesça Roddy. Je m'en souviens, maintenant : une gamine maigrichonne, tout en bras et en jambes, avec une tignasse blonde.

315

Elinor hocha la tête.

– Oui. Tu n'as pas dû la revoir depuis ces vacances d'été où papa et maman étaient à l'étranger. Évidemment, tu n'es pas allé aussi souvent que moi à Hunterbury et, ces derniers temps, elle était au pair en Allemagne. Mais quand nous étions petits, nous allions toujours la chercher pour jouer ensemble.

– De quoi a-t-elle l'air, maintenant ?

– Elle est devenue ravissante. Bonnes manières et tout. À la voir, on ne penserait jamais qu'elle est la fille du vieux Gerrard.

– Une vraie dame, en somme ?

– Oui, en somme. Ce qui fait qu'elle ne se sent pas très à l'aise à la loge, si tu veux mon avis. Mrs Gerrard est morte il y a quelques années, tu sais, et Mary et son père ne s'entendent pas. Il se moque de son instruction et de ses « belles manières ».

Roddy se fit grondeur :

– Les gens n'imaginent pas les ravages qu'ils peuvent causer en octroyant de l'éducation à tout va ! Ça revient souvent à faire preuve de plus de cruauté foncière que de vraie grandeur d'âme.

– Elle doit passer beaucoup de temps près de tante Laura. Je sais qu'elle lui fait la lecture depuis qu'elle a eu son attaque.

– Pourquoi diable l'infirmière ne s'en charge-t-elle pas ?

Elinor sourit.

– Miss O'Brien a un accent irlandais à couper au couteau. Je comprends que tante Laura préfère Mary.

316

Roddy se mit à arpenter nerveusement la pièce de long en large. Au bout d'un moment, il décréta :

– Tu sais, Elinor, je crois que nous devrions y aller.

Elinor eut un petit mouvement de recul.

– À cause de cette… ?

– Non, non, pas du tout. Oh, et puis zut, soyons honnêtes : *oui* ! Il y a peut-être quelque chose de vrai dans cette ignominie. Je veux dire, cette pauvre tantine est très mal en point et…

– Et quoi, Roddy ?

Il la regarda avec un sourire désarmant où s'inscrivait l'aveu de la faiblesse humaine.

– … Et l'argent a bel et bien de l'importance. Pour toi comme pour moi, Elinor.

– Exact, admit-elle bien volontiers.

Son ton à lui se fit sérieux :

– Ce n'est pas que je sois intéressé, mais enfin tante Laura nous a répété cent fois que nous étions sa seule famille. Tu es la fille de son frère, et moi, le neveu de son mari. Elle nous a toujours laissé entendre qu'à sa mort tout ce qu'elle avait irait à l'un de nous, et plus probablement aux deux. Et… et il s'agit d'un héritage considérable, Elinor.

– Oui, dit Elinor, songeuse. Sans doute.

– Entretenir Hunterbury n'est pas une plaisanterie. Oncle Henry était ce qu'il est convenu d'appeler « à l'aise » quand il a rencontré ma tante. Mais elle, c'était la grosse galette. Ton père et elle avaient hérité de beaucoup d'argent. C'est trop bête que ton père ait presque tout perdu en spéculant.

317

– Pauvre papa ! soupira Elinor. Il n'a jamais eu le sens des affaires. Ça lui a empoisonné ses dernières années.

– Oui, tante Laura avait la tête mieux faite. Elle a épousé oncle Henry, ils ont acheté Hunterbury... et elle m'a confié un jour qu'elle avait toujours eu une veine incroyable dans ses investissements. Pratiquement rien n'a baissé.

– Oncle Henry lui a tout laissé, n'est-ce pas ?

Roddy acquiesça :

– Oui. C'est tragique qu'il soit mort si tôt. Elle ne s'est jamais remariée. La fidélité incarnée. Elle a toujours été très bonne pour nous. Moi, elle m'a toujours traité comme si j'étais son neveu à elle et pas celui de son mari. Chaque fois que je me suis trouvé dans le pétrin, elle m'en a tiré. Dieu merci, elle n'a pas eu à le faire trop souvent.

– Elle a été terriblement généreuse avec moi aussi, reconnut Elinor.

– Tante Laura est la crème des femmes, renchérit Roddy. Mais à propos, étant donné ce que sont réellement nos moyens personnels, nous vivons peut-être tous les deux — et sans nous en rendre compte — de façon dangereusement extravagante.

– Je ne te le fais pas dire, gémit Elinor. S'habiller, se maquiller... la moindre bêtise comme le cinéma, les cocktails... et même les disques, tout coûte tellement cher !

Roddy se dérida.

– Chérie, tu es la cigale de la fable. Tu chantes, tu danses... sans jamais songer le moins du monde à engranger !

318

Elinor le questionna sans rire :

– Tu crois que je devrais ?

Il secoua la tête.

– Je t'aime telle que tu es : raffinée, insouciante et posant sur tout ton regard ironique. Je détesterais que tu deviennes popote. Non, tout ce que je dis, c'est simplement que s'il n'y avait pas tante Laura tu serais sans doute en train de t'échiner à faire un boulot sinistre. Idem pour moi. J'ai une sorte de sinécure. Faire acte de présence chez Lewis & Hume, ce n'est pas la mer à boire. Ça me convient. Et ça préserve mon amour-propre. Mais à vrai dire, Elinor, si je ne me préoccupe pas de l'avenir, c'est parce que je sais qu'il y aura... l'héritage de tante Laura.

– Nous sommes des espèces de parasites, des sang-sues, non ?

– Mais absolument pas ! On nous a toujours laissé entendre qu'un beau jour nous serions riches — un point c'est tout ! Comment voudrais-tu que cela n'influe pas sur notre comportement ?

– Tante Laura ne nous a jamais précisé au juste comment elle avait réparti sa fortune, murmura Elinor, pensive.

– Quelle importance ? Elle l'a sans doute partagée équitablement entre nous deux. Mais si ce n'est pas le cas, si elle te laisse tout — ou l'essentiel — parce que tu es sa vraie famille, eh bien, ma chérie, j'en profiterai puisque je vais t'épouser. Et si la chère vieillarde décide que tout doit échoir au dernier représentant mâle des Welman, ça revient au même puisque tu vas m'épouser.

Il lui sourit avec tendresse avant de poursuivre :

319

– Quelle chance que nous nous aimions ! Parce que tu m'aimes, n'est-ce pas, Elinor ?

– Oui.

Elle l'avait dit d'un ton froid, presque guindé.

– « Oui ! » l'imita Roddy. Je t'adore, tiens ! Ce petit air distant, intouchable… La princesse lointaine. Je crois que c'est pour ça que je t'aime.

Elinor retint son souffle.

– Vraiment ? balbutia-t-elle.

– Oui. Les femmes sont parfois si… — oh, je ne sais pas, moi ! — si effroyablement possessives, en adoration comme de bons chiens fidèles… dégoulinantes de grands sentiments ! Je détesterais ça. Avec toi, je ne sais pas où j'en suis, je ne suis jamais sûr de rien… D'un instant à l'autre, tu pourrais tourner casaque avec cette insouciance qui n'appartient qu'à toi et décréter que tu as changé d'avis… comme ça, froidement, sans un battement de cils ! Tu es un être fascinant, Elinor… Tu es comme une œuvre d'art, tu es si… si *achevée* !

Il enchaîna :

– Tu sais, je crois que notre mariage sera le mariage idéal. Nous nous aimons, mais sans excès, nous sommes bons amis, nous avons des tas de goûts en commun, nous nous connaissons par cœur, nous avons tous les avantages du cousinage sans les inconvénients de la consanguinité. Je ne me lasserai jamais de toi, tu es une créature tellement insaisissable. Toi, par contre, tu pourrais bien te lasser de moi. Je suis un type très ordinaire.

Elinor secoua la tête.

– Je ne me lasserai pas de toi, Roddy, jamais !

– Ma chérie !

320

Il l'embrassa.

Puis il reprit :

– À mon avis — et bien que nous ne l'ayons pas vue depuis que nous avons pris notre décision —, tante Laura sait pertinemment à quoi s'en tenir sur notre compte. Est-ce que ce ne serait pas un bon prétexte pour aller à Hunterbury ?

– Si. L'autre jour, je me disais justement…

Roddy termina la phrase à sa place :

– … que nous n'allons pas la voir aussi souvent que nous le devrions ? Oui, c'est ce que je pense aussi. Au début, quand elle a eu son attaque, nous descendions là-bas pratiquement tous les quinze jours. Et là, cela doit bien faire deux mois que nous n'y avons pas mis les pieds.

– Pour peu qu'elle nous l'ait demandé, nous serions accourus, crut bon de préciser Elinor.

– Évidemment. Et puis nous savons qu'elle apprécie beaucoup miss O'Brien et que tout le monde est aux petits soins pour elle. N'empêche, je crois que nous avons été un peu négligents. Je ne parle pas d'un point de vue financier — cette fois, c'est simplement à elle que je pense.

Elinor hocha la tête.

– Je sais.

– Eh bien, cette saleté de lettre aura au moins servi à quelque chose. Nous irons à Hunterbury pour veiller sur nos intérêts et parce que nous l'aimons de tout cœur, cette brave vieille tantine !

Il gratta une allumette et mit le feu à la lettre qu'il avait reprise des mains d'Elinor.

– Je me demande quand même qui l'a écrite, dit-il. Non pas que ce soit d'une grande importance… Quelqu'un qui est « dans notre camp », comme nous disions quand nous étions gosses, et qui nous rend peut-être un fameux service. La mère de Jim Parrington était partie vivre sur la Riviera et se faisait soigner par un jeune et sémillant médecin italien. Résultat, elle s'est toquée de lui et lui a légué jusqu'à son dernier sou. Jim et ses sœurs ont essayé d'obtenir l'annulation du testament, mais il n'y a rien eu à faire.

Elinor sourit.

– Tante Laura raffole du nouveau médecin, celui qui a repris le cabinet du Dr Ransome — mais pas à ce point-là ! De toute façon, ce torchon parlait d'une fille. Ça doit être Mary.

– Nous ne tarderons pas à en avoir le cœur net.

*

Dans un léger frou-frou, miss O'Brien, l'infirmière, passa de la chambre de Mrs Welman à la salle de bains. Puis elle lança par-dessus son épaule :

– Je suis sûre que vous prendriez bien une tasse de thé avant de continuer.

Miss Hopkins s'épanouit d'aise :

– Ma chère, je suis toujours prête pour une tasse de thé. Comme je ne me lasse pas de le dire : rien ne vaut une bonne tasse de thé — de thé bien fort !

Tout en remplissant la bouilloire avant de la placer sur le réchaud à gaz, miss O'Brien poursuivit :

322

– J'ai tout ce qu'il faut dans ce placard. Une théière, des tasses, du sucre… et Edna m'apporte du lait frais deux fois par jour sans que j'aie à sonner à tout bout de champ. Il est bien, ce réchaud, l'eau bout en un rien de temps.

Miss O'Brien, la trentaine, était une grande rouquine au visage taché de son, au charmant sourire et aux dents d'une blancheur éclatante. Sa bonne humeur et sa vitalité faisaient merveille auprès de ses patients. Quant à miss Hopkins, l'infirmière visiteuse qui venait chaque matin du village aider à faire le lit et la toilette de la vieille dame grabataire, c'était une créature sans beauté, d'âge moyen, à l'air énergique et compétent.

Elle crut bon d'exprimer son approbation :

– Les choses sont bien organisées, dans cette maison.

L'autre hocha la tête.

– Oui, un peu à l'ancienne : pas de chauffage central. Mais une quantité de cheminées. Et les domestiques sont très serviables. Il faut dire que Mrs Bishop les tient à l'œil.

Miss Hopkins se fit sentencieuse :

– Ces gamines d'aujourd'hui, elles ne savent pas ce qu'elles veulent. Elles sont incapables de travailler convenablement. Elles m'exaspèrent.

– Mary Gerrard est une gentille fille. Je ne sais pas ce que Mrs Welman deviendrait sans elle. Vous avez vu comme elle la réclame ? Que voulez-vous, elle est adorable, cette petite, et puis elle a la manière, on ne peut pas lui ôter ça.

Miss Hopkins y alla de son grain de sel :

323

– Ça me désole de voir son vieux grincheux de père s'ingénier à lui gâcher la vie.

– Ça, s'il y en a un qui a oublié d'être aimable, c'est bien lui, commenta miss O'Brien. Ah ! voilà la bouilloire qui chante ! J'attends que l'eau frémisse et je la verse.

Le thé fut fait et servi, bien chaud et bien fort, et les deux femmes s'installèrent pour le boire dans la chambre de miss O'Brien, qui jouxtait celle de Mrs Welman.

– Mr Welman et miss Carlisle viennent nous voir, dit miss O'Brien. Il y avait un télégramme, ce matin.

– Vous m'en direz tant, ma chère ! s'exclama miss Hopkins. Je me disais aussi que notre malade était un peu agitée, aujourd'hui. Ça fait un bout de temps qu'ils ne sont pas venus, non ?

– Deux mois, sinon plus. Quel beau garçon quand même, Mr Welman ! Mais il serait peut-être un peu fier, dans son genre.

Miss Hopkins tint à marquer un point :

– L'autre jour, dans le *Tatler*, j'ai vu sa photo à elle — aux courses de Newmarket, s'il vous plaît, avec une amie.

– Elle est très lancée, je crois, dit miss O'Brien. Et toujours tellement élégante ! On vous le demanderait, vous diriez qu'elle est belle, vous ?

– Difficile de dire à quoi ressemblent ces filles sous leur maquillage. À mon avis, elle n'arrive pas à la cheville de Mary Gerrard.

Miss O'Brien pinça les lèvres et inclina la tête.

– Vous avez peut-être bien raison, mais Mary n'a pas sa classe.

Sentencieuse, miss Hopkins décréta :

– C'est la plume qui fait l'oiseau.

– Je vous ressers une tasse, miss ?

– Merci, miss, je ne dis pas non.

Les deux femmes se rapprochèrent au-dessus de leurs tasses fumantes.

Miss O'Brien reprit la parole :

– Il s'est passé une chose curieuse, la nuit dernière. À 2 heures du matin, je suis allée comme d'habitude arranger un peu ma malade, et elle était réveillée. Mais elle avait dû rêver parce que, dès que je suis entrée, elle m'a dit : « La photographie, donnez-moi la photographie. »

» Alors j'ai dit comme ça : "Bien sûr, Mrs Welman, mais vous ne préférez pas attendre demain matin ?" Sur quoi elle m'a fait : "Non, je veux la regarder maintenant." Alors j'ai demandé : "Où est-elle, cette photographie ? C'est celle de Mr Roderick que vous voulez ?" Et elle m'a fait comme ça : "Roderick ? Non, Lewis." Et elle a commencé à s'agiter, alors je l'ai aidée à s'asseoir et elle a pris ses clés dans le coffret sur la table de chevet et elle m'a demandé d'ouvrir le deuxième tiroir du chiffonnier, et là, il y avait effectivement une grande photographie dans un cadre d'argent. Un homme d'une *beauté*… Avec Lewis écrit en travers dans le coin. Une photo à l'ancienne, bien sûr, qui a dû être prise il y a des années. Je la lui ai apportée et elle l'a regardée à n'en plus finir. Tout ce qu'elle a murmuré, c'est "Lewis… Lewis…" Et puis elle a soupiré et me l'a rendue en me disant de la remettre à sa place. Et croyez-moi si vous voulez, quand je me suis retournée, elle dormait comme un bébé !

Miss Hopkins était tout ouïe.

– C'était son mari, vous croyez ?

– Eh bien non ! la détrompa miss O'Brien. Parce que,

325

mine de rien, ce matin j'ai questionné Mrs Bishop sur le prénom de Mr Welman, et elle m'a dit qu'il s'appelait Henry !

Les deux femmes échangèrent un regard. Le long nez de miss Hopkins se mit à frémir sous l'effet d'un émoi délicieux.

– Lewis… Lewis…, murmura-t-elle, songeuse. Je ne connais aucun Lewis par ici.

– Cela doit remonter à des années, ma chère, lui rappela l'autre.

– Oui, naturellement, et je n'habite la région que depuis deux ans. Mais alors…

Miss O'Brien la coupa :

– Un vraiment bel homme. On aurait juré un officier de cavalerie.

Entre deux gorgées de thé, miss Hopkins s'émut :

– C'est passionnant.

– Qui sait s'ils n'ont pas grandi ensemble, se laissa aller à murmurer miss O'Brien, et si un père cruel ne les aura pas séparés…

Avec un soupir à fendre l'âme, miss Hopkins crut bon de renchérir :

– Peut-être bien qu'il est mort à la guerre…

*

Lorsque miss Hopkins, que thé et spéculations romanesques avaient agréablement requinquée, quitta finalement la maison, Mary Gerrard sortit en courant et la rattrapa.

– Oh, miss Hopkins, est-ce que je peux vous accompagner jusqu'au village ?

– Mais bien sûr, ma petite Mary.

Mary Gerrard la supplia, haletante :

– Il faut que je vous parle. Je me fais tellement de souci.

Son aînée la regarda avec bienveillance.

Âgée de vingt et un ans, Mary Gerrard était une ravissante créature, à la façon un peu irréelle d'une églantine : un long cou délicat, une chevelure d'or pâle qui ondulait en épousant l'exquis modelé de son visage et des yeux d'un bleu intense.

– Qu'y a-t-il ? l'interrogea miss Hopkins.

– Il y a que le temps passe et que je reste là à me tourner les pouces.

– Rien ne presse ! répondit vivement l'infirmière.

– Non, bien sûr, mais ça me met tellement mal à l'aise… Mrs Welman a été merveilleusement bonne en m'offrant toutes mes études, mais maintenant, il faut que je commence à gagner ma vie, il faut que j'apprenne un métier.

Miss Hopkins hocha la tête avec sympathie.

– Ce serait un tel gâchis, sans ça ! J'ai essayé d'expliquer à Mrs Welman ce que je ressentais, mais… c'est difficile… on dirait qu'elle ne comprend pas. Elle n'arrête pas de répéter que j'ai tout mon temps et…

Miss Hopkins la coupa :

– C'est une malade, ne l'oubliez pas.

Mary rougit, confuse.

– Oh, je sais. Je ne devrais pas l'ennuyer, mais je vous assure que ça me tourmente. Et puis ça rend mon père

327

si… si *hargneux*. Il est toujours à maugréer, à me traiter de grande dame ! Comme si ça m'amusait de rester à ne rien faire !

– Je vous crois, allez !

– Le problème, c'est que n'importe quelle formation coûte les yeux de la tête. Je parle bien l'allemand, maintenant, je pourrais peut-être en tirer parti, mais sincèrement, je préférerais travailler dans un hôpital. Je les aime bien, les malades, et ça me fait plaisir de les soigner.

Faisant fi de tout romantisme, miss Hopkins tint à préciser :

– Il faut avoir une constitution de cheval, pensez-y.

– Je suis forte ! Et j'aime vraiment soigner les gens. Ma tante maternelle était infirmière en Nouvelle-Zélande. Alors, vous voyez, j'ai ça dans le sang.

– Et pourquoi pas masseuse ? suggéra miss Hopkins. Ou bien occupez-vous d'enfants, vous les adorez. Mais une masseuse, ça gagne bien sa vie.

Mary parut dubitative.

– Ce sont des études qui coûtent cher, non ? J'espérais… mais ce n'est pas bien de ma part… elle a déjà tant fait pour moi.

– Vous parlez de Mrs Welman ? Vous dites des sottises. À mon avis, elle vous doit bien ça. Elle vous a donné une éducation sélecte, mais qui ne mène à rien. Enseigner, vous n'aimeriez pas ça ?

– Je ne suis pas assez intelligente.

– Il y a intelligence et intelligence, décréta miss Hopkins, tranchant dans le vif. Si vous voulez un conseil, Mary, patientez pour l'instant. Comme je vous l'ai dit, je pense que Mrs Welman vous doit bien son aide pour

328

vous établir, et je suis sûre que telle est bien son intention. Mais la vérité, c'est qu'elle tient beaucoup à vous et
qu'elle ne veut pas vous perdre.

– Oh ! fit la jeune fille en retenant son souffle. Vous le
croyez vraiment ?

– Je n'en doute pas un instant. Voilà une vieille dame à
moitié paralysée, la pauvre, et qui n'a pas grand-chose ni
grand monde pour la distraire. Jeune et jolie comme
vous êtes, c'est important pour elle de vous avoir dans la
maison. Dès que vous entrez dans sa chambre, elle va
mieux.

La voix de Mary n'était plus qu'un murmure :

– Si vous le croyez vraiment…, ça me réconforte.
Chère Mrs Welman ! Je l'aime tant ! Elle a toujours été
si bonne avec moi… Je ferais n'importe quoi pour elle !

Le ton de miss Hopkins, lui, n'avait rien perdu de sa
fermeté :

– Alors, suivez mon conseil, restez ici et cessez de
vous tourmenter. Ce ne sera pas long.

Mary ouvrit tout grands des yeux pleins de frayeur.

– Vous voulez dire que…

– Elle a repris le dessus, mais pas pour longtemps,
acquiesça l'infirmière visiteuse. Il y aura une deuxième
attaque, puis une troisième. Je sais trop bien comment
ça se passe, allez ! Soyez patiente, ma chère petite. Dis-
trayez la vieille dame, embellissez ses derniers jours,
c'est le mieux que vous puissiez faire. Le reste viendra
en son temps.

– Vous êtes très gentille, dit Mary.

– Tiens ! voilà votre père qui sort de la loge…, annonça
miss Hopkins. Il n'est pas dans un bon jour, on dirait !

329

Elles approchaient du grand portail en fer forgé. Un vieil homme tout voûté descendait les marches de la loge en boitillant.

Miss Hopkins le salua d'un ton enjoué :

– Bonjour, Mr Gerrard !

Éphraïm Gerrard se contenta d'un grognement :

– 'jour.

– Beau temps, n'est-ce pas ? continua miss Hopkins.

– P't'être ben pour vous, bougonna le vieux Gerrard. Mais pas pour moi. Si vous croyez que je suis à la noce, avec mon lumbago !

Il en aurait fallu davantage pour que miss Hopkins renonce à l'enjouement :

– C'est l'humidité de la semaine dernière. Mais avec ce beau temps chaud, ça va s'arranger.

Cet optimisme expéditif n'eut pas l'heur de plaire au vieil homme.

– Ah, c'est bien ça, les infirmières ! grinça-t-il. Tout va pour le mieux quand c'est les autres qui trinquent. Ça vous fait ni chaud ni froid, à vous ! Et voilà Mary qui parle d'être infirmière elle aussi, maintenant ! J'aurais cru qu'elle rêvait de mieux que ça, avec son français, et son allemand, et son piano et tous ces trucs et ces machins qu'elle a appris dans son école à la manque sans compter ses voyages à l'étranger.

– Devenir infirmière me conviendrait très bien ! répliqua Mary d'un ton sec.

– C'est ça ! Et tu aimerais encore mieux ne rien faire du tout, pas vrai ? Te pavaner en faisant des mines et des grâces, comme une femme de la haute que ça fatiguerait

330

de se servir de ses dix doigts. Fainéanter, ma fille, c'est ça qui te plaît !

– Ce n'est pas vrai, papa ! protesta Mary, les larmes aux yeux. Tu n'as pas le droit de dire ça !

– Nous ne sommes pas dans notre assiette ce matin, on dirait ? intervint miss Hopkins avec un entrain forcé. Vous ne pensez pas ce que vous dites, Gerrard. Mary est une fille bien, et vous avez de la chance d'en avoir une comme ça.

Gerrard lança à son rejeton un regard chargé de malveillance.

– L'est plus mienne, à c't'heure — avec son français, son histoire grecque et son langage sucré. Pouah !

Il fit demi-tour et réintégra la loge.

Mary avait les yeux pleins de larmes.

– Vous voyez, miss Hopkins ? Vous voyez comme c'est dur ? Il est tellement hargneux. Il ne m'a jamais aimée, même quand j'étais petite. Maman devait toujours me défendre.

– Allons, allons, ne vous tracassez pas, la réconforta gentiment miss Hopkins. Ces épreuves nous sont envoyées pour notre bien. Bonté divine ! Il faut que je me dépêche. J'ai une longue tournée à faire, ce matin.

Tout en regardant la silhouette qui s'éloignait rapidement, Mary Gerrard songea avec mélancolie que personne ne pouvait rien pour elle. Malgré toute sa gentillesse, qu'avait fait miss Hopkins sinon lui servir un vieux stock de platitudes réchauffées ?

Au comble de la tristesse, elle continua de s'interroger :

– Qu'est-ce qu'il faut que je fasse ?

2

Mrs Welman reposait sur ses oreillers. Sa respiration était un peu lourde, mais elle ne dormait pas. Ses yeux, qui avaient conservé le même bleu profond que ceux de sa nièce Elinor, contemplaient le plafond. Grande et corpulente, elle avait un beau visage aquilin où se lisaient l'orgueil et la détermination.

Elle baissa son regard sur la silhouette assise près de la fenêtre. C'était un regard tendre et presque nostalgique.

Elle se décida enfin à élever la voix :

– Mary…

La jeune fille se retourna aussitôt.

– Oh ! vous êtes réveillée, Mrs Welman !

– Oui, depuis un moment, dit Laura Welman.

– Oh ! je ne savais pas. J'aurais…

Mrs Welman l'interrompit :

– Mais non, c'est bien ainsi. Je réfléchissais… je réfléchissais à beaucoup de choses.

– Oui, Mrs Welman ?

Le regard chaleureux, le ton attentif firent naître une expression de tendresse sur le visage de la vieille dame.

– Je t'aime beaucoup, mon enfant, dit-elle avec douceur. Tu es très bonne pour moi.

– Oh, Mrs Welman, c'est *vous* qui avez été bonne pour *moi* ! Sans vous, je ne sais pas ce que je serais devenue. Je vous dois *tout*.

– Je ne sais pas… je ne sais vraiment pas…

La malade s'agitait, son bras droit se contractait nerveusement, tandis que le gauche restait inerte.

332

– On veut faire pour le mieux, mais c'est si difficile de savoir ce qui est mieux… ce qui est *bien*. J'ai toujours été trop sûre de moi…

Mary Gerrard poussa des hauts cris :

– Mais non ! Je suis certaine que vous savez *toujours* quelle est la meilleure solution à adopter.

Laura Welman secoua la tête.

– Non… non, et cela me tourmente. J'ai un grand défaut, Mary, je suis orgueilleuse. C'est terrible, l'orgueil. C'est une malédiction dans la famille, Elinor est comme moi.

Mary s'empressa :

– La visite de miss Elinor et de Mr Roderick va vous faire du bien. Cela va vous distraire. Il y a longtemps qu'ils ne sont pas venus.

Mrs Welman acquiesça doucement :

– Ce sont de bons enfants, de très bons enfants. Ils m'aiment bien, tous les deux. Je sais que je n'ai qu'à les appeler pour qu'ils viennent me voir, à n'importe quel moment, mais je ne veux pas en abuser. Ils sont jeunes, ils sont heureux… le monde leur appartient. Inutile de leur infliger le spectacle de la déchéance et de la souffrance avant qu'il n'en soit temps.

– Je suis persuadée qu'ils ne penseraient *jamais* ça, Mrs Welman.

Mrs Welman poursuivit son discours, plus pour elle-même, sans doute, que pour la jeune fille :

– J'ai toujours espéré qu'ils se marieraient, mais je me suis efforcée de ne pas le montrer. Les jeunes gens ont tellement l'esprit de contradiction. Cela aurait suffi à les en dissuader ! Il y a bien longtemps, lorsqu'ils étaient

333

enfants, j'ai pensé qu'Elinor avait jeté son dévolu sur Roddy. Mais pour *lui,* je n'étais pas sûre du tout. C'est un drôle de garçon. Henry était comme ça… réservé et difficile à satisfaire… Oui, Henry…

Elle resta silencieuse, perdue dans le souvenir de son défunt mari. Puis elle murmura :

– Tout cela est loin… si loin. Nous n'étions mariés que depuis cinq ans quand il est mort. Double pneumonie… Nous étions heureux… oui, très heureux ; mais tout cela, ce bonheur, me semble très *irréel* maintenant. J'étais une jeune femme étrange et solennelle, immature… la tête pleine de rêves et d'idées héroïques. Je ne vivais pas dans la *réalité…*

Mary murmura à son tour :

– Vous avez dû vous sentir bien seule… ensuite.

– Ensuite ? oh, oui… affreusement seule. J'avais vingt-six ans… et maintenant j'en ai plus de soixante. Cela fait longtemps, mon enfant, si longtemps… Et maintenant, ça ! s'emporta-t-elle brusquement.

– Votre maladie ?

– Oui. Une attaque, c'est ce que j'ai toujours redouté. Cette indignité ! Lavée et soignée comme un bébé. Incapable de rien faire soi-même. Cela me rend folle. O'Brien a bon caractère, on peut mettre ça à son crédit. Elle ne m'en veut pas quand je l'envoie promener, et elle n'est pas plus bête que la plupart de ses semblables. Mais ce qui change tout, Mary, c'est que *tu* sois près de moi.

– Vraiment ? fit Mary rougissante. J'en suis… j'en suis si heureuse, Mrs Welman.

Perspicace, Laura Welman s'enquit :

334

– Tu te fais du souci, n'est-ce pas ? L'avenir t'inquiète ? Laisse-moi faire, mon enfant, je veillerai à ce que tu sois indépendante et que tu aies un métier. Mais patiente encore un peu… j'ai trop besoin de toi ici.

– Oh, Mrs Welman, bien sûr… *bien sûr* ! Je ne vous quitterais pour rien au monde. Pas tant que vous désirerez que je…

– Je veux que tu restes près de moi, dit la vieille dame avec une émotion inhabituelle dans la voix. Mary, tu es… tu es comme une fille pour moi. Je t'ai vue grandir à Hunterbury, je t'ai vue faire tes premiers pas, je t'ai vue devenir une belle jeune fille… je suis fière de toi, mon enfant. J'espère seulement avoir agi au mieux pour toi.

Mary répondit vivement :

– Si vous pensez que votre générosité envers moi, l'éducation que vous m'avez offerte, sont au-dessus de… au-dessus de ma condition, si vous croyez que cela m'a rendue insatisfaite ou… ou que cela m'a donné des idées de grandeur, comme dit mon père, eh bien il ne faut pas. Je vous en suis infiniment reconnaissante, c'est tout. Et si j'ai hâte de gagner ma vie, c'est seulement parce qu'il me semble que je le dois après… après tout ce que vous avez fait pour moi. Je n'aimerais pas qu'on croie que je vis à vos crochets.

Laura Welman éleva la voix — une voix soudain coupante :

– C'est donc là ce que Gerrard t'a mis dans la tête ? N'écoute pas ce que dit ton père, Mary. Il n'a jamais été question de cela et il n'en sera jamais question ! C'est moi qui te demande de rester encore un peu ici. Ce sera bientôt fini… S'ils voulaient bien, tous ces docteurs et ces infirmières, laisser les choses suivre leur cours normal, ma vie s'achèverait là, maintenant. J'en aurais fini avec cette interminable bouffonnerie.

– Oh non, Mrs Welman, le Dr Lord dit que vous pouvez vivre encore des années.

– Ah non, merci ! Je lui ai dit l'autre jour que, dans un pays un tant soit peu civilisé, tout ce que j'aurais à faire serait de lui signifier que je veux en finir et qu'il m'expédierait sans douleur, avec une bonne petite potion magique. Je lui ai dit : « Si vous aviez un peu de courage, docteur, c'est ce que vous feriez ! »

Mary poussa un petit cri :

– Oh ! Et qu'a-t-il répondu ?

– Ce jeune homme irrespectueux s'est contenté de me rire au nez, mon enfant, et il m'a répondu qu'il ne prendrait pas le risque d'être pendu. Il a même ajouté : « À moins que vous ne me nommiez légataire universel, Mrs Welman. Là, évidemment, ça changerait tout ! » L'insolent ! Mais je l'aime beaucoup. Ses visites me font plus de bien que ses médicaments.

– Oui, il est adorable, approuva Mary. Miss O'Brien en est folle, et miss Hopkins aussi.

L'opinion de Mrs Welman fut sans appel :

– À son âge, Hopkins devrait avoir davantage de plomb dans la cervelle. Quant à O'Brien, elle est là qui minaude et susurre : « Oh, docteur ! » et qui se met à lui agiter ses mèches folles sous le nez chaque fois qu'il approche.

– Pauvre miss O'Brien.

– C'est une bonne fille, concéda Mrs Welman, indulgente, mais toutes les infirmières m'exaspèrent ; cette

336

manie qu'elles ont de penser que vous mourez d'envie d'« une bonne tasse de thé » à 5 heures du matin ! (Elle s'interrompit.) Qu'est-ce que c'est ? C'est la voiture ?

Mary regarda par la fenêtre.

– Oui, c'est la voiture. Miss Elinor et Mr Roderick sont arrivés.

*

– Je suis très heureuse de cette nouvelle, Elinor, dit Mrs Welman.

Elinor lui sourit.

– Je pensais bien que ça te ferait plaisir, tante Laura.

La vieille dame hésita avant de poursuivre :

– Tu l'aimes, n'est-ce pas, Elinor ?

Elinor haussa l'arc délicat de ses sourcils.

– Naturellement.

Mrs Welman crut bon de préciser sa pensée :

– Pardonne-moi, ma chérie. Tu es si réservée. C'est très difficile de savoir ce que tu penses. Quand vous étiez bien plus jeunes, tous les deux, il me semblait que tu commençais à t'attacher à Roddy… trop peut-être…

– Trop ? s'étonna Elinor.

La vieille dame hocha la tête.

– Oui, la sagesse voudrait qu'on ne s'attache pas inconsidérément, comme les très jeunes filles ont parfois tendance à le faire… Je me suis réjouie quand tu es allée en Allemagne pour y finir tes études. Et puis, quand tu es revenue, j'ai eu l'impression qu'il t'était devenu complètement indifférent… et cela m'a navrée tout autant ! Je suis une vieille femme assommante, impossible à

337

contenter ! Mais je me suis toujours figuré que tu avais un caractère assez passionné — ce genre de caractère que nous avons dans la famille, et qui ne rend pas la vie facile… Bref, comme je te le disais, lorsque tu es rentrée de l'étranger, et que je t'ai vue si indifférente envers Roddy, j'étais désolée. J'avais toujours espéré un mariage entre vous. Maintenant, c'est décidé, alors tout est bien ! Et tu l'aimes *vraiment* ?

– J'aime Roddy, répondit gravement Elinor. Je l'aime… assez, mais pas trop.

Mrs Welman approuva de la tête.

– Alors, je crois que vous serez heureux. Roddy a besoin d'amour… mais il a peu de goût pour les sentiments violents. Un amour possessif le ferait fuir.

– Comme tu le connais bien ! s'exclama Elinor.

Mrs Welman insista :

– Crois-moi, si Roddy t'aime juste un *petit* peu plus que tu ne l'aimes, tout ira bien.

– « Le courrier de tante Agathe » ! grinça Elinor. *Maintenez votre soupirant dans le doute ! Qu'il ne soit pas trop sûr de vous !*

Laura Welman réagit aussitôt :

– Tu n'es pas heureuse, mon enfant ? Quelque chose ne va pas ?

– Non, non, rien du tout.

– Tu trouves mes propos plutôt… médiocres ? Mon petit, tu es jeune et sensible. La vie, hélas, est bel et bien assez médiocre…

– Oui, peut-être, répondit Elinor avec un peu d'amertume.

– Ma chérie, insista Laura Welman, tu es malheureuse ? Qu'y a-t-il qui ne va pas ?

– Rien, absolument rien.

Elle se leva, alla jusqu'à la fenêtre, puis, se retournant à demi :

– Tante Laura, dis-moi, honnêtement, tu crois que l'amour est toujours quelque chose d'heureux ?

Le visage de Mrs Welman se fit grave.

– Non, probablement pas, Elinor. Pas dans le sens où tu l'entends… Aimer passionnément quelqu'un apporte plus de souffrance que de joie et, cependant, on ne serait rien sans cette expérience. Celui qui n'a jamais vraiment aimé, il n'a jamais vraiment vécu…

La jeune femme hocha la tête.

– Oui… tu comprends ça, toi… tu as connu ça…

Elle tourna soudain vers sa tante un regard implorant.

– Tante Laura…

La porte s'ouvrit et la rousse miss O'Brien fit son entrée.

– Mrs Welman, annonça-t-elle toute frétillante, voici le docteur qui vient vous voir !

*

Le Dr Lord était un garçon de trente-deux ans. Il avait la tignasse blond-roux, le menton carré et un visage taché de son d'une sympathique laideur. Son regard bleu clair était vif et pénétrant.

– Bonjour, Mrs Welman, dit-il.

– Bonjour, docteur Lord. Je vous présente ma nièce, miss Carlisle.

La plus évidente admiration se lut sur le visage transparent du Dr Lord.

– Ravi de faire votre connaissance, dit-il en prenant avec précaution la main que lui tendait Elinor, comme s'il craignait de la briser.

– Elinor et mon neveu sont venus me distraire un peu, ajouta Mrs Welman.

– Parfait ! s'exclama le Dr Lord. Exactement ce qu'il vous faut ! Je suis sûr que ça va vous faire le plus grand bien.

Admiratif, son regard ne quittait pas Elinor.

Tout en se dirigeant vers la porte, celle-ci s'enquit :

– Peut-être vous verrai-je un moment tout à l'heure, docteur Lord ?

– Oh… oui… oui, bien sûr.

Elle sortit et referma la porte derrière elle. Le Dr Lord s'approcha du lit, miss O'Brien vibrionnant sur ses talons.

Mrs Welman lui décocha un clin d'œil malicieux.

– Alors, docteur, vous me faites le numéro habituel : pouls, respiration, température ? Ah, les médecins, quels charlatans vous faites !

– Oh, Mrs Welman, trémola miss O'Brien, comment pouvez-vous dire ça au docteur !

Le Dr Lord lui adressa à son tour un clin d'œil.

– Mrs Welman m'a percé à jour, miss ! N'empêche, Mrs Welman, il faut bien que je fasse mon métier. Le problème, avec moi, c'est que je n'ai jamais réussi à apprendre comment me comporter au chevet des malades.

340

– Vous vous en tirez très bien. Et vous en êtes même plutôt fier.

Le Dr Lord eut un petit rire.

– Ça, c'est *vous* qui le dites.

Après quelques questions de routine, le Dr Lord se cala dans son fauteuil et sourit à sa patiente.

– Bon, déclara-t-il, vous continuez à récupérer magnifiquement.

– Alors, d'ici quelques semaines, commenta Laura Welman, je pourrai me lever et me promener autour de la maison ?

– Hé là ! Pas si vite !

– Non, en effet. Espèce de charlatan ! À quoi bon vivre couchée ainsi nourrie et langée comme un bébé ?

– À quoi bon vivre, en tout état de cause ? philosopha le Dr Lord. Voilà la vraie question. Au fait, connaissez-vous cette charmante invention du Moyen Âge qu'on appelait « le petit réduit » ? On ne pouvait s'y tenir ni debout, ni assis, ni couché. On penserait que ceux qui étaient condamnés à ce supplice passaient l'arme à gauche en quelques semaines. Eh bien, pas du tout. Un homme a réussi à vivre seize ans dans une cage de fer avant d'être libéré ; et il a survécu jusqu'à un âge canonique.

– Pourquoi me racontez-vous cette histoire ? interrogea Laura Welman.

– Pour vous démontrer qu'on porte en soi l'*instinct* de vivre. On ne vit pas parce que notre *raison* y consent. Les gens qui « feraient mieux d'être morts », comme on dit, n'ont aucune envie de mourir ! Et ceux qui apparemment ont tout ce qu'il faut pour être heureux

341

abandonnent la partie parce qu'ils n'ont pas l'énergie de se battre.

– Continuez.

– Je n'ai rien à ajouter. Vous êtes de la race de ceux qui *veulent* vivre, quoi que vous en disiez ! Et si votre corps veut vivre, ce n'est pas bon de laisser votre esprit tirer dans l'autre sens.

Mrs Welman changea brusquement de sujet :

– Vous vous plaisez ici ?

Peter Lord sourit.

– Je m'y trouve bien.

– N'est-ce pas un peu ennuyeux pour un garçon aussi jeune que vous l'êtes ? Vous n'avez pas envie de vous spécialiser ? Ce doit être plutôt monotone d'être médecin de campagne, non ?

Lord secoua sa chevelure blond-roux.

– Non, j'aime mon métier. J'aime *les gens*, voyez-vous, et j'aime leurs petits maux ordinaires. Je n'ai aucune envie de débusquer le bacille rare d'une maladie inconnue. Moi, ce que j'aime, ce sont les rougeoles, les varicelles et tout le tremblement. Ce que j'aime, c'est observer de quelle manière le corps réagit, s'il y a moyen d'améliorer un traitement connu. Mon problème, c'est que je n'ai aucune ambition. Je resterai dans ce bled, je me laisserai pousser des favoris et, un jour, les gens diront : « Oh oui, nous avons toujours consulté ce bon vieux Dr Lord, mais ses méthodes sont un peu dépassées. Nous ferions peut-être mieux d'appeler le jeune Dr Machinchouette, il est tellement plus à la page… »

342

– Hum, fit Mrs Welman, on dirait que vous savez à quoi vous en tenir.

Peter Lord se leva.

– Bon, dit-il, il faut que je m'en aille.

– Je crois que ma nièce désire vous parler, lui rappela Mrs Welman. Dites-moi, que pensez-vous d'elle ? Vous ne l'aviez encore jamais rencontrée ?

Le Dr Lord vira à l'écarlate. Il rougit jusqu'à la racine des cheveux.

– Je… oh, elle est très belle, non ? Et… euh… très intelligente et tout, si je ne m'abuse.

Mrs Welman s'amusait. « Mon Dieu qu'il est jeune… », pensa-t-elle.

– Si vous voulez mon avis, décréta-t-elle à voix haute, vous ne feriez pas mal de vous marier, docteur.

*

Roddy s'était promené dans le jardin. Il avait traversé la vaste pelouse, suivi une allée pavée puis s'était rendu au potager enclos de murs. Un potager opulent et parfaitement entretenu. Elinor et lui vivraient-ils un jour à Hunterbury ? Oui, sans doute. Pour sa part, il en serait heureux. Il n'aimait rien tant que la vie à la campagne. Mais pour Elinor, il n'était pas très sûr. Elle préférerait peut-être vivre à Londres…

Pas commode de savoir, avec Elinor. Elle ne laissait pas voir grand-chose de ses pensées et de ses sentiments. C'était ça qu'il appréciait chez elle. Il détestait ces raseurs qui se déversent sur vous, avec la certitude que leur mécanisme intime vous passionne. La réserve est toujours plus attirante.

Elinor était parfaite. Aucune fausse note en elle. Elle était ravissante, elle était spirituelle, elle était en somme la plus séduisante des compagnes.

« J'ai une veine incroyable de lui plaire, pensa-t-il, assez satisfait. Je ne comprends pas ce qu'elle peut trouver à un type comme moi. »

Car, en dépit des apparences, Roderick Welman n'était pas vaniteux. Qu'Elinor ait consenti à l'épouser l'étonnait sincèrement.

La vie s'étendait donc devant lui comme une route aimable. Savoir exactement où l'on est, où l'on va, c'est une bénédiction. Sans doute Elinor et lui se marieraient-ils bientôt… si elle le souhaitait, bien entendu. Peut-être préférerait-elle attendre un peu. Il ne devait pas la brusquer. Au début, ils seraient un peu raides, financièrement. Mais rien de bien grave. Il espérait de tout cœur que tante Laura vivrait encore longtemps. C'était un amour, elle avait toujours été adorable avec lui, l'invitant au château pour les vacances, s'intéressant à ce qu'il faisait.

Il repoussa l'évocation de sa mort, comme il repoussait toute réalité pénible. Il est des réalités qu'on ne tient pas à voir de trop près. Mais… euh… après… eh bien, après, ce serait très agréable de vivre ici, à Hunterbury, d'autant qu'il y aurait tout l'argent nécessaire pour entretenir la propriété. Il se demanda comment sa tante avait décidé de partager ses biens. Non que cela eût tant d'importance. Avec d'autres, cela compterait certainement beaucoup que la fortune soit au mari ou à la

344

femme, mais pas avec Elinor. Elle avait une infinie délicatesse, et l'argent ne l'intéressait pas en soi.

« Non, se dit-il, je n'ai aucun souci à me faire, quoi qu'il arrive ! »

Il franchit la barrière au bout du jardin potager et s'engagea dans le petit bois que les jonquilles tapissaient au printemps. Bien sûr, ce n'était plus la saison. Mais le soleil, qui filtrait à travers les arbres, baignait le sous-bois d'une belle lumière verte.

Une nervosité insolite monta en lui, qui vint perturber sa sérénité antérieure.

« Il y a quelque chose… quelque chose qui me manque, se dit-il. Quelque chose que je voudrais… que je voudrais tant… »

La clarté vert et or, la légèreté de l'air — il sentit son cœur battre plus vite, un fourmillement, une soudaine impatience.

Sous les arbres, une jeune fille se dirigeait vers lui… une jeune fille aux cheveux d'or pâle, au teint de rose.

« Qu'elle est belle ! pensa-t-il. Ineffablement belle ! »

Un soudain émoi l'étreignit. Il s'immobilisa, comme pétrifié. Il lui sembla que le monde chavirait, que tout devenait soudain incroyablement, merveilleusement fou !

La jeune fille s'arrêta net, puis avança de nouveau jusqu'à l'endroit où il se tenait planté, absurdement figé, la bouche ouverte comme un poisson hors de l'eau.

– Vous ne vous souvenez pas de moi, Mr Roderick ? fit-elle d'une voix hésitante. Cela fait longtemps, bien sûr. Je suis Mary Gerrard, la fille des gardiens.

345

– Oh… vous… vous êtes Mary Gerrard ? balbutia Roddy.

– Oui, dit-elle. Je… j'ai dû changer, depuis le temps, ajouta-t-elle timidement.

– Oui, acquiesça-t-il, oui, vous avez changé. Je… je ne vous aurais pas reconnue.

Il la dévorait des yeux sans bouger. Il ne perçut rien du bruit de pas qui s'élevait dans son dos. Mary, elle, tourna la tête.

Elinor resta immobile un instant, puis elle dit :

– Bonjour, Mary.

– Bonjour, miss Elinor, répondit aussitôt Mary. Je suis contente de vous voir. Mrs Welman attendait votre visite avec impatience.

Elinor hocha la tête.

– Oui… cela fait longtemps. Je… miss O'Brien m'envoie vous chercher, elle voudrait lever Mrs Welman et elle dit que vous avez l'habitude de l'aider.

– J'y vais tout de suite ! s'empressa Mary.

Elle s'éloigna en courant. Elinor suivit des yeux la silhouette gracieuse.

– Atalante…, se prit à murmurer lentement Roddy.

Elinor ne releva pas. Elle resta un moment sans faire un geste. Puis elle décréta :

– C'est bientôt l'heure du déjeuner. Nous devrions rentrer.

Côte à côte, ils prirent le chemin du retour.

*

346

– Allez, viens, Mary ! C'est avec Garbo, c'est un film formidable ! Ça se passe à Paris. C'est une histoire écrite par un auteur archiconnu. On en a même tiré un opéra !

– C'est vraiment gentil, Ted, mais je ne peux pas.

– Il y a des fois, je ne te comprends plus, Mary, maugréa Ted Bigland. Tu n'es plus la même… plus du tout la même.

– Mais si, Ted, je t'assure.

– Non ! J'imagine que c'est parce que tu as été dans cette école de riches et puis en Allemagne. Tu es trop bien pour nous, maintenant.

– Ce n'est pas vrai, Ted, je ne suis pas comme ça !

Elle avait dit ça avec toute la véhémence dont elle était capable.

Malgré sa colère, le jeune homme, un beau gaillard, lui lança un regard appréciateur.

– Mais si, Mary, tu es presque une dame.

La réplique ne tarda pas, teintée d'amertume :

– Presque ! Cela veut tout dire, n'est-ce pas ?

Il comprit soudain et secoua la tête.

– Non, alors là, je t'assure que tu te trompes.

– Bof ! s'empressa de corriger Mary, de toute façon, ça intéresse qui, de nos jours, ces histoires de lords et de ladies, et tout ça !

– Ça compte moins qu'autrefois, c'est vrai, reconnut Ted, songeur. Mais tout de même, c'est l'*impression* que tu me fais. Bon sang, Mary, tu as l'*air* d'une duchesse, ou d'une comtesse, je ne sais pas, moi.

– Ça ne veut pas dire grand-chose. J'ai vu des comtesses qui ressemblaient à des chiffonnières.

– Allons, Mary, tu sais très bien ce que je veux dire.

347

Une ample et majestueuse matrone, toute caparaçonnée de noir, cinglait vers eux. Elle leur jeta au passage un regard scrutateur.

Ted recula d'un pas.

– 'jour, Mrs Bishop, dit-il.

Mrs Bishop répondit d'un gracieux signe de tête :

– Bonjour, Ted Bigland. Bonjour, Mary.

Et poursuivit sa course, tel un navire toutes voiles dehors.

Ted la suivit d'un regard plein de respect.

– Voilà une femme qui a l'air d'une duchesse, murmura Mary.

– Oui… c'est vrai. Je me sens toujours dans mes petits souliers avec elle.

– Elle ne m'aime pas, commenta Mary avec lenteur.

– Tu dis des bêtises.

– Non, je t'assure, elle n'arrête pas de m'envoyer des piques.

– Elle est jalouse, affirma Ted d'un air sagace. C'est tout.

– Oui, c'est peut-être ça…, admit Mary, néanmoins dubitative.

– Bien sûr que oui. Ça fait des années qu'elle est gouvernante à Hunterbury, qu'elle fait la loi et qu'elle régente son monde, et voilà que la vieille Mrs Welman s'entiche de toi. Ça la vexe. C'est tout.

Une ombre passa sur le visage de Mary.

– C'est idiot, dit-elle, mais je ne supporte pas qu'on ne m'aime pas. Je voudrais que tout le monde m'aime.

– Il y a sûrement des femmes qui ne t'aiment pas, Mary ! Des filles jalouses qui te trouvent trop jolie !

– C'est horrible, la jalousie, soupira Mary.

– Peut-être…, dit lentement Ted, *mais je te prie de croire que ça existe.* J'ai justement vu un film épatant, la semaine dernière, à Alledore. Avec Clark Gable. C'est l'histoire d'un millionnaire qui néglige sa femme. Alors elle lui fait croire qu'elle l'a trompé. Et puis un autre type…

Mary s'écarta.

– Excuse-moi, Ted. Il faut que je m'en aille, je suis en retard.

– Où vas-tu ?

– Je vais prendre le thé avec miss Hopkins.

Ted fit la grimace.

– Drôle d'idée ! C'est la pire mauvaise langue du village ! Elle fourre son grand nez partout.

– Elle a toujours été très gentille avec moi.

– Oh, je ne dis pas qu'elle est mauvaise. Mais elle parle trop.

– Au revoir, Ted, dit Mary très vite.

Elle s'éloigna en toute hâte tandis que Ted la suivait d'un regard plein de reproches.

*

Miss Hopkins habitait un petit cottage au bout du village. Elle venait de rentrer chez elle et elle dénouait les cordons de son bonnet lorsque Mary arriva.

– Ah, vous voilà ! Je suis un peu en retard. La vieille Mrs Caldecott était de nouveau mal en point. Ça m'a retardée dans ma tournée. Je vous ai vue avec Ted Bigland, au bout de la rue.

349

– Oui…, acquiesça Mary sans enthousiasme.

Miss Hopkins, qui était en train de mettre de l'eau à chauffer, lui jeta un regard en vrille par-dessus sa bouilloire.

Son long nez frémit.

– Il vous voulait quelque chose de spécial ?

– Non, il m'invitait au cinéma.

– Voyez-vous ça ! lança miss Hopkins. Évidemment, c'est un gentil garçon, et il ne se débrouille pas trop mal au garage. Son père s'en sort plutôt mieux que la plupart des paysans du coin, mais tout de même, mon petit, vous ne me paraissez pas faite pour devenir la femme de Ted Bigland. Pas avec l'éducation que vous avez reçue et tout. Comme je vous le disais, à votre place, le moment venu, je ferais un apprentissage de masseuse. On se déplace pas mal, on voit du monde, et on est assez libre de son temps.

– J'y penserai, répondit Mary. À propos, Mrs Welman m'a parlé très gentiment, l'autre jour. C'est exactement ce que vous disiez. Elle ne veut pas que je m'en aille maintenant. Elle assure que je lui manquerais. Mais elle m'a répété que je ne devais pas m'inquiéter de l'avenir, qu'elle m'aiderait.

– Espérons qu'elle a mis tout ça noir sur blanc ! fit miss Hopkins, donnant soudain dans le scepticisme. Les malades sont si lunatiques !

– Vous croyez que Mrs Bishop me déteste vraiment ? tint à s'enquérir Mary. Ou bien je me fais des idées ?

Miss Hopkins prit le temps de la réflexion.

– C'est vrai qu'elle est plutôt revêche avec vous. Elle fait partie de ces gens qui ne supportent pas que les

350

jeunes aient du bon temps ou qu'on s'intéresse à eux. Elle trouve peut-être que Mrs Welman a trop d'affection pour vous et elle vous en veut.

Elle eut un rire joyeux.

– Ma petite Mary, à votre place, je ne me tracasserais pas pour ça. Ouvrez plutôt ce sac, il y a des beignets dedans.

3

Votre tante a eu nouvelle attaque cette nuit. Aucune raison inquiétude immédiate mais suggère veniez dès que possible. Lord.

*

Dès que le télégramme lui était parvenu, Elinor avait téléphoné à Roddy et ils se trouvaient à présent dans le train, en route pour Hunterbury.

Ils s'étaient peu vus pendant la semaine qui venait de s'écouler. Deux fois seulement, assez brièvement, et avec une étrange sensation de gêne. Roddy lui avait envoyé des fleurs, une énorme gerbe de roses à longues tiges. Cela ne lui ressemblait pas. Ils avaient dîné ensemble un soir, et Roddy s'était montré plus attentif qu'à l'accoutumée, s'informant de ses préférences en matière de nourriture et de boisson, se précipitant pour l'aider à mettre et à enlever son manteau avec une

351

prévenance marquée. Un peu comme s'il mimait un rôle, avait pensé Elinor... Le rôle du fiancé empressé...

Et puis elle s'était dit : « Ne fais pas l'idiote. Où est le mal ? C'est toi, c'est ton sale esprit possessif, toujours à ruminer, à imaginer des choses. »

Elle avait été peut-être un peu plus distante avec lui, un peu plus réservée que d'habitude.

Maintenant, sous la pression des événements, leur gêne avait disparu et ils bavardaient tout naturellement.

Roddy fit le premier commentaire :

– Pauvre vieille chérie, elle était si bien l'autre jour.

– Je suis tellement inquiète pour elle, renchérit Elinor. Elle a une telle horreur de la maladie ! Je suppose qu'elle va être encore plus impotente, et elle va détester ça ! Tu ne trouves pas, Roddy, que les gens devraient être libres d'en finir, si c'est ce qu'ils souhaitent.

– Si, je suis bien de ton avis, acquiesça aussitôt Roddy. C'est la seule chose décente à faire. On achève bien les animaux ! Je suppose qu'on n'agit pas ainsi avec les êtres humains pour la simple raison que la nature humaine étant ce qu'elle est, les héritiers attentionnés auraient vite fait de vous envoyer dans le trou, malade ou pas.

– Ce serait la responsabilité des médecins, bien entendu, murmura Elinor, pensive.

– Les médecins ne sont pas forcément des saints.

– J'aurais tendance à avoir confiance dans un homme comme le Dr Lord.

– Oui, acquiesça Roddy, aussi détaché qu'à l'accoutumée. Il a l'air tout rond, sans détour. C'est un type sympathique.

352

*

Le Dr Lord était penché sur le lit. Miss O'Brien ne le quittait pas d'un pouce. Le front plissé, il s'efforçait de comprendre les sons inarticulés qui sortaient de la bouche de sa patiente.

– Oui, oui, dit-il. Mais calmez-vous. Prenez votre temps. Contentez-vous de soulever la main droite pour dire *oui*. Il y a quelque chose qui vous préoccupe ?

Il reçut une réponse affirmative.

– Quelque chose d'urgent ? Oui. Vous voulez qu'on *fasse* quelque chose ? Qu'on prévienne quelqu'un ? Miss Carlisle ? Et Mr Welman ? Ils sont en route.

De nouveau, Mrs Welman essaya de prononcer quelques mots incohérents que le Dr Lord écouta avec attention.

– Vous désiriez qu'ils viennent, mais il ne s'agit pas de cela. Quelqu'un d'autre alors ? Un parent ? Non ? Une question d'affaires ? Je vois. Cela a un rapport avec l'argent ? Un *notaire* ? C'est cela, n'est-ce pas ? Vous voulez voir votre notaire ? Vous avez des instructions à lui donner ?

» Allez, allez, maintenant, restez tranquille. Vous avez tout le temps. Qu'est-ce que vous dites ?… Elinor ? (Il venait de reconnaître le nom.) Elle sait qui est votre notaire ? Et elle arrangera cela avec lui ? Parfait. Elle va arriver d'ici une demi-heure. Je lui dirai ce que vous voulez, je monterai vous voir avec elle et nous nous occuperons de tout. Ne vous faites plus de souci, je veillerai à ce que tout soit fait comme vous le souhaitez.

353

Il resta un instant pour s'assurer qu'elle se détendait, puis il sortit doucement sur le palier, suivi par miss O'Brien. Comme miss Hopkins débouchait en haut de l'escalier, il la salua d'un signe de tête. Elle bafouilla, haletante :

– Bonsoir, docteur.

– Bonsoir, miss Hopkins.

Il entra avec les deux infirmières dans la chambre de miss O'Brien, et leur communiqua ses instructions. Miss Hopkins passerait la nuit là pour aider miss O'Brien.

– Demain, il faudra que j'engage une autre infirmière permanente. Ça tombe mal, cette épidémie de diphtérie à Stamford. Les cliniques n'ont déjà pas assez de personnel.

Puis, ayant donné ses ordres qui furent écoutés dans la plus déférente attention — ce qui, en d'autres occasions, l'eût réjoui —, le Dr Lord descendit au rez-de-chaussée pour accueillir la nièce et le neveu de Mrs Welman. D'après sa montre, ils ne devaient plus tarder. Dans le hall, il rencontra Mary Gerrard, le visage pâle et inquiet. Elle s'enquit :

– Comment va-t-elle ?

Le Dr Lord n'enjoliva pas le tableau :

– Je vais m'arranger pour qu'elle passe une nuit calme... c'est à peu près tout ce que je peux faire.

La voix de Mary se brisa :

– C'est si cruel... si injuste...

Le médecin hocha la tête avec sympathie.

– Oui, c'est l'impression qu'on a parfois. Je crois que...

Il s'interrompit :

– Ah, voici la voiture !

Il sortit et Mary grimpa l'escalier quatre à quatre.

Sitôt dans le salon, Elinor n'y tint plus :

– Elle est très mal ?

Roddy avait le teint pâle et décomposé.

– Je crains que vous n'ayez un choc, les prévint le médecin. Elle est complètement paralysée. On ne comprend pas ce qu'elle dit. À propos, quelque chose la tracasse. Cela concerne son notaire. Vous le connaissez, miss Carlisle ?

– Me Seddon, Bloomsbury Square, répondit-elle aussitôt. Mais on ne le trouvera pas là à une heure aussi tardive et je ne connais pas son adresse personnelle.

Le Dr Lord se voulut rassurant :

– Vous aurez tout le temps demain. Mais je voudrais la calmer le plus vite possible. Si vous voulez bien monter avec moi, miss Carlisle, à nous deux je pense que nous y parviendrons.

– Bien sûr. Allons-y.

– Vous n'avez pas besoin de moi ? s'enquit Roddy, une nuance d'espoir dans la voix.

Il se sentait un peu honteux, mais il était terrorisé à l'idée d'entrer dans la chambre de tante Laura, de la voir clouée dans son lit, inerte, incapable de parler.

Le Dr Lord s'empressa de le tranquilliser :

– Non, non, Mr Welman, cela ne servirait à rien. Il vaut mieux qu'il n'y ait pas trop de monde auprès d'elle.

Roddy ne put cacher son soulagement.

Le Dr Lord et Elinor montèrent jusqu'à la chambre. Miss O'Brien était au chevet de la malade.

355

Laura Welman gisait dans une sorte d'hébétude, le souffle lourd et bruyant. Devant ce masque déformé, Elinor resta pétrifiée.

Soudain, la paupière droite de Mrs Welman frémit et se souleva. Son visage se modifia légèrement lorsqu'elle reconnut Elinor. Elle essaya de parler :

– *Elinor...*

Un son incompréhensible pour quiconque n'aurait pas deviné ce qu'elle voulait dire.

Elinor se pencha vivement.

– Je suis là, tante Laura. Quelque chose te tracasse ? Tu veux que je fasse venir Mᵉ Seddon ?

Encore une succession de sons rauques dont Elinor devina le sens. Elle questionna :

– Mary Gerrard ?

La main droite se leva lentement dans un acquiescement tremblant.

Un long borborygme sortit de la bouche de la malade. Le Dr Lord et Elinor, sourcils froncés, ne comprenaient pas. Elle répéta à n'en plus finir. Au bout du compte, Elinor saisit un mot :

– *Disposition* ? Tu veux prendre des *dispositions* pour elle dans ton testament ? Tu veux lui laisser de l'argent ? J'ai compris, tante Laura. Ne t'en fais pas, Mᵉ Seddon va venir demain et tout sera fait comme tu le souhaites.

La malade parut soulagée. Son regard suppliant perdit son expression de détresse. Elinor lui prit la main et sentit une faible pression des doigts.

– *Vous... tous... vous...,* prononça Mrs Welman avec beaucoup d'efforts.

356

– Oui, oui, laisse-moi faire, acquiesça Elinor. Je veillerai à ce que tout soit fait comme tu le souhaites.

Elle sentit de nouveau la pression des doigts. Puis la main se relâcha. Les paupières battirent et se fermèrent.

Le Dr Lord prit le bras d'Elinor et l'entraîna doucement hors de la chambre. Miss O'Brien se réinstalla à sa place à côté du lit.

Sur le palier, Mary Gerrard parlait avec miss Hopkins. Elle fit un pas en avant.

– Oh, docteur, je vous en supplie, puis-je aller auprès d'elle ?

Il hocha la tête.

– Oui, mais restez calme, ne la perturbez pas.

Mary se dirigea vers la chambre.

– Votre train a eu du retard, commenta aussitôt le Dr Lord. Vous...

Il se tut.

Elinor avait tourné la tête et observait Mary. Tout à coup elle s'aperçut qu'il ne parlait plus. Et, se retournant vers lui, elle l'interrogea des yeux. Il la contemplait d'un air surpris. Elinor se sentit rougir.

– Je vous demande pardon, s'empressa-t-elle de s'excuser. Que disiez-vous ?

– Ce que je disais ? articula lentement Peter Lord. Je n'en sais plus rien. Vous avez été formidable, miss Carlisle, reprit-il avec chaleur. Perspicace, rassurante, exactement ce qu'il fallait.

On entendait miss Hopkins renifler à petits coups.

– La pauvre chérie, reprit Elinor. Ça me bouleverse de la voir comme ça.

357

– Oui, mais vous ne le montrez guère. Vous possédez beaucoup d'empire sur vous-même.

Elinor pinça les lèvres.

– J'ai appris à ne pas… faire étalage de mes sentiments.

– Mais le masque tombe forcément à un moment quelconque.

Miss Hopkins venait de s'engouffrer d'un air affairé dans la salle de bains.

Haussant ses sourcils délicats et le regardant droit dans les yeux, Elinor répéta :

– Le masque ?

Le Dr Lord insista :

– Le visage humain est-il autre chose qu'un masque ?

– Et dessous ?

– Dessous, il y a l'homme primitif, ou la femme primitive…

Elinor se détourna brusquement et commença à descendre l'escalier. Peter Lord suivit, perplexe et inhabituellement grave.

Roddy vint à leur rencontre dans le hall.

– Alors ? demanda-t-il, anxieux.

– La pauvre chérie, dit Elinor, c'est si triste de la voir… Tu ne devrais pas y aller, Roddy, pas avant… avant… qu'elle te réclame.

– Elle voulait quelque chose de spécial ?

Peter Lord se tourna vers Elinor.

– Il faut que je m'en aille. Je ne peux rien faire d'autre pour le moment. Je serai là tôt, demain matin. Au revoir, miss Carlisle. Ne… ne vous faites pas trop de souci.

358

Il retint sa main quelques instants. Son étreinte était curieusement réconfortante. Il la regardait d'une façon qu'elle jugea étrange, comme si... comme s'il se faisait du souci pour elle.

Dès que la porte se fut refermée, Roddy répéta sa question.

– Tante Laura s'inquiète au sujet... au sujet de certaines affaires à régler, lui répondit aussitôt Elinor. J'ai réussi à la tranquilliser. Je lui ai dit que Me Seddon viendrait demain. Il faudra lui téléphoner à la première heure.

– Elle veut refaire son testament ? demanda Roddy.

– Elle n'a pas dit ça, le détrompa à demi Elinor.

– Qu'est-ce qu'elle... ?

Il s'interrompit au milieu de sa question.

Mary Gerrard descendait l'escalier en courant. Elle traversa le hall et disparut en direction des cuisines.

– Eh bien ? l'interrogea Elinor d'un ton rauque. Qu'est-ce que tu voulais savoir ?

– Je... quoi ? répondit Roddy, la tête ailleurs. Je... je ne sais plus ce que c'était.

Il regardait fixement la porte par laquelle avait disparu Mary Gerrard.

Elinor serra les poings jusqu'à sentir la morsure de ses ongles effilés dans la chair de ses paumes.

« Ça, je ne peux pas le supporter... je ne peux pas..., pensait-elle. Ce n'est pas mon imagination, c'est la vérité... Roddy... Roddy... je ne peux pas te perdre. »

Et aussi : « Qu'est-ce que disait cet homme... le médecin... *qu'est-ce qu'il a vu sur mon visage, là-haut ?* Il a vu quelque chose... *Oh, mon Dieu, la vie est atroce,*

359

c'est atroce d'éprouver ce que j'éprouve. Allez, dis quelque chose, idiote ! Reprends-toi ! »

– Pour le repas, Roddy, dit-elle d'une voix ferme, je n'ai pas très faim, je vais m'installer près de tante Laura, comme ça les deux infirmières pourront descendre.

– Et dîner avec *moi* ? paniqua Roddy.

– Qu'est-ce que tu crois ? lui répondit Elinor avec froideur. Qu'elles vont te manger ?

– Mais toi ? Il faut que tu avales quelque chose. Pourquoi est-ce que nous ne dînons pas d'abord et que nous ne les laissons pas descendre ensuite ?

– Non, c'est mieux comme ça. Elles sont... elles sont tellement susceptibles, ajouta-t-elle avec violence.

« Je ne peux passer tout le temps d'un repas seule avec lui..., pensait-elle. Je ne peux pas bavarder, faire comme si de rien n'était... »

– Oh ! Et puis laisse-moi faire, dit-elle d'un ton exaspéré.

4

Le lendemain matin, ce ne fut pas une femme de chambre qui réveilla Elinor, mais Mrs Bishop en personne, toute bruissante dans ses atours noirs d'un autre temps. Elle pleurait sans retenue.

– Oh, miss Elinor, elle est partie...

– Quoi ?

Elinor se redressa dans son lit.

360

– Votre tante chérie, Mrs Welman, ma chère maîtresse… Partie dans son sommeil.

– Tante Laura ? Morte ?

Elinor, les yeux écarquillés, semblait incapable de comprendre.

Les pleurs de Mrs Bishop redoublèrent.

– Quand je pense ! sanglotait-elle. Après toutes ces années ! Dix-huit ans que je suis ici. Et dire que ça a passé si vite…

– Alors tante Laura est morte pendant son sommeil, murmura Elinor. Elle a eu une mort paisible… Quelle bénédiction pour elle !

Mrs Bishop pleurait de plus belle.

– C'est si *soudain*. Avec le docteur qui avait dit qu'il allait venir ce matin, et tout qui suivait son cours habituel.

– Ce n'est pas si *soudain* que ça, répliqua Elinor, assez sèchement. Après tout, ça fait un bon moment qu'elle était malade. Et moi, ce dont je suis reconnaissante, c'est qu'elle n'ait pas eu à souffrir plus longtemps.

D'une voix baignée de larmes, Mrs Bishop convint que c'était au moins une consolation.

– Qui va prévenir Mr Roderick ? ajouta-t-elle.

– J'y vais, répondit Elinor.

Elle enfila un peignoir, et alla frapper à sa porte.

– Entrez ! cria-t-il.

Elle entra en trombe.

– Tante Laura est morte, Roddy. Elle est morte en dormant.

Roddy s'assit dans son lit et poussa un long soupir :

– Pauvre chère tante Laura ! En tout cas, on peut

remercier le ciel. Je n'aurais pas supporté de la voir traîner dans l'état où je l'ai vue hier.

– J'ignorais que tu l'avais vue, dit Elinor machinalement.

Roddy hocha la tête d'un air gêné :

– Pour être sincère, Elinor, je n'étais vraiment pas fier de m'être dégonflé ! Alors, hier soir, j'ai traînaillé dans le coin. J'ai vu l'infirmière, la grosse, quitter la chambre — avec une bouillotte, je crois bien — et j'en ai profité pour me glisser à l'intérieur. Bien sûr, elle ne s'est pas rendu compte que j'étais là. Je suis resté un petit moment à la regarder. Et puis dès que j'ai entendu les croquenots de Florence Nightingale dans l'escalier, j'ai filé. Mais c'était… assez atroce !

– Oui, en effet.

– Elle aurait… haï tout ça.

– Je sais.

– C'est merveilleux, cette façon qu'on a de penser toujours la même chose.

– Oui, c'est merveilleux, répéta Elinor à voix basse.

– En ce moment, ajouta-t-il, on pense tous les deux la même chose, et ce qu'on éprouve c'est *une infinie reconnaissance qu'elle en ait terminé avec tout ça…*

*

– Qu'est-ce qui vous arrive, miss Hopkins ? dit miss O'Brien. Vous avez perdu quelque chose ?

Miss Hopkins, le visage apoplectique, fouillait dans une mallette qu'elle avait laissée la veille au soir dans le hall.

362

– C'est très embêtant, maugréa-t-elle. Comment j'ai bien pu faire ça, je n'arrive pas à comprendre !

– Qu'est-ce qui se passe ?

Miss Hopkins s'embarqua dans une explication confuse :

– C'est Eliza Rykin… le sarcome… vous savez. Je dois lui faire des doubles doses de morphine matin et soir. J'ai fini un tube hier soir avant de venir ici, et j'aurais juré que j'avais le tube neuf dans ma trousse.

– Cherchez mieux, ces tubes sont tellement petits.

Miss Hopkins explora une dernière fois le contenu de la mallette.

– Non, il n'y est pas ! Tout compte fait, j'ai dû le laisser dans mon buffet ! Franchement, je pensais avoir meilleure mémoire, j'aurais juré que je l'avais emporté !

– Vous n'avez pas laissé traîner votre trousse quelque part en route ?

– Bien sûr que non ! rétorqua miss Hopkins.

– Eh bien, alors, il n'y a pas de *problème* ?

– Oh, non ! Le seul endroit où je l'ai posée, c'est dans le hall, et personne ici n'irait chaparder quelque chose ! Non, c'est sans doute ma mémoire qui me joue des tours. Mais c'est contrariant, quand même… En plus, ça va me forcer à repasser chez moi, à l'autre bout du village, avant de faire ma tournée.

– J'espère que vous n'aurez pas une journée trop fatigante, après la nuit que nous avons passée. Pauvre femme, je pensais bien qu'elle n'en avait plus pour longtemps.

– Moi aussi. Mais c'est le docteur qui va être surpris.

363

– Il est toujours tellement *optimiste,* déclara miss O'Brien avec une nuance de reproche dans la voix.

Miss Hopkins se préparait à partir.

– Ah ! s'exclama-t-elle, il est jeune ! Il n'a pas notre expérience.

Et, sur cette constatation morose, elle s'en fut.

*

Le Dr Lord se figea. Ses sourcils blond-roux grimpèrent si haut qu'ils se confondirent presque avec sa tignasse.

– Alors… le cœur a lâché, hein ?

– Oui, docteur, dit miss O'Brien.

Les détails lui brûlaient le bout de la langue, mais, en fille disciplinée, elle attendit.

– Lâché ? répéta Peter Lord, songeur.

Il réfléchit deux secondes, puis demanda brusquement :

– Apportez-moi de l'eau bouillante.

Miss O'Brien en resta pantelante. Elle ne comprenait pas ce qui se passait, mais elle ne posa pas de question. Si un médecin lui avait intimé l'ordre d'aller lui chercher la peau d'un crocodile, elle aurait automatiquement murmuré : « Oui, docteur », comme un bon petit soldat et, sans un bruit, se serait aussitôt mise en campagne.

*

– Vous voulez dire que ma tante est morte *intestat* ? demanda Roderick Welman… Qu'elle n'a jamais fait de testament *du tout* ?

364

Me Seddon essuya ses lunettes.

– Ça semble être le cas.

– Mais c'est incroyable ! s'exclama Roddy.

Me Seddon eut une petite toux désapprobatrice.

– Pas si incroyable que vous le pensez. Cela arrive plus souvent qu'on ne l'imagine. Cela obéit à une sorte de superstition. Les gens pensent qu'ils ont tout le temps devant eux. Le simple fait de rédiger leur testament leur donne l'impression de tenter la mort. C'est très curieux, mais c'est ainsi.

– Vous ne lui avez jamais… euh… fait de remarques à ce sujet ? s'enquit Roddy.

– Si, fréquemment, répondit sèchement Me Seddon.

– Et elle disait quoi ?

– Ce qu'on dit toujours dans ces cas-là : qu'il y avait bien le temps, qu'elle n'avait pas l'intention de mourir tout de suite ! Qu'elle n'avait pas encore tout à fait décidé ce qu'elle ferait de son argent…

– Mais, sûrement, après sa première attaque…, coupa Elinor.

– Oh non, c'était encore pire ! Elle ne voulait même plus en entendre parler !

– Bizarre, non ? s'étonna Roddy.

– Mais non. Sa maladie l'angoissait beaucoup, c'est pour ça.

– Pourtant, elle voulait mourir…, dit Elinor, perplexe.

Me Seddon astiqua ses lunettes.

– Ah, chère mademoiselle, l'esprit humain est une machine bien étrange. Mrs Welman *pensait* peut-être qu'elle voulait mourir, mais en même temps, elle n'a jamais cessé d'espérer guérir complètement. Et à cause

365

de cet espoir, je pense qu'elle avait l'impression que faire son testament lui porterait malheur. Ce n'est pas qu'elle n'avait pas l'intention de le faire, mais elle en repoussait sans cesse le moment.

» Vous savez bien, vous, poursuivit Me Seddon, s'adressant soudain à Roddy de façon quasi personnelle, comme on s'arrange pour éviter ce qu'on estime détestable — les choses qu'on ne veut pas affronter ?

– Oui, je… je… oui, bien sûr, balbutia Roddy en rougissant. Je comprends ce que vous voulez dire.

– Eh bien c'est comme ça, dit Me Seddon. Mrs Welman avait toujours l'*intention* de faire son testament, mais elle trouvait toujours aussi que demain ferait beaucoup mieux l'affaire qu'aujourd'hui ! Elle se persuadait qu'elle avait tout le temps.

– Alors c'est pour ça qu'elle était si agitée hier soir, murmura Elinor. Si anxieuse de vous voir…

– Sans aucun doute ! répondit Me Seddon.

– Mais maintenant, qu'est-ce qui va se passer ? demanda Roddy, déconcerté.

– Pour la succession de Mrs Welman ?

Le notaire toussota.

– Eh bien, puisque Mrs Welman est morte intestat, tous ses biens reviennent à sa parente la plus proche, c'est-à-dire à miss Carlisle.

– Tout me revient à *moi* ? dit lentement Elinor.

– Sauf une taxe prélevée par la Couronne, précisa Me Seddon.

Il exposa la situation en détail.

– Il n'y a donc ni donation ni fidéicommis, conclut-il, et Mrs Welman était en droit de disposer de ses biens

366

comme elle l'entendait. Par conséquent, miss Carlisle hérite de la totalité. Euh... les droits de succession seront assez élevés, je le crains, mais il restera encore une fortune considérable, investie dans des valeurs sûres.

– Mais... et Roderick ? questionna Elinor.

Me Seddon émit une petite toux d'excuse.

– Mr Welman n'est que le neveu du *mari* de Mrs Welman. Le lien du sang n'existe pas en l'occurrence.

– En effet, dit Roddy.

– Évidemment, remarqua Elinor, peu importe qui de nous deux hérite, puisque nous allons nous marier.

Mais elle avait évité de regarder Roddy.

Ce fut au tour de Me Seddon de déclarer :

– En effet !

Il l'avait dit très vite.

*

– Mais ça n'a pas d'importance, n'est-ce pas ? demanda Elinor d'un ton presque implorant.

Me Seddon s'en était allé.

Le visage de Roddy se crispa nerveusement.

– C'est à toi que ça revient de droit, dit-il. Et c'est très bien comme ça ! Bon Dieu, Elinor, ne va pas te fourrer dans la tête que je t'abandonne tout ça à contrecœur. Je n'en veux pas, de ce foutu argent !

– Roddy, reprit Elinor d'une voix mal assurée, nous étions d'accord, l'autre jour, à Londres, que cela n'avait pas d'importance puisque... puisque nous devions nous marier.

367

Il resta silencieux.

– Tu ne te rappelles pas, Roddy ? insista-t-elle.

– Si.

Il contemplait le bout de ses chaussures, son visage était pâle et morose, sa bouche expressive trahissait une souffrance.

Elinor releva bravement la tête.

– Ça n'a pas d'importance… *si nous nous marions… Mais est-ce que nous allons le faire, Roddy ?*

– Faire quoi ?

– Est-ce que nous allons nous marier ?

– Ce n'était pas l'idée ?

Son ton était indifférent, un tantinet acide.

– Naturellement, Elinor, poursuivit-il, si tu as changé d'avis…

– Oh, Roddy ! Tu ne peux pas être *honnête* ? s'écria-t-elle.

Il tressaillit.

– Je ne sais pas ce qui m'arrive…, commença-t-il d'une voix défaite.

– Moi je sais…, murmura Elinor dans un souffle.

– Il y a peut-être du vrai là-dedans, reprit-il précipitamment. Au fond, l'idée de vivre aux crochets de ma femme ne me plaît pas du tout…

– Il ne s'agit pas de cela, fit Elinor, blême. Il s'agit d'autre chose… C'est… c'est Mary, n'est-ce pas ?

– Oui, je suppose, répondit Roddy d'une voix lamentable. Comment as-tu deviné ?

Elinor eut un sourire crispé.

– Ce n'était pas difficile… Chaque fois que tu la regardes, c'est… c'est écrit sur ta figure…

368

Roddy s'effondra d'un coup :

– Oh, Elinor… je ne comprends pas ce qui se passe ! Je crois que je deviens fou ! Ça m'est tombé dessus la première fois que je l'ai vue, dans les bois… rien que son visage… tout a basculé. Toi, tu ne peux pas comprendre ça…

– Si, je peux. Continue.

– Je n'ai jamais voulu tomber amoureux d'elle…, gémit-il, désespéré. J'étais très heureux avec toi. Oh, Elinor, quel goujat je fais de te parler comme ça…

– Ne sois pas ridicule ! Allez, dis-moi tout…

– Tu es merveilleuse… Ça me fait tellement de bien de te parler. Je t'aime tellement, Elinor ! Tu dois me croire ! Ce qui m'arrive maintenant, c'est comme si j'étais envoûté ! Tout est sens dessus dessous : ma conception de la vie… tout ce qui en faisait le charme à mes yeux… la décence, la raison…

– L'amour… ça n'est pas très raisonnable, remarqua doucement Elinor.

– Non…, répondit-il d'un ton misérable.

– Tu lui as dit quelque chose ? demanda Elinor d'une voix un peu tremblante.

– Ce matin… j'étais comme fou… j'ai perdu la tête…

– Oui ?

– Elle m'a tout de suite fait taire, évidemment ! Elle était très choquée. À cause de tante Laura… à cause de toi…

Elinor retira le diamant qu'elle portait à son doigt.

– Il vaut mieux que tu le reprennes, dit-elle en le tendant à Roddy.

369

– Elinor, tu ne peux pas savoir à quel point je me sens moche, murmura-t-il en le prenant sans la regarder.

– Tu crois qu'elle acceptera de t'épouser ? demanda-t-elle calmement.

Il secoua la tête.

– Je n'en sais rien. Pas… pas avant longtemps, en tout cas. Je ne crois pas qu'elle m'aime… mais un jour, peut-être…

– Tu as raison. Il faut que tu lui donnes du temps. Éloigne-toi d'elle pour le moment, et puis… recommence tout de zéro.

– Elinor chérie ! Tu es la meilleure amie qu'on puisse rêver !

Il lui saisit la main pour l'embrasser.

– Elinor, je t'assure que je t'aime… je t'aime toujours autant. J'ai parfois l'impression que Mary n'est qu'un rêve. Je vais me réveiller — et découvrir qu'elle n'a jamais existé…

– Si Mary n'existait pas…

– Il y a des moments où je le souhaite, murmura Roddy avec ferveur. Toi et moi, nous sommes l'un à l'autre, n'est-ce pas, Elinor ?

Elle baissa lentement la tête.

– Oui, dit-elle. Oui… nous sommes l'un à l'autre.

« Si Mary n'existait pas… », songea-t-elle.

370

5

– Ça, pour un bel enterrement, c'était un bel enterrement ! s'exclama miss Hopkins tout émue.

– Oh, oui ! Et toutes ces fleurs ! s'extasia miss O'Brien. Vous en avez déjà vu d'aussi belles ? La harpe tout en lys blanc et la croix de roses jaunes, c'était magnifique.

Miss Hopkins soupira tout en se beurrant une tranche de cake. Les deux infirmières prenaient le thé à la *Mésange Bleue.*

– Miss Carlisle est généreuse, poursuivit miss Hopkins. Elle m'a fait un beau cadeau, et pourtant rien ne l'y obligeait.

– Oui, approuva miss O'Brien avec flamme, elle a le cœur sur la main. S'il y a une chose que je déteste, c'est bien la pingrerie !

– Ma foi, elle hérite d'une jolie fortune.

– Ce que je me demande…, commença miss O'Brien.

– Oui ?

– C'est bizarre que la vieille dame n'ait pas fait de testament.

– Ce n'est pas bien, décréta miss Hopkins d'un ton cassant. On devrait forcer les gens à en faire un ! Quand ils n'en font pas, ça n'amène que des ennuis.

– Ce que je me demande, répéta miss O'Brien, c'est à qui elle aurait laissé son argent si elle en avait fait un.

– Moi, je sais en tout cas une bonne chose, affirma miss Hopkins.

– Quoi donc ?

371

– Elle aurait laissé une somme à Mary… Mary Gerrard.

– Ça, c'est bien vrai, approuva l'autre. Est-ce que je ne vous ai pas raconté dans quel état elle était, ce soir-là, la pauvre femme ? ajouta-t-elle, très excitée. Et avec ça que le docteur faisait tout son possible pour la calmer ! Même que miss Elinor était là à tenir la main de sa chère tante dans la sienne, et même qu'elle a juré devant Dieu Tout-Puissant (miss O'Brien se laissait soudain emporter par son imagination d'Irlandaise) qu'on enverrait chercher le notaire et que tout serait fait comme elle voulait. Et la pauvre Mrs Welman qui répétait : « Mary ! Mary ! » « Mary Gerrard ? » a demandé miss Elinor et elle a juré tout de suite que Mary ne serait pas lésée.

– Ça s'est passé comme ça ? demanda miss Hopkins plutôt sceptique.

– Comme je vous le dis, et laissez-moi vous dire une chose, miss Hopkins : si Mrs Welman avait vécu assez longtemps pour le faire, ce testament, eh bien on aurait pu avoir des surprises. Si ça se trouve, elle aurait tout légué à Mary Gerrard, jusqu'à son dernier sou !

– Oh, elle n'aurait pas fait ça ! M'est avis qu'on ne déshérite pas sa propre famille !

– Il y a famille et famille, répliqua miss O'Brien d'un air sibyllin qui fit instantanément réagir miss Hopkins.

– Allons bon, que voulez-vous dire ?

– Je ne suis pas du genre à cancaner, répondit miss O'Brien, drapée dans sa dignité. Je n'irais pas raconter des choses sur une morte.

Miss Hopkins hocha lentement la tête.

– Vous avez raison. Je suis bien d'accord avec vous. Moins on parle, mieux ça vaut.

Elle remplit la théière.

– Au fait, reprit miss O'Brien, vous avez retrouvé ce tube de morphine en rentrant chez vous ?

Miss Hopkins se rembrunit.

– Non. Je n'arrive pas à comprendre ce qu'il est devenu, mais je me dis que ça a pu se passer comme ça : ça n'est *pas impossible* que je l'aie posé sur la cheminée — je fais souvent ça quand je referme le buffet — et ça n'est *pas impossible* qu'il ait roulé et qu'il soit tombé dans la corbeille à papier qui était pleine et que j'ai vidée dans la poubelle en quittant la maison… Ça *doit* être ça, parce que je ne vois pas d'autre explication.

– Oui… C'est ce qui a dû se passer. Ce ne serait pas la même chose si vous aviez laissé traîner votre trousse quelque part — ailleurs que dans le hall de Hunterbury —, donc, c'est sûrement la bonne explication. Il est parti dans la poubelle.

– Voilà, déclara miss Hopkins avec empressement. Il ne peut pas y avoir d'autre solution, n'est-ce pas ?

Elle prit un gâteau glacé de sucre rose.

– Ce n'est pas comme si…

Sa phrase resta en suspens.

Miss O'Brien acquiesça vivement, un peu trop vivement peut-être.

– À votre place, je ne m'inquiéterais plus, déclara-t-elle, paisible.

– Je ne m'inquiète *pas*…, affirma miss Hopkins.

373

*

Juvénile et sévère dans sa robe noire, Elinor était installée dans la bibliothèque, devant l'imposant bureau de Mrs Welman. Le plateau était jonché de papiers divers. Elle venait de recevoir les domestiques et Mrs Bishop. C'était maintenant au tour de Mary d'entrer. Celle-ci hésita un instant sur le pas de la porte.

– Vous désiriez me voir, miss Elinor ?

Elinor leva les yeux.

– Ah, Mary ! Oui, entrez et asseyez-vous.

Mary vint prendre place sur le siège qu'Elinor lui indiquait. Il était tourné vers la fenêtre, et la lumière du jour éclaira le visage de la jeune fille, révélant la radieuse pureté de son teint et faisant scintiller l'or pâle de sa chevelure.

Elinor porta la main à son front. Entre ses doigts, elle pouvait voir la jeune fille.

« Est-il possible de haïr quelqu'un à ce point sans le montrer ? » songea-t-elle.

– Mary, préluda-t-elle dans un style cordial et direct, vous n'ignorez pas, je pense, que ma tante s'intéressait beaucoup à vous et qu'elle se souciait de votre avenir.

– Mrs Welman a toujours été très bonne pour moi, dit Mary de sa voix douce.

– Ma tante, je le sais, poursuivit Elinor d'un ton froid, aurait souhaité faire plusieurs legs. Elle est morte sans avoir laissé de testament, il m'appartient donc d'accomplir sa volonté. J'ai consulté Me Seddon et, sur ses conseils, j'ai réparti une certaine somme entre les domestiques selon leur ancienneté, etc. (Elle se tut un

374

instant.) Mais, bien sûr, vous n'entrez pas tout à fait dans cette catégorie.

Peut-être espérait-elle un peu que ces paroles blesseraient, mais le visage qu'elle épiait ne se modifia en rien. Mary n'y avait pas vu malice et attendait la suite sans broncher.

– Le dernier soir, bien qu'elle ait eu de grandes difficultés à parler clairement, ma tante m'a fait comprendre qu'elle tenait à assurer votre avenir.

– C'était très généreux de sa part, commenta Mary avec calme.

– Par conséquent, conclut Elinor assez brutalement, dès que la succession sera réglée, vous recevrez une somme de deux mille livres dont vous pourrez disposer comme vous l'entendrez.

Mary devint toute rose.

– Deux mille livres ? Oh, miss Elinor, vous êtes trop généreuse ! Je ne sais pas quoi dire.

– Ça n'a rien de particulièrement généreux de ma part, répliqua Elinor d'un ton sec. Aussi ne dites rien, je vous en prie.

Mary s'empourpra.

– Vous n'imaginez pas tout ce que cela va changer pour moi, murmura-t-elle.

– J'en suis heureuse, dit Elinor.

Elle hésita, regarda ailleurs et parvint enfin à demander :

– Puis-je savoir si vous avez des projets ?

– Oh oui ! répondit Mary avec empressement. Je vais apprendre un métier. Masseuse, peut-être. C'est ce que me conseille miss Hopkins.

375

– Cela me semble une excellente idée. Je vais m'arranger avec Me Seddon pour qu'on vous avance au plus tôt une partie de la somme — tout de suite si c'est possible.

– Vous êtes très, *très* bonne, miss Elinor ! s'exclama Mary reconnaissante.

– C'était la volonté de tante Laura, répliqua Elinor d'une voix cassante.

Elle hésita, puis ajouta :

– Eh bien, ce sera tout, je pense.

Cette fois, la sensible Mary ne put ignorer qu'on la congédiait. Elle se leva.

– Je vous remercie beaucoup, miss Elinor, fit-elle, très calme — et elle sortit.

Elinor resta assise, le regard fixe, le visage impassible. Rien ne trahissait ce qui se passait dans son esprit. Mais elle resta là, immobile, pendant longtemps…

*

Elinor se mit enfin à la recherche de Roddy. Elle le trouva au petit salon, qui regardait par la fenêtre. Il se retourna brusquement.

– J'ai terminé ! annonça-t-elle. Cinq cents livres pour Mrs Bishop — elle est là depuis si longtemps. Cent livres pour la cuisinière, et cinquante chacune pour Milly et Olive. Cinq livres pour les autres, vingt-cinq pour Stephens, le chef jardinier. Et il y a le vieux Gerrard, à la loge, je n'ai encore rien décidé pour lui. C'est délicat. Il faudrait que je lui verse une pension, qu'est-ce que tu en penses ?

376

Elle se tut puis déclara d'une traite :

– Je vais remettre deux mille livres à Mary Gerrard. Tu crois que c'est ce qu'aurait voulu tante Laura ? J'ai l'impression que c'est convenable.

– C'est parfait, répondit Roddy sans la regarder. Tu as toujours eu un excellent jugement, Elinor.

Et il se remit à contempler le paysage par la fenêtre.

Elinor retint son souffle, puis les mots se bousculèrent sur ses lèvres, incohérents :

– Autre chose encore : je veux — c'est une question d'équité — enfin… il *faut* que tu reçoives ta part, Roddy.

Comme il se retournait vers elle, le visage contracté de colère, elle continua :

– Non, Roddy, *écoute*. Ce n'est que justice ! Ce qui appartenait à ton oncle te revient. C'est ce qu'il aurait voulu, et c'était l'intention de tante Laura, je le sais : elle l'a dit mille fois. Si *moi*, j'ai son argent à *elle, toi,* tu dois avoir ce qui était à *lui* — c'est une question d'équité. Je… je ne supporte pas l'idée de te voler… juste parce que tante Laura n'a pas eu le courage de faire son testament. Il faut… il *faut* que tu le comprennes !

Le long visage expressif de Roderick était d'une pâleur mortelle.

– Bon sang, Elinor ! Tu veux vraiment que je me sente le dernier des derniers ? Comment peux-tu croire une seconde que je pourrais… que je pourrais accepter cet argent de toi ?

– Mais je ne t'en fais pas *cadeau*. Il est à toi.

– Je ne veux pas de ton argent ! hurla Roddy.

– Ce n'est pas mon argent !

– Si, légalement, c'est le tien, point final ! Bon Dieu,

tenons-nous-en strictement au plan des affaires ! Je n'accepterai pas un sou de toi. Tu ne vas pas jouer les dames d'œuvres avec moi !

– Roddy !

Il eut un geste vif.

– Oh, ma chérie, je suis désolé. Je ne sais plus ce que je dis. Je ne sais plus où j'en suis…

– Pauvre Roddy…, dit doucement Elinor.

De nouveau, il lui tourna le dos et se mit à jouer avec le cordon du store.

– Est-ce que tu sais ce que… Mary Gerrard a l'intention de faire ? demanda-t-il d'un ton changé, détaché.

– Elle m'a dit qu'elle pensait suivre des cours pour devenir masseuse.

– Oh, je vois…

Le silence tomba. Elinor se ressaisit. Elle redressa la tête. Sa voix se fit soudain impérieuse :

– Roddy, je veux que tu m'écoutes attentivement !

Il lui fit face, un peu étonné.

– Bien sûr, Elinor.

– J'aimerais, si tu le veux bien, que tu suives mon conseil.

– Quel conseil ?

– Tu n'es pas tenu par des obligations particulières ? Tu peux partir en vacances quand tu veux, n'est-ce pas ?

– Oui, bien sûr.

– Alors… fais-le. Pars pour l'étranger, n'importe où, pendant… mettons trois mois. Pars seul. Fais-toi de nouveaux amis, découvre d'autres horizons. Parlons très franchement. Pour l'instant, tu te crois amoureux de Mary Gerrard. Tu l'es peut-être. Mais le moment est mal

378

choisi pour te rapprocher d'elle... et ça tu le sais très bien. Nos fiançailles sont rompues. Alors pars en voyage, en homme libre, et dans trois mois, prends ta décision, en homme libre. À ce moment-là, tu sauras si tu aimes vraiment Mary, ou si ce n'était qu'une passade. Et si tu es bien sûr que tu l'aimes, alors reviens et dis-le-lui — dis-lui que tu es parfaitement sûr de toi et peut-être alors qu'elle t'écoutera.

Roddy vint vers elle. Il prit sa main dans les siennes.

– Elinor, tu es merveilleuse ! Si lucide, si objective ! Il n'y a pas en toi une once de petitesse. Je n'ai pas de mots pour te dire comme je t'admire. Je vais faire exactement ce que tu me conseilles. Partir, couper les ponts... et découvrir si je suis vraiment malade d'amour ou si je me suis seulement couvert de ridicule. Oh ! Elinor, ma chère Elinor, tu ne sais pas à quel point je t'aime. Je me rends compte que tu es mille fois trop bien pour moi. Merci, ma chérie, pour tout ce que tu es.

Impulsivement, il lui déposa un baiser sur la joue et sortit.

Il ne se retourna pas et ne vit pas son visage.

Sans doute cela valait-il aussi bien.

*

Deux jours avaient passé lorsque Mary fit part à miss Hopkins de l'amélioration de ses espérances.

Femme à l'esprit pratique, celle-ci la félicita chaleureusement.

– C'est une grande chance pour vous, Mary, déclara-t-elle. La vieille dame voulait votre bien, sans doute,

379

mais tant qu'elles ne sont pas écrites noir sur blanc, les meilleures intentions ne valent pas grand-chose. Vous auriez très bien pu ne rien avoir du tout.

– Miss Elinor m'a dit que Mrs Welman avait parlé de moi la nuit où elle est morte.

Miss Hopkins fit entendre un reniflement de mépris.

– Peut-être bien. Mais il y en a beaucoup qui se seraient empressés de l'oublier. C'est comme ça, les héritiers ! J'en ai vu des choses, ça vous pouvez me croire ! Des gens sur leur lit de mort qui disaient qu'ils partaient avec la certitude que leur fille chérie ou leur fils adoré accomplirait leurs dernières volontés. Neuf fois sur dix, le fils adoré et la fille chérie trouvent une excellente raison de passer outre. La nature humaine est ce qu'elle est, et on ne se résigne pas facilement à lâcher de l'argent quand on n'y est pas contraint par la loi ! Je vous le dis, ma petite Mary, vous avez eu de la chance. Miss Carlisle est plus droite que la plupart des gens.

– Et pourtant — je ne sais pas pourquoi —, j'ai l'impression qu'elle ne m'aime pas.

– Ma foi, il faut aussi se mettre à sa place, dit miss Hopkins sans prendre de gants. Allons, Mary, ne jouez pas les innocentes ! Voilà un petit moment que Mr Roderick vous fait les yeux doux, non ?

Mary rougit.

– Et si vous voulez mon avis, il est drôlement mordu. C'est un coup de foudre ou je ne m'y connais pas. Mais vous, mon petit, vous êtes amoureuse de lui ?

– Je… je ne sais pas. Je ne crois pas… mais il est charmant, c'est vrai.

– Hum, grogna miss Hopkins. *Moi,* il ne me dirait

380

rien. Le genre délicat et nerfs en pelote. Difficile question nourriture, ça je vous en fiche mon billet. De toute façon, c'est ça le problème, avec les hommes : le meilleur d'entre eux ne vaut pas tripette. Ne vous dépêchez pas trop, ma petite Mary. Avec votre physique, vous pouvez vous permettre de choisir. Miss O'Brien me disait l'autre jour que vous devriez faire du cinéma. Ils veulent des blondes à ce qu'il paraît.

– Miss Hopkins, dit Mary, l'air préoccupé, à votre avis, qu'est-ce que je dois faire pour mon père ? Il trouve que je devrais lui donner une partie de l'argent.

– Ne faites pas ça ! s'emporta miss Hopkins. Mrs Welman n'a jamais songé à lui léguer un sou. À mon avis, ça fait belle lurette qu'il aurait été flanqué dehors si vous n'aviez pas été là. Plus fainéant que lui, ça n'existe pas !

– C'est tout de même curieux qu'avec tout cet argent elle n'ait jamais fait de testament pour dire à qui elle voulait que ça aille.

– Les gens sont comme ça. C'est à ne pas croire. Ils remettent toujours au lendemain.

– Je trouve ça complètement idiot.

– Et vous, Mary, fit miss Hopkins l'œil malicieux, vous l'avez fait, votre testament ?

Mary la regarda, effarée.

– Moi ? Non !

– Vous êtes majeure, pourtant !

– Mais je… je n'ai rien à laisser… enfin maintenant, si, je suppose.

– Vous ne croyez pas si bien dire ! répliqua vertement miss Hopkins. Et une jolie petite somme, encore.

381

– Bah… rien ne presse.

– Et voilà ! Comme les autres ! fit miss Hopkins, pincée. Vous savez, ce n'est pas parce que vous êtes jeune et en bonne santé que ça vous empêchera de passer sous l'autobus ou de vous faire écrabouiller n'importe quand.

Mary se mit à rire.

– Je ne sais même pas comment on fait un testament.

– Rien de plus simple. Il suffit d'aller chercher un formulaire au bureau de poste. Tenez, allons-y tout de suite !

Elles rapportèrent le formulaire chez miss Hopkins, le posèrent sur la table et entamèrent les choses sérieuses. Miss Hopkins jubilait. En dehors d'une belle mort, s'exclama-t-elle, en verve, il n'y avait rien de mieux qu'un bon testament !

– À qui irait l'argent si je ne faisais pas de testament ? demanda Mary.

– À votre père, sans doute, répondit l'infirmière, sans conviction.

– Ah, non ! s'insurgea Mary. Je préférerais qu'il aille à ma tante de Nouvelle-Zélande.

– Ça ne servirait de toute façon pas à grand-chose de le laisser à votre père, fit gaillardement miss Hopkins. Personnellement, je ne le vois pas traîner encore bien longtemps en ce bas monde.

Mary avait trop souvent entendu miss Hopkins assener de telles sentences pour en être impressionnée.

– Je ne me rappelle pas l'adresse de ma tante. Ça fait des années que nous n'avons pas eu de ses nouvelles.

382

– Je ne pense pas que ça ait d'importance. Vous connaissez son prénom ?

– Mary. Mary Riley.

– Parfait. Écrivez que vous léguez tout à Mary Riley, sœur de feu Eliza Gerrard, de Hunterbury, Maidensford.

Penchée sur le formulaire, Mary se mit à écrire. Parvenue au bas de la page, elle frissonna un tantinet. Une ombre faisait soudain écran à la lumière du soleil. Elle leva les yeux et découvrit Elinor qui l'observait par la fenêtre.

– À quoi êtes-vous si occupée ? demanda Elinor.

– Elle fait son testament, répondit miss Hopkins en riant. Voilà ce qu'elle est en train de faire.

– Son testament ?

Tout d'un coup, un fou rire secoua Elinor — un fou rire étrange, presque hystérique.

– Alors, vous êtes en train de faire votre testament, Mary ? *Ça, c'est vraiment drôle. Ça, c'est vraiment très drôle !...*

Toujours riant à se tordre, elle fit demi-tour et s'éloigna rapidement dans la rue.

Miss Hopkins la suivit des yeux, effarée.

– Ça par exemple ! Qu'est-ce qui lui prend ?

*

Elinor n'avait pas fait une dizaine de pas — elle riait encore — qu'une main se posa sur son épaule. Elle s'arrêta net et se retourna.

Sourcils froncés, le Dr Lord la regarda droit dans les yeux.

383

– Pourquoi riez-vous ? exigea-t-il, péremptoire.

– Ça, alors… Je n'en sais rien.

– Dans le genre réponse idiote, on ne fait pas mieux !

Elinor rougit.

– Ça doit être la nervosité… je ne sais pas. J'ai jeté un coup d'œil par la fenêtre de miss Hopkins… et j'ai vu Mary Gerrard en train de faire son testament. Ça m'a fait éclater de rire, je ne sais pas pourquoi.

– *Vous ne savez vraiment pas ?*

– C'était idiot de ma part… je vous l'ai dit, je vis sur les nerfs.

– Je vais vous prescrire un fortifiant.

– Voilà qui va me faire une belle jambe ! lança-t-elle, mordante.

Il eut un sourire désarmant.

– Ça ne vous servira à rien, je vous l'accorde. Mais c'est la seule chose que je peux faire quand les gens ne me disent pas ce qui cloche.

– Je n'ai rien qui cloche, affirma Elinor.

– Il y a des tas de choses qui clochent chez vous, répliqua le médecin avec calme.

– J'ai subi une trop grande tension nerveuse, j'imagine.

– Ça, ça ne fait pas l'ombre d'un doute. Mais ce n'était pas à ça que je faisais allusion. (Il se tut un instant.) Vous allez… vous allez rester encore un peu ici ?

– Je pars demain.

– Alors vous… vous ne comptez pas habiter Hunterbury ?

Elinor secoua la tête.

– Non… jamais. Je crois… je crois que je vais vendre si je reçois une offre intéressante.

– Je comprends…, répondit platement le Dr Lord.

– Il faut que je rentre.

Elle lui tendit une main ferme. Peter Lord la prit et la retint dans la sienne.

– Miss Carlisle, dit-il d'un ton sérieux, je vous en prie, voulez-vous me dire ce qui vous faisait tant rire tout à l'heure ?

Elle retira sa main d'un geste vif.

– Qu'est-ce qui aurait pu me faire rire ?

– C'est ce que j'aimerais savoir.

Il avait le visage grave et un peu triste.

– J'ai trouvé ça drôle, un point c'est tout ! répliqua Elinor, impatientée.

– Drôle que Mary Gerrard fasse son testament ? Pourquoi ? C'est un acte plein de bon sens, cela évite des tas d'ennuis. Parfois, bien sûr, cela en crée !

– Évidemment, reconnut Elinor, agacée, tout le monde devrait faire son testament. Ce n'est pas ça ce que je voulais dire.

– Mrs Welman aurait bien dû faire le sien.

– Ah, ça oui ! s'écria Elinor dont le visage se colora soudain.

– Et vous ? demanda à brûle-pourpoint le Dr Lord.

– *Moi* ?

– Eh bien oui, vous venez de dire que tout le monde devrait faire son testament ! Alors *vous*, vous êtes passée à l'exécution ?

Elinor le regarda, interloquée, puis elle éclata de rire.

– Ça, c'est tordant ! Non, je n'en ai pas fait ! Je n'y ai même pas songé ! Je ne vaux pas mieux que tante Laura.

385

Vous savez une chose, docteur ? Eh bien, je vais de ce pas écrire à Me Seddon.

– Bonne idée, approuva Peter Lord.

*

Dans la bibliothèque, Elinor venait de finir d'écrire une lettre :

Cher Maître,
Voudriez-vous avoir la gentillesse de me préparer un testament à signer. Un acte très simple. Je tiens à ce que Roderick Welman hérite de tous mes biens.
Bien à vous,

Elinor Carlisle

Elle consulta la pendule. Il restait quelques minutes avant que le courrier parte.

En ouvrant le tiroir du bureau, elle se rappela qu'elle avait utilisé son dernier timbre le matin même.

Mais il lui en restait sûrement quelques-uns dans sa chambre.

Elle monta au premier. Quand elle réintégra la bibliothèque, le timbre à la main, elle trouva Roddy, debout près de la fenêtre.

– Et voilà, marmonna-t-il, nous partons demain. Cher vieil Hunterbury. Nous y aurons passé de bons moments.

– Ça t'ennuie que je vende ? s'enquit Elinor.

– Oh non, pas du tout ! Je suis persuadé que c'est la meilleure solution.

Il y eut un silence. Elinor prit sa lettre et la parcourut pour en vérifier la teneur. Puis elle cacheta l'enveloppe et y colla le timbre.

6

Lettre de miss O'Brien à miss Hopkins, datée du 14 juillet :

Laborough Court
Chère Hopkins,
Voilà maintenant plusieurs jours que j'ai l'intention de vous écrire. La maison est très agréable, pleine de tableaux — célèbres je crois. Mais je n'irai pas jusqu'à prétendre que ce soit aussi confortable que Hunterbury, si vous voyez ce que je veux dire. En rase campagne, ce n'est pas facile de trouver des bonnes, et les filles qu'ils ont dénichées sont plutôt mal dégrossies et pas trop serviables. Vous me connaissez, je ne suis pas le genre à faire des histoires, mais, quand même, les repas servis sur un plateau pourraient au moins être chauds. Rien pour mettre une bouilloire à chauffer, et le thé pas toujours fait avec de l'eau bouillante ! Enfin, la question n'est pas là. Mon malade est un charmant vieux monsieur bien tranquille — double pneumonie, mais le pire est passé et le docteur dit qu'il se remet.
Ce qu'il faut que je vous raconte et qui va vraiment vous intéresser, c'est la plus incroyable des coïncidences.

Dans le salon, sur le piano à queue, il y a une photographie dans un grand cadre d'argent et, je vous le donne en mille, c'est la même photographie que celle dont je vous avais parlé — celle que Mrs Welman avait réclamée, avec Lewis écrit dessus. Alors, moi, bien sûr, vous pensez si ça m'a intriguée — je ne vois pas qui ne l'aurait pas été à ma place ! J'ai demandé au maître d'hôtel qui c'était, et il m'a répondu qu'il s'agissait du frère de lady Rattery, sir Lewis Rycroft. Il avait, si j'ai bien compris, habité pas loin d'ici et il était mort à la guerre. C'est d'une tristesse ! non ? Mine de rien, j'ai demandé s'il était marié, et le maître d'hôtel m'a répondu que oui, mais que lady Rycroft, la pauvre, avait été internée dans un asile d'aliénés peu après son mariage. Il paraît qu'elle vit encore. Vous ne trouvez pas ça passionnant ? Et avouez que nous nous étions complètement trompées dans nos pronostics. Ils ont dû être éperdument amoureux l'un de l'autre, Mrs W. et lui, mais sans pouvoir se marier du fait que sa femme était chez les fous. On jurerait un film, non ? Et elle qui repense à toutes ces années et qui regarde cette photographie juste avant de mourir ! Il a été tué en 1917, m'a dit le maître d'hôtel. Ça, pour une histoire d'amour, si vous voulez mon avis, c'est une belle histoire d'amour.

Est-ce que vous êtes allée voir le nouveau film avec Myrna Loy ? Je crois qu'on le donne à Maidensford cette semaine. Ici, pas de cinéma à des kilomètres. C'est atroce d'être enterré en pleine campagne ! Pas étonnant qu'on ne trouve pas de bonnes convenables !

Sur ce, je vous quitte, ma chère, écrivez-moi pour me raconter tout *ce qui se passe.*

Amicalement,
Eileen O'Brien

Lettre de miss Hopkins à miss O'Brien, datée du 14 juillet :

Rose Cottage
Chère O'Brien,
Rien de bien nouveau ici. Hunterbury est désert, tous les domestiques sont partis et on a accroché une pancarte « À vendre ». L'autre jour, j'ai rencontré Mrs Bishop. Elle s'est installée chez sa sœur qui habite à un kilomètre de Maidensford. Elle était bouleversée par la mise en vente de la propriété, comme vous pouvez imaginer. Elle était persuadée que miss Carlisle épouserait Mr Welman et qu'ils vivraient à Hunterbury. Mrs B. dit que leurs fiançailles sont rompues ! Miss Carlisle est retournée à Londres juste après votre départ. Elle a eu, une ou deux fois, un comportement très bizarre. Je ne savais plus que penser. Mary Gerrard est partie vivre à Londres, et elle a commencé à suivre des cours de massage. Sage décision, à mon avis. Miss Carlisle va lui donner deux mille livres, c'est bien généreux de sa part — beaucoup n'en auraient pas fait autant.

À propos, c'est drôle comme les choses se passent. Vous vous rappelez m'avoir parlé d'une photographie signée Lewis, que Mrs Welman vous a montrée ? Eh bien, je bavardais l'autre jour avec Mrs Slattery (elle était gouvernante chez le vieux Dr Ransome, celui qui a cédé sa clientèle au Dr Lord), et comme elle a passé toute sa vie ici, elle en connaît long sur la noblesse du coin. J'ai abordé le sujet, mine de rien, à propos de prénoms ; j'ai dit comme ça que Lewis n'était pas un prénom courant, et, parmi d'autres, elle a mentionné sir Lewis Rycroft, de Forbes

Park. Il a servi au 17ᵉ lanciers et a été tué vers la fin de la guerre. Alors j'ai encore dit comme ça : « Il était très ami avec Mrs Welman de Hunterbury, non ? » *Et elle, aussitôt, elle m'a jeté un de ces regards !* « Oui, très amis, *qu'elle m'a fait,* même qu'il y en a qui prétendent qu'ils étaient plus qu'amis. » *Sur quoi elle m'a dit, ce qui est bien vrai, qu'elle n'était pas du genre à cancaner… et pourquoi qu'ils auraient pas été amis ? J'ai une fois de plus dit comme ça que Mrs Welman était sûrement* veuve *à cette époque-là, et elle a répondu :* « Oh oui, elle était veuve. » *J'ai tout de suite compris, vous pensez, que ce* « elle » *n'était pas là par hasard, alors j'ai dit que c'était bizarre qu'ils ne se soient jamais mariés, et elle m'a répondu :* « Ils pouvaient pas. Il en avait déjà *une, de femme,* internée chez les fous ! » *Ce qui fait que, maintenant, nous savons* tout ! *C'est bizarre comme les choses se passent, pas vrai ? Mais quand on voit ce que c'est facile de divorcer aujourd'hui, c'est pas croyable de se dire qu'à l'époque la folie n'était pas considérée comme un motif valable.*

Vous vous souvenez de Ted Bigland, ce beau garçon qui tournicotait autour de Mary Gerrard ? Il est venu me demander son adresse à Londres, mais je ne la lui ai pas donnée. À mon avis, elle est un cran au-dessus de Ted Bigland. Ma chère, je ne sais pas si vous vous en étiez rendu compte, mais Mr R. W. était complètement sous le charme. C'est bien malheureux parce que ça a fait des dégâts. Je vous fiche mon billet que c'est pour ça que ses fiançailles avec miss Carlisle ont été rompues. Et je vous prie de croire qu'elle en a beaucoup souffert. Je ne sais pas ce qu'elle pouvait lui trouver — en tout cas, moi, il ne m'aurait pas plu —, mais ce qui est sûr, d'après ce que j'ai entendu dire, c'est qu'elle est toquée *de lui depuis toujours. Quelle histoire, non ? Et la voilà maintenant qui croule sous l'argent. Je crois qu'il avait toujours cru que sa tante lui laisserait une part du gâteau.*

À la loge, le vieux Gerrard décline rapidement — il a eu plusieurs vertiges qui ne présagent rien de bon. Il est toujours aussi mal embouché. Il a été jusqu'à déclarer l'autre jour que Mary n'était pas sa fille. « Eh bien, moi, à votre place, que je lui ai dit comme ça, j'aurais honte *d'insinuer des choses pareilles sur votre femme. » Alors il m'a regardée et il m'a dit : « Vous n'êtes qu'une andouille. Vous ne comprenez rien. » Aimable, pas vrai ? Je vous garantis que je l'ai rembarré comme il faut. D'après ce que j'ai pu savoir, avant de se marier Eliza Gerrard était la femme de chambre de Mrs Welman.*

La semaine dernière, j'ai vu Visages d'Orient. *Un bien beau film. Seulement ce n'est pas pour dire, mais, en Chine, les femmes ont l'air d'en voir de toutes les couleurs.*

Votre fidèle,
Jessie Hopkins

Carte postale de miss Hopkins à miss O'Brien :
Figurez-vous que nos lettres se sont croisées ! Quel temps affreux, n'est-ce pas ?

Carte postale de miss O'Brien à miss Hopkins :
J'ai reçu votre lettre ce matin. Ça, pour une coïncidence *!*

Lettre de Roderick Welman à Elinor Carlisle, datée du 15 juillet :

Chère Elinor,

Reçu ta lettre ce matin. Non, sincèrement, cela ne me fait rien que Hunterbury soit vendu. Mais c'est gentil de me consulter. Je pense que c'est la décision la plus sage si tu n'envisages pas d'y vivre, ce que je crois comprendre. Mais tu auras peut-être du mal à t'en débarrasser. C'est un peu grand pour le style de vie actuel, même si, bien sûr, il y a tout le confort moderne, le gaz, l'électricité, de bons logements pour les domestiques, et tout. En tout cas, je te souhaite bonne chance !

Ici, le temps est splendide. Je passe des heures à me baigner. Une foule de gens assez drôles, mais, tu sais, je me lie peu. Tu m'as dit un jour que je n'étais pas très sociable. J'ai bien peur que ce ne soit vrai. Je trouve l'humanité, dans son ensemble, remarquablement repous-sante. Sans doute en a-t-elle autant à mon service.

Tu as toujours été à mes yeux l'un des rares êtres humains parfaitement satisfaisants. J'envisage d'aller baguenauder sur la côte dalmate d'ici une semaine ou deux. Adresse : c/o Thomas Cook, Dubrovnik, à partir du 22. Si je peux t'être utile en quoi que ce soit, fais-le-moi savoir.

Avec toute mon admiration et ma gratitude,

Roddy

Lettre de Me Seddon, de Seddon, Blatherwick & Seddon, à miss Carlisle, datée du 20 juillet :

104 Bloomsbury Square

Chère miss Carlisle,

Je pense que vous devriez accepter l'offre de douze mille cinq cents livres (12 500 £) faite par le major

392

Somervell pour Hunterbury. Les grandes propriétés sont extrêmement difficiles à vendre en ce moment, et la proposition semble très intéressante. Elle a toutefois pour condition une jouissance immédiate des lieux. Or je sais que le major a visité d'autres propriétés dans les environs. Je vous conseillerais donc d'accepter sans plus attendre.

Le major Somervell est disposé, d'après ce que je comprends, à louer la maison telle quelle, avec son mobilier, pendant les trois mois nécessaires aux formalités de vente.

En ce qui concerne le gardien, Gerrard, et la question d'une éventuelle pension, j'apprends par le Dr Lord que le vieil homme est gravement malade et qu'il n'a plus longtemps à vivre.

La succession n'est pas encore ouverte, mais j'ai versé 100 £ à miss Mary Gerrard, à titre d'avance.

Votre dévoué,
Edmund Seddon

Lettre du Dr Lord à miss Carlisle, datée du 24 juillet :
Chère miss Carlisle,

Le vieux Gerrard est mort aujourd'hui. Puis-je vous être utile en quoi que ce soit ? J'ai appris que vous aviez vendu le manoir à notre nouveau représentant à la Chambre, le major Somervell.

Bien à vous,
Peter Lord

Lettre d'Elinor Carlisle à Mary Gerrard, datée du 25 juillet :

393

Chère Mary,

Je suis navrée d'apprendre le décès de votre père.

J'ai reçu une offre pour Hunterbury, d'un certain major Somervell. Il voudrait s'y installer le plus tôt possible. Je dois m'y rendre pour trier les papiers de ma tante et mettre de l'ordre. Vous serait-il possible de débarrasser assez rapidement la loge des affaires de votre père ? J'espère que vous allez bien et que vos cours de massage ne sont pas trop ardus.

Cordialement,
Elinor Carlisle

Lettre de Mary Gerrard à miss Hopkins, datée du 25 juillet :

Chère miss Hopkins,

Merci beaucoup de votre lettre au sujet de papa. Je suis heureuse qu'il n'ait pas souffert. Miss Elinor m'écrit que le manoir est vendu et qu'elle aimerait que la loge soit libérée le plus vite possible. Pourriez-vous m'héberger si je viens demain pour l'enterrement ? Si c'est oui, ne vous donnez pas la peine de répondre.

Bien affectueusement,
Mary Gerrard

7

Le jeudi 27 juillet au matin, Elinor Carlisle sortit du *King's Arms* et resta un instant à regarder, de droite et de gauche, la grand-rue de Maidensford.

Soudain, elle poussa une exclamation de plaisir et traversa.

Il n'y avait pas à se tromper sur cette silhouette majestueuse, cette allure sereine de galion toutes voiles dehors.

– Mrs Bishop !

– Miss Elinor ! Ça, pour une surprise ! J'ignorais que vous étiez par ici ! Si j'avais su que vous veniez à Hunterbury, je vous y aurais attendue. Qui s'occupe de vous ? Vous avez amené quelqu'un de Londres ?

Elinor secoua la tête.

– Je ne suis pas à la maison. J'ai pris une chambre au *King's Arms.*

Mrs Bishop regarda l'autre côté de la rue et renifla d'un air dubitatif.

– Oui, je me suis laissé dire qu'on *pouvait* descendre ici, concéda-t-elle. C'est propre, et la cuisine est correcte à ce qu'il paraît, mais enfin, miss Elinor, ce n'est pas ce à quoi vous *êtes* habituée.

– J'y suis très bien, affirma Elinor en souriant. Et puis ce n'est que pour un jour ou deux. Il faut que je fasse du tri à la maison. Toutes les affaires de ma tante ; et il y a quelques meubles que j'aimerais avoir à Londres.

– Alors comme ça, la maison est vraiment vendue ?

– Oui. Au major Somervell. Le nouveau représentant à la Chambre. Sir George Kerr est mort, alors il y a eu élections partielles.

– Élu sans coup férir, déclara Mrs Bishop avec emphase. Nous avons toujours voté conservateur, à Maidensford.

– Je suis contente que la propriété soit achetée par quelqu'un qui va y vivre. J'aurais été navrée qu'on la transforme en hôtel — voire qu'on la rase pour en faire un lotissement.

Mrs Bishop ferma les yeux et frissonna de toutes ses rotondités aristocratiques.

– Mon Dieu, ç'aurait été épouvantable… absolument épouvantable. C'est déjà assez triste de penser que Hunterbury va appartenir à des étrangers.

– Oui, mais ç'aurait été une maison bien grande pour que je m'y installe — toute seule.

Mrs Bishop renifla.

– Je voulais vous demander, reprit vivement Elinor : Est-ce qu'il y a des meubles que vous aimeriez avoir ? Cela me ferait très plaisir.

Mrs Bishop s'épanouit.

– Ma foi, miss Elinor, condescendit-elle à accepter, c'est très aimable à vous, très gentil, vraiment. Sans vouloir abuser…

– Mais non, l'encouragea Elinor.

– J'ai toujours beaucoup admiré le secrétaire du salon. Un si beau meuble !

Elinor s'en souvenait, un travail de marqueterie assez flamboyant.

396

– Il est à vous, Mrs Bishop, dit-elle immédiatement. Autre chose ?

– Oh non, vraiment, miss Elinor. Vous avez déjà été si généreuse !

– Il y a quelques chaises du même style que le secrétaire. Cela vous ferait plaisir ?

Mrs Bishop accepta les chaises avec des remerciements circonstanciés.

– J'habite en ce moment chez ma sœur, précisa-t-elle. Est-ce que je peux vous être utile au manoir, miss Elinor ? Je vous y accompagnerais bien volontiers.

– Non, je vous remercie.

Elinor avait répondu très vite, et sur un ton plutôt sec.

– Cela ne me dérangerait pas du tout, insista Mrs Bishop. Ce serait même avec plaisir. Cela va être tellement triste de trier toutes les affaires de cette chère Mrs Welman.

– Merci, Mrs Bishop, mais je préfère m'y mettre toute seule. Il y a des choses qu'on fait moins bien à deux…

– Comme vous voudrez, dit Mrs Bishop, piquée. À propos, la fille de Gerrard est ici. Les obsèques ont eu lieu hier. Elle habite chez miss Hopkins. J'ai entendu dire qu'elles allaient toutes les deux à la loge ce matin.

– Oui, acquiesça Elinor en hochant la tête, j'ai demandé à Mary de s'occuper de ça. Le major Somervell veut s'installer le plus vite possible.

– Je vois.

– Bon, eh bien, je dois m'en aller, maintenant. Je suis ravie de vous avoir rencontrée, Mrs Bishop. Comptez sur moi pour le secrétaire et les chaises.

Elle lui serra la main et se mit en route.

397

Au passage, elle entra chez le boulanger et acheta une miche de pain, puis elle se rendit chez le crémier à qui elle acheta une demi-livre de beurre et du lait.

Pour finir, elle entra chez l'épicier.

– Je voudrais de la pâte à tartiner les sandwiches, dit-elle.

– Certainement, miss Carlisle.

Mr Abbott en personne s'était propulsé jusqu'à elle en écartant du coude son jeune commis.

– Que désirez-vous ? Beurre de saumon et crevette ? Mousse de dinde et langue ? Saumon et sardine ? Jambon et langue ?

Il descendait les pots de l'étagère au fur et à mesure, et les alignait sur le comptoir.

– Ça n'a pas le même nom, mais ça a plus ou moins le même goût, non ? remarqua Elinor avec un petit sourire.

Mr Abbott en convint sur-le-champ :

– Peut-être bien, si on va par là. Oui, si on va par là. Mais ils ont tous… euh, très bon goût — très, très bon goût.

– Il n'y a pas de danger avec le beurre de poisson ? demanda Elinor. Vous savez, ces histoires d'intoxication ?

Mr Abbott eut une expression horrifiée.

– Oh ! Je vous garantis que c'est une marque excellente… *très* fiable — nous n'avons jamais eu le moindre reproche.

– Bon, dit Elinor. Je vais prendre saumon-anchois et saumon-crevette. Merci.

398

*

Elinor entra dans le parc de Hunterbury par le petit portail.

C'était une journée d'été chaude et limpide. Les pois de senteur étaient en fleur. Elle les huma au passage. Horlick, l'aide-jardinier qui avait été chargé de l'entretien du domaine, vint la saluer respectueusement :

– Bonjour, mademoiselle. J'ai bien reçu votre lettre. Vous trouverez la porte de côté ouverte. J'ai ouvert les volets et presque toutes les fenêtres.

– Merci, Horlick.

Elle allait poursuivre son chemin lorsque le jeune homme, dont la pomme d'Adam montait et descendait de façon spasmodique, l'interpella d'un ton anxieux :

– Mademoiselle, excusez-moi…

– Oui ? fit Elinor en se retournant.

– C'est vrai que la maison est vendue ? Je veux dire, c'est déjà fait ?

– Oh ! Oui.

– Mademoiselle, je me demandais… enfin… si vous pouviez parler de moi au major Somervell. Il va avoir besoin de jardiniers. Il me trouvera peut-être trop jeune pour être chef jardinier, mais j'ai travaillé quatre ans sous les ordres de Mr Stephens et je connais bien le métier maintenant, et depuis que je suis tout seul ici, il n'y a pas eu de problème.

– Bien sûr, Horlick, je ferai tout mon possible. En fait, j'avais l'intention de parler de vous au major Somervell et de lui vanter vos mérites.

Le visage de Horlick devint cramoisi.

– Merci, mademoiselle. Vous êtes bien bonne. Vous comprenez, la mort de Mrs Welman, et puis après ça la vente de la maison, c'est un drôle de chambardement — et je... eh bien pour tout vous dire, je comptais me marier à l'automne, mais avant on voudrait être sûr...

Il se tut.

– J'espère que le major Somervell vous engagera, dit Elinor gentiment. En tout cas, comptez sur moi.

– Merci, mademoiselle, répéta Horlick. Nous espérions tous ici que la propriété resterait dans la famille. Merci, mademoiselle.

Elinor s'en fut.

Soudain, comme déferlant d'un barrage qui aurait cédé, une vague de colère et d'amertume la submergea.

« *Nous espérions tous que la propriété resterait dans la famille...* »

Elle aurait pu vivre ici avec Roddy ! *Roddy et elle...* C'est ce que Roddy aurait voulu. C'est ce qu'elle aurait voulu. Ils avaient toujours adoré Hunterbury. Cher Hunterbury... Bien des années avant que ses parents ne meurent, quand ils étaient aux Indes, elle venait là passer ses vacances. Elle avait joué dans les bois, couru le long du ruisseau, cueilli d'énormes bouquets de pois de senteur, mangé des groseilles à maquereau vertes et rebondies, et de succulentes framboises au rouge velouté. Et ensuite il y avait les pommes. Et il y avait les coins secrets où elle s'était lovée pour lire pendant des heures.

Elle avait adoré Hunterbury : au fond d'elle-même, elle avait toujours eu la certitude d'y vivre un jour pour de bon. Tante Laura avait entretenu cette idée. Mille petites remarques qui émaillaient sa conversation :

« Un jour, tu auras peut-être envie de couper ces ifs, Elinor. Ils sont un peu tristes, en fait ! »

« Ce serait joli, ici, un jardin d'eau... Enfin, *tu* verras ça... »

Et Roddy ? Roddy aussi avait toujours pensé vivre à Hunterbury. Cela entrait pour une part, sans doute, dans les sentiments qu'il éprouvait pour elle. Il avait décidé dans son subconscient qu'ils vivraient tous deux ensemble à Hunterbury, parce qu'il devait en être ainsi.

Et ils *auraient* vécu ensemble, ici. Ils seraient ensemble ici, maintenant, non pas en train de vider la maison pour la vendre, mais occupés à la redécorer, à projeter des embellissements pour chaque pièce, pour le jardin, côte à côte, ils feraient le tour du propriétaire, savourant ce calme plaisir, heureux, oui, *heureux* d'être ensemble... S'il n'y avait pas eu la rencontre fatale d'une jeune beauté au teint d'églantine...

Qu'est-ce que Roddy savait de Mary Gerrard ? Rien — moins que rien ! Qu'est-ce qu'il aimait en elle — qu'est-ce qu'il aimait de la vraie Mary ? Elle avait peut-être bien d'admirables qualités, mais est-ce que Roddy s'en souciait ? C'était l'éternelle histoire — l'éternelle vieille farce de la nature !

Est-ce que Roddy lui-même ne parlait pas d'« enchantement » ?

Est-ce que Roddy lui-même — *au fond* — ne souhaitait pas s'en libérer ?

Si Mary Gerrard devait... mourir, par exemple, est-ce que Roddy n'en viendrait pas un jour à reconnaître :

« C'est beaucoup mieux comme ça, je m'en rends compte maintenant. Nous n'avions rien en commun… »

Et pris d'une douce mélancolie, il ajouterait peut-être :

« Ce qu'elle était jolie, quand même… »

Qu'elle soit cela pour lui, oui, un souvenir exquis — une image éternelle de beauté et de joie…

Si quelque chose devait arriver à Mary Gerrard, Roddy lui reviendrait… Ça, elle en était sûre !

Si quelque chose arrivait à Mary Gerrard…

Elinor tourna la poignée de la porte d'entrée et frissonna en passant de la chaude lumière du soleil à la pénombre de la maison.

Il faisait froid, sombre, lugubre… Comme si quelque chose la guettait, tapi dans l'ombre…

Elle traversa le hall et poussa la porte capitonnée qui donnait sur l'office.

La pièce sentait le renfermé. Elle ouvrit grande la fenêtre et déposa ses paquets, le beurre, le pain, la petite bouteille de lait…

« Que je suis bête ! se dit-elle, j'ai oublié le café. »

Elle examina les boîtes alignées sur une étagère. L'une d'entre elles contenait un peu de thé, mais il n'y avait pas de café.

« Eh bien, tant pis ! » pensa-t-elle.

Elle déballa les deux bocaux de beurre de poisson et les contempla, immobile, pendant un instant. Puis elle quitta l'office et monta l'escalier. Elle alla directement dans la chambre de Mrs Welman. Et, s'attaquant tout de suite au chiffonnier, elle ouvrit les tiroirs, tria, plia, mit en piles…

*

Désemparée, Mary contemplait l'intérieur de la loge. Elle ne s'était jamais rendu compte à quel point c'était étriqué.

Un flot de souvenirs déferla. Sa mère en train de coudre des vêtements pour sa poupée, son père toujours hargneux et qui ne l'aimait pas. Non, qui ne l'aimait pas...

Tout d'un coup, elle questionna miss Hopkins :

– Papa n'a rien dit... Il n'a pas laissé de message pour moi avant de mourir ?

– Ma foi non, répondit miss Hopkins avec une cynique bonne humeur. Il était dans le coma depuis une heure déjà.

– J'aurais peut-être dû revenir m'occuper de lui, dit lentement Mary. C'était quand même mon père, après tout.

– Mary, commença miss Hopkins avec une pointe d'embarras dans la voix, écoutez-moi bien : qu'il ait été votre père ou non n'a rien à voir là-dedans. Les jeunes d'aujourd'hui se soucient fort peu de leurs parents, à ce qu'il me semble, et la plupart des parents ne se soucient pas davantage de leurs enfants. Miss Lambert, l'institutrice, prétend que c'est très bien comme ça, que la famille est un mal, et que c'est l'État qui devrait se charger d'élever les enfants. Peut-être bien. Moi, je trouve que ce serait comme un orphelinat en plus grand — mais, bon, quoi qu'il en soit, ça ne sert à rien de ressasser le passé et de faire du sentiment. Nous devons continuer à vivre — c'est notre lot, et ce n'est déjà pas si simple !

– Vous avez sans doute raison, répondit lentement

403

Mary. Mais je me dis que c'est peut-être ma faute si nous ne nous entendions pas.

– Sottise ! décréta énergiquement miss Hopkins.

Le mot avait explosé comme une bombe et musela Mary.

Miss Hopkins passa à des choses plus prosaïques :

– Qu'est-ce que vous allez faire des meubles ? Les entreposer quelque part ? Les vendre ?

– Je ne sais pas. Qu'est-ce que vous en pensez ?

Miss Hopkins promena un œil réaliste sur le mobilier.

– Il y en a qui sont encore bons et solides. Vous pourriez les garder pour meubler un petit appartement à Londres, un jour. Et débarrassez-vous de la camelote. Les chaises sont bonnes… la table aussi. Le bureau est joli… complètement démodé, mais il est en acajou massif, et il paraît que le style victorien reviendra en vogue un de ces jours. À votre place je me débarrasserais de l'armoire. Trop grande, elle ne tiendrait nulle part. Elle remplit déjà la moitié de la chambre.

Ensemble, elles établirent la liste des choses à garder ou à faire enlever.

– Me Seddon, le notaire, a été très gentil, dit Mary. Il m'a fait une avance pour payer mes cours et faire face aux premières dépenses. Sinon, il m'a dit que j'aurai l'argent d'ici un mois environ.

– Le travail vous plaît ? s'enquit miss Hopkins.

– Je crois que ça me plaira beaucoup. Au début, c'est difficile. Je suis morte de fatigue en rentrant chez moi.

– Moi aussi, j'ai cru mourir quand j'étais stagiaire à St Luke, dit miss Hopkins. J'étais persuadée que je ne pourrais jamais tenir trois ans. Je l'ai quand même fait.

404

Elles avaient fini de trier les vêtements du vieil homme et s'attaquèrent à une boîte métallique remplie de papiers.

– Il va falloir regarder tout ça, j'imagine, dit Mary.

Elles s'assirent face à face, de chaque côté de la table.

Miss Hopkins s'empara d'une poignée de papiers.

– C'est incroyable le fatras que les gens peuvent garder ! ronchonna-t-elle. Des coupures de journaux ! Des vieilles lettres ! N'importe quoi !

Mary déplia un document.

– Tiens ! fit-elle, voilà l'acte de mariage de mes parents. St Albans 1919. Mais...

– Qu'y a-t-il ? demanda miss Hopkins, alertée par la voix sans timbre de Mary.

– Mais vous ne voyez pas ? Nous sommes en 1939 et j'ai vingt et un ans. En 1919, j'avais un an. Alors... alors, mon père et ma mère ne se sont mariés que... qu'après !

Miss Hopkins fronça le sourcil.

– Bah ! Quelle importance ! s'exclama-t-elle gaillardement. Vous n'allez pas vous mettre martel en tête pour ça, surtout maintenant !

– Que voulez-vous, je n'y peux rien.

Miss Hopkins prit un ton autoritaire :

– Combien de couples vont à l'église un peu trop tard ! Mais du moment qu'ils y vont, qu'est-ce que ça fait ? Voilà ce que je dis toujours !

– Vous croyez que... que c'est pour cela que mon père ne m'aimait pas ? demanda Mary d'une voix sourde. Parce que ma mère l'a peut-être forcé à l'épouser ?

Miss Hopkins hésita. Elle se mordilla la lèvre.

– Non, je ne crois pas... Bon, si ça doit vous tracasser,

405

autant que vous sachiez la vérité. Vous n'êtes pas la fille de Gerrard.

– Alors c'était pour ça !

– Peut-être bien.

Deux taches rouges embrasèrent soudain les joues de Mary.

– C'est mal de ma part, mais je suis contente ! Je me suis toujours sentie coupable de ne pas aimer mon père, mais si ce n'était pas mon père, alors c'est normal ! Comment est-ce que vous l'avez su ?

– Gerrard n'arrêtait pas d'en parler avant de mourir. C'est plus souvent qu'à son tour que je lui ai cloué le bec, mais ça ne l'empêchait pas de recommencer. Naturellement, je ne vous aurais rien dit si ça ne s'était pas présenté comme ça.

– Je me demande qui était mon vrai père…

Miss Hopkins hésita. Elle ouvrit la bouche, la referma. Elle semblait avoir du mal à prendre une décision.

À ce moment précis, une ombre s'étendit dans la pièce. Les deux femmes se tournèrent vers la fenêtre et virent Elinor Carlisle, immobile.

– Bonjour, dit-elle.

– Bonjour, miss Carlisle, répondit miss Hopkins. Belle journée, n'est-ce pas ?

– Oh… bonjour, miss Elinor, dit Mary.

– J'ai préparé quelques sandwiches. Vous n'avez pas envie de les partager avec moi ? Il est juste 1 heure, et c'est une telle barbe d'avoir à retourner à Maidensford pour déjeuner. J'ai largement assez pour trois.

– Ma foi, miss Carlisle, déclara miss Hopkins agréablement surprise, c'est vraiment aimable à vous. C'est

406

vrai que c'est embêtant de devoir s'interrompre pour faire tout ce chemin aller-retour. J'espérais que nous aurions terminé ce matin. J'avais fait ma tournée de bonne heure exprès. Mais débarrasser, ça prend toujours plus de temps qu'on ne croit.

– Merci, miss Elinor, dit Mary avec gratitude, c'est très gentil.

Elles remontèrent ensemble vers la maison. Elinor avait laissé la grand-porte ouverte. Elles pénétrèrent dans la fraîcheur du hall et Mary frissonna. Elinor lui lança un regard aigu.

– Vous ne vous sentez pas bien ? lui demanda-t-elle.

– Oh, ce n'est rien… juste un frisson. Rentrer ici en venant du soleil…

– C'est étrange, dit Elinor à voix basse, j'ai ressenti la même chose ce matin.

Miss Hopkins se mit à rire.

– Allons, allons, déclara-t-elle d'une voix joviale, dans un instant vous allez nous dire qu'il y a des fantômes dans la maison. Moi, je n'ai rien senti du tout !

Elinor sourit. Elle les précéda dans le petit salon, à droite de la porte d'entrée. Les stores étaient relevés et les fenêtres ouvertes. La gaieté régnait dans la pièce.

Elinor traversa le hall et revint de l'office avec une grande assiette de sandwiches. Elle la présenta à Mary.

– Servez-vous, dit-elle.

Mary prit un sandwich. Elinor observa la jeune fille qui mordait dedans de ses dents blanches.

Pendant quelques instants, elle retint son souffle, puis elle poussa un léger soupir.

La tête ailleurs, elle restait là, l'assiette à la main. Et puis

407

soudain, à la vue de miss Hopkins, bouche entrouverte et l'air affamé, elle rougit et la lui tendit promptement.

Elle-même prit un sandwich.

– Je voulais faire du café, mais j'ai oublié d'en acheter, s'excusa-t-elle. Il y a de la bière, si vous voulez.

– Ah, si seulement j'avais pensé à apporter du thé ! se lamenta miss Hopkins.

– Il en reste un peu dans une boîte, à l'office, annonça distraitement Elinor.

Le visage de miss Hopkins s'illumina.

– Alors je vais y faire un saut et mettre la bouilloire à chauffer. Il n'y a pas de lait, je suppose ?

– Si, j'en ai apporté.

– Eh bien, alors, c'est parfait, conclut miss Hopkins en sortant à la hâte.

Elinor et Mary restèrent seules. Une étrange tension envahit la pièce. Elinor se fit violence pour dire quelque chose. Elle avait les lèvres sèches. Elle y passa la langue.

– Vous… vous aimez votre travail à Londres ? demanda-t-elle non sans raideur.

– Oui, je vous remercie. Je… je vous suis très reconnaissante…

Elinor laissa échapper un son rauque. Un rire si discordant, si inattendu que Mary la regarda, effarée.

– Vous ne me devez pas tant de reconnaissance !

– Je ne voulais pas… c'est-à-dire…, balbutia Mary, gênée.

Elle se tut.

Elinor l'observait d'un regard si intense, si étrange même, que Mary vacilla.

408

– Est-ce que… est-ce que quelque chose ne va pas ? demanda-t-elle.

Elinor se leva brusquement.

– Qu'est-ce qui n'irait pas ? fit-elle en se détournant.

– Vous… vous aviez l'air si…, murmura Mary.

– Je vous dévisageais ? Excusez-moi, dit Elinor avec un petit rire. Ça m'arrive parfois, quand j'ai l'esprit ailleurs.

Miss Hopkins passa la tête à la porte.

– J'ai mis la bouilloire à chauffer ! lança-t-elle joyeusement avant de disparaître.

Elinor eut une soudaine crise de fou rire.

– Polly met la bouilloire à chauffer, Polly met la bouilloire à chauffer, Polly met la bouilloire à chauffer, nous aurons tous du thé ! Vous vous rappelez que nous jouions à ça, Mary, quand nous étions petites ?

– Oui, je m'en souviens très bien.

– *Quand nous étions petites…* Quel dommage qu'on ne puisse jamais revenir en arrière, vous ne trouvez pas ?

– Vous voudriez revenir en arrière ?

– Oui… oh, *oui,* dit Elinor avec force.

Le silence s'installa de nouveau.

– Miss Elinor, reprit Mary en rougissant, il ne faut pas que vous pensiez…

Elle se tut, alarmée par un soudain raidissement de la mince silhouette d'Elinor — une sorte de défi dans son port de tête.

– Qu'est-ce qu'il ne faut pas que je pense ? demanda Elinor d'une voix froide, métallique.

– Je… j'ai oublié ce que je voulais dire…, murmura Mary.

409

Le corps d'Elinor se détendit, comme après un danger.

Miss Hopkins revint avec un plateau où étaient disposés une théière marron, un petit pot de lait et trois tasses.

– Et voilà le thé ! lança-t-elle, inconsciente de la tension qui régnait dans la pièce.

Et elle posa le plateau devant Elinor.

– Je n'en veux pas, dit celle-ci en poussant le plateau vers Mary.

Mary remplit deux tasses.

Miss Hopkins poussa un soupir d'aise :

– Du bon thé bien fort !

Elinor se leva et se dirigea vers la fenêtre.

– Vous êtes sûre que vous n'en voulez pas, miss Carlisle ? insista miss Hopkins.

– Non, merci.

Miss Hopkins vida sa tasse et la reposa sur la soucoupe.

– Je vais arrêter la bouilloire. Je l'avais mise pour refaire une théière.

Et elle sortit prestement.

Elinor se retourna.

– Mary..., commença-t-elle d'une voix soudain chargée de détresse.

– Oui ? répondit aussitôt Mary.

Le visage d'Elinor s'assombrit lentement. Ses lèvres se fermèrent. L'expression suppliante disparut sous un masque glacé.

– Rien, dit-elle.

Un lourd silence retomba dans la pièce.

« Comme tout est étrange, aujourd'hui, songea Mary. Comme si… comme si nous attendions quelque chose. »

Enfin Elinor bougea.

Elle abandonna la fenêtre et vint prendre le plateau du thé sur lequel elle posa l'assiette des sandwiches vide.

Mary bondit.

– Oh, miss Elinor, laissez-moi faire !

– Non, restez là ! ordonna Elinor d'un ton glacial. Je m'en charge.

Elle s'éloigna avec le plateau. En quittant la pièce, elle jeta un coup d'œil vers Mary Gerrard, près de la fenêtre, jeune, belle, pleine de vie…

*

À l'office, miss Hopkins s'épongeait le visage avec son mouchoir. L'entrée d'Elinor la fit sursauter.

– Ma parole, ce qu'il fait chaud, ici ! s'exclama-t-elle.

– Oui, l'office est orienté au sud, répondit machinalement Elinor.

Miss Hopkins la débarrassa du plateau.

– Laissez-moi nettoyer ça, miss Carlisle, vous n'avez pas l'air très bien.

– Ça va, dit Elinor.

Elle prit un torchon à vaisselle.

– Je vais essuyer.

Miss Hopkins retroussa ses manches et versa l'eau chaude de la bouilloire dans une bassine.

– Vous vous êtes piquée, dit Elinor en lui regardant le poignet.

Miss Hopkins rit.

411

– C'est le rosier grimpant, près de la loge — une épine… je la retirerai tout à l'heure.

Les rosiers grimpants de la loge… Un flot de souvenirs submergea Elinor. Ses bagarres avec Roddy — la guerre des deux roses. Ils se querellaient… puis ils faisaient la paix. Oh, les jours heureux, pleins de rires et de soleil ! Le dégoût l'envahit. Où en était-elle maintenant ? Quel abîme de haine… de mal… Elle se sentit vaciller.

« J'ai été folle… complètement folle », pensa-t-elle.

Miss Hopkins l'observait avec curiosité.

« Elle avait l'air franchement bizarre…, déposerait plus tard miss Hopkins. Elle parlait comme si elle ne savait pas ce qu'elle disait, et ses yeux brillaient d'une drôle de façon. »

Les tasses et les soucoupes s'entrechoquaient dans la bassine. Elinor y ajouta un bocal de beurre de poisson vide qu'elle avait pris sur la table et déclara, en s'émerveillant de la fermeté de sa voix :

– J'ai mis de côté quelques vêtements de tante Laura, là-haut. J'ai pensé que vous sauriez à qui ils rendraient service dans le village.

– Bien sûr ! Il y a Mrs Parkinson, la vieille Nellie, et aussi cette pauvre créature qui n'a pas toute sa tête et qui habite Ivy Cottage. Ce sera un don du ciel pour elles.

Elles finirent de ranger l'office et montèrent ensemble à l'étage.

Dans la chambre de Mrs Welman, les affaires étaient triées en piles bien nettes : lingerie, robes, quelques vêtements très élégants, des robes d'intérieur en velours, et un manteau de castor. Elinor précisa qu'elle pensait offrir ce dernier à Mrs Bishop. Miss Hopkins approuva.

Elle nota que la zibeline de Mrs Welman était posée sur la commode. « Elle va la faire retoucher pour elle », se dit-elle.

Elle jeta un coup d'œil sur le chiffonnier. Elinor avait-elle trouvé la photographie signée « Lewis », et dans ce cas, qu'en avait-elle fait ?

« C'est drôle, pensa-t-elle, comme nos lettres se sont croisées. Je n'aurais jamais imaginé une chose pareille — qu'O'Brien tombe sur cette photo le jour où je lui écris à propos de Mrs Slattery... »

Lorsque le tri des vêtements fut terminé, miss Hopkins s'offrit à faire des paquets pour chaque famille et à en assurer la distribution.

– Je m'occuperai de ça pendant que Mary retournera à la loge finir ce qu'il y a à faire, déclara-t-elle. Elle n'a plus qu'une boîte de papiers à classer. Mais au fait, où est-elle ? Elle est déjà retournée là-bas ?

– Je l'ai laissée au petit salon...

– Elle n'a pas dû rester là tout ce temps. (Miss Hopkins consulta sa montre.) Il y a presque une heure que nous sommes ici !

Elle se hâta de redescendre. Elinor la suivit.

– Eh bien, ça alors... ! s'écria miss Hopkins en pénétrant dans le petit salon. Elle s'est endormie.

Mary Gerrard était assise dans le grand fauteuil près de la fenêtre. Elle avait un peu glissé. On entendait un drôle de bruit dans la pièce : un souffle rauque et pénible.

Miss Hopkins alla la secouer.

– Réveillez-vous, mon petit...

413

Soudain elle se tut. Elle se pencha davantage, lui souleva une paupière, puis se mit à la secouer sérieusement.

Elle se tourna vers Elinor. Il y avait comme une menace dans sa voix lorsqu'elle demanda :

– Qu'est-ce que ça veut dire ?

– De quoi parlez-vous ? Elle est malade ?

– Où est le téléphone ? Trouvez le Dr Lord, vite !

– Mais qu'est-ce qu'il y a ?

– Ce qu'il y a ? La petite est malade, elle est en train de mourir.

Elinor recula d'un pas.

– De mourir ?

– Elle a été empoisonnée.

Et miss Hopkins posa sur Elinor un regard dur, chargé de soupçon.

DEUXIÈME PARTIE

1

Tête ovoïde penchée de côté, sourcil interrogateur et doigts joints, Hercule Poirot observait le jeune homme qui arpentait la pièce comme un fauve en cage — visage sympathique tout crispé sous les taches de rousseur.

– Voyons, mon bon ami, dit Hercule Poirot avec son horrible accent franco-belge et dans un anglais qu'il vaut mieux ne pas transcrire, qu'est-ce qui peut bien vous mettre dans un état pareil ?

Peter Lord s'immobilisa.

– Monsieur Poirot, vous êtes la seule personne au monde à pouvoir m'aider. J'ai entendu Stillingfleet parler de vous ; il m'a raconté ce que vous avez fait dans l'affaire Benedict Farley : tout le monde croyait que c'était un suicide, mais vous, vous avez prouvé que c'était un meurtre.

– Il y a, parmi vos patients, un cas de suicide qui vous tracasse ?

Peter Lord secoua la tête.

Il vint s'asseoir en face de Poirot.

– Il s'agit d'une jeune femme. Elle a été arrêtée et elle

415

va être jugée pour meurtre ! Je veux que vous fassiez la preuve de son innocence !

Les sourcils de Poirot grimpèrent encore d'un cran. Et il afficha une expression toute de tact et de discrétion.

– Cette jeune personne et vous… vous êtes fiancés… c'est ça ? Vous êtes amoureux l'un de l'autre ?

Peter Lord éclata de rire — un rire amer.

– Non, vous n'y êtes pas du tout ! Elle a eu le mauvais goût de me préférer un imbécile au long nez dédaigneux planté au milieu d'un faciès de cheval neurasthénique ! C'est stupide de sa part, mais c'est comme ça !

– Je vois.

– Oh, oui ! s'exclama Lord, amer. Vous voyez parfaitement ! Pas besoin d'en rajouter dans le tact. Je suis tombé amoureux d'elle au premier coup d'œil. Résultat, je n'ai pas envie qu'on la pende. Vous comprenez ?

– Quel est le chef d'accusation ?

– Elle est accusée d'avoir empoisonné à la morphine une dénommée Mary Gerrard. Vous avez sans doute lu le compte rendu dans les journaux.

– Et le mobile ?

– Jalousie !

– Et, selon vous, ce n'est pas elle qui a fait le coup ?

– Non, bien sûr que non.

Songeur, Poirot observa le jeune homme quelques instants.

– Qu'attendez-vous de moi au juste ? finit-il par demander. Que j'enquête sur cette affaire ?

– Je veux que vous la tiriez de là.

– Je ne suis pas avocat, très cher.

416

– Bon, je vais être plus clair : *je vous demande de découvrir des faits qui permettront à son avocat de la tirer de là.*

– Vous avez une drôle de façon de présenter la chose.

– Parce que je n'y vais pas par quatre chemins ? Pour moi, c'est très simple : *je veux que cette femme soit acquittée.* Je crois que *vous seul* pouvez y arriver.

– Vous désirez que j'étudie les faits pour mettre au jour la vérité ? Pour découvrir ce qui s'est réellement passé ?

– Je veux que vous découvriez n'importe quoi qui plaide en sa faveur.

Avec une méticulosité frisant la maniaquerie, Hercule Poirot alluma une minuscule cigarette.

– Dites-moi, ce n'est pas très moral, ce que vous me demandez là. Atteindre la vérité, oui, cela m'intéresse toujours. Mais la vérité est une arme à double tranchant. Supposons que je trouve des faits qui desservent cette personne, exigerez-vous que je les élimine ?

Peter Lord se leva, blême.

– Ça, c'est impossible ! Rien de ce que vous trouverez ne peut être pire que les faits ne le sont déjà ! Ils sont rigoureusement, intégralement accablants ! La montagne de preuves accumulées contre elle crèverait les yeux du monde entier ! Vous ne découvrirez rien qui puisse l'enfoncer davantage ! Ce que je vous demande, c'est d'utiliser toute votre astuce — et d'après Stillingfleet, astucieux, vous l'êtes diablement — pour dénicher une échappatoire, une autre explication possible.

– Ses avocats s'en chargeront sûrement, non ?

– Ah, vous croyez ça ? dit le jeune homme avec un rire

417

désabusé. Ils partent vaincus d'avance ! Persuadés que c'est sans espoir. Ils ont confié l'affaire à Bulmer, le champion des causes perdues. En soi, c'est déjà un aveu ! Ah, il fera une belle plaidoirie, à vous tirer des larmes — il mettra en avant la jeunesse de l'accusée, tout ça ! Mais le juge ne le laissera pas s'en tirer à si bon compte. Aucune chance.

– Supposons qu'elle soit effectivement coupable. Vous voulez toujours qu'elle soit acquittée ?

– Oui, répondit Peter Lord avec calme.

Poirot s'agita sur son siège.

– Vous m'intéressez…, fit-il.

Il resta silencieux un moment, puis reprit :

– Je crois que vous feriez mieux de me raconter toute l'affaire en détail.

– Vous n'avez pas lu les journaux ?

Poirot balaya l'air de la main.

– Si… vaguement. Mais les journaux, moi, vous savez… Ils sont tellement approximatifs qu'on ne peut pas se fier à ce qu'ils disent.

– Eh bien, c'est très simple, commença Peter Lord. Affreusement simple. Cette jeune femme, Elinor Carlisle, venait d'hériter d'une propriété à deux pas d'ici — Hunterbury Hall — et de la fortune de sa tante, morte intestat. Cette tante, Mrs Welman, avait un neveu par alliance, Roderick Welman. Il était fiancé avec Elinor Carlisle — vieille histoire, ils se connaissaient depuis l'enfance. Il y avait aussi une jeune fille à Hunterbury : Mary Gerrard, la fille du gardien. La vieille Mrs Welman faisait tout un plat de cette fille, elle a payé son éducation, etc. Résultat, la fille en question avait

418

tout d'une vraie lady. Roderick Welman, semble-t-il, a eu le coup de foudre pour elle, et les fiançailles ont été rompues.

» Les faits, maintenant. Elinor Carlisle a mis la propriété en vente, et un certain Somervell l'a acquise. Elinor s'y est rendue pour débarrasser les affaires de sa tante, etc. Mary Gerrard, dont le père venait de mourir, se livrait à la même activité à la loge du gardien. C'était le 27 juillet au matin.

» Elinor Carlisle était descendue à l'auberge du village. Dans la rue, elle a rencontré l'ancienne gouvernante, Mrs Bishop. Celle-ci lui a proposé de l'accompagner à Hunterbury pour l'aider, ce qu'Elinor a refusé assez véhémentement. Ensuite elle est entrée chez l'épicier pour acheter du beurre de poisson et elle a fait une remarque sur les intoxications alimentaires. Vous me suivez ? Une remarque tout à fait anodine, mais qui joue contre elle, bien sûr ! Elle est montée au manoir, et vers 13 heures, elle s'est rendue à la loge, où Mary s'affairait en compagnie de l'infirmière visiteuse, une vraie fouine, celle-là, une dénommée Hopkins. Elinor Carlisle leur a offert de partager les sandwiches qu'elle avait préparés. Elles sont revenues ensemble au manoir, elles ont mangé les sandwiches et, une heure plus tard environ, on m'a fait appeler et j'ai trouvé Mary Gerrard sans connaissance. J'ai fait ce que j'ai pu, sans résultat. L'autopsie a révélé qu'elle avait absorbé une forte dose de morphine peu auparavant, et la police a découvert un fragment d'étiquette de chlorhydrate de morphine à l'endroit où Elinor avait fait les sandwiches.

– Qu'avait bu ou mangé d'autre Mary Gerrard ?

419

– L'infirmière et elle ont bu du thé avec les sandwiches. L'infirmière l'a préparé et Mary l'a servi. Rien n'a pu se passer là. Naturellement, je me doute que l'avocat va tirer tout ce qu'il peut de cette histoire de sandwiches — qu'elles en ont mangé toutes les trois, qu'il était donc *impossible* d'être sûr qu'une seule personne serait empoisonnée. C'est ce qui a été plaidé dans l'affaire Hearne, vous vous rappelez.

Poirot acquiesça — avec un correctif :

– Mais vous savez, c'est très facile, en fait. Vous faites votre pile de sandwiches. *Dans l'un d'eux vous avez mis le poison.* Vous tendez l'assiette. Entre gens civilisés, vous pouvez compter que la personne qui se sert va prendre *le premier sandwich devant elle.* Je présume qu'Elinor Carlisle a tendu l'assiette à Mary d'abord.

– Exactement.

– Malgré la présence de l'infirmière qui était plus âgée ?

– Oui.

– Ce n'est pas très bon, ça.

– Ça ne veut strictement rien dire. On ne fait pas de manières quand on mange sur le pouce.

– Qui a préparé les sandwiches ?

– Elinor Carlisle.

– Il y avait quelqu'un d'autre dans la maison ?

– Personne.

Poirot s'agita :

– Très mauvais, cela. Et la jeune fille n'a rien pris d'autre que des sandwiches et du thé ?

– Rien. On n'a rien trouvé d'autre dans son estomac.

– On suppose donc qu'Elinor Carlisle espérait que la

420

mort de la jeune fille serait imputée à une intoxication alimentaire ? Mais comment se proposait-elle d'expliquer qu'une seule personne ait été atteinte ?

– Ça se passe quelquefois comme ça. En outre, il y avait deux sortes de beurre de poisson, très semblables en apparence. L'un des pots aurait été inoffensif, et Mary aurait mangé par hasard tous les sandwiches fabriqués avec le poisson avarié.

– Intéressant calcul de probabilités, commenta Poirot. J'imagine que, mathématiquement, la possibilité d'un tel phénomène doit être très faible. Mais autre chose : si l'objectif était de faire croire à un empoisonnement alimentaire, *pourquoi n'avoir pas choisi un autre poison ?* Les symptômes causés par la morphine ne ressemblent pas du tout à ceux d'une intoxication alimentaire. L'atropine aurait sûrement été un meilleur choix.

– Oui, c'est vrai, admit pensivement Peter Lord. Mais ça n'est pas tout. Cette fichue infirmière jure qu'elle a perdu un tube de morphine !

– Quand cela ?

– Oh, des semaines avant, la nuit où Mrs Welman est morte. L'infirmière prétend qu'elle a laissé sa trousse dans le hall et que le lendemain matin un tube de morphine avait disparu. Foutaises, oui. Elle a dû marcher dessus un jour chez elle et l'oublier.

– Elle ne s'en est souvenue qu'*après* la mort de Mary Gerrard ?

– En fait, avoua Peter Lord à contrecœur, elle l'a bel et bien mentionné à l'époque, devant l'autre infirmière.

Hercule Poirot observait Peter Lord avec intérêt.

421

– Je crois, très cher, qu'il y a autre chose — quelque chose que vous ne m'avez pas encore dit.

– Oh, bon, après tout, autant que vous le sachiez. On a ordonné l'exhumation de la vieille Mrs Welman.

– Eh bien ?

– Lorsqu'ils le feront, *ils trouveront probablement ce qu'ils cherchent — des traces de morphine !*

– Vous étiez au courant de ça ?

Peter Lord était tout blanc sous ses taches de rousseur.

– J'en avais eu le soupçon, grommela-t-il.

Hercule Poirot frappa le bras de son fauteuil.

– Sacrebleu, s'écria-t-il, je ne vous comprends pas ! Vous saviez qu'elle avait été assassinée ?

– Seigneur non ! Je n'ai jamais imaginé une horreur pareille ! J'avais pensé qu'elle se l'était administrée elle-même.

Poirot se renfonça dans son fauteuil.

– Ah ! C'est *ça* que vous aviez pensé…

– Évidemment ! Elle m'en avait parlé. Elle m'avait demandé cent fois si je ne voulais pas « l'aider à en finir ». Elle haïssait son état de malade, son impotence… — ce qu'elle appelait l'*indignité* d'être langée comme un bébé. Et c'était une femme de caractère.

Il resta silencieux un instant. Puis il poursuivit :

– Sa mort m'a surpris, je ne m'y attendais pas. J'ai renvoyé l'infirmière et j'ai fait l'examen le plus approfondi possible. Bien sûr, sans autopsie, il était impossible d'avoir une certitude. Mais, bon, quel intérêt ? Si elle avait choisi de prendre un raccourci, pourquoi faire tout un foin et déclencher un scandale ? Il valait mieux signer le permis d'inhumer et qu'elle repose en paix. Après tout, je n'étais pas sûr. J'imagine que j'ai pris une mauvaise décision. Mais je n'ai pas pensé une seconde qu'il y avait quelque chose de louche. J'étais persuadé qu'elle avait agi toute seule.

– Comment se serait-elle procuré la morphine, à votre avis ?

– Je n'en avais pas la moindre idée. Mais elle était intelligente, je vous l'ai dit, c'était une femme pleine de ressources, et remarquablement déterminée.

– Elle aurait pu l'obtenir des infirmières ?

– Jamais de la vie ! s'exclama Peter Lord. Vous ne connaissez pas les infirmières.

– La famille ?

– C'est possible, en faisant appel à leurs sentiments.

– Vous m'avez dit que Mrs Welman est morte intestat. Aurait-elle rédigé un testament si elle avait vécu plus longtemps ?

Peter Lord eut un petit sourire.

– Vous avez un art diabolique pour mettre le doigt sur les points sensibles, n'est-ce pas ? Oui, elle allait faire un testament ; cela l'agitait beaucoup. Elle ne pouvait plus parler, mais elle a très bien su se faire comprendre. Elinor devait téléphoner au notaire dès le lendemain matin.

– Elinor savait donc que sa tante voulait faire un testament ? Et que, sans testament, elle héritait de la totalité des biens ?

– Mais non, elle ne le savait pas, répondit Peter Lord avec emportement. Elle ne soupçonnait pas que sa tante n'avait jamais fait de testament.

– Ça, mon bon ami, c'est ce qu'elle *raconte.* Elle aurait *parfaitement pu le savoir.*

– Dites donc, Poirot, vous êtes le ministère public ?

– Pour l'instant, oui. Je dois savoir sur quoi repose l'accusation. Elinor Carlisle aurait-elle pu prendre la morphine dans la trousse ?

– Oui, comme tout le monde, comme Roderick Welman, ou miss O'Brien, ou n'importe lequel des domestiques.

– Ou le Dr Lord ?

Peter Lord écarquilla les yeux.

– Parfaitement…. mais dans quel but ?

– La pitié, peut-être.

– La pitié n'a rien à voir là-dedans, affirma Peter Lord en secouant la tête, croyez-moi.

Hercule Poirot se carra dans son fauteuil.

– Risquons une hypothèse, proposa-t-il. Supposons qu'Elinor ait pris la morphine et l'ait administrée à sa tante. Avait-on parlé de la disparition de la morphine ?

– Pas aux gens de la maison. Les deux infirmières ont gardé cela pour elles.

– À votre avis, quelle sera la décision du tribunal ?

– Si on découvre de la morphine dans le corps de Mrs Welman ?

– Oui.

– Eh bien, répondit Peter Lord sombrement, il est possible que si Elinor est acquittée pour le meurtre de Mary Gerrard elle soit inculpée de nouveau pour celui de sa tante.

– Les mobiles sont différents, nota Poirot, songeur. Je veux dire : dans l'affaire de Mrs Welman, elle aurait agi par *intérêt,* alors que dans l'affaire Mary Gerrard elle est censée l'avoir fait par *jalousie.*

– Exact.

– Quelle ligne la défense va-t-elle adopter ?

– Bulmer compte plaider l'absence de motif. Il mettra en avant que les fiançailles entre Elinor et Roderick avaient été arrangées pour des raisons familiales afin de faire plaisir à Mrs Welman, et qu'Elinor a rompu cet accord à la mort de la vieille dame. Roderick témoignera dans ce sens. D'ailleurs, j'ai l'impression qu'il y croit presque !

– Il doutait de l'amour d'Elinor ?

– Oui.

– En ce cas, reprit Poirot, elle n'avait aucune raison de tuer Mary Gerrard.

– Exactement.

– Mais alors, qui, en fin de compte, a tué Mary Gerrard ?

– Bonne question !

Poirot eut l'air perplexe.

– Pas commode, tout ça.

– C'est bien ça le hic ! s'exclama Peter Lord avec fougue. Si *elle* ne l'a pas tuée, *qui est-ce qui l'a fait ?* Il y a bien le thé, mais miss Hopkins et Mary Gerrard en ont bu toutes les deux. La défense va essayer de suggérer que Mary Gerrard a pris la morphine elle-même après que les deux autres ont quitté la pièce… qu'elle s'est suicidée, en fait.

– Avait-elle des raisons de se suicider ?

– Aucune.

– Avait-elle une personnalité suicidaire ?

– Non.

– Comment était-elle, cette Mary Gerrard ?

– C'était… c'était une brave gosse, fit le médecin après réflexion. Oui, pas de doute, c'était une brave gosse…

Poirot soupira.

– Et ce Roderick Welman, fit-il, il est tombé amoureux d'elle parce que c'était une brave gosse ?

Peter Lord sourit.

– Oh, je vois ce que vous voulez dire. Non : elle était très belle.

– Et vous ? Vous n'éprouviez rien pour elle ?

Peter Lord ouvrit de grands yeux.

– Quelle idée ! Non, bien sûr !

Poirot prit le temps de réfléchir.

– Roderick Welman prétend qu'il y avait de l'affection entre Elinor Carlisle et lui, mais rien de plus. Êtes-vous d'accord ?

– Comment diable le saurais-je ?

– Vous m'avez déclaré en entrant ici qu'Elinor Carlisle avait le mauvais goût d'aimer un imbécile au long nez dédaigneux. Je suppose que c'est là une description de Roderick Welman, n'est-ce pas ? Donc, selon vous, elle l'aime.

– Oui, elle l'aime ! Elle l'aime éperdument ! répondit Peter Lord dans un murmure rauque.

– Alors, il y avait bel et bien un mobile…

Peter Lord bondit comme un enragé :

– Qu'est-ce que ça change ? Elle est peut-être coupable, d'accord ! *Je m'en contrefiche !*

– Tiens, tiens…, fit Poirot.

426

– Seulement, je vous le dis et je vous le répète, je ne veux pas qu'on la pende ! Supposons qu'elle ait... je ne sais pas, moi — qu'elle ait été poussée au désespoir ? L'amour, c'est un truc qui peut faire naître les pulsions les plus folles. Ça peut transformer un minus en type formidable — mais ça peut aussi mener un honnête homme au fin fond de la déchéance. Admettons donc... oui, admettons qu'elle ait tué. La compassion, vous avez déjà entendu parler ?

– Je n'approuve pas le meurtre, déclara Poirot.

Peter Lord le fixa droit dans les yeux, détourna le regard, puis le fixa à nouveau et finit par éclater de rire :

– C'est tout ce que vous trouvez à dire ? Quel conformisme... Quelle suffisance ! Qui vous demande d'approuver ? Je ne vous demande pas de mentir. La vérité, c'est la vérité, non ? Si vous découvrez un élément qui plaide en faveur d'une personne, vous n'allez quand même pas le détruire sous prétexte qu'elle est coupable, non ?

– Certainement pas.

– Alors bon sang, pourquoi refusez-vous de faire ce que je vous demande ?

– Mais, mon bon ami, je suis tout à fait prêt à le faire...

2

Peter Lord le foudroya du regard, sortit un mouchoir de sa poche, s'épongea le front et s'affala dans un fauteuil.

– Ouaouf ! éructa-t-il. Vous m'avez fait sortir de mes gonds ! Je ne comprenais absolument pas où vous vouliez en venir.

– Je cherchais à apprécier les charges qui pèsent sur Elinor Carlisle. Maintenant je sais. On a fait prendre de la morphine à Mary Gerrard ; et cette morphine *devait* être dans les sandwiches. Personne n'a touché à ces sandwiches — *sauf Elinor Carlisle.* Elinor Carlisle avait un *mobile* pour assassiner Mary Gerrard, elle est, d'après vous, *capable* de l'avoir fait… et il y a de fortes chances qu'elle l'ait effectivement fait. Je ne vois pas de raison de penser le contraire.

» Cela, mon bon ami, est un aspect de la question. Maintenant, passons à la deuxième étape. Éliminons toutes ces considérations de notre esprit, et prenons le problème à l'envers : *Si Elinor Carlisle n'a pas tué Mary Gerrard, qui l'a fait ?* Ou bien encore : Mary Gerrard s'est-elle suicidée ?

Peter Lord se redressa, le front plissé.

– Vous n'êtes pas tout à fait rigoureux, fit-il remarquer.

– *Pas rigoureux,* moi ? s'indigna Poirot.

– Ma foi non, insista Peter Lord, impitoyable. Vous affirmez que personne d'autre qu'Elinor n'a touché aux sandwiches, mais qu'en savez-vous ?

– Elle était seule dans la maison.

428

– Pour autant que nous le sachions. Mais vous oubliez un court laps de temps : *Le moment où Elinor a quitté la maison pour se rendre à la loge.* Pendant ce temps-là les sandwiches attendaient sur une assiette dans l'office, et quelqu'un aurait pu y toucher.

Poirot poussa un soupir à fendre l'âme.

– Vous avez raison, mon bon ami, reconnut-il. Il y a bel et bien eu un moment pendant lequel quelqu'un pouvait avoir accès à l'assiette de sandwiches. Il faut essayer d'imaginer *qui pourrait être la personne en question.*

Il fit une pause.

– Revenons à cette Mary Gerrard, poursuivit-il. *Quelqu'un,* qui n'est pas Elinor Carlisle, désire sa mort. *Pourquoi ?* À qui sa mort aurait-elle profité ? Avait-elle de l'argent ?

Peter Lord secoua la tête.

– Pas encore. Dans un mois, elle aurait eu deux mille livres qu'Elinor Carlisle avait décidé de lui faire remettre pour respecter la volonté de sa tante. Mais pour l'instant, la succession de la vieille dame n'est pas liquidée.

– Nous pouvons donc éliminer l'appât du gain. Mary Gerrard était belle, dites-vous. Et ça, c'est toujours source d'ennuis. Elle avait des admirateurs ?

– Sans doute. Je ne suis pas très au courant.

– Qui pourrait nous le dire ?

– Je ferais mieux de vous mettre dans les bras de miss Hopkins, répondit Peter Lord en souriant. C'est notre tambour de ville. Elle sait tout ce qui se passe à Maidensford.

429

– J'allais justement vous demander de me parler des deux infirmières.

– Eh bien, O'Brien est irlandaise, c'est une bonne infirmière, compétente, un peu bébête, un peu mauvaise langue et menteuse à l'occasion — affabulatrice, dirons-nous, pas tant pour tromper que par amour des belles histoires.

Poirot hocha la tête.

– Hopkins est une femme entre deux âges, pleine de bon sens, perspicace, assez gentille, capable — mais elle a une fâcheuse tendance à fourrer son nez dans ce qui ne la regarde pas !

– Si Mary avait eu des ennuis avec un garçon du pays, miss Hopkins l'aurait su ?

– Et comment !

Il ajouta, plus lentement :

– Mais je ne crois pas qu'on trouve quoi que ce soit de sérieux dans cette direction. Mary était revenue depuis trop peu de temps. Elle venait de passer deux ans en Allemagne.

– Elle était majeure ?

– Oui.

– Peut-être y aurait-il quelque intrigue germanique ?

Le visage de Peter Lord s'anima.

Il fonça sur la piste offerte :

– Vous croyez qu'un Allemand au cœur brisé aurait pu lui garder un chien de sa chienne, qu'il l'aurait suivie jusqu'ici et qu'il aurait attendu son heure ?

– Cela fait un peu mélodramatique, avoua Poirot, dubitatif.

– C'est pourtant *possible,* non ?

430

– Mais peu probable.

– Je ne suis pas d'accord. Imaginons un homme complètement fou d'elle. Elle le repousse, il voit rouge et décide qu'elle n'a pas le droit de le traiter comme ça. C'est une idée…

– C'est une idée, répéta Poirot sans enthousiasme.

– Allons, continuez, monsieur Poirot, supplia Peter Lord.

– Vous voulez que je joue les prestidigitateurs, c'est cela ? Que je vous sorte des lapins d'un chapeau vide.

– Si vous voulez.

– Il y a une autre possibilité…

– Dites…

– Ce fameux soir du mois de juin, *quelqu'un* a dérobé le tube de morphine dans la mallette de miss Hopkins. *Et si Mary Gerrard avait vu cette personne en train de dérober ce tube ?*

– Elle l'aurait dit.

– Non, non, très cher. Réfléchissez. Si on voyait Elinor Carlisle, ou Roderick Welman, ou miss O'Brien ou n'importe quelle domestique ouvrir la trousse et y prendre un petit tube de verre, que penserait-on ? Simplement que l'infirmière a chargé cette personne d'une commission, voilà tout. Mary n'aurait attaché aucune importance à ce fait, mais elle *aurait pu* le mentionner par hasard devant la personne en question… oh, tout à fait innocemment, bien sûr. Seulement imaginez l'effet de cette remarque sur le meurtrier de Mrs Welman ! Mary avait vu : Mary devait être réduite au silence à tout prix ! Je peux vous l'assurer, mon bon ami, celui qui a déjà tué une fois n'hésitera pas à recommencer !

431

Peter Lord fronça les sourcils.

– J'étais pourtant persuadé que Mrs Welman avait pris le produit elle-même…

– Mais elle était paralysée… elle venait d'être terrassée par une seconde attaque.

– Oh, je sais. Dans mon idée, elle avait trouvé un moyen quelconque de se procurer de la morphine et elle la gardait cachée à portée de la main.

– Pour ça, il aurait fallu qu'elle se la procure avant sa deuxième attaque. Or l'infirmière n'a constaté sa disparition qu'après.

– Hopkins a pu ne remarquer la disparition du tube que ce matin-là. On l'avait peut-être subtilisé un ou deux jours avant sans qu'elle s'en aperçoive.

– Comment la vieille dame aurait-elle mis la main dessus ?

– Je n'en sais rien… En soudoyant une domestique, peut-être. Auquel cas on ne le saura jamais.

– Les deux infirmières étaient incorruptibles, à votre avis ?

– J'en mettrais ma tête à couper ! D'abord, elles sont toutes deux très à cheval sur la déontologie — et par-dessus le marché, elles auraient eu bien trop peur pour se livrer à ce genre d'exercice. Elles savent ce qu'elles risquent !

– C'est vrai, fit Poirot.

Il ajouta, pensif :

– On dirait, n'est-ce pas, que nous sommes revenus à notre point de départ ? Qui avait le plus de raisons de voler ce tube de morphine ? *Elinor Carlisle.* On peut estimer qu'elle voulait s'assurer l'héritage. On peut être

432

plus généreux et dire qu'elle a agi par compassion : elle accepte d'obéir aux prières répétées de sa tante, elle vole la morphine et la lui administre. Mais elle l'a volée… *et Mary Gerrard l'a surprise en train de le faire.* Et nous voilà revenus aux sandwiches et à la maison vide, et nous retrouvons Elinor — avec un nouveau mobile, cette fois : sauver sa tête.

— Vous êtes inouï ! s'exclama Peter Lord. Elle n'est pas comme ça, je vous dis ! L'argent ne signifie rien pour elle — ni pour Roderick Welman d'ailleurs, je dois l'avouer. Ils l'ont dit et répété devant moi !

— Ah oui ? C'est très intéressant. C'est le genre de déclaration que, pour ma part, je considère toujours avec la plus grande méfiance.

— Bon sang, Poirot, vous prenez vraiment plaisir à retourner tous les faits contre elle ?

— Je ne retourne rien du tout, cela se fait tout seul. C'est comme à la loterie. La roue tourne et s'arrête toujours sur le même nom : *Elinor Carlisle.*

— Non ! s'insurgea Peter Lord.

Hercule Poirot prit un air navré :

— Elle a de la famille, cette Elinor Carlisle ? Des sœurs, des cousins, des parents ?

— Non, elle est orpheline… elle est seule au monde…

— Comme c'est pathétique ! Je suis sûr que Bulmer saura en tirer le meilleur parti. Qui donc héritera si elle meurt ?

— Je n'en sais rien, je n'y ai jamais pensé.

— Il faut toujours penser à ces choses-là, reprocha Poirot. A-t-elle fait son testament, par exemple ?

Peter Lord s'empourpra.

– Je… je ne sais pas, balbutia-t-il.

Hercule Poirot leva les yeux au ciel et joignit les doigts.

– Ce serait mieux de me le dire, vous savez.

– Vous dire quoi ?

– Ce que vous avez au juste dans la tête… quand bien même ce serait accablant pour Elinor Carlisle.

– Comment savez-vous… ?

– Je sais, c'est tout. Vous pensez à *quelque chose…* un incident. Vous feriez mieux de me le dire, sinon je vais imaginer que c'est bien pire que ça ne l'est !

– Ce n'est rien, vraiment…

– D'accord, ce n'est rien, mais dites-le-moi quand même.

Lentement, à contrecœur, Peter Lord se laissa extirper le récit de la scène où Elinor, penchée à la fenêtre du cottage de miss Hopkins, avait éclaté de rire.

Poirot, songeur, demanda :

– Elle a dit ça, textuellement ?… « Alors, vous êtes en train de faire votre testament, Mary ? Ça, c'est vraiment drôle ! Ça, c'est vraiment très drôle ! » Et ce qu'elle pensait à ce moment-là vous a paru évident. Elle était sans doute en train de se dire *que Mary Gerrard ne vivrait plus longtemps…*

– Je n'ai fait que l'imaginer, dit Peter Lord. En réalité, je n'en sais rien.

– Oh non ! dit Poirot. Oh non ! vous n'avez pas fait que l'imaginer…

3

Hercule Poirot se trouvait chez miss Hopkins. Le Dr Lord l'avait accompagné pour le présenter, puis, sur un coup d'œil de Poirot, il l'avait laissé en tête à tête avec l'infirmière.

Celle-ci, après avoir examiné cet étranger d'un œil suspicieux et s'être quelque peu offusquée de sa façon de massacrer l'anglais, se dégelait promptement.

– Oui, c'est affreux, dit-elle avec une espèce de sombre jubilation. Je n'ai jamais rien vu d'aussi affreux. Et elle était belle, vous ne pouvez pas savoir ! Pour faire du cinéma, elle n'aurait eu qu'à lever le petit doigt ! Et elle était sérieuse aussi, et pas prétentieuse avec ça, malgré tout le cas qu'on faisait d'elle.

Poirot glissa habilement une question :

– Vous faites allusion à Mrs Welman ?

– Oui, en effet. La vieille dame s'était entichée d'elle d'une façon…

– Surprenante, diriez-vous ? murmura Poirot.

– Faut voir… Au fond, c'était peut-être normal. Je veux dire…

Miss Hopkins se mordit la lèvre, l'air embarrassé.

– Ce que je veux dire, c'est que Mary était adorable avec elle : une voix douce, de gentilles manières. Et, ma foi, je trouve que ça fait du bien aux vieilles personnes d'avoir de la jeunesse autour d'elles.

– Miss Carlisle venait bien voir sa tante de temps en temps ?

– Miss Carlisle venait quand ça lui chantait, répondit sèchement miss Hopkins.

– Vous ne l'aimez guère, remarqua Poirot à voix basse.

– Il ne manquerait plus que ça ! s'indigna l'infirmière. Une empoisonneuse ! Une empoisonneuse qui a agi de sang-froid !

– Ah, je vois que vous vous êtes fait votre opinion.

– Comment ça, mon opinion ? demanda miss Hopkins, méfiante.

– Vous êtes convaincue que c'est elle qui a donné la morphine à Mary Gerrard, n'est-ce pas ?

– Et qui d'autre, je vous prie ? Vous ne pensez tout de même pas que c'est moi ?

– Pas du tout. Mais on n'a pas encore prouvé sa culpabilité, n'oubliez pas.

– N'empêche, c'est elle, affirma miss Hopkins, impavide. D'abord, ça se voyait sur sa figure. Bizarre, elle a été bizarre tout du long. Et cette façon de m'emmener à l'étage, de me retenir le plus longtemps possible… Et lorsque je me suis retournée vers elle après avoir trouvé Mary dans cet état, c'était écrit sur sa figure. Elle savait que je savais !

– Certes, on a du mal à imaginer qui d'autre aurait pu le faire, dit Poirot, songeur. À moins, naturellement, que ce ne soit Mary elle-même ?

– Comment cela, *elle-même* ? Vous voulez dire que Mary se serait suicidée ? Je n'ai jamais rien entendu de plus stupide !

– Qui peut savoir ? Le cœur d'une jeune fille, c'est tendre et vulnérable… Pratiquement, c'était possible,

436

n'est-ce pas ? Elle aurait pu mettre quelque chose dans son thé sans que vous le remarquiez ?

– Dans sa tasse ?

– Oui. Vous ne l'avez pas surveillée sans arrêt.

– Je ne la surveillais pas — non. En effet, elle aurait pu le faire… Mais ça ne tient pas debout ! Pourquoi se serait-elle suicidée ?

Poirot fit un geste vague et reprit sa formule :

– Le cœur d'une jeune fille, c'est comme je vous le disais… si vulnérable. Un amour malheureux, peut-être…

Miss Hopkins eut un reniflement de dédain.

– Les filles ne se tuent pas par amour… à moins d'être enceintes — et Mary ne l'était pas, ça je peux vous le garantir ! affirma-t-elle en jetant à Poirot un regard belliqueux.

– Elle n'était pas amoureuse ?

– Non, son cœur était libre. Elle travaillait dur et aimait la vie qu'elle menait.

– Mais si elle était aussi belle qu'on le dit, elle devait avoir des soupirants ?

– Elle n'avait rien à voir avec toutes ces filles qui courent le guilledou et ne pensent qu'à « ça » ! C'était une jeune fille rangée.

– Mais je ne doute pas qu'elle avait des admirateurs dans le village.

– Il y avait Ted Bigland, bien sûr, dit miss Hopkins.

Poirot lui soutira des détails sur ledit Ted Bigland.

– Il était sacrément mordu, mais comme je le lui ai fait remarquer, elle valait bien mieux que lui.

– Il a dû lui en vouloir de le repousser ?

437

– Pour ça, il était dépité, reconnut miss Hopkins. Il me l'a même reproché à moi.

– Il vous tenait pour responsable ?

– C'est ce qu'il a dit. Mais j'avais bien le droit de la mettre en garde, non ? Après tout, je connais la vie et je ne voulais pas qu'elle gâche la sienne.

– Comment se fait-il que vous vous soyez tant intéressée à cette jeune fille ? demanda Poirot d'une voix douce.

– Ma foi, je ne sais pas…

L'infirmière hésita. Elle avait pris un air timide et un peu honteux.

– Il y avait en Mary quelque chose de… de romanesque.

– En *elle*, peut-être bien, murmura Poirot, mais pas dans sa condition. C'était la fille du gardien, non ?

– Oui… oui, bien sûr. Enfin…

Elle hésita, regarda Poirot qui l'observait avec sympathie.

– En réalité, fit miss Hopkins dans un élan de confiance, elle n'était pas du tout la fille de Gerrard. C'est lui qui me l'a dit. Son père était un homme du meilleur monde.

– Je vois… Et sa mère ?

Miss Hopkins balança, se mordit la lèvre et se lança :

– Sa mère était l'ancienne femme de chambre de Mrs Welman. Elle a épousé Gerrard après la naissance de Mary.

– Vous aviez raison, c'est un vrai roman — un prodigieux roman d'amour et de sang.

Le visage de miss Hopkins s'éclaira.

– N'est-ce pas ? On ne peut pas s'empêcher de s'intéresser aux gens sur lesquels on sait des choses que tout le

438

monde ignore. Tout ça, je l'ai appris par hasard. En fait, c'est miss O'Brien qui m'a mise sur la piste, mais ça, c'est une autre histoire. Comme vous le disiez, le passé, c'est passionnant. Tant de drames insoupçonnés ! Ah, le monde est bien triste.

Poirot soupira avec sympathie.

– Je n'aurais pas dû vous raconter tout ça, reprit miss Hopkins soudain inquiète. Pour rien au monde je ne voudrais qu'on l'apprenne ! Après tout, ça n'a rien à voir avec cette affaire. Pour tout le monde, Mary était la fille de Gerrard et il ne faut rien changer à ça. Pourquoi la salir aux yeux de tous maintenant qu'elle est morte ? Gerrard a épousé sa mère, point final.

– Mais vous savez peut-être qui était son vrai père ?

Miss Hopkins répondit à contrecœur :

– Peut-être bien que oui. Et peut-être bien que non. Pour être franche, je ne sais rien. Ce qui ne m'empêche pas d'avoir mon idée. Le passé vous rattrape toujours, comme on dit ! Mais je n'aime pas les ragots et je ne dirai pas un mot de plus.

Poirot abandonna le terrain avec tact et attaqua un autre sujet :

– Autre chose encore... c'est un peu délicat. Mais je suis sûr que je peux compter sur votre discrétion.

Miss Hopkins se rengorgea. Un large sourire éclaira son visage ingrat.

– Il s'agit de Mr Roderick Welman, poursuivit Poirot. J'ai cru comprendre qu'il était attiré par Mary Gerrard.

– Complètement tourneboulé, oui !

– Bien qu'à cette même époque il ait été fiancé à miss Carlisle ?

– Si vous voulez mon avis, il ne m'a jamais paru très amoureux de miss Carlisle. Pas ce que j'appelle *amoureux,* en tout cas.

– Mary Gerrard… euh… encourageait-elle ses avances ?

Miss Hopkins se fit cinglante :

– Elle savait se conduire. Personne n'a le droit de dire qu'elle l'a encouragé.

– Elle était amoureuse de lui ?

– Non ! répliqua miss Hopkins sèchement.

– Mais il lui était sympathique ?

– Oh, elle l'aimait bien, oui.

– Et j'imagine qu'avec le temps il aurait pu naître un sentiment plus fort ?

– C'est possible, admit miss Hopkins. Mais Mary ne s'est pas jetée à sa tête. Elle lui a dit, ici même, qu'il ne devait pas lui parler de cette façon alors qu'il était fiancé à miss Elinor. Et quand il est allé la voir à Londres, elle lui a redit la même chose.

– Et vous-même, que pensez-vous de Mr Roderick Welman ? s'enquit Poirot, l'air candide.

– C'est un garçon assez sympathique. Mais, alors, d'un nerveux ! Il pourrait bien devenir dyspeptique un jour, c'est souvent le cas avec ces tempéraments-là.

– Il avait une grande affection pour sa tante ?

– Oui, je crois.

– Il a passé du temps auprès d'elle lorsqu'elle était au plus mal ?

– Après sa seconde attaque ? Quand ils sont venus le soir précédant sa mort ? Je crois qu'il n'est même pas entré dans sa chambre !

– Vraiment ?

440

— Elle ne l'a pas réclamé, reprit vivement miss Hopkins. D'ailleurs, personne n'imaginait que la fin était si proche. Beaucoup d'hommes sont comme ça, vous savez. Ils préfèrent éviter les chambres de malades. C'est plus fort qu'eux. Ce n'est pas par manque de cœur. Ils ont peur de ne pas pouvoir supporter.

Poirot hocha la tête d'un air compréhensif. Il s'enquit néanmoins :

— Êtes-vous *sûre* que Mr Welman n'a pas pénétré dans la chambre de sa tante avant qu'elle meure ?

— Pas pendant ma garde, en tout cas ! Miss O'Brien m'a remplacée à 3 heures du matin et elle l'a peut-être fait entrer avant que tout soit fini, mais dans ce cas, elle ne m'en a rien dit.

— Il n'aurait pas pu entrer dans la chambre en votre absence ? suggéra Poirot.

— Je ne laisse jamais mes malades, monsieur Poirot, rétorqua-t-elle.

— Mille excuses, je me suis mal exprimé. Je pensais que vous auriez pu avoir à faire chauffer de l'eau, ou à aller chercher un médicament.

Miss Hopkins se radoucit :

— Je suis descendue, en effet, changer l'eau des bouillottes. Je savais qu'on avait mis une bouilloire sur le feu dans la cuisine.

— Cela vous a pris longtemps ?

— Cinq minutes, peut-être.

— Voilà. Donc Mr Welman aurait pu entrer jeter un œil à ce moment-là ?

— Il aurait fallu qu'il se dépêche, alors.

— Vous l'avez dit, soupira Poirot, la maladie impressionne

441

les hommes. Ce sont les femmes qui font preuve d'un infini dévouement. Que ferions-nous sans elles ? Surtout les femmes de votre profession — quelle noble vocation !

L'infirmière Hopkins rosit.

– C'est vraiment gentil de dire ça. Je n'y avais jamais réfléchi. C'est un travail tellement pénible qu'on n'a pas le temps de penser à son côté noble.

– Et vous ne pouvez rien me dire d'autre au sujet de Mary Gerrard ?

Il s'écoula un temps relativement long.

– Non, je ne vois rien, finit-elle par répondre.

– Vous en êtes bien sûre ?

– Vous ne comprenez pas. Mary, je l'aimais *beaucoup* ! riposta miss Hopkins non sans une certaine incohérence.

– Et vous n'avez rien à ajouter ?

– Non ! Rien de rien !

4

En la majestueuse présence de Mrs Bishop, toute de noir vêtue, Poirot n'était qu'humble insignifiance.

Dégeler Mrs Bishop n'allait pas être une mince affaire. Cette dame, en effet, conservatrice dans ses mœurs et dans ses convictions, réprouvait fort les étrangers. Et, étranger, Poirot l'était indubitablement. Elle accompagnait ses réponses, glacées, de regards hostiles et soupçonneux.

442

Qu'il fût présenté par le Dr Lord n'avait pas amélioré la situation.

– Je suis sûre, déclara Mrs Bishop lorsque le Dr Lord s'en fut allé, que le Dr Lord est un médecin compétent et plein de bonnes intentions. Le Dr Ransome, son prédécesseur, a exercé ici de *longues* années !

Autrement dit, on pouvait faire confiance au Dr Ransome pour se conduire comme il convenait dans le comté. Le Dr Lord, jeune irresponsable, arriviste qui avait pris la place du Dr Ransome, n'avait en sa faveur que sa compétence professionnelle.

Et la compétence, toute la personne de Mrs Bishop le proclamait, ce n'est pas suffisant !

Hercule Poirot fut persuasif. Il fut habile. Mais tout son charme et son doigté n'y purent rien. Mrs Bishop restait inflexible.

La mort de Mrs Welman avait été un bien triste événement. Elle était très respectée du voisinage. L'arrestation de miss Carlisle était « une infamie ! », bien à l'image de « ces nouvelles méthodes de la police ». Les vues de Mrs Bishop sur la mort de Mary Gerrard étaient des plus vagues. « Je ne saurais vraiment dire » étant sa contribution la plus éloquente au sujet.

Poirot joua sa dernière carte. Avec un orgueil candide, il évoqua l'une de ses récentes visites à Sandrigham. Il parla avec admiration de l'aimable bienveillance, de la délicieuse simplicité de la famille royale.

Mrs Bishop, qui suivait quotidiennement dans le communiqué de la Cour les faits et gestes de ladite famille royale, en fut ébranlée. Après tout, s'Ils avaient fait mander M. Poirot... Eh bien, naturellement, Cela

443

Changeait Tout ! Étranger ou pas, qui était-elle, elle, Emma Bishop, pour rechigner quand la Cour montrait la voie ?

Bientôt, tous deux se trouvèrent plongés dans une conversation plaisante sur un sujet véritablement passionnant : le choix d'un mari digne de la princesse Élisabeth.

Après avoir épuisé la liste des candidats possibles, dont aucun ne fut jugé Suffisamment Bien, la conversation redescendit vers de moins hautes sphères.

– Hélas, observa Poirot, sentencieux, le mariage est plein de pièges et de dangers !

– C'est bien vrai — avec ce divorce dégoûtant, renchérit Mrs Bishop comme si elle parlait d'une maladie aussi contagieuse que la varicelle.

– Je suppose, dit Poirot, que Mrs Welman a dû souhaiter ardemment voir sa nièce établie avant de mourir ?

Mrs Bishop courba le front.

– Oh oui ! Les fiançailles de miss Elinor et Mr Roderick lui avaient été d'un grand réconfort. C'est ce qu'elle avait toujours souhaité.

Poirot prit un risque :

– Se seraient-ils fiancés un peu pour lui faire plaisir ?

– Oh non, je ne dirais pas ça, monsieur Poirot. Miss Elinor a toujours été très attachée à Mr Roderick — quand elle n'était qu'un petit bout de chou, déjà. C'était si mignon de voir ça ! Miss Elinor est une personne loyale et fidèle.

– Et lui ? murmura Poirot.

– Mr Roderick lui était entièrement dévoué, répondit Mrs Bishop, austère.

– Et pourtant, les fiançailles ont été rompues, n'est-ce pas ?

Le rouge monta au visage de Mrs Bishop.

– Ceci, monsieur Poirot, est l'œuvre d'une Sombre Intrigante.

– Vraiment ? fit Poirot d'un air impressionné.

Mrs Bishop devint encore plus rouge.

– Chez nous, monsieur Poirot, expliqua-t-elle, on s'astreint à une certaine décence lorsque l'on parle d'un Défunt. Mais cette jeune femme, monsieur Poirot, était Sournoise dans ses Agissements.

Poirot la regarda un moment d'un air songeur. Puis il déclara, avec une apparente candeur :

– Vous me surprenez. J'avais plutôt l'impression que c'était une fille simple et modeste.

Le menton de Mrs Bishop se mit à trembloter.

– Oh, elle était la Ruse Personnifiée, monsieur Poirot. Tout le monde se Laissait Embobeliner par ses Sima-grées ! Cette miss Hopkins, par exemple ! Oui, et ma pauvre chère maîtresse aussi !

Poirot hocha la tête avec sympathie tout en émettant de petits claquements de langue.

– Oh oui, reprit Mrs Bishop stimulée par ces bruits encourageants. Elle faiblissait, pauvre chère femme, et cette Fille a su s'Insinuer dans ses Bonnes Grâces. Ah, elle savait bien de quel côté son pain était beurré ! Tou-jours à rôder autour d'elle, à lui faire la lecture, à lui apporter des petits bouquets de fleurs. Et c'était des Mary par-ci et des Mary par-là, et des « Où est Mary ? », sans arrêt ! L'argent qu'elle a pu dépenser pour cette gamine ! Les écoles les plus chères, les séjours à

445

l'étranger... et pour qui ? Pour la fille du vieux Gerrard !
Lui, il n'appréciait pas, vous pouvez me croire ! Il ne
supportait pas ses Manières et ses Chichis. Elle s'En
Croyait, ça, on ne peut pas le nier !

Cette fois, Poirot secoua la tête.

– Eh bien, dit-il avec commisération.

– Et ensuite, la Façon dont elle s'est Jetée au Cou de
Mr Roddy ! Il était trop naïf pour voir Son Jeu. Et miss
Elinor, elle a trop de noblesse, bien sûr, elle n'a pas
compris ce qui Se Tramait. Mais les Hommes, ils sont
tous pareils — un joli minois, un peu de flatterie, et les
voilà pris.

Poirot poussa un soupir.

– J'imagine qu'elle ne manquait pas d'admirateurs
dans son propre milieu ?

– Bien sûr ! Il y avait Ted, le fils de Rufus Bigland, un
garçon charmant. Mais non, notre demoiselle se trouvait
trop bien pour *lui* ! Ah, ces mines et ces grâces, ça me
mettait hors de moi !

– Il n'était pas furieux de la manière dont elle le
traitait ?

– Si, bien sûr. Il l'a accusée d'aguicher Mr Roddy. *Ça,*
je le sais. Je ne blâme pas ce garçon de s'être senti
blessé !

– Moi non plus. Vous m'intéressez beaucoup,
Mrs Bishop. Certaines personnes ont le talent de décrire
les gens en quelques mots clairs et bien sentis. C'est un
don. J'ai enfin une image précise de Mary Gerrard.

– Attention, je n'ai rien dit *contre* elle ! Je m'en voudrais de faire une chose pareille alors qu'elle repose dans

446

sa tombe. Mais elle a causé bien du malheur, ça c'est sûr !

– Je me demande où cela aurait mené, murmura Poirot.

– C'est exactement ce que je dis toujours ! Vous pouvez me croire, monsieur Poirot, si ma pauvre maîtresse n'était pas morte aussi vite... Pourtant Dieu sait que le choc a été terrible, mais je me rends compte maintenant que ça a été une Bénédiction de la Providence — sinon, je ne sais pas comment tout cela se serait terminé !

– Que voulez-vous dire ? l'encouragea Poirot.

– Des choses pareilles, j'en ai vu plus souvent qu'à mon tour, vous savez, déplora-t-elle non sans solennité. Ma propre sœur, tenez, travaillait là où ça s'est passé. Une fois, ç'a été le vieux colonel Randolph qui est mort, et qui a dépouillé sa propre femme jusqu'au dernier penny pour laisser toute sa fortune à une gourgandine d'Eastbourne. Et après ça, il y a eu la vieille Mrs Dacres, qui a tout légué à l'organiste de la paroisse — un de ces jeunes gens aux cheveux longs — alors qu'elle avait des fils et des filles mariés.

– Vous pensez donc que Mrs Welman aurait pu léguer sa fortune à Mary Gerrard ?

– Cela ne m'aurait pas étonnée ! En tout cas, c'est à ça que travaillait cette jeune personne, je n'ai aucun doute là-dessus. Et si jamais je risquais un mot, Mrs Welman était toute prête à m'écorcher, moi qui étais à son service depuis près de vingt ans. Le monde est bien ingrat, monsieur Poirot. Vous essayez de faire votre devoir et on ne vous en sait pas gré.

– C'est tellement vrai, hélas ! soupira Poirot.

– Mais la Malignité n'est pas toujours payante.

– Eh non. Mary Gerrard est morte…

– Elle va comparaître devant Dieu, dit Mrs Bishop avec une certaine satisfaction, et ce n'est pas à nous de la juger.

– Les circonstances de sa mort paraissent tout à fait inexplicables, dit Poirot, songeur.

– Ah, la police et ses nouvelles méthodes ! s'énerva Mrs Bishop. Est-ce vraisemblable, je vous le demande, qu'une jeune dame comme miss Elinor, avec sa naissance et son éducation, aille empoisonner quelqu'un ? Et essayer de me mêler, moi, à tout ça sous prétexte que j'aurais dit qu'elle avait l'air bizarre.

– Mais n'était-ce pas le cas ?

– Et pourquoi n'aurait-elle pas eu l'air bizarre ?

Le buste de Mrs Bishop, en se soulevant, lança des éclairs de jais.

– Miss Elinor est délicate et sensible, elle se rendait au manoir pour trier les affaires de sa tante… C'est toujours une épreuve.

Poirot hocha la tête avec sympathie.

– Ç'aurait été moins dur si vous l'aviez accompagnée.

– Je voulais le faire, monsieur Poirot, mais elle a refusé, assez fraîchement. Oh bon, miss Elinor a toujours été plutôt fière et réservée. Tout de même, monsieur Poirot, je regrette bien de n'être pas allée avec elle.

– Vous n'avez pas pensé à la suivre jusqu'à la maison ? murmura Poirot.

Mrs Bishop redressa la tête d'un mouvement plein de majesté.

– Je ne vais pas là où ma présence n'est pas souhaitée, monsieur Poirot.

Poirot eut l'air confus.

– D'ailleurs, vous aviez certainement d'autres choses à faire ce matin-là ? dit-il, comme pour lui-même.

– Il faisait très chaud, je me souviens, très lourd. Je me suis rendue au cimetière pour déposer quelques fleurs sur la tombe de Mrs Welman, en signe de respect, et j'ai dû me reposer un bon moment. Cette chaleur m'avait exténuée. Je suis rentrée tard pour déjeuner, et ma sœur était très contrariée de voir dans quel état je m'étais mise. Elle disait que je n'aurais jamais dû faire ça par un temps pareil.

Poirot la regarda avec admiration.

– Je vous envie, Mrs Bishop. C'est un soulagement de n'avoir rien à se reprocher après la mort de quelqu'un. J'imagine que Mr Roderick doit se blâmer de ne pas être monté voir sa tante cette nuit-là, même si, bien sûr, il ne pouvait pas deviner qu'elle allait mourir aussi vite.

– Oh, mais vous vous trompez, monsieur Poirot. Je suis navrée de vous le dire. Mr Roddy est allé voir sa tante, je le sais. J'étais moi-même sur le palier. J'ai entendu cette infirmière descendre les escaliers, et je me suis dit que je ferais bien d'aller voir si Mrs Welman n'avait besoin de rien, parce que vous connaissez les infirmières : ça traîne en bas à bavarder avec les domestiques et à les déranger pour un oui pour un non. Et encore, cette miss Hopkins valait mieux que l'autre, l'Irlandaise aux cheveux roux. Celle-là, toujours à cancaner et à faire des histoires. Mais, comme je le disais, je voulais seulement m'assurer que tout allait bien, et c'est

449

là que j'ai vu Mr Roddy se glisser dans la chambre de sa tante. Je ne sais pas si elle l'a reconnu ou non, mais en tout cas, il n'a rien à se reprocher.

– Tant mieux, dit Poirot. Il est de nature assez ombrageuse, n'est-ce pas ?

– Tout juste un peu capricieux et imprévisible. Il l'a toujours été.

– Mrs Bishop, vous êtes manifestement une femme d'un grand entendement et je me suis formé une haute opinion de votre jugement. D'après vous, quelle est la vérité sur la mort de Mary Gerrard ?

Mrs Bishop renifla dédaigneusement.

– C'est pourtant clair ! C'est une de ces affreuses conserves de chez Abbott. Il les garde en rayon pendant des mois ! Une petite cousine à moi a un jour été tellement malade avec du crabe en boîte qu'elle a bien failli en mourir !

– Mais alors, objecta Poirot, la morphine qu'on a retrouvée dans le corps ?

– Je ne connais rien à la morphine, mais je connais bien les *médecins* ! déclara Mrs Bishop avec superbe. Demandez-leur de chercher quelque chose, ils le trouveront. Du beurre de poisson avarié, ça n'est pas assez bon pour *eux* !

– Vous paraît-il possible qu'elle se soit suicidée ?

– Elle ?

Mrs Bishop renifla derechef .

– Sûrement pas. Elle s'était mis en tête d'épouser Mr Roddy, non ? Alors vous la voyez se suicider ?

450

5

C'était dimanche, et Hercule Poirot trouva Ted Bigland à la ferme de son père.

Le faire parler ne fut pas difficile. Il sauta sur l'occasion — il eut même l'air d'y trouver un certain soulagement.

– Alors, comme ça, vous essayez de découvrir qui a tué Mary ? demanda-t-il, l'air pensif. C'est un vrai mystère.

– Vous ne croyez pas à la culpabilité de miss Carlisle ?

Ted Bigland fronça les sourcils, ce qui lui donna une expression de perplexité presque enfantine.

– Miss Elinor est une dame, dit-il lentement. Elle est du genre… euh… Personne n'irait l'imaginer en train de faire une chose pareille — quelque chose de violent, si vous voyez ce que je veux dire. Vous croyez ça, vous, monsieur, qu'une jeune femme aussi bien pourrait faire ça ?

Hercule Poirot secoua la tête d'un air méditatif.

– Non, cela ne paraît pas vraisemblable… mais quand la jalousie s'en mêle…

Il se tut et observa le jeune géant blond de belle allure qui lui faisait face.

– La jalousie ? dit Ted Bigland. Oui, je sais bien que ça arrive. Mais d'habitude, c'est quand un type qui a le vin mauvais prend une cuite qu'il se met à voir rouge et qu'il perd les pédales. Mais miss Elinor… une jeune femme si convenable et tout…

– *Mais Mary Gerrard est morte…* et pas de mort naturelle. Avez-vous une idée — quelque chose à me dire qui m'aiderait à découvrir qui l'a tuée ?

451

L'autre secoua lentement la tête.

– Ça n'a ni queue ni tête. Ça ne paraît pas possible qu'on ait pu la tuer, si vous voyez encore une fois ce que je veux dire. Mary, elle était… elle était comme une fleur.

Et soudain, pendant un instant troublant, Hercule Poirot eut une autre image de la jeune morte… Cette voix un peu pataude, hésitante, avait fait revivre une Mary éclatante de beauté. « Elle était comme une fleur. »

Il eut brusquement le sentiment poignant d'une perte, la vision d'un être exquis que la folie humaine avait détruit…

Les phrases s'enchaînaient dans son esprit : « C'était une brave gosse », avait dit Peter Lord. Et miss Hopkins : « Pour faire du cinéma, elle n'aurait eu qu'à lever le petit doigt. » Mrs Bishop, venimeuse : « Ah, ces mines et ces grâces, ça me mettait hors de moi. » Et maintenant, cet émerveillement tout simple, qui éclipsait, qui rendait banales toutes ces remarques : « Elle était comme une fleur. »

– Mais encore ?… demanda Poirot en ouvrant grandes ses mains dans un geste implorant bien peu anglais.

Ted Bigland secoua la tête. Il avait le regard vitreux, comme étonné, d'un animal qui souffre.

– Oui, je sais bien, monsieur, vous dites vrai. Elle n'est pas morte toute seule, mais j'en arrive à me demander…

Il s'arrêta.

– Oui ? dit Poirot.

– Eh bien, reprit lentement Ted Bigland, j'en arrive à me demander si ça n'aurait pas pu être un accident, par exemple.

452

– Un *accident* ? Mais quelle sorte d'accident ?

– Je sais, monsieur. Je sais. Ça ne fait pas vraisemblable. Mais plus j'y pense, plus je crois que c'est ce qui s'est passé. Quelque chose qui n'aurait pas dû arriver. Ou un truc qui a bêtement mal tourné… Juste… juste un accident quoi !

Il regardait Poirot d'un air suppliant, gêné par son propre manque d'éloquence.

Poirot se taisait. Il semblait réfléchir.

– C'est intéressant que vous ayez ce sentiment, dit-il en fin de compte.

– Oh, je vois bien que ça n'a pas grand sens, monsieur. Je suis incapable d'imaginer le pourquoi du comment. C'est juste une… une impression que j'ai.

– Les impressions sont parfois de bons guides… Pardonnez-moi si j'ai l'air de remuer le fer dans la plaie, mais vous aimiez beaucoup Mary Gerrard, n'est-ce pas ?

Le visage hâlé de Ted vira au rouge brique.

– Je crois que tout le monde dans le pays a toujours été au courant, dit-il simplement.

– Vous vouliez l'épouser ?

– Oui.

– Mais elle ne voulait pas ?

Les traits de Ted se crispèrent un peu.

– Les gens ne pensent pas à mal, dit-il en contenant sa colère, mais ils feraient mieux de rester à leur place et de ne pas se mêler de fiche en l'air la vie des autres. Toutes ces écoles et ces voyages à l'étranger ! Ça l'a changée, Mary. Je ne veux pas dire que ça l'avait gâtée, ou qu'elle était devenue bêcheuse, pas du tout, non. Mais ça l'avait… embrouillée ! Elle ne savait plus où elle en était.

453

Elle était… oh, bon ! elle était trop bien pour moi, mais elle n'était pas assez bien pour un rupin comme Mr Welman.

– Vous n'aimez pas Mr Welman ? lui demanda Poirot en l'observant.

– Et pourquoi diable est-ce que je l'aimerais ? répondit Ted Bigland avec une violence sans fard. Mr Welman est quelqu'un de bien, j'ai rien contre lui. Mais ce n'est pas ce que j'appelle un bonhomme ! Je pourrais le soulever comme une plume et le casser en deux, comme ça ! D'accord, il en a sûrement dans le crâne… mais ce n'est pas ça qui vous sert à grand-chose quand votre bagnole tombe en panne, si vous voyez ce que je veux dire. C'est bien joli de savoir en théorie comment ça marche, une chignole — mais déposer une batterie et la nettoyer, c'est une autre paire de manches.

– Je vous crois sans peine. Vous travaillez dans un garage ?

– Chez Henderson, en bas de la route.

– Vous y étiez le matin où… c'est arrivé ?

– Oui, j'essayais la voiture d'un client. Le moteur calait et je ne voyais pas d'où ça provenait. Alors je suis allé la faire rouler. Ça me fait drôle, maintenant que j'y repense. Il faisait beau, il y avait encore du chèvrefeuille dans les haies… Mary aimait bien le chèvrefeuille. On allait souvent en cueillir, tous les deux, avant qu'elle parte pour l'étranger…

De nouveau, il eut l'air d'un enfant désarmé, incrédule.

Hercule Poirot gardait le silence.

Ted Bigland tressaillit et sortit de sa transe :

– Désolé, monsieur, oubliez ce que je vous ai dit sur Mr Welman. Je lui en voulais parce qu'il tournait autour de Mary. Il aurait dû la laisser tranquille. Elle n'était pas de son milieu… pas du tout de son milieu.

– À votre avis, elle s'intéressait à lui ?

De nouveau, Ted Bigland fronça les sourcils.

– Non… pas vraiment. Mais peut-être que si, après tout. Je ne sais pas.

– Y avait-il un autre homme dans sa vie ? Un homme qu'elle aurait rencontré à l'étranger par exemple ?

– Je n'en sais rien, monsieur. Elle ne m'en a jamais parlé.

– Et des ennemis, ici, à Maidensford ?

– Vous voulez dire des gens qui lui auraient voulu du mal ?

Il secoua la tête.

– Non. Personne ne la connaissait vraiment, mais tout le monde l'aimait bien.

– Mrs Bishop, la gouvernante de Hunterbury, l'aimait bien ?

Ted eut un petit sourire.

– Oh, elle, c'était juste du dépit ! La vieille chouette n'appréciait pas que Mrs Welman fasse tant de cas de Mary.

– Mary Gerrard était heureuse quand elle vivait ici ? Elle aimait bien Mrs Welman ?

– Elle aurait été plutôt heureuse, je crois, si cette infirmière lui avait fichu la paix. Miss Hopkins, je veux dire. Elle n'arrêtait pas de lui fourrer des idées dans la tête, comme quoi elle devait partir, gagner sa vie, faire des massages, je ne sais trop quoi encore.

455

– Mais elle aimait bien Mary, non ?

– Oh oui, plutôt. Mais c'est le genre de bonne femme qui sait toujours mieux que vous ce qu'il vous faut !

– Supposons, commença Poirot en cherchant ses mots, que miss Hopkins sache quelque chose qui… qui jetterait, dirons-nous, un discrédit sur la mémoire de Mary. Croyez-vous qu'elle le garderait pour elle ?

Ted Bigland le regarda d'un air interrogateur.

– Je ne comprends pas bien où vous voulez en venir, monsieur.

– Au cas où miss Hopkins saurait quelque chose contre Mary Gerrard, croyez-vous qu'elle tiendrait sa langue ?

– Garder quelque chose pour elle… ça m'étonnerait qu'elle puisse. C'est la commère du village. Mais s'il y a quelqu'un pour qui elle le ferait, c'est sans doute Mary. J'aimerais bien savoir pourquoi vous me demandez ça, ajouta-t-il, la curiosité prenant le dessus.

– On retire toujours une impression d'une conversation avec quelqu'un. Apparemment, miss Hopkins s'est montrée tout à fait franche et directe, et pourtant j'ai eu l'impression très nette qu'elle me *cachait* quelque chose. Ça n'était pas forcément une chose importante. Ça n'avait peut-être aucun rapport avec le crime. *Mais il y a quelque chose qu'elle sait et qu'elle n'a pas dit.* Et j'ai aussi eu l'impression que ce quelque chose, quoi que ce soit, salirait à coup sûr la mémoire de Mary Gerrard.

Ted fit un geste d'impuissance.

– Tant pis, soupira Poirot. Chaque chose en son temps.

456

6

Poirot observait avec intérêt le long visage sensible de Roderick Welman.

Roddy était dans un état de nerfs pitoyable. Les mains fébriles, les yeux injectés de sang, il s'exprimait d'une voix rauque et tendue.

– Bien sûr, monsieur Poirot, je connais votre nom, dit-il en regardant la carte de visite. Mais je ne comprends pas en quoi le Dr Lord pense que vous puissiez nous être utile. D'ailleurs, en quoi cela le concerne-t-il ? Il a soigné ma tante ; autrement, c'est un parfait étranger. Elinor et moi ne l'avions même jamais vu avant le mois de juin. N'est-ce pas à Me Seddon de s'occuper de tout ça ?

– D'un point de vue technique, vous avez raison, répondit Poirot.

– Non que Seddon m'inspire vraiment confiance. Il est si incroyablement lugubre.

– C'est fréquent chez les hommes de loi.

– Enfin, nous avons quand même Bulmer, dit Roddy en s'animant un peu. Il est censé être ce qui se fait de mieux, non ?

– Il a la réputation d'être le champion des causes perdues, fit remarquer Poirot.

Roddy accusa le coup.

– Vous ne voyez pas d'inconvénient, j'espère, poursuivit Poirot, à ce que je tente de faire quelque chose pour miss Elinor Carlisle ?

– Non, non, naturellement. Mais…

457

– Mais que peut-on bien faire ? C'est la question que vous vous posez, n'est-ce pas ?

Un sourire fugitif éclaira le visage tourmenté de Roddy... un sourire si charmant soudain que Poirot comprit l'attrait subtil qu'exerçait cet homme.

– Dit de cette façon, c'est un peu brutal, s'excusa Roddy. Mais c'est bien la question. Je n'irai donc pas par quatre chemins : monsieur Poirot, que pouvez-vous faire ?

– Chercher la vérité.

– Certes, approuva Roddy d'un ton sceptique.

– Découvrir des faits en faveur de l'accusée, précisa Poirot.

– Si seulement vous le pouviez ! soupira Roddy.

– Je souhaite sincèrement être utile, reprit Poirot. M'aiderez-vous en me disant exactement ce que vous pensez de l'affaire ?

Roddy se mit à marcher nerveusement de long en large.

– Que pourrais-je vous dire ? Tout cela est si absurde... si invraisemblable ! Rien que de penser à Elinor — Elinor que je connais depuis notre enfance — en train d'accomplir un acte aussi mélodramatique qu'empoisonner quelqu'un !... C'est bien simple : c'est à se tordre de rire ! Mais évidemment, comment faire avaler ça à un jury ?

Impassible, Poirot demanda :

– Vous considérez donc qu'il est absolument exclu que miss Carlisle ait fait une chose pareille ?

– Évidemment ! Cela tombe sous le sens ! Elinor est un être exquis, parfaitement équilibré — un être harmonieux, étranger à toute violence. C'est un esprit clair et sensible, qui ignore les passions animales. Mais rassemblez douze débiles mentaux dans le box des jurés, et Dieu sait ce que la partie adverse pourra leur faire gober ! Après tout, soyons lucides : ils ne sont pas là pour sonder l'âme humaine, mais pour apprécier des preuves. Les faits, les faits, les faits ! Et les *faits* sont fâcheux !

Poirot hocha la tête.

– Mr Welman, vous avez du bon sens, vous êtes intelligent. Les faits condamnent miss Carlisle. Tout ce que vous savez d'elle proclame son innocence. *Alors, que s'est-il passé ?* Qu'a-t-il *pu* arriver ?

Poussé dans ses derniers retranchements, Roddy écarta les mains.

– C'est incompréhensible ! Ce n'est tout de même pas l'infirmière qui a pu faire le coup, j'imagine ?

– À aucun moment l'infirmière ne s'est trouvée près des sandwiches — oh, j'ai vérifié —, et elle n'aurait pas pu empoisonner le thé sans s'empoisonner elle-même. Je m'en suis assuré. Et de surcroît, *pourquoi* aurait-elle souhaité la mort de Mary Gerrard ?

– Pourquoi *qui que ce soit* aurait-il souhaité qu'elle meure ? s'écria Roddy.

– C'est, semble-t-il, la question qui demeure sans réponse dans cette affaire. *Personne* ne souhaitait la mort de Mary Gerrard. (Sauf Elinor Carlisle, pensa-t-il in petto.) Conclusion, en bonne logique, Mary Gerrard n'a pas été assassinée ! Mais hélas, c'est faux. Elle a bel et bien été assassinée !

» *Mais elle gît dans sa tombe, et*
tout a changé pour moi !
ajouta-t-il sur un ton quelque peu théâtral.

459

– Je vous demande pardon ? s'étonna Roddy.

– Wordsworth, précisa Poirot. J'y reviens souvent. Ces vers exprimeraient-ils ce que vous ressentez ?

– Moi ?

Roddy s'était complètement refermé.

– Je vous présente mes excuses ! s'empressa aussitôt Poirot. Je vous présente mes plus plates excuses ! C'est tellement difficile d'être tout à la fois détective et gentleman. Il y a des choses qui ne se disent pas, c'est mille fois vrai. Mais hélas ! un détective est obligé de les dire. Il doit poser des questions sur la vie privée des gens, sur leurs sentiments !

– Est-ce vraiment nécessaire ?

– Tout ce que je demande, c'est de comprendre la situation, fit humblement Poirot. Ensuite nous laisserons ce sujet déplaisant et nous n'y reviendrons plus. Mr Welman, tout le monde sait que vous… admiriez beaucoup Mary Gerrard. C'est vrai, n'est-ce pas ?

Roddy se leva et s'approcha de la fenêtre. Il se mit à jouer avec le cordon du store.

– Oui, répondit-il.

– Vous étiez amoureux d'elle ?

– Je suppose que oui.

– Hum… Et sa mort vous a brisé le cœur ?

– Je… je pense… je veux dire…

Il fit soudain volte-face — frémissant, nerveux, à la torture.

– Vraiment, monsieur Poirot !…

– Si vous pouviez juste me raconter…, insista Poirot. Juste pour que j'y voie clair… Et puis nous n'en parlerons plus.

Roddy Welman s'assit et se mit à parler par bribes, sans regarder son interlocuteur :

– C'est difficile à expliquer. Faut-il absolument en passer par là ?

– On ne peut pas toujours fuir les désagréments de l'existence, Mr Welman ! Vous *supposez* que vous aimiez cette jeune fille, dites-vous. Vous n'en êtes donc pas sûr ?

– Je ne sais pas…, murmura Roddy. Elle était si jolie. Comme un rêve… Oui, c'est l'impression que j'ai maintenant. Un rêve ! Quelque chose qui n'avait rien de réel ! Tout cela… la première fois que nos regards se sont croisés… mon — mon engouement pour elle ! Une espèce de folie ! Et maintenant tout est fini… balayé, comme si… comme si ça n'avait jamais existé.

– Oui, je comprends…, dit Poirot en hochant la tête. Vous n'étiez pas en Angleterre lorsqu'elle est morte, n'est-ce pas ?

– Non, je suis parti pour l'étranger le 9 juillet et je suis rentré le 1er août. Le télégramme d'Elinor m'a suivi d'étape en étape. Je suis revenu dès que j'ai su.

– Ça a dû vous porter un coup. Cette jeune fille comptait beaucoup pour vous.

– Pourquoi faut-il que des choses pareilles vous arrivent ? s'exclama amèrement Roddy. Des choses qu'on aurait voulu ne jamais connaître. La négation de tout — de tout ce qu'on pouvait espérer de la vie !

– Ah, mais c'est précisément ça, la vie ! On ne peut pas l'organiser à sa guise. On ne peut pas échapper aux émotions, ni se réfugier dans la seule vie de l'esprit et de la raison ! Nul ne peut dire : « Je n'éprouverai rien au-delà

461

de ça. » La vie, quoi qu'elle soit, n'est pas *raisonnable,* Mr Welman !

– On dirait bien…, murmura Roddy.

– Un matin de printemps, un visage de jeune fille — et la belle ordonnance d'une vie est bouleversée.

Roddy se crispa.

– Parfois, poursuivit Poirot, il s'agit d'un peu plus qu'un *visage.* Que saviez-vous au juste de Mary Gerrard, Mr Welman ?

– Ce que je savais d'elle ? répéta Roddy, accablé. Si peu, je m'en aperçois, maintenant. Elle était douce et aimable, je crois. Mais sincèrement je ne sais rien d'elle, rien du tout… C'est sans doute pour ça, j'imagine, qu'elle ne me manque pas…

Son animosité avait disparu, il parlait avec naturel et simplicité. Hercule Poirot savait faire tomber les défenses de l'adversaire. Roddy semblait même soulagé de pouvoir se confier :

– Douce, aimable… pas très intelligente. Sensible, je pense, et gentille. Elle avait une délicatesse qu'on ne s'attendait pas à trouver chez une fille de sa condition.

– Était-elle ce genre de fille qui se crée involontairement des ennemis ?

– Non, oh non, répondit Roddy en secouant vigoureusement la tête. Je ne conçois pas qu'on ait pu la haïr — la haïr vraiment, veux-je dire. La malveillance, c'est autre chose.

– La malveillance ? releva Poirot. Il y avait donc de la malveillance dans l'air ?

– Sans doute…, répondit Roddy, l'air absent. Sinon, comment expliquer cette lettre ?

462

– Quelle lettre ? demanda vivement Poirot.

Roddy rougit, embarrassé.

– Oh, rien d'important.

– Quelle lettre ? répéta Poirot.

– Une lettre anonyme, avoua Roddy à contrecœur.

– Quand l'a-t-on écrite ? À qui était-elle adressée ?

Roddy donna les explications de mauvaise grâce.

– C'est intéressant, ça, murmura Poirot. Puis-je la voir, cette lettre ?

– Je regrette beaucoup. Pour tout vous dire, je l'ai brûlée.

– Mais enfin voyons, pourquoi avez-vous fait cela ?

– Cela semblait la seule chose à faire sur le moment, répondit plutôt sèchement Roddy.

– Et à cause de cette lettre, miss Carlisle et vous, vous êtes précipités à Hunterbury ?

– Nous y sommes allés, oui. *Précipités,* je ne sais pas.

– Mais vous étiez un peu troublés, n'est-ce pas ? Peut-être même un peu inquiets ?

– Je ne vous permets pas ! s'indigna Roddy.

– Quoi de plus naturel, pourtant ? s'écria Poirot. Votre héritage, celui qu'on vous avait promis, était menacé ! Qui ne s'en serait pas inquiété ? L'argent, c'est très important !

– Pas autant que vous le prétendez.

– Quel détachement remarquable, vraiment !

Roddy s'empourpra.

– Oh, bien sûr que l'argent avait de l'importance. Nous n'y étions pas complètement indifférents. Mais notre principal objectif était de voir notre tante et de nous assurer qu'elle allait bien.

463

– Vous êtes allés à Hunterbury avec miss Carlisle. À ce moment-là, votre tante n'avait pas rédigé de testament. Peu après, elle a eu une nouvelle attaque. Alors, elle a voulu faire un testament. Mais, très opportunément — peut-être — pour miss Carlisle, elle est morte cette nuit-là sans en avoir eu le temps.

– Attention à ce que vous dites ! s'emporta Roddy, le visage plein de fureur.

– À vous croire, Mr Welman, lui répondit Poirot du tac au tac, le mobile attribué à Elinor Carlisle en ce qui concerne la mort de Mary Gerrard est une absurdité — elle n'est pas, mais pas du tout, fille à faire une chose pareille ! Mais on ne peut écarter une autre interprétation : Elinor Carlisle a des raisons de craindre que l'héritage lui échappe au profit d'une étrangère. La lettre l'a mise en garde, et les bribes de phrases prononcées par sa tante confirment cette crainte. En bas, dans le hall, se trouve une mallette pleine de médicaments en tout genre. Quoi de plus simple que de subtiliser un tube de morphine ? Ensuite, d'après ce qu'on m'a dit, *elle est restée seule auprès de votre tante pendant que vous dîniez en compagnie des deux infirmières…*

– Bon sang, monsieur Poirot, qu'est-ce que vous insinuez maintenant ? Qu'Elinor a tué tante Laura ? Mais c'est grotesque !

– Vous savez, n'est-ce pas, qu'on a ordonné l'exhumation du corps de Mrs Welman ?

– Oui, je le sais. Mais on ne trouvera rien !

– Supposez qu'on trouve…

– On ne trouvera rien ! martela Roddy.

464

– Je n'en suis pas si sûr. Et comprenez bien qu'à ce moment-là la mort de Mrs Welman ne profitait qu'à une seule personne…

Roddy s'assit. Son visage était blême, il tremblait un peu. Il regarda Poirot.

– Je croyais que vous étiez de son côté…

– Quel que soit mon parti, les faits sont les faits ! Mr Welman, je crois que jusqu'à présent vous avez passé votre vie à éviter de voir la vérité en face quand elle vous déplaisait.

– Pourquoi aller se torturer en envisageant toujours le pire ?

– Parce que c'est parfois nécessaire, répliqua Poirot devenu grave. Admettons que la mort de votre tante soit attribuée à une prise de morphine. Que va-t-il se passer ?

Roddy eut un geste d'impuissance.

– Je ne sais pas.

– Mais vous devez essayer de réfléchir. Qui aurait pu la lui donner ? Ne voyez-vous pas qu'Elinor était la mieux placée ?

– Et les infirmières ?

– Évidemment, l'une comme l'autre aurait pu le faire. Mais miss Hopkins s'inquiétait de la disparition du tube de morphine et l'a mentionnée alors que rien ne l'y obligeait. Le permis d'inhumer était déjà signé. Pourquoi attirer l'attention sur ce tube si elle était coupable ? Au mieux, elle s'attirait un blâme pour négligence, et, si elle avait empoisonné Mrs Welman, c'était franchement idiot de parler de la morphine. En outre, que gagnait-elle à la mort de Mrs Welman ? Rien. Et le même

465

raisonnement s'applique à miss O'Brien : elle aurait pu administrer la morphine, elle aurait pu la dérober dans la trousse de sa collègue, mais encore une fois, *dans quel but* ?

– C'est vrai, tout ça, admit Roddy.

– Et puis, il y a *vous*, dit Poirot.

Roddy frémit comme un cheval ombrageux.

– Moi ?

– Mais oui. *Vous* auriez pu la voler, cette morphine. Vous auriez pu la donner à Mrs Welman ! Cette nuit-là, vous êtes resté un court moment seul avec elle. Mais, là encore, *pourquoi l'auriez-vous fait* ? Si elle avait vécu assez longtemps pour rédiger un testament, elle ne vous aurait sûrement pas oublié. Vous n'aviez donc pas de mobile. Deux personnes seulement en avaient un.

Le visage de Roddy s'éclaira.

– *Deux* personnes ?

– Oui. L'une était Elinor Carlisle.

– Et l'autre ?

– L'autre était l'auteur de la lettre anonyme.

Roddy eut l'air sceptique.

– Quelqu'un a écrit cette lettre — quelqu'un qui haïssait Mary Gerrard, ou, au moins, qui ne l'aimait pas, quelqu'un qui était « de votre côté », comme on dit. Quelqu'un, en somme, *qui ne voulait pas que la mort de Mrs Welman profite à Mary Gerrard*. Alors, Mr Welman, avez-vous une idée de la personne qui a pu écrire cette lettre ?

– Pas la moindre, répondit Roddy en secouant la tête. C'était une lettre pleine de fautes, un torchon, l'œuvre d'un illettré.

466

Poirot balaya l'air de la main.

– Cela ne veut rien dire ! Elle a très bien pu être écrite par une personne instruite qui ne tenait pas à le montrer, voilà pourquoi j'aurais bien voulu que vous l'ayez encore. Les gens instruits qui essaient d'écrire comme des illettrés se trahissent généralement.

– Elinor et moi avons pensé que c'était peut-être une des domestiques.

– Vous penchiez pour l'une en particulier ?

– Non… non, pour personne, au fond.

– Cela aurait-il pu être Mrs Bishop, la gouvernante ?

– Oh, non ! répondit Roddy, scandalisé. C'est une créature tout ce qu'il y a de respectable et de collet monté. Elle écrit des lettres alambiquées, bourrées d'imparfaits du subjonctif. Et par-dessus le marché, je suis sûr que jamais elle ne…

Comme il hésitait, Poirot intervint :

– Elle n'aimait guère Mary Gerrard !

– Ça, je veux bien le croire. Mais je ne l'ai personnellement jamais remarqué.

– Peut-être n'êtes-vous pas très observateur, Mr Welman…

Roddy se fit songeur.

– Vous ne pensez pas, monsieur Poirot, que ma tante aurait pu prendre cette morphine toute seule ?

– C'est une idée, en effet.

– Elle ne supportait plus son… son infirmité. Elle disait souvent qu'elle aurait aimé en finir.

– Mais elle n'a pas pu quitter son lit, descendre l'escalier et prendre la morphine dans la trousse de l'infirmière.

– Non, mais quelqu'un aurait pu le faire à sa place.

467

– Qui ?

– Eh bien, une des infirmières.

– Non, ni l'une ni l'autre. Elles savent trop bien ce qu'elles risquent ! Ce sont les dernières personnes à soupçonner.

– Alors — alors quelqu'un d'autre…

Roddy frémit soudain, sembla sur le point de poursuivre mais se retint.

– Vous venez de vous rappeler quelque chose, n'est-ce pas ? s'enquit Poirot d'un ton tranquille.

– Oui… mais…

– Et vous vous demandez si vous devez m'en parler ?

– Eh bien, oui…

– Quand miss Carlisle l'a-t-elle dit ? questionna Poirot, un curieux sourire au coin des lèvres.

Roddy prit une longue inspiration.

– Bon sang, mais vous êtes un sorcier ! explosa-t-il. Nous étions dans le train pour Hunterbury. Nous avions reçu le télégramme annonçant que tante Laura avait eu une autre attaque. Elinor disait qu'elle en était malade — que la pauvre tantine en avait par-dessus la tête, qu'elle allait sans doute être encore plus dépendante et que ce serait l'enfer pour elle. Et elle a ajouté : « Tu ne trouves pas que les gens devraient être libres d'en finir si c'est ce qu'ils souhaitent ? »

– Et qu'avez-vous répondu ?

– Que j'étais bien d'accord.

– Mr Welman, fit Poirot d'un ton grave, vous avez écarté tout à l'heure la possibilité que miss Carlisle ait tué sa tante par intérêt. Écartez-vous également la possibilité qu'elle ait tué Mrs Welman par *compassion* ?

– Je… je… non, je ne peux pas…

Poirot hocha la tête. Il dit :

– Oui, je pensais bien… j'étais sûr que vous diriez cela…

7

Hercule Poirot fut reçu dans les bureaux de Messrs Seddon, Blackwick & Seddon, avec la plus extrême circonspection — pour ne pas dire la plus extrême méfiance.

Sur la réserve, tapotant de l'index son menton rasé de près, Me Seddon jaugeait pensivement le détective d'un œil gris et perçant.

– Votre nom m'est certes familier, monsieur Poirot, mais j'avoue ne pas très bien saisir votre rôle dans cette affaire.

– J'agis dans l'intérêt de votre cliente, monsieur.

– Oh… vraiment ? Et qui vous a… euh… confié cette mission ?

– Je suis ici à la demande du Dr Lord.

– Vraiment ? s'étonna encore Me Seddon en levant un sourcil. Voilà qui me semble irrégulier — des plus irréguliers. Le Dr Lord, que je sache, est cité comme témoin à charge.

Hercule Poirot haussa les épaules.

– Quelle importance ?

– Il nous revient de prendre toute mesure concernant la défense de miss Carlisle. Je ne vois pas que nous ayons besoin d'aide extérieure en la matière.

– L'innocence de votre cliente est-elle donc si facile à prouver ? demanda Poirot.

Me Seddon tressaillit.

– Votre question est inconvenante, répliqua-t-il avec la colère feutrée d'un homme de loi, tout à fait inconvenante.

– Les charges qui pèsent sur votre cliente sont fort lourdes...

– Je ne vois pas très bien ce qui vous permet d'en juger, monsieur Poirot.

– C'est bien le Dr Lord qui m'a engagé, mais j'ai là une lettre de Mr Roderick Welman, dit Poirot en la produisant avec une courbette.

Me Seddon en prit connaissance.

– Eh bien, dans ce cas, déclara-t-il de mauvaise grâce, la situation est différente. Mr Welman a pris la responsabilité de la défense de miss Carlisle. Nous agissons à sa requête.

» Notre cabinet, poursuivit-il avec répugnance, s'occupe rarement d'affaires... euh... criminelles, mais j'ai pensé que, par devoir envers ma... défunte cliente, il nous incombait d'assurer la défense de sa nièce. Nous l'avons confiée à sir Edwin Bulmer.

– Vous ne regardez pas à la dépense, nota Poirot avec un sourire ironique. C'est très bien.

Me Seddon le fustigea du regard par-dessus ses lunettes.

– Vraiment, monsieur Poirot ! s'offusqua-t-il pour la énième fois.

Poirot coupa court à ses protestations :

– Les effets de manche et les beaux sentiments ne sauveront pas votre cliente. Il faudra plus que ça.

– Que préconisez-vous ? demanda fraîchement Me Seddon.

– Bah ! Il y a toujours la vérité.

– Certes.

– Mais, en l'occurrence, la vérité nous sera-t-elle favorable ?

– Cette remarque est tout à fait déplacée, monsieur Poirot, frémit Me Seddon, fort courroucé.

– Il y a quand même un certain nombre de questions dont j'aimerais bien connaître les réponses, fit Poirot.

– Je ne peux rien vous promettre sans le consentement de ma cliente, répondit prudemment le notaire.

– Bien entendu, je le comprends.

Il marqua un temps, puis s'enquit :

– Elinor Carlisle a-t-elle des ennemis ?

Me Seddon accusa une légère surprise.

– Non, pas que je sache.

– Mrs Welman a-t-elle, à un moment quelconque, rédigé un testament ?

– Jamais, elle en a toujours repoussé l'échéance.

– Elinor Carlisle a-t-elle fait son testament ?

– Oui, en effet.

– Récemment ? Après la mort de sa tante ?

– Oui.

– À qui lègue-t-elle ses biens ?

– Ceci, monsieur Poirot, est confidentiel. Je ne peux le révéler sans l'autorisation de ma cliente.

– Alors, je demanderai un entretien à votre cliente.

– Ce sera difficile, je le crains, fit observer Me Seddon avec un sourire glacial.

471

Poirot balaya cette objection.

– Rien n'est difficile pour Hercule Poirot, dit-il en se levant.

8

L'inspecteur Marsden se montra affable :

– Alors, monsieur Poirot, vous venez éclairer ma lanterne sur une affaire ?

– Non, non, pas du tout, se défendit Poirot, modeste comme toujours. Je voudrais seulement satisfaire une petite curiosité.

– Trop heureux de vous aider. De quelle affaire s'agit-il ?

– Elinor Carlisle.

– Ah oui, la fille qui a empoisonné Mary Gerrard ? Le jugement doit avoir lieu dans une quinzaine. Intéressante, cette histoire. Au fait, vous savez qu'elle a aussi trucidé la vieille ? Nous attendons encore les conclusions définitives, mais cela ne semble pas faire de doute. Morphine. Une jolie poupée à la tête froide. Jamais bronché, ni au moment de son arrestation ni après. Pas lâché un mot — rien. Mais son dossier est bien ficelé. Elle est cuite.

– Vous croyez qu'elle est coupable ?

Marsden, un homme d'expérience à la mine bienveillante, fit oui de la tête.

– Sans l'ombre d'un doute. Elle a mis le poison dans le sandwich du dessus. Tranquillement.

– Vous en êtes sûr ? Absolument sûr ?

– Oh oui ! Sûr et certain. Et c'est rudement agréable d'être sûr de son coup à ce point-là. On est comme tout le monde, dans la police, on n'aime pas se fourrer le doigt dans l'œil. Contrairement à ce que les gens s'imaginent, on n'a aucune envie d'un coupable à tout prix. Cette fois, j'ai la conscience tranquille.

– Je vois…

L'homme de Scotland Yard regarda Poirot avec attention.

– Il y a un élément nouveau ?

Poirot secoua lentement la tête.

– Non, pas jusqu'à maintenant. Tout ce que j'ai trouvé semble indiquer qu'Elinor Carlisle est coupable.

– Bien sûr, qu'elle est coupable ! s'exclama l'inspecteur Marsden avec une assurance enjouée.

– Je souhaiterais la voir, dit Poirot.

L'inspecteur Marsden eut un sourire indulgent.

– Le secrétaire du Home Office vous mange dans la main, non ? Cela ne devrait pas présenter de problème.

9

– Alors ? demanda Peter Lord.

– Alors, rien, répondit Poirot.

– Vous n'avez rien trouvé ? insista le médecin.

473

– Elinor Carlisle a tué Mary Gerrard par jalousie... Elinor Carlisle a tué sa tante pour hériter de sa fortune... Elinor Carlisle a tué sa tante par compassion... Faites votre choix, mon bon ami !

– Vous déraillez complètement !

– Croyez-vous ?

– Qu'est-ce que vous me chantez là ? s'écria Lord, son visage taché de son tout contracté par la colère.

– Vous pensez que c'est possible ?

– Que *quoi* est possible ?

– Qu'Elinor Carlisle n'ait pas supporté la détresse de sa tante, et qu'elle l'ait aidée à en finir.

– Complètement idiot !

– Vraiment ? Vous m'avez dit vous-même que la vieille dame vous avait demandé de le faire.

– Elle ne parlait pas sérieusement. Elle savait que je ne le ferais jamais.

– Mais elle y pensait sans cesse. Elinor Carlisle aurait pu se laisser convaincre.

Peter Lord arpentait la pièce de long en large.

– Oui, c'est possible, pourquoi le nier ? dit-il enfin. Mais Elinor Carlisle est une jeune femme équilibrée, elle a les idées claires et je ne pense pas qu'elle se serait laissé emporter par la pitié au point d'oublier le risque encouru. Et, ce risque, elle l'aurait parfaitement mesuré : on pouvait l'accuser de meurtre.

– Vous croyez donc qu'elle n'a pas « donné un coup de main à la mort » ?

– Je crois qu'un risque pareil, une femme le prendrait pour son mari, pour son gosse, ou pour sa mère à la rigueur, répondit posément Lord. Mais pas pour une tante, quelle que soit l'affection qu'elle puisse lui porter. Et de toute façon, il faudrait que la personne en question souffre le martyre.

– Vous avez peut-être raison, fit Poirot.

Il demeura pensif un instant, puis s'enquit :

– À votre avis, est-ce que Roderick Welman aurait pu être assez… bouleversé pour se lancer dans une opération pareille ?

– Il n'en aurait jamais eu le cran ! répondit Peter Lord, méprisant.

– Je me le demande, murmura Poirot. Vous sous-estimez quelque peu ce jeune homme, très cher.

– Oh bon, il est intelligent et cultivé, d'accord.

– Exactement. Et il a du charme aussi… oui, j'y ai été sensible.

– Ah bon ? Eh bien pas moi !

Peter Lord se fit implorant :

– Allons, Poirot, vous n'avez vraiment rien de rien ?

– Jusqu'ici, je n'ai pas été très heureux dans mes recherches ! Elles me ramènent toujours au même point : personne n'avait intérêt à la mort de Mary Gerrard — personne ne haïssait Mary Gerrard excepté Elinor Carlisle. Mais peut-être reste-t-il encore une question à se poser, et c'est celle-ci : *quelqu'un haïssait-il Elinor Carlisle ?*

Le Dr Lord secoua lentement la tête.

– Non, pas à ma connaissance… Vous voulez dire que — que quelqu'un aurait tout monté pour qu'elle soit accusée ?

Poirot acquiesça d'un signe de tête.

– C'est plutôt tiré par les cheveux, surtout que rien ne

475

l'indique… sauf peut-être, justement, l'accumulation des éléments qui l'accusent.

Il parla à Lord de la lettre anonyme.

– Vous voyez, cela vient parachever l'accusation. On avait averti la jeune femme qu'elle risquait d'être déshéritée par sa tante — que cette fille, une étrangère, allait peut-être tout empocher. Et lorsque sa tante a réussi à articuler qu'elle voulait voir son notaire, elle a joué son va-tout et décidé que la vieille dame mourrait cette nuit-là.

– Et Roderick Welman ? s'écria Peter Lord. Lui aussi, il allait tout perdre !

– Au contraire, c'était son intérêt que Mrs Welman fasse un testament, sinon il n'avait rien, rappelez-vous. Elinor était la parente la plus proche.

– Mais il devait l'épouser !

– C'est vrai, mais rappelez-vous aussi que les fiançailles ont été rompues immédiatement après que Roderick Welman lui a clairement fait comprendre qu'il souhaitait recouvrer sa liberté.

– Et voilà, grogna Peter Lord en se prenant la tête à deux mains, chaque fois nous retombons sur elle !

– Oui. À moins que…

Poirot resta silencieux quelques instants, puis reprit :

– Il y a bien quelque chose…

– Oui ?

– Une petite pièce du puzzle qui manque. Quelque chose — de cela je suis sûr — qui concerne Mary Gerrard. Mon bon ami, vous devez entendre pas mal de ragots, de médisances dans le pays. Avez-vous jamais entendu des racontars sur son compte ?

– Sur Mary Gerrard ? Sur sa conduite, vous voulez dire ?

– N'importe quoi. Une vieille histoire, une indélicatesse de sa part, un petit scandale, un doute sur son honnêteté, une rumeur malveillante, n'importe quoi qui ternisse sa réputation…

– J'espère que vous n'avez pas l'intention d'aller dégoter des horreurs sur cette pauvre jeune fille qui n'est même plus là pour se défendre… D'ailleurs je suis sûr que vous n'y parviendriez pas.

– C'était donc un parangon de vertu, un être pur et sans reproche ?

– Oui, pour autant que je le sache. Je n'ai jamais entendu un autre son de cloche.

– N'allez pas croire, mon tout bon, que je veuille remuer la boue là où il n'y en a pas… Non, loin de moi cette idée, mais la bonne miss Hopkins n'est pas particulièrement adepte de la discrétion. Elle aimait beaucoup Mary et il y a quelque chose à son sujet qu'elle ne veut pas qu'on sache. Quelque chose qu'elle a peur que je découvre. Elle pense que cela n'a pas de rapport avec le meurtre. En revanche, elle est convaincue qu'Elinor Carlisle est coupable — ce qui, de toute évidence, revient à dire que ce fait, quel qu'il soit, n'a rien à voir avec Elinor. Mais, voyez-vous, mon bon ami, il est indispensable que je sache tout. Car s'il s'agissait d'un tort causé par Mary à une tierce personne, celle-ci aurait eu un mobile pour vouloir sa mort.

– Mais miss Hopkins aurait sûrement compris ça, objecta Peter Lord.

– Miss Hopkins est une femme intelligente, dans

477

certaines limites. Mais son cerveau est loin d'égaler le *mien*. Là où elle n'y voit que du feu, Hercule Poirot, lui, aurait une illumination !

– Je suis désolé, déclara Peter Lord avec un geste d'impuissance. Je ne sais rien.

– Ted Bigland non plus, nota Poirot, la mine pensive. Et pourtant il a toujours vécu ici, près de Mary. Et Mrs Bishop non plus, parce que si elle avait su quelque chose de pas très honorable sur Mary elle ne l'aurait sûrement pas gardé pour elle ! Enfin ! Heureusement qu'il reste encore un espoir.

– Un espoir ?

– Oui. Je vois aujourd'hui l'autre infirmière, miss O'Brien.

– Elle ne connaît pas bien le coin, dit Peter Lord, sceptique. Elle n'est restée ici qu'un mois ou deux.

– Je ne le sais que trop, mon bon ami. Mais miss Hopkins a la langue bien pendue, ai-je cru comprendre. Si elle n'a pas cancané dans le village, afin de ne pas causer de tort à Mary Gerrard, cela m'étonnerait qu'elle ait pu se retenir de faire au moins une allusion devant une étrangère — collègue de surcroît ! Miss O'Brien sait peut-être quelque chose.

478

10

Miss O'Brien fit virevolter ses mèches rousses et adressa, à travers la table à thé, un sourire béat au petit homme assis en face d'elle.

« C'est donc lui que le Dr Lord trouve si intelligent, pensait-elle, ce drôle de petit bonhomme aux yeux verts comme ceux d'un chat ! »

– C'est un plaisir de rencontrer quelqu'un comme vous, si plein de santé et de vitalité, dit Poirot. Je suis sûr que votre belle humeur suffit à guérir tous vos malades.

– Ça, je ne suis pas d'une nature chagrine, et je n'ai pas vu mourir beaucoup de mes patients, Dieu merci.

– Dans le cas de Mrs Welman, bien sûr, ce fut une délivrance.

– Ah, ça, c'est bien vrai, pauvre femme !

Elle jeta un regard aigu à Poirot.

– C'est de ça que vous vouliez me parler ? À ce qu'il paraît qu'on a exhumé le corps !

– Vous-même, vous n'aviez rien soupçonné à l'époque ?

– Rien du tout, non. J'aurais bien dû, pourtant, à voir la tête que faisait le Dr Lord ce matin-là — et que je t'envoie chercher ci et ça, des choses dont il n'avait aucun besoin ! Mais avec tout ça il a quand même signé le permis d'inhumer.

– Il avait ses raisons…, commença Poirot.

Mais elle lui coupa la parole :

– Et il a bien fait. Un médecin n'a pas intérêt à imaginer des choses qui offensent la famille. Parce que s'il se trompe c'est terminé — personne ne voudra plus faire

479

appel à lui. Un médecin, ça n'a pas le droit de commettre de bourdes !

– Certains pensent que Mrs Welman aurait pu se suicider, hasarda Poirot.

– Elle ? Clouée sur son lit ? Lever une main, c'est bien tout ce qu'elle pouvait faire !

– Quelqu'un aurait pu l'aider ?

– Ah, je vois où vous voulez en venir. Vous pensez à miss Carlisle ou à Mr Welman, ou à Mary Gerrard peut-être ?

– Ce serait possible, non ?

Miss O'Brien secoua la tête.

– Ils n'auraient pas osé. Ni les uns ni les autres.

– Peut-être bien que non, admit Poirot.

Puis il questionna :

– Quand miss Hopkins s'est-elle aperçue qu'il lui manquait un tube de morphine ?

– Le matin même. « J'aurais juré que je l'avais dans ma trousse », qu'elle disait. Ça, c'était au début, mais vous savez comment c'est, au bout d'un moment tout se mélange dans la tête et à la fin elle était sûre de l'avoir oublié chez elle.

– Et même à ce moment-là vous n'avez rien soupçonné ? demanda Poirot dans un murmure.

– Absolument rien ! Non, je n'ai pas pensé un instant qu'il y avait quelque chose d'anormal. Et même aujourd'hui, on n'a que des soupçons.

– La disparition de ce tube ne vous a jamais tracassées, miss Hopkins et vous ?

– Eh bien, ce n'est pas complètement exact... Je me souviens très bien d'y avoir repensé, et miss Hopkins aussi. Même que je crois qu'on était toutes les deux en train de prendre le thé à la *Mésange Bleue*. Ç'a été comme de la transmission de pensée. « Ça n'est pas impossible que je l'aie posé sur la cheminée, qu'il ait roulé et qu'il soit tombé dans la corbeille à papier... ça doit être ça parce que je ne vois pas d'autre explication », qu'elle m'a fait. Et moi je lui ai dit comme ça que oui, que c'était sûrement ce qui s'était passé. Et c'est tout, nous n'avons pas parlé de ce que nous avions dans la tête et qui nous faisait peur.

– Et maintenant, demanda Poirot, que pensez-vous ?

– Si jamais on retrouve de la morphine dans le corps, ce ne sera pas la peine de chercher bien loin qui a pris le tube et dans quel but. Mais tant qu'on n'aura pas prouvé qu'il y a de la morphine dans le corps de la vieille dame, je ne croirai pas qu'elle l'a, elle aussi, envoyée manger les pissenlits par la racine.

– Pour vous, il ne fait aucun doute qu'Elinor Carlisle a assassiné Mary Gerrard ?

– Pour moi, il n'y a pas de question, comme on dit ! Qui d'autre avait une raison de le faire ?

– C'est là tout le problème, dit Poirot.

– Mais moi, je vous prie de croire que j'étais là, et pas qu'un peu, la nuit où la pauvre vieille essayait de lui parler ! déclara miss O'Brien, théâtrale. Et miss Elinor qui lui promettait la lune et le reste ! Et est-ce que je n'ai pas vu la haine dans ses yeux un jour où elle regardait Mary descendre les escaliers ? C'est le meurtre et rien d'autre qu'elle avait dans le cœur à ce moment-là.

– Mais à supposer qu'Elinor Carlisle ait tué Mrs Welman, pourquoi l'aurait-elle fait ?

481

– Pourquoi ? Pour l'argent, pardi ! Deux cent mille livres, pas moins. Voilà ce qu'elle en tire et voilà pourquoi elle l'a fait — si elle l'a fait. C'est une fille intelligente, culottée et qui n'a peur de rien.

– Si Mrs Welman avait eu le temps de rédiger un testament, qu'aurait-elle fait de sa fortune, à votre avis ?

– Oh, ce n'est pas à moi de le dire, affirma miss O'Brien en montrant tous les signes qu'elle s'apprêtait à le faire. Mais croyez-moi, la vieille dame aurait laissé à Mary Gerrard jusqu'à son dernier sou.

– Pourquoi ?

Ce simple mot eut le don de jeter miss O'Brien dans un grand trouble.

– Pourquoi ? Vous me demandez *pourquoi* ? Eh bien… à mon avis, parce que ça devait finir comme ça.

– D'aucuns, murmura Poirot, pourraient dire que Mary Gerrard avait bien mené sa barque, qu'elle avait su entrer dans les bonnes grâces de la vieille dame au point de lui faire oublier les liens du sang.

– Qu'ils le disent, décréta posément miss O'Brien.

– Mary Gerrard était-elle une intrigante ?

– Ce n'est pas comme ça que je la vois… Elle était simple et naturelle. Sans arrière-pensées — non, ça, ce n'était pas son genre. Et puis, je vais vous dire, derrière toutes ces affaires de famille, il y a souvent des raisons qui ne viennent jamais à être connues.

– Vous êtes une personne très discrète, miss O'Brien, dit doucement Poirot.

– Je ne suis pas du genre à parler de ce qui ne me regarde pas.

Les yeux dans les yeux, Poirot poursuivit :

– Miss Hopkins et vous êtes tombées d'accord qu'il valait mieux ne pas déterrer certaines choses, n'est-ce pas ?

– Qu'est-ce que vous entendez par là ?

– Oh, rien à voir avec le crime — ou les crimes, s'empressa de préciser Poirot. Je pense à... à l'autre chose.

Miss O'Brien hocha la tête.

– À quoi ça rimerait de remuer la boue et les vieilles histoires ? C'était une vieille dame tout ce qu'il y a de bien, qui n'a jamais prêté le flanc au scandale. Et elle est morte respectée de tous.

– C'est vrai, approuva Poirot, Mrs Welman était très respectée à Maidensford.

L'entretien avait pris un tour imprévu, mais le visage de Poirot n'exprimait aucun étonnement.

– Et puis c'est tellement loin, tout ça, reprit miss O'Brien. Ils sont tous morts et enterrés. Moi, ces histoires d'amour, je n'y peux rien, ça me remue. Et, comme je le dis toujours, c'est dur pour un homme dont la femme est à l'asile d'être enchaîné toute sa vie — de n'attendre la liberté que de la mort.

– Oui, c'est dur..., répéta Poirot, se cramponnant pour dissimuler sa surprise.

– Miss Hopkins ne vous a pas parlé de nos lettres qui se sont croisées ?

– Non, ça, elle ne m'en a pas parlé, put dire Poirot en toute sincérité.

– Cette fois-là, comme dit l'autre, pour une coïncidence... Mais c'est toujours comme ça ! Vous entendez un nom et, un ou deux jours plus tard, comme par un fait

483

exprès, vous retombez dessus ailleurs. Quand même, que je voie cette photographie sur le piano, au moment même où, à Maidensford, la gouvernante de l'ancien médecin racontait toute l'histoire à miss Hopkins, avouez que… !

– C'est — c'est fascinant, voulut bien admettre Poirot.

Il se reprit et hasarda :

– Mary Gerrard était-elle… au courant ?

– Qui aurait été lui raconter ça ? Pas moi, en tout cas — ni miss Hopkins. Qu'est-ce que ça lui aurait apporté de bon ?

Elle fit virevolter ses mèches rousses et regarda son vis-à-vis droit dans les yeux.

– Oui, quoi, en effet ? soupira Poirot.

11

Elinor Carlisle…

Par-dessus la table qui les séparait, Poirot l'observait d'un œil inquisiteur.

Ils étaient seuls. Un gardien les surveillait derrière une vitre.

Poirot étudia le visage intelligent au front pâle et haut, le modelé délicat des oreilles et du nez. Un beau visage. Un être fier et sensible, de la race, de la maîtrise et, aussi… des réserves de passion.

– Je suis Hercule Poirot, dit-il. C'est le Dr Lord qui m'envoie. Il croit que je peux vous aider.

– Peter Lord…, répéta Elinor.

Un sourire mélancolique apparut sur ses lèvres.

– C'est gentil de sa part, reprit-elle poliment, mais je ne pense pas que vous puissiez faire grand-chose.

– Répondrez-vous à mes questions ?

Elle soupira.

– Il vaudrait mieux ne pas les poser, dit-elle. Croyez-moi, je suis en bonnes mains. Me Seddon a été parfait. Je vais avoir un avocat célèbre.

– Pas aussi célèbre que moi !

– Il a une grande réputation, dit Elinor avec une nuance de lassitude.

– Dans la défense des criminels, certes. Moi j'ai la réputation de faire éclater l'innocence.

Elle leva enfin les yeux, des yeux d'un bleu profond, magnifique, et les plongea dans ceux de Poirot.

– Vous me croyez innocente ? lui demanda-t-elle.

– Vous l'êtes ?

Elinor sourit, d'un petit sourire ironique.

– C'est un exemple de vos questions ? C'est si facile de répondre oui !

– Vous êtes très fatiguée, n'est-ce pas ? demanda inopinément Poirot.

Elinor ouvrit de grands yeux.

– Eh bien, oui… plus que toute autre chose. Comment le savez-vous ?

– Je le savais, c'est tout.

– Je serai contente lorsque ce sera… terminé.

Poirot l'observa un instant en silence.

– J'ai rencontré votre… cousin, déclara-t-il enfin. Puis-je, par commodité, appeler ainsi Mr Roderick Welman ?

Une rougeur monta doucement au fier visage. Poirot comprit qu'il venait d'obtenir la réponse à une question qu'il n'avait pas eu besoin de poser.

– Vous avez vu Roddy ? fit-elle d'une voix qui tremblait quelque peu.

– Il fait son possible pour vous aider.

– Je sais, murmura-t-elle dans un souffle.

– Il est pauvre ou riche ?

– Roddy ? Oh, il ne possède pas beaucoup d'argent personnel.

– Et il est dépensier ?

– Ni l'un ni l'autre nous n'étions guère économes, répondit-elle l'air absent. Nous savions qu'un jour…

– Vous comptiez sur votre héritage ? C'est bien compréhensible.

Il demeura un instant silencieux avant de poursuivre :

– On vous a peut-être informée des résultats de l'autopsie de votre tante. Elle est morte d'une injection de morphine.

– Je ne l'ai pas tuée, déclara Elinor Carlisle d'un ton froid.

– L'avez-vous aidée à mettre fin à ses jours ?

– L'ai-je aidée… ? Oh, je vois ! Non, je ne l'ai pas aidée.

– Saviez-vous que votre tante n'avait pas fait de testament ?

– Non, pas du tout.

Elle répondait machinalement, d'une voix égale et triste.

– Vous-même, avez-vous fait votre testament ?

– Oui.

486

– Le jour où le Dr Lord vous en a parlé ?

– Oui.

De nouveau, cette légère rougeur.

– Miss Carlisle, comment avez-vous disposé de votre fortune ?

– J'ai tout légué à Roddy… à Roderick Welman.

– Le sait-il ?

– Sûrement pas, dit-elle vivement.

– Vous n'en avez pas parlé ensemble ?

– Bien sûr que non. Il aurait été affreusement gêné et il aurait totalement désapprouvé.

– Qui connaît le contenu de votre testament ?

– Uniquement Me Seddon… et ses clercs, je suppose.

– Est-ce Me Seddon qui a préparé le document ?

– Oui. Je lui ai écrit le soir même… je veux dire le soir de ma discussion avec le Dr Lord.

– Avez-vous posté votre lettre vous-même ?

– Non, on l'a portée à la boîte à lettres avec le reste du courrier de la maison.

– Vous l'avez donc écrite, mise dans une enveloppe, cachetée, timbrée et postée… comme ça ? Vous n'avez pas pris le temps d'y réfléchir ou de la relire ?

– Si, je l'ai relue, répondit Elinor en regardant Poirot bien en face. Je suis montée dans ma chambre chercher des timbres et, à mon retour, j'ai relu la lettre pour m'assurer qu'elle était claire.

– Y avait-il quelqu'un dans la pièce ?

– Seulement Roddy.

– Savait-il ce que vous étiez en train de faire ?

– Non, je vous l'ai déjà dit.

487

– Quelqu'un aurait-il pu lire la lettre en votre absence ?

– Je ne sais pas… Vous pensez aux domestiques ? Peut-être, si par hasard elles sont entrées au moment où je n'étais pas là.

– Et avant que Mr Roderick Welman n'entre lui-même.

– Oui.

– Aurait-il pu la lire aussi ?

– Monsieur Poirot, dit Elinor d'une voix claire et méprisante, je peux vous affirmer que mon « cousin », comme vous l'appelez, ne lit pas le courrier d'autrui.

– Idée préconçue. Vous seriez surprise du nombre de gens qui font des choses « qui ne se font pas ».

Elinor haussa les épaules.

– Est-ce ce jour-là que vous est venue pour la première fois l'idée de tuer Mary Gerrard ? dit Poirot d'un air détaché.

Le visage d'Elinor se colora de nouveau, cette fois comme sous l'effet d'un feu intérieur.

– C'est Peter Lord qui vous a dit ça ?

– J'ai raison, n'est-ce pas ? dit Poirot avec douceur. Vous l'avez vue par la fenêtre, elle rédigeait son testament et vous avez pensé que ce serait drôle — et bien commode — si Mary disparaissait…

– Il l'a deviné — il l'a deviné rien qu'en me regardant, dit Elinor d'une voix étouffée.

– Le Dr Lord devine beaucoup de choses… Ce jeune homme, avec ses cheveux de paille et ses taches de rousseur, c'est loin d'être un imbécile…

488

– Est-ce que c'est vrai qu'il vous envoie pour… pour m'aider ? demanda Elinor d'une voix sourde.

– C'est vrai, mademoiselle.

Elle poussa un profond soupir.

– Je ne comprends pas, murmura-t-elle. Non, je ne comprends pas.

– Écoutez, miss Carlisle, il est indispensable que vous me racontiez exactement ce qui s'est passé le jour où Mary Gerrard est morte : où vous êtes allée, ce que vous avez fait ; il faut même que vous alliez jusqu'à me dire ce que vous avez pensé.

Elle le regarda dans les yeux. Et un étrange petit sourire lui vint lentement aux lèvres.

– Vous devez être bien naïf, dit-elle. Vous ne voyez pas comme il me serait facile de vous mentir ?

– Aucune importance, répondit Poirot, placide.

– Aucune importance ? s'étonna-t-elle.

– Non. Les mensonges, mademoiselle, en apprennent autant que la vérité à celui qui sait écouter. Plus même, parfois. Allons-y, voulez-vous ? Vous avez rencontré la gouvernante, cette bonne Mrs Bishop. Elle a proposé de venir vous aider et vous avez refusé. Pourquoi ?

– Je voulais être seule.

– Pourquoi ?

– Pourquoi ? Pourquoi ? Parce que je voulais… réfléchir.

– Vous vouliez vous représenter la situation… bon. Et ensuite, qu'avez-vous fait ?

Elinor releva la tête avec défi.

– J'ai acheté de la pâte à tartiner pour faire des sandwiches.

– Deux pots ?

– Oui, deux.

– Et vous vous êtes rendue à Hunterbury. Qu'avez-vous fait une fois sur place ?

– Je suis montée dans la chambre de ma tante et j'ai commencé à trier ses affaires.

– Qu'avez-vous trouvé ?

– Trouvé ? (Elle fronça les sourcils.) Des vêtements, des vieilles lettres, des photographies, des bijoux.

– Pas de secrets ?

– Des secrets ? Je ne comprends pas.

– Bien, continuons. Ensuite ?

– Je suis descendue à l'office préparer les sandwiches…

– Et à ce moment-là, à quoi pensiez-vous ? demanda doucement Poirot.

Le regard bleu d'Elinor s'éclaira soudain.

– Je pensais à mon homonyme, Aliénor d'Aquitaine…

– Je conçois parfaitement cela.

– Vraiment ?

– Oh oui, je connais l'histoire. Elle offrit à la blonde Rosemonde de choisir entre la dague *et une coupe de poison,* n'est-ce pas ? Rosemonde choisit le poison…

Blême, Elinor garda le silence.

– Mais peut-être, cette fois, *ne devait-il pas y avoir de choix,* dit Poirot… Continuez, mademoiselle. Quelle a été l'étape suivante ?

– J'ai disposé les sandwiches sur une assiette et je suis allée à la loge. Miss Hopkins était là, avec Mary. Je leur ai dit qu'il y avait des sandwiches à la maison.

Poirot l'observait.

490

– Et vous y êtes retournées toutes les trois ensemble ? demanda-t-il.

– Oui. Nous avons mangé les sandwiches au petit salon.

– C'est ça... *comme en un rêve...* Et ensuite...

– Ensuite ? fit-elle, le regard soudain fixe. Ensuite, je l'ai laissée... debout près de la fenêtre et je suis allée à l'office. C'était *comme dans un rêve,* en effet... L'infirmière faisait la vaisselle... Je lui ai donné les pots.

– Bien, bien. Et que s'est-il passé après ? À quoi avez-vous pensé ?

– L'infirmière avait une marque au poignet, dit Elinor d'une voix rêveuse. J'en ai fait la remarque et elle a dit que c'était une épine du rosier grimpant près de la loge. *Les roses de la Loge...* Une fois, il y a longtemps, nous nous étions querellés, Roddy et moi, à cause de la guerre des Deux-Roses. Il était York et j'étais Lancastre. Il aimait les roses blanches. Je prétendais que ce n'était pas de vraies roses — qu'elles n'avaient même pas de parfum ! J'aimais les roses rouges, sombres et veloutées — les roses qui sentent l'été... Nous nous battions comme des idiots. Tout cela m'est revenu... là, dans l'office... et quelque chose — quelque chose s'est brisé... la haine qui était dans mon cœur, elle s'est évanouie lorsque je nous ai revus, enfants, tous ensemble. Je ne haïssais plus Mary. Je ne voulais pas qu'elle meure...

Elle se tut.

– Mais plus tard, quand nous sommes retournées au salon, reprit-elle dans un murmure, elle était en train de mourir...

491

Le silence retomba. Poirot la fixait d'un regard pénétrant. Elle rougit.

– Allez-vous encore me demander si… *si j'ai tué Mary Gerrard* ?

Poirot se leva.

– Je ne vous demanderai rien, articula-t-il à la hâte. Il y a des choses que je ne veux pas savoir…

12

Le Dr Lord attendait à la gare ainsi qu'on l'en avait prié.

Hercule Poirot descendit du train. Bottines de cuir vernies à bouts pointus, il avait l'air londonien en diable.

Peter Lord le dévisagea d'un œil anxieux, mais il resta impénétrable.

– J'ai fait de mon mieux pour obtenir des réponses à vos questions, dit Peter Lord. Primo, Mary Gerrard a quitté le pays le 10 juillet pour se rendre à Londres. Secundo, je n'ai pas de gouvernante, ce sont deux jeunes péronnelles qui s'occupent de ma maison. La personne dont il s'agit est certainement Mrs Slattery, la gouvernante du Dr Ransome, mon prédécesseur. Je peux vous conduire chez elle ce matin si vous le désirez, j'ai tout arrangé.

– Oui, répondit Poirot, je crois que c'est aussi bien de commencer par elle.

– Et puis vous vouliez voir Hunterbury, je peux vous y

492

accompagner. Ça me dépasse que vous n'y soyez pas encore allé. Je ne comprends pas pourquoi vous ne l'avez pas fait l'autre jour. J'aurais juré que, dans une affaire comme celle-ci, la première chose à faire c'était d'aller sur les lieux du crime.

– Pourquoi ? s'enquit Poirot en penchant un peu la tête de côté.

– Pourquoi ? fit Peter Lord, ébahi. Ce n'est pas comme ça qu'on procède habituellement ?

– Le travail de détective, ça ne se fait pas avec un manuel ! C'est son intelligence qu'il faut, le cas échéant, utiliser.

– Vous auriez pu y trouver une piste.

– Vous lisez trop de romans policiers, soupira Poirot. La police de ce pays est admirable. Je ne doute pas qu'elle ait exploré les lieux de fond en comble.

– Pour dénicher des preuves *contre* Elinor Carlisle — pas des preuves en sa faveur.

Poirot poussa un profond soupir.

– Mon très cher et excellent ami, ce ne sont pas des monstres, ces policiers ! Elinor Carlisle a été arrêtée parce qu'il s'est trouvé assez d'éléments pour l'accuser — un faisceau de preuves concordantes et accablantes, il faut bien l'avouer. Ça ne m'aurait servi à rien de repasser derrière la police.

– Mais c'est pourtant bien ce que vous allez faire maintenant ? objecta Peter.

Poirot acquiesça :

– Oui. Maintenant, c'est nécessaire. Parce que maintenant *je sais très exactement ce que je cherche.* Avant

493

d'utiliser ses yeux, il faut utiliser à fond ses petites cellules grises.

– Si je comprends bien, vous pensez donc qu'on pourrait encore trouver quelque chose là-bas ?

– J'ai idée qu'on va effectivement y trouver quelque chose, oui, répondit doucement Poirot.

– Quelque chose qui prouverait l'innocence d'Elinor ?

– Ah, je n'ai pas dit ça.

Peter Lord se figea.

– Ne me dites pas que vous la croyez encore coupable !

– Avant d'avoir une réponse à cette question, mon bon ami, dit Poirot d'une voix grave, il va falloir attendre.

*

Poirot déjeunait avec le Dr Lord dans une pièce de belles proportions ouverte sur le jardin.

– Vous avez obtenu ce que vous attendiez de la vieille Mrs Slattery ? demanda Lord.

– Oui.

– Et qu'en attendiez-vous ?

– Des potins ! Des vieilles histoires. Certains crimes ont parfois leurs racines dans le passé. Je crois que c'est le cas cette fois-ci.

– Je ne comprends pas un traître mot à ce que vous dites, déclara Peter Lord, agacé.

Poirot sourit.

– Ce poisson est d'une remarquable fraîcheur, observa-t-il.

– Je le crois sans peine, dit Lord avec impatience. Je

494

l'ai pêché moi-même avant le petit déjeuner. Allons, Poirot, me direz-vous enfin ce que vous mijotez ? Pourquoi me laisser dans le noir ?

– Parce que je n'y vois pas clair moi-même, répondit Poirot en secouant la tête. Je me heurte toujours au fait que — en dehors d'Elinor Carlisle — personne n'avait de raison de tuer Mary Gerrard.

– Vous ne pouvez pas vous montrer affirmatif dans ce domaine. N'oubliez pas qu'elle a vécu quelque temps à l'étranger.

– Oui, oui, je me suis renseigné.

– Vous êtes allé sur place, en Allemagne ?

– Pas moi, non… J'ai mes espions, ajouta Poirot avec un petit gloussement.

– Et vous pouvez vous fier à eux ?

– Certainement. Je ne vais pas courir à droite à gauche pour faire mal ce que d'autres, moyennant une somme minime, peuvent faire avec toute la compétence requise. Je vous assure, très cher, que j'ai plusieurs fers au feu. J'ai quelques collaborateurs très efficaces, dont un ancien cambrioleur.

– À quoi l'utilisez-vous ?

– Sa dernière tâche a été la fouille minutieuse de l'appartement de Mr Welman.

– Pour chercher quoi ?

– Il est toujours intéressant de savoir quel genre de mensonges on vous a servi.

– Welman vous a menti ?

– Et comment !

– Qui d'autre encore vous a menti ?

– Tout le monde, je crois : miss O'Brien, sur le mode

495

romanesque ; miss Hopkins, dans le genre buté ; Mrs Bishop, dans un registre nettement venimeux, et vous-même…

– Miséricorde ! s'exclama Peter Lord, interrompant Poirot sans façon. Vous ne croyez tout de même pas que je vous ai menti ?

– Pas encore, admit Poirot.

– Vous êtes du genre méfiant, dites donc ! déclara Lord en se tassant sur sa chaise.

Il se reprit et déclara :

– Si vous en avez terminé, je vous propose de nous mettre en route pour Hunterbury. J'ai quelques visites à faire plus tard, et ensuite, le cabinet.

– Mon bon ami, je suis à votre disposition.

Ils se rendirent à pied jusqu'au parc où ils pénétrèrent par une allée secondaire. À mi-chemin, ils rencontrèrent un grand escogriffe qui poussait une brouette. Il salua respectueusement le médecin en touchant le bord de son chapeau.

– Bonjour, Horlick. Poirot, je vous présente Horlick, le jardinier. Il travaillait ici le matin du meurtre.

– Oui, m'sieur, j'étais là. J'ai vu miss Elinor ce matin-là. Et même que je lui ai parlé.

– Que vous a-t-elle dit ?

– Elle m'a dit que la propriété était vendue, ou tout comme, et ça m'a drôlement secoué, m'sieur. Mais miss Elinor a dit qu'elle parlerait de moi au major Somervell et qu'il me garderait peut-être comme chef jardinier s'il ne me trouvait pas trop jeune, vu tout ce que j'ai appris ici avec Mr Stephens.

496

– Elle vous a paru… comme d'habitude ? demanda Lord.

– Ma foi oui, m'sieur, sauf qu'elle avait l'air un peu agitée, comme si quelque chose la préoccupait.

– Vous connaissiez Mary Gerrard ? demanda Poirot.

– Oh, oui, m'sieur. Mais pas très bien.

– Comment était-elle ?

– Comment elle était ? s'étonna Horlick. Vous voulez dire, à voir ?

– Pas exactement. Ma question, ce serait plutôt : quel genre de fille c'était ?

– Oh ! Eh bien, m'sieur, c'était une fille du genre au-dessus de la moyenne. Bien éduquée, et tout. Elle ne se prenait pas non plus pour de la crotte, si vous me suivez. Faut dire que la vieille Mrs Welman en faisait tout un plat, même que ça faisait enrager son père. Il en décolérait pas.

– Il n'avait apparemment pas très bon caractère, ce vieux Gerrard…

– Ah ça non, on ne peut pas dire ! Toujours à ronchonner, à tempêter. Jamais un mot aimable.

– Vous étiez donc dans les parages ce matin-là. Où vous trouviez-vous au juste ?

– Presque tout le temps au potager, m'sieur.

– De là où vous étiez, vous ne pouviez pas voir la maison ?

– Non, m'sieur.

– Si quelqu'un s'était approché de la maison, intervint Peter Lord, à la hauteur de la fenêtre de l'office, vous ne l'auriez pas vu ?

– Non, m'sieur, pas moyen.

497

– À quelle heure êtes-vous allé déjeuner ? continua Peter Lord.

– Sur le coup de 1 heure, m'sieur.

– Et vous n'avez rien remarqué — un rôdeur, une voiture à la grille, quelque chose dans ce goût-là ?

L'étonnement se peignit sur le visage du jeune homme.

– Devant le petit portail, m'sieur ? Y avait votre voiture, c'est tout.

– *Ma* voiture ? Ce n'était pas ma voiture ! s'écria Peter Lord. Ce matin-là, j'étais sur la route de Withenbury. Je ne suis pas rentré avant 2 heures.

Horlick était l'image même de la perplexité.

– J'étais pourtant sûr que c'était votre voiture, m'sieur, dit-il d'un air de doute.

– Oh, et puis peu importe, déclara précipitamment Peter Lord. C'est bon, Horlick, bonne journée.

Poirot et lui s'éloignèrent. Horlick les suivit des yeux un instant. Puis il continua son chemin en poussant sa brouette.

– Enfin quelque chose, chuchota Peter Lord, très excité. À qui était cette voiture qui stationnait dans l'allée ce matin-là ?

– Quelle est la marque de votre voiture, mon bon ami ? demanda Poirot.

– C'est une Ford 10 gris-vert. La voiture de monsieur Tout-le-monde. On ne peut pas faire plus banal.

– Et vous êtes certain que ce n'était pas la vôtre ? Vous ne vous êtes pas trompé de jour ?

– Absolument certain. Je suis allé à Withenbury, je suis revenu tard, j'ai déjeuné à toute allure et c'est à ce moment-là qu'on m'a appelé pour Mary Gerrard et que je me suis précipité ici.

– En ce cas, mon bon ami, fit benoîtement Poirot, il semblerait que nous ayons enfin mis le doigt sur un élément tangible.

– *Quelqu'un était là ce matin-là...,* marmonna Peter Lord. Quelqu'un qui n'était pas Elinor Carlisle, et qui n'était pas non plus Mary Gerrard ou miss Hopkins.

– C'est très intéressant. Allez, venez, poursuivons nos investigations. Tâchons de voir, par exemple, comment s'y prendrait un homme — ou une femme — qui voudrait approcher de la maison sans être vu.

À mi-chemin de l'allée, un sentier s'enfonçait entre des massifs d'arbustes. Ils s'y engagèrent et, à la sortie d'une courbe, Peter Lord agrippa soudain Poirot par le bras et lui désigna une fenêtre.

– C'est la fenêtre de l'office où Elinor Carlisle a préparé les sandwiches.

– Et d'ici, *n'importe qui pouvait voir ce qu'elle était en train de faire,* murmura Poirot. La fenêtre était ouverte si je me souviens bien ?

– Grande ouverte, il faisait très chaud.

– Donc, déclara Poirot d'un air songeur, si quelqu'un voulait surveiller ce qui se passait, il aurait pu se poster quelque part dans le coin.

Les deux hommes examinèrent les parages.

– Venez voir par là, dit Peter Lord. Derrière ces buissons, l'herbe a été piétinée. Elle s'est redressée, mais on distingue encore assez bien les dégâts.

Poirot le rejoignit.

– Oui, c'est un endroit propice, admit-il pensivement.

On est caché de l'allée, et cette trouée dans le massif permet d'avoir une bonne vue sur la fenêtre. Alors, qu'a-t-il fait, notre ami qui a monté la garde ici ? Il a fumé, peut-être ?

Ils se courbèrent et examinèrent le sol en fouillant feuilles et branchages.

Tout à coup, Poirot poussa un grognement. Peter Lord laissa tomber ses recherches.

– Qu'y a-t-il ?

– Une boîte d'allumettes, mon bon ami. Une boîte d'allumettes vide, trempée, à moitié enfoncée dans la terre et en capilotade.

Il nettoya l'objet avec délicatesse et le déposa sur une feuille de calepin qu'il tira de sa poche.

– Ça ne vient pas d'ici, dit Lord. Bon sang ! *Des allumettes allemandes !*

– Et Mary Gerrard venait de rentrer d'Allemagne…

– Ah ! exulta Peter Lord, nous tenons enfin quelque chose ! Vous ne pouvez pas le nier.

– Peut-être…, murmura lentement Poirot.

– Sapristi, mon vieux, qu'est-ce que fabriqueraient ici des allumettes étrangères ?

– Bien sûr… bien sûr…, fit Poirot.

Son regard — un regard perplexe — erra de la trouée dans les buissons jusqu'à la fenêtre.

– Ce n'est pas aussi simple que vous le croyez. Il y a un gros problème. Vous ne voyez pas lequel ?

– Quoi ? Non. Dites-moi.

Poirot soupira.

– Si vous ne le voyez pas… Allez, venez, continuons.

500

Ils marchèrent jusqu'à la maison. Peter Lord, qui avait la clé, ouvrit la porte de service.

Il fit traverser à Poirot l'arrière-cuisine et la cuisine, puis le guida dans un couloir sur lequel ouvraient, d'un côté, un vestibule et, de l'autre, l'office, où ils s'arrêtèrent.

Il y avait là le classique vaisselier à vitres coulissantes destiné aux verres et à la porcelaine. Un réchaud à gaz, deux bouilloires, des boîtes métalliques marquées Thé et Café posées sur une étagère. Il y avait également un évier, un égouttoir, et une bassine. Devant la fenêtre, une table.

– C'est sur cette table qu'Elinor Carlisle a fait les sandwiches, expliqua Peter Lord. On a trouvé le fragment d'étiquette de morphine dans cette rainure, par terre, sous l'évier.

– Ce sont de fins limiers, vos policiers, remarqua Poirot, pensif. Pas grand-chose ne leur échappe.

– Il n'y a aucune preuve qu'Elinor ait jamais touché ce tube ! explosa Peter Lord. Moi, je vous le dis, quelqu'un la surveillait depuis le massif. Quand elle est sortie pour aller à la loge, ce quelqu'un a saisi sa chance, il s'est glissé à l'intérieur, il a débouché le tube et il a écrasé quelques comprimés de morphine dont il a saupoudré le sandwich du dessus.

» Il n'a pas remarqué qu'un morceau d'étiquette s'était déchiré et était tombé par terre. Il a filé à toute vitesse, a mis sa voiture en route et a disparu.

Poirot soupira encore, à fendre l'âme cette fois.

– Et vous ne voyez toujours pas ? C'est incroyable comme un homme intelligent peut être bouché parfois.

– Est-ce que ça signifie que vous ne croyez pas qu'un

501

homme tapi dans les buissons surveillait la fenêtre ? demanda Peter Lord avec colère.

– Si, ça je le crois…

– Par conséquent, nous devons découvrir de qui il s'agissait !

– Nous n'aurons pas à chercher bien loin, m'est avis.

– Vous voulez dire que vous savez ?

– J'ai ma petite idée.

– Alors vos sous-fifres vous ont quand même rapporté quelque chose d'Allemagne…

Hercule Poirot se tapota le front.

– Tout est là, mon bon ami, dans ma tête… Venez, nous allons faire le tour de la maison.

*

Ils s'arrêtèrent enfin dans la pièce où Mary Gerrard était morte.

Une atmosphère étrange flottait dans la maison qui paraissait vibrer de souvenirs et de sombres présages.

Peter Lord ouvrit grande une des fenêtres.

– On se croirait dans une tombe…, murmura-t-il en frissonnant.

– Si les murs pouvaient parler…, renchérit Poirot. Le point de départ de toute l'histoire, c'est bien entendu ici qu'il se trouve, dans cette maison…

Il se tut un instant puis reprit à voix basse :

– Et c'est ici, dans cette pièce, que Mary Gerrard est morte.

– Elle était assise sur cette chaise, près de la fenêtre…, précisa Peter Lord.

502

– Une jeune fille — belle — romanesque ? se demanda Poirot à voix haute. Une intrigante ? Une bêcheuse qui se prenait des airs ? Une fille douce et tendre, toute simple… Un petit être qui s'ouvre à la vie — pareil à une fleur ?…

– Quoi qu'elle ait pu être, quelqu'un a voulu qu'elle meure.

– Je me demande…, murmura Poirot.

Lord le dévisagea.

– À quoi pensez-vous ?

– Non, pas encore, fit Poirot en secouant la tête.

Il se dirigea vers la porte.

– Nous avons visité la maison. Nous avons vu tout ce qu'il y avait à voir ici. Allons à la loge.

L'ordre régnait là aussi : la poussière s'était déposée, mais il n'y avait plus trace d'effets personnels dans les pièces bien rangées. Les deux hommes ne s'y attardèrent pas. Comme ils ressortaient au soleil, Poirot toucha le feuillage d'un rosier grimpant le long d'un treillis. Les fleurs étaient roses et parfumées.

– Connaissez-vous le nom de cette rose ? murmura-t-il. C'est la Zéphirine Drouhin, mon bon ami.

– Et alors ? fit Peter Lord, agacé.

– Lorsque j'ai rencontré Elinor Carlisle, elle m'a parlé de roses. C'est à ce moment-là que j'ai commencé à discerner la lumière… oh, juste une petite lueur comme celle qu'on aperçoit d'un train quand on arrive au bout d'un tunnel. Ce n'est pas la clarté du jour, mais c'en est la promesse.

– Que vous a-t-elle raconté ? demanda brutalement Peter Lord.

– Elle m'a parlé de son enfance et de ce jardin où elle jouait avec Roderick Welman. Ils étaient dans des camps ennemis : il préférait la rose blanche des York, froide et austère, et elle, m'a-t-elle dit, elle adorait les roses rouges, la rose des Lancastre. Les roses rouges qui ont le parfum, la couleur, la chaleur de la passion. Et, mon bon ami, c'est là toute la différence entre Elinor Carlisle et Roderick Welman.

– Mais qu'est-ce que ça explique ?

– Cela explique la personnalité d'Elinor Carlisle, fière et passionnée, et qui aimait désespérément un homme incapable de l'aimer…

– Je ne vous comprends pas…

– Mais moi je *la* comprends… Je les comprends tous les deux. Et maintenant, mon bon ami, retournons voir cette petite clairière.

Ils s'y rendirent en silence. Sous ses taches de rousseur, Peter Lord avait l'air troublé et passablement en colère.

Lorsqu'ils parvinrent sur les lieux, Poirot s'immobilisa sous l'œil attentif de Peter Lord.

Le petit détective poussa soudain un soupir de contrariété.

– C'est tellement simple, vraiment. Ne discernez-vous pas, mon bon ami, l'énorme faille de votre raisonnement ? Selon votre théorie, quelqu'un, sans doute un homme, a connu Mary Gerrard en Allemagne et est venu ici pour la tuer. Mais regardez, mon bon ami, regardez donc ! Utilisez vos vrais yeux puisque ceux de votre intelligence ne vous servent à rien. Que voyez-vous d'ici ? Une fenêtre, n'est-ce pas ? Et derrière cette

504

fenêtre, une femme. Une femme occupée à préparer des sandwiches. C'est Elinor Carlisle. Mais réfléchissez une seconde : *comment diable cet homme embusqué aurait-il pu deviner qu'elle offrirait ces sandwiches à Mary Gerrard ?* Personne ne le savait — *sauf Elinor Carlisle ! Personne !* Pas même Mary Gerrard ou miss Hopkins.

» Par conséquent, si un homme surveillait la scène dans ces fourrés, si ensuite il est entré dans l'office en passant par la fenêtre, et s'il a empoisonné les sandwiches, qu'avait-il en tête, de quoi était-il persuadé ? Il était persuadé, il était forcément persuadé *que ces sandwiches étaient destinés à Elinor Carlisle elle-même…*

13

Poirot frappa à la porte de miss Hopkins. Elle vint ouvrir, la bouche pleine de biscuit aux raisins.

– Tiens, monsieur Poirot ! dit-elle sèchement. Que voulez-vous encore ?

– Puis-je entrer ?

Miss Hopkins s'écarta non sans mauvaise grâce, et Poirot fut autorisé à franchir le seuil. Miss Hopkins n'avait pas le cœur sur la main — c'était sa théière qui occupait cette place de choix. Ce qui revient à dire que notre malheureux Belge consterné eut à plonger le nez quelques instants plus tard dans une tasse emplie d'un breuvage noirâtre.

– Juste fait, bien chaud et bien fort ! commenta l'infirmière.

Poirot remua prudemment le liquide et avala une gorgée héroïque.

– Avez-vous une idée de la raison de ma présence ?

– Comment le saurais-je si vous ne me le dites pas ? Je ne suis pas voyante.

– Je viens vous demander de me dire la vérité.

Miss Hopkins monta sur ses grands chevaux.

– Qu'est-ce que ça signifie ? s'emporta-t-elle. Ça, j'aimerais bien le savoir ! Une fille honnête et qui ne raconte pas d'histoires, voilà ce que j'ai été toute ma vie. Je ne suis pas du genre à me cacher derrière les autres, moi ! Ce tube de morphine, je n'ai pas hésité à en parler à l'enquête. Il y en a beaucoup à ma place qui seraient restés bouche cousue dans leur coin. Parce que je savais bien que c'était une négligence d'avoir laissé traîner ma trousse et qu'on allait me le reprocher — même si, après tout, ça peut arriver à tout le monde ! Seulement, le blâme, il m'est quand même tombé dessus — et ça n'est pas ça qui va me faire du bien pour ce qui est de ma réputation professionnelle, vous pouvez me croire. Enfin ça, tant pis ! Ça avait un rapport avec l'affaire, alors je l'ai dit. Mais je vous saurais gré de garder vos insinuations pour vous, monsieur Poirot ! Tout ce que je savais sur la mort de Mary Gerrard, je l'ai dit au grand jour et sans rien cacher, et si vous, vous pensez que ce n'est pas vrai, eh bien je vous prierai de montrer vos preuves. Je n'ai rien dissimulé — rigoureusement rien ! Et ça, je suis prête à le répéter au tribunal et à le jurer sous serment.

Poirot ne tenta pas de l'interrompre. Il ne savait que

trop bien comment s'y prendre avec une femme en colère. Il la laissa exploser et puis se calmer. Alors, seulement, il parla d'une voix douce :

– Je n'insinuais pas le moins du monde que vous aviez caché quelque chose à propos du meurtre.

– Alors, vous insinuiez quoi ? J'aimerais le savoir !

– Je vous demande de me dire la vérité, non pas sur la mort, mais sur la vie de Mary Gerrard.

– Oh ! fit miss Hopkins momentanément désarçonnée. C'est ça que vous cherchez ? Mais ça n'a rien à voir avec le crime.

– Je ne prétends pas le contraire, je dis que vous cachez un renseignement qui la concerne.

– Et pourquoi pas, si ça n'a rien à voir avec le crime ?
Poirot haussa les épaules.

– Et pourquoi ne pas le dire ?

– Par décence, tout simplement ! répondit miss Hopkins, devenue soudain pivoine. Ils sont tous morts maintenant, ces gens, et ça ne regarde personne !

– S'il s'agit de suppositions, je suis d'accord avec vous. Mais si vous possédez une véritable information, c'est différent.

– Je ne comprends pas ce que vous voulez dire…

– Je vais vous aider. J'ai eu droit à quelques allusions de miss O'Brien ainsi qu'à une longue conversation avec Mrs Slattery, qui n'a pas la mémoire qui flanche en ce qui concerne les événements qui se sont produits il y a plus de vingt ans. Voici ce que j'ai appris : il y a plus de vingt ans, deux personnes ont eu une liaison amoureuse. L'une était Mrs Welman, veuve depuis quelques années et femme d'un tempérament passionné. L'autre était sir

507

Lewis Rycroft, qui avait le malheur d'avoir épousé une malade mentale. À cette époque, la loi ne permettait pas d'espérer le divorce dans un cas pareil. Or lady Rycroft, dont la santé était excellente, pouvait très bien vivre jusqu'à quatre-vingt-quinze ans. Cette liaison, elle a, je présume, été soupçonnée de tout un chacun. Mais tous deux ont su se montrer discrets et sauvegarder les apparences. Et puis, un beau jour, sir Lewis Rycroft a été tué à la guerre.

– Et alors ?

– Je suggère qu'un enfant est né après sa mort, et que cet enfant n'était autre que Mary Gerrard.

– Vous êtes au courant de tout, on dirait ! ronchonna miss Hopkins.

– Cela, c'est ce que je *crois,* insista Poirot. Mais il se peut que vous, vous en ayez la preuve.

Sourcils froncés, miss Hopkins resta un moment silencieuse. Puis elle se leva brusquement, traversa la pièce et ouvrit un tiroir dont elle sortit une enveloppe qu'elle remit à Poirot.

– Je vous raconterai comment elle est tombée entre mes mains, dit-elle. Remarquez, j'avais des soupçons. La façon dont Mrs Welman regardait la petite, d'abord, et puis des ragots que j'ai entendus par-ci par-là. Et par-dessus le marché, le vieux Gerrard m'a dit pendant sa maladie que Mary n'était pas sa fille.

» J'ai fini de mettre de l'ordre à la loge après la mort de Mary. Et, en vidant un tiroir, je suis tombée sur cette lettre. Elle était parmi les affaires du vieux. Vous n'avez qu'à regarder.

Poirot lut les mots tracés d'une encre pâlie :

508

Pour Mary. À lui envoyer après ma mort.

– Ça n'a pas l'air de dater d'hier, dites-moi ! constata Poirot.

– Ce n'est pas Gerrard qui a écrit ça, expliqua miss Hopkins. C'est la mère de Mary. Elle est morte depuis plus de quatorze ans. Elle avait écrit cette lettre pour sa fille, mais le vieux l'a cachée dans ses affaires si bien qu'elle ne l'a jamais vue, Dieu merci ! Elle a pu garder la tête haute jusqu'au bout. Elle n'a pas eu à rougir.

Elle s'interrompit, puis reprit :

– Elle était cachetée, mais j'avoue que quand je l'ai trouvée je l'ai ouverte et je l'ai lue. Je n'aurais pas dû, je sais, mais Mary était morte et j'imaginais plus ou moins ce qu'il y avait dedans. Et puis je ne voyais pas qui cela aurait pu intéresser. Je ne l'ai tout de même pas détruite, parce qu'il m'a semblé que ce serait mal. Mais lisez-la, vous verrez bien.

Poirot tira la feuille de papier couverte d'une petite écriture anguleuse :

Je mets la vérité par écrit au cas où elle serait utile un jour. J'étais la femme de chambre de Mrs Welman à Hunterbury et elle était très bonne pour moi. J'ai eu des ennuis, elle s'est occupée de moi et elle m'a reprise à son service quand tout était fini, mais le bébé est mort. Ma maîtresse et sir Lewis Rycroft s'aimaient, mais ils ne pouvaient pas se marier parce qu'il avait déjà une femme et qu'elle était dans un asile de fous, la pauvre. C'était un monsieur très bien et il adorait Mrs Welman. Il a été tué et peu après elle m'a dit qu'elle attendait un enfant. Ensuite elle est allée en Écosse et elle m'a emmenée avec

509

elle. L'enfant est né là-bas, à Ardlochrie. Bob Gerrard, qui m'avait bien laissée tomber quand j'ai eu mes ennuis, m'a écrit de nouveau. On a décidé que je me marierais avec lui, qu'on habiterait la loge et que je lui ferais croire que le bébé était à moi. Si nous vivions là, ça paraîtrait normal que Mrs Welman s'intéresse à l'enfant et veille à son éducation et à son établissement. Elle pensait qu'il valait mieux que Mary ne sache jamais la vérité. Mrs Welman nous a donné une jolie somme à tous les deux, mais j'aurais fait la même chose sans ça. J'ai été heureuse avec Bob, mais il n'a jamais accepté Mary. J'ai tenu ma langue, je n'ai jamais rien dit à personne, mais je crois que je dois mettre cette histoire noir sur blanc au cas où je mourrais.

Eliza Gerrard (née Eliza Riley)

Hercule Poirot poussa un profond soupir et replia la lettre.

– Qu'allez-vous en faire ? demanda miss Hopkins inquiète. Ils sont tous morts, maintenant ! Ce n'est pas bon de remuer le passé. Tout le monde respectait Mrs Welman dans le pays, on n'a jamais cancané sur son compte. Cette vieille histoire… ce serait cruel. Pareil pour Mary. C'était une gentille fille, est-il nécessaire que tout le monde sache que c'était une bâtarde ? Laissons les morts reposer en paix, voilà ce que je dis.

– Il faut aussi penser aux vivants, remarqua Poirot.

– Mais ça n'a rien à voir avec le meurtre.

– Ça a peut-être beaucoup à voir, au contraire, rétorqua Poirot l'air grave.

510

Il quitta le cottage de miss Hopkins. Celle-ci le regarda s'éloigner, bouche bée.

Il avait déjà parcouru un bout de chemin lorsqu'il perçut un bruit de pas hésitants derrière lui. Il s'arrêta et se retourna.

C'était Horlick, le jeune jardinier de Hunterbury. Illustration parfaite de l'embarras, il tournait et retournait son chapeau dans ses mains.

– Excusez-moi, m'sieur. Est-ce que je pourrais vous dire un mot ? demanda-t-il d'une voix étranglée.

– Mais bien sûr. De quoi s'agit-il ?

Horlick tritura son chapeau de plus belle.

– C'est au sujet de cette voiture, répondit-il l'air misérable, en détournant les yeux.

– La voiture qui était garée devant le petit portail ce matin-là ?

– Oui, m'sieur. Le Dr Lord a dit que ce n'était pas la sienne, mais je suis sûr que si, m'sieur.

– Vous en êtes certain ?

– Oui, m'sieur, à cause du numéro. MSS 2022, je l'ai bien remarqué… MSS 2022. Tout le monde la connaît dans le village, on l'appelle « Miss deux-deux » ! Je sais ce que je dis.

– Mais le Dr Lord prétend qu'il a passé la matinée à Withenbury, répliqua Poirot avec un petit sourire.

– Oui, m'sieur, dit Horlick, l'air malheureux, je l'ai entendu. Mais c'était sa voiture, m'sieur… Je suis prêt à le jurer.

– Merci, Horlick, dit gentiment Poirot. C'est ce que vous aurez sans doute à faire…

TROISIÈME PARTIE

1

Faisait-il très chaud dans la salle du tribunal ? Ou bien un froid glacial ? Elinor Carlisle n'en savait trop rien. Parfois elle se sentait brûlante, comme fiévreuse, l'instant suivant elle frissonnait.

Elle n'avait pas entendu la fin du réquisitoire. Elle avait voyagé dans le passé, refait pas à pas tout le chemin depuis le jour où elle avait reçu cette lettre ignoble jusqu'au moment où cet officier de police au visage lisse lui avait déclaré avec une absolue sûreté de soi :

« Vous êtes Elinor Katharine Carlisle. J'ai un mandat d'arrêt à votre nom pour le meurtre, par administration de poison, commis sur la personne de Mary Gerrard le 27 juillet dernier. Je dois vous prévenir que tout ce que vous direz sera consigné par écrit et pourra être utilisé contre vous. »

Horrible, terrifiante sûreté de soi… Elle s'était sentie happée dans les rouages d'une machine bien réglée, bien huilée, froide, inhumaine.

Et maintenant elle se tenait debout, en pleine lumière, dans le box des accusés, offerte aux centaines de regards

512

bien humains, eux — avides, exultants et qui se repais-
saient d'elle…

Seuls les jurés ne la regardaient pas. Embarrassés, ils
s'appliquaient à détourner les yeux…

« C'est parce qu'ils savent déjà ce qu'ils vont dire… »,
pensa Elinor.

*

Le Dr Lord témoignait. Était-ce le même Peter Lord,
le jeune médecin sympathique, plein de gaieté, qui avait
été si gentil, si amical à Hunterbury ? Il était maintenant
raide et guindé. Strictement professionnel. Ses réponses
tombaient, monotones : il avait été appelé par un coup
de téléphone à Hunterbury Hall. Trop tard pour faire
quoi que ce soit. Mary Gerrard était morte quelques
minutes après son arrivée. Mort consécutive, à son avis,
à une intoxication par la morphine, du type « fou-
droyant », ce qui était une forme rare.

Sir Edwin Bulmer se leva pour passer au contre-
interrogatoire :

– Étiez-vous le médecin traitant de feu Mrs Welman ?

– Oui.

– Lors de vos visites à Hunterbury en juin dernier,
avez-vous eu l'occasion de voir ensemble l'accusée et
Mary Gerrard ?

– Plusieurs fois.

– Comment qualifieriez-vous l'attitude de l'accusée
envers Mary Gerrard ?

– Aimable et naturelle.

513

Sir Edwin Bulmer eut un petit sourire de dédain pour demander :

– Vous n'avez remarqué aucun signe de cette « haine jalouse » dont on nous a tant parlé ?

– Non, dit fermement Peter Lord, les dents serrées.

« *Mais si, il a vu…, pensa Elinor. Il vient de mentir pour moi… Il savait…* »

Le médecin légiste succéda à Peter Lord. Son témoignage fut plus long et plus détaillé. Le décès était dû à une intoxication « foudroyante » par la morphine. Serait-il assez aimable pour expliquer ce terme ? Il s'exécuta avec un évident plaisir. L'intoxication par la morphine pouvait entraîner la mort de diverses façons. La plus commune commençait par une période d'excitation intense suivie de somnolence, puis d'inconscience, pupilles contractées. Une autre, plus rare, avait été nommée « foudroyante » par les Français ; dans ce cas, le coma intervenait très rapidement, dix minutes environ, et les pupilles étaient dilatées…

*

L'audience fut levée et reprit un peu plus tard. Les rapports d'expertises médicales durèrent plusieurs heures.

Le Dr Alan Garcia, chimiste distingué, exposa avec enthousiasme et en termes savants ce que contenait l'estomac de la victime : pain, beurre, beurre de poisson, thé, traces de morphine… lesquelles furent l'occasion d'autres termes savants et de précisions à quelques décimales. Quantité absorbée par la défunte estimée à 24 mg. Or 6 mg pouvaient suffire à entraîner la mort.

514

Sir Edwin se leva, la mine narquoise.

– Soyons précis, je vous prie. Vous n'avez trouvé dans l'estomac que du pain, du beurre, du beurre de poisson, du thé et de la morphine. Pas d'autres aliments ?

– Non, aucun.

– Par conséquent, la victime n'avait rien absorbé d'autre que des sandwiches et du thé depuis un temps relativement long ?

– C'est exact.

– A-t-on les moyens de déterminer quel a été le vecteur de la morphine ?

– Je saisis mal.

– Je simplifierai ma question. La morphine aurait pu être absorbée avec le beurre de poisson, ou avec le pain, ou le beurre sur le pain, ou bien dans le thé ou dans le lait qui a été ajouté au thé ?

– Certainement.

– Rien ne prouve que la morphine se soit trouvée dans le beurre de poisson en particulier ?

– Non.

– Et, en fait, la morphine aurait aussi bien pu être absorbée à part... sans aucun vecteur ? Simplement sous forme de comprimé ?

– Oui, bien entendu.

Sir Edwin s'assit.

Sir Samuel posa une dernière question :

– Néanmoins, quelle que soit la façon dont la victime a absorbé la morphine, vous estimez qu'elle a bu et mangé en même temps ?

– Oui.

– Je vous remercie.

*

L'inspecteur Brill prêta serment machinalement. Impassible comme un soldat au rapport, il débita son témoignage avec l'aisance que confère l'habitude.

– Appelé au manoir… L'accusée a déclaré : « Le beurre de poisson devait être avarié »… effectué une perquisition… Un pot de beurre de poisson était nettoyé et posé sur l'égouttoir de l'office, un autre à moitié plein… continué la fouille de la cuisine…

– Qu'avez-vous trouvé ?

– Dans une rainure du plancher, derrière la table, j'ai trouvé un petit morceau de papier.

La pièce à conviction fut passée aux jurés.

– Qu'en avez-vous conclu ?

– Que c'était un fragment déchiré d'une étiquette pareille à celles qu'on utilise pour les tubes de morphine.

L'avocat de la défense se leva nonchalamment.

– Vous avez découvert ce bout de papier dans une rainure du plancher ? demanda-t-il.

– Oui.

– C'est un morceau d'étiquette, dites-vous ?

– Oui.

– Avez-vous retrouvé le reste de cette étiquette ?

– Non.

516

– Vous n'avez retrouvé ni tube en verre ni flacon d'où aurait pu se décoller cette étiquette ?

– Non.

– Comment se présentait ce bout de papier lorsque vous l'avez découvert ? Était-il propre ou sale ?

– Tout ce qu'il y a de propre.

– Précisez.

– La poussière du plancher s'était déposée dessus, sinon il était propre.

– Il ne pouvait pas se trouver là depuis longtemps ?

– Non, il était tombé récemment.

– Diriez-vous que cela datait du jour même où vous l'avez découvert ?

– Oui.

Sir Edwin fit entendre un grognement et se rassit.

*

Dans le box des témoins miss Hopkins, visage rouge et air éminemment vertueux.

Tout de même, miss Hopkins n'était pas aussi terrifiante que l'inspecteur Brill, pensait Elinor. C'était l'inhumanité de l'inspecteur qui était glaçante. Cette façon d'être si évidemment le rouage d'une énorme machine. Miss Hopkins, elle, éprouvait des passions humaines, avait des préjugés.

– Vous vous appelez Jessie Hopkins ?

– Oui.

– Vous êtes infirmière-visiteuse diplômée et vous demeurez à Rose Cottage, Maidensford ?

– Oui.

517

– Où étiez-vous le 28 juin dernier ?

– Je me trouvais à Hunterbury Hall.

– Vous avait-on appelée ?

– Oui. Mrs Welman avait eu une nouvelle attaque. Je venais aider miss O'Brien en attendant qu'on trouve une seconde infirmière.

– Aviez-vous une mallette avec vous ?

– Oui.

– Dites au jury ce qu'elle contenait.

– Des bandages, des pansements, une seringue hypodermique, divers médicaments dont un tube de chlorhydrate de morphine.

– Pourquoi se trouvait-il dans votre trousse ?

– Parce que je devais faire des injections de morphine à une de mes malades dans le village. Une le matin et une le soir.

– Que contenait le tube ?

– Vingt comprimés de chlorhydrate de morphine de 3 mg chacun.

– Qu'avez-vous fait de votre mallette ?

– Je l'ai laissée en bas dans le hall.

– C'était le 28 juin au soir. Quand avez-vous vérifié le contenu de votre mallette ?

– Vers 9 heures, le lendemain matin, au moment de quitter la maison.

– Manquait-il quelque chose ?

– Oui, le tube de morphine manquait.

– Avez-vous parlé à quelqu'un de cette disparition ?

– Je l'ai dit à miss O'Brien, l'infirmière chargée de Mrs Welman.

518

– Cette mallette est donc restée dans le hall où tout le monde passait ?

– Oui.

Sir Samuel fit une pause avant de demander :

– Vous connaissiez intimement la morte, Mary Gerrard ?

– Oui.

– Que pensiez-vous d'elle ?

– C'était une jeune fille charmante, une fille bien.

– Avait-elle un caractère heureux ?

– Très heureux.

– À votre connaissance, avait-elle des ennuis ?

– Non.

– Au moment de sa mort, avait-elle des motifs d'inquiétude sur son avenir ?

– Aucun.

– Elle n'aurait eu aucune raison de se suicider ?

– Absolument aucune.

Et l'accablant récit fut repris depuis le début. Comment miss Hopkins avait accompagné Mary à la loge, l'apparition d'Elinor, sa nervosité, l'invitation à partager les sandwiches, l'assiette tendue à Mary d'abord. Comment elle avait suggéré de faire la vaisselle, et comment elle avait demandé ensuite à miss Hopkins de monter avec elle pour trier des vêtements.

Sir Edwin Bulmer ne cessait d'interrompre et de soulever des objections.

« Oui, tout est vrai…, pensait Elinor, et elle le croit. Elle croit que je l'ai tuée. Et chacun de ses mots dit la vérité… C'est cela qui est horrible. Tout est vrai. »

Encore une fois, parcourant des yeux l'auditoire, elle remarqua le regard pensif de Poirot posé sur elle. Un regard tout plein de bonté. Un regard qui en savait si long…

On passa au témoin le carton sur lequel était fixé le fragment d'étiquette.

– Savez-vous ce que c'est ?

– C'est un lambeau d'étiquette.

– Pouvez-vous dire au jury de quelle étiquette ?

– Oui, c'est un lambeau d'étiquette d'un tube de comprimés de morphine à 3 mg, comme celui que j'ai égaré.

– Vous en êtes sûre ?

– Évidemment, j'en suis sûre. Cela vient de mon tube.

– Y a-t-il un détail particulier qui vous permette de l'identifier formellement comme étant l'étiquette du tube que vous avez perdu ? demanda le juge.

– Non, Votre Honneur, mais ça doit être la même.

– En somme, tout ce que vous pouvez affirmer, c'est qu'elle est exactement semblable ?

– Eh bien oui, c'est ce que je veux dire.

L'audience fut levée.

2

Un autre jour.

Debout, sir Edwin Bulmer interrogeait le témoin. Il n'avait plus rien d'aimable.

– Cette mallette dont on ne cesse de nous rebattre les

520

oreilles, dit-il sèchement. Elle est restée toute la nuit du 28 juin dans le hall de Hunterbury ?

– Oui, confirma miss Hopkins.

– Assez négligent de votre part, non ?

Miss Hopkins s'empourpra.

– Oui, sans doute.

– Est-ce dans vos habitudes de laisser traîner n'importe où des médicaments dangereux ?

– Non, bien sûr que non !

– Ah bon. Mais c'est ce que vous avez fait ce jour-là ?

– Oui.

– Et n'importe qui dans la maison aurait pu prendre cette morphine pour peu qu'il en ait eu envie ?

– Je suppose que oui.

– Je ne vous demande pas de supposer. Répondez par oui ou par non.

– Eh bien, oui.

– Ce n'est pas seulement miss Carlisle qui aurait pu s'en emparer, n'est-ce pas ? N'importe quel domestique aurait pu le faire. Ou le Dr Lord. Ou Mr Roderick Welman. Ou miss O'Brien. Ou Mary Gerrard elle-même.

– J'imagine que oui.

– Répondez par oui ou par non.

– Oui.

– Quelqu'un savait-il que vous aviez de la morphine dans cette mallette ?

– Je l'ignore.

– L'aviez-vous dit à quelqu'un ?

– Non.

– Par conséquent, miss Carlisle ne pouvait pas connaître la présence de cette morphine.

521

– Elle a pu regarder.

– C'est fort peu plausible, vous ne croyez pas ?

– Ça, j'avoue que je n'en sais rien.

– Certaines personnes étaient mieux placées que miss Carlisle pour connaître l'existence de cette morphine. Le Dr Lord, par exemple. C'est lui qui prescrivait les traitements de vos patients, n'est-ce pas ?

– Naturellement.

– Et Mary Gerrard, elle était au courant ?

– Non, pas du tout.

– Elle venait souvent chez vous, non ?

– Pas très souvent.

– M'est avis qu'elle vous faisait au contraire de fréquentes visites, et que, de tous ceux qui se trouvaient dans la maison, elle était la mieux placée pour deviner qu'il y avait de la morphine dans votre trousse.

– Je ne suis pas du même avis que vous.

Sir Edwin fit une pause. Puis :

– C'est dans la matinée que vous avez annoncé à miss O'Brien que la morphine avait disparu ?

– Oui.

– N'avez-vous pas dit, en réalité : « J'ai oublié la morphine chez moi, il faut que je retourne la chercher. »

– Non, je n'ai pas dit ça.

– N'avez-vous pas suggéré que la morphine était restée chez vous, sur la cheminée ?

– Ma foi, comme je ne retrouvais pas le tube, j'ai pensé que c'est ce qui s'était passé.

– En réalité, vous ne saviez pas du tout ce que vous en aviez fait !

– Si, je le savais. Je l'avais mis dans ma mallette.

– Alors, pourquoi avez-vous prétendu le matin du 29 juin que vous l'aviez oublié chez vous ?

– Parce que ça m'a semblé possible.

– J'observe que vous êtes une personne très négligente.

– Ce n'est pas vrai.

– Mais vos déclarations sont parfois extrêmement imprécises, non ?

– Non, je fais très attention à ce que je dis.

– Le 27 juillet, jour de la mort de Mary Gerrard, avez-vous dit quelque chose à propos d'une égratignure que vous vous étiez faite à un rosier ?

– Je ne vois pas le rapport !

– Votre question est-elle pertinente, sir Edwin ? intervint le juge.

– Absolument, Votre Honneur, c'est un élément essentiel de la défense, et j'ai l'intention d'appeler des témoins à la barre pour prouver que l'infirmière Hopkins a menti sur ce point.

» Maintenez-vous que vous vous êtes égratigné le poignet à un rosier le matin du 27 juillet ? reprit-il.

– Oui ! fit miss Hopkins d'un air de défi.

– Quand vous êtes-vous fait ça ?

– En quittant la loge pour me rendre au manoir, le matin du 27 juillet.

– Et quelle sorte de rosier était-ce ? demanda sir Edwin d'un ton sceptique.

– Un rosier grimpant à fleurs roses, juste devant le pavillon.

– Vous en êtes sûre ?

– Tout à fait.

523

Sir Edwin prit son temps avant de demander :

– Persistez-vous à dire que la morphine se trouvait dans votre mallette lorsque vous vous êtes rendue à Hunterbury le 27 juin ?

– Oui, elle y était.

– Supposons que l'infirmière O'Brien vienne tout à l'heure jurer dans le box des témoins que vous l'aviez sans doute oubliée chez vous ?

– Elle était dans ma mallette, j'en suis certaine.

Sir Edwin poussa un soupir.

– La disparition de la morphine ne vous a pas inquiétée du tout ?

– Non. Pas inquiétée… non.

– Ainsi donc, vous vous sentiez parfaitement tranquille — en dépit du fait qu'une quantité importante d'un médicament dangereux avait disparu ?

– À ce moment-là, je ne pensais pas qu'on l'avait volé.

– Je vois. Simplement, vous ne vous rappeliez pas ce que vous en aviez fait.

– Mais si, je l'avais mis dans ma mallette.

– Vingt comprimés à trois milligrammes, autrement dit soixante milligrammes de morphine. On peut tuer pas mal de monde avec ça, non ?

– Oui.

– Mais vous n'étiez pas inquiète… et vous n'avez même pas signalé officiellement la perte ?

– Je ne pensais pas que c'était grave.

– Je suggère que si la morphine avait disparu comme vous le dites vous vous seriez sentie obligée de faire une déclaration de perte.

Miss Hopkins devint très rouge.

524

– Eh bien, je ne l'ai pas fait.

– N'était-ce pas une négligence criminelle de votre part ? Vous ne paraissez pas prendre vos responsabilités très au sérieux. Égarez-vous souvent des produits dangereux ?

– Ça ne m'était jamais arrivé.

L'interrogatoire se poursuivit quelques minutes encore. Miss Hopkins, nerveuse, cramoisie, ne cessait de se contredire — proie facile pour le subtil sir Edwin.

– Est-il vrai que le 6 juillet la victime, Mary Gerrard, a rédigé son testament ?

– Oui.

– Pourquoi ?

– Parce qu'elle pensait qu'elle devait le faire. Elle avait raison.

– Êtes-vous sûre que ce n'est pas parce qu'elle était déprimée et inquiète pour l'avenir ?

– C'est absurde !

– On dirait pourtant qu'elle avait la mort à l'esprit, que cette idée l'occupait.

– Pas du tout. Elle pensait seulement que c'était ce qu'il convenait de faire.

– Ce testament, est-ce celui-ci ? Signé par Mary Gerrard, témoins Emily Biggs et Roger Wade, employés dans une confiserie, et par lequel elle lègue tous les biens qu'elle posséderait à sa mort à Mary Riley, sœur d'Eliza Riley ?

– Oui, c'est ça.

On transmit le document aux jurés.

– À votre connaissance, Mary Gerrard avait-elle du bien à léguer ?

– Non, elle ne possédait rien.

525

– Mais elle devait incessamment en avoir, non ?

– Oui, peut-être bien.

– N'est-il pas de notoriété publique qu'une importante somme d'argent — deux mille livres — lui était octroyée par miss Carlisle ?

– Si.

– Miss Carlisle y était-elle obligée ? N'était-ce pas plutôt pure générosité de sa part ?

– Elle l'a fait de son propre chef, si.

– Mais si elle haïssait Mary Gerrard autant qu'on veut bien le prétendre, elle ne lui aurait sûrement pas donné une telle somme de son plein gré.

– Ça se peut.

– Que signifie votre réponse ?

– Rien de précis.

– Exactement. Maintenant, dites-nous si vous avez entendu des bavardages à propos de Mary Gerrard et de Mr Roderick Welman ?

– Il avait le béguin pour elle.

– En avez-vous des preuves ?

– Je le savais, c'est tout.

– Oh ! Vous « le saviez, c'est tout ». Je crains que cela ne suffise pas à convaincre le jury. N'avez-vous pas déclaré un jour que Mary ne voulait rien avoir à faire avec lui parce qu'il était fiancé à miss Elinor, et qu'elle lui avait répété la même chose à Londres ?

– C'est ce qu'elle m'avait confié.

Sir Samuel Attenbury se leva à son tour.

– Pendant que Mary Gerrard discutait avec vous de la formulation de son testament, l'accusée a-t-elle regardé par la fenêtre ?

526

– Oui.

– Qu'a-t-elle dit ?

– Elle a dit : « Alors, vous êtes en train de faire votre testament, Mary ? Ça, c'est vraiment drôle. Ça, c'est vraiment très drôle ! » Et elle s'est mise à rire, elle ne pouvait plus s'arrêter. Et à mon avis, insinua perfidement le témoin, c'est à ce moment-là que l'idée lui est venue. L'idée de se débarrasser d'elle ! À ce moment-là, elle avait le meurtre dans le cœur.

– Contentez-vous de répondre aux questions posées, dit le juge d'un ton sec. La dernière partie de la réponse ne doit pas figurer au compte rendu.

« Comme c'est étrange…, pensa Elinor. Chaque fois que quelqu'un dit la vérité, on refuse de l'entendre… »

Elle faillit éclater d'un rire hystérique.

*

L'infirmière O'Brien déposait.

– Le matin du 29 juin, l'infirmière Hopkins vous a-t-elle fait une déclaration ?

– Oui. Elle m'a dit qu'un tube de chlorhydrate de morphine manquait dans sa mallette.

– Qu'avez-vous fait ?

– Je l'ai aidée à le chercher.

– Mais vous ne l'avez pas retrouvé ?

– Non.

– À votre connaissance, la mallette était-elle restée toute la nuit dans le hall ?

– Oui.

– Mr Welman et l'accusée étaient-ils tous deux présents

527

au manoir lorsque Mrs Welman est morte dans la nuit du 28 au 29 juin ?

– Oui.

– Racontez-nous l'incident qui s'est produit le 29 juin, le lendemain du décès de Mrs Welman.

– J'ai vu Mr Roderick Welman en compagnie de Mary Gerrard. Il lui disait qu'il l'aimait et il a essayé de l'embrasser.

– À ce moment-là, il était fiancé à l'accusée ?

– Oui.

– Que s'est-il passé ensuite ?

– Mary lui a dit qu'il devrait avoir honte, qu'il était fiancé à miss Elinor !

– À votre avis, quels étaient les sentiments de l'accusée envers Mary Gerrard ?

– Elle la détestait. Elle la regardait comme si elle avait voulu la tuer.

Sir Edwin bondit sur ses pieds.

« Pourquoi ergotent-ils là-dessus ? se demanda Elinor. Quelle *importance* ? »

Sir Edwin commença le contre-interrogatoire :

– L'infirmière Hopkins ne vous a-t-elle pas déclaré qu'elle pensait avoir oublié la morphine chez elle ?

– Eh bien, voyez-vous, ça s'est passé comme ça : après…

– Contentez-vous de répondre à la question. A-t-elle dit oui ou non qu'elle avait sans doute oublié la morphine chez elle ?

– Oui.

– Elle n'était pas vraiment inquiète à ce moment-là ?

– Non, pas à ce moment-là.

– Parce qu'elle pensait l'avoir laissée chez elle. Donc, elle n'avait pas lieu de s'inquiéter, naturellement.

– Elle n'imaginait pas qu'on pouvait l'avoir volée.

– Exactement. Ce n'est qu'après le décès de Mary Gerrard que son imagination s'est mise à fonctionner.

Le juge intervint :

– Sir Edwin, il me semble que vous avez déjà examiné ceci en détail avec le témoin précédent.

– Très bien, Votre Honneur. Concernant l'attitude de l'accusée envers Mary Gerrard, avez-vous jamais surpris de dispute entre ces deux personnes ?

– Non, jamais.

– Miss Carlisle s'est toujours montrée aimable envers la jeune fille ?

– Oui. C'est juste la façon dont elle la regardait.

– Oui, oui, oui. Mais on ne peut pas fonder une opinion là-dessus. Vous êtes irlandaise, je crois ?

– Oui.

– Et les Irlandais ont beaucoup d'imagination, n'est-ce pas ?

– Tout ce que je vous ai dit est vrai ! s'indigna miss O'Brien.

*

Dans le box des témoins, Mr Abbott, l'épicier. Troublé, peu sûr de lui — légèrement grisé, toutefois, par le sentiment de son importance. Son témoignage fut bref. L'achat des deux pots de beurre de poisson. « Il n'y a pas de danger avec le beurre de poisson ? avait dit

529

l'accusée. Vous savez, ces histoires d'intoxication. » Son air bizarre et agité.

Pas de contre-interrogatoire.

<h1 style="text-align:center">3</h1>

Plaidoyer liminaire de la défense :

– Messieurs les jurés, je pourrais, si je le voulais, plaider devant vous le non-lieu. La charge de la preuve incombe à l'accusation, et mon opinion — la vôtre aussi, je n'en doute pas — est que nous attendons toujours un commencement de preuve. On nous demande de croire qu'Elinor Carlisle, s'étant procurée de la morphine — morphine que n'importe qui dans la maison aurait aussi bien pu dérober et sur la présence de laquelle, en outre, le plus grand doute subsiste —, qu'Elinor Carlisle, donc, s'est employée à empoisonner Mary Gerrard. Sur ce point, l'accusation se fonde sur la seule opportunité. Elle a cherché à établir un mobile, mais c'est précisément ce qu'elle n'a pas été capable de faire. Car, messieurs les jurés, il n'y a pas de mobile ! On nous a parlé de fiançailles rompues. Des fiançailles rompues, vraiment ! Si rompre est un mobile de meurtre, alors chaque jour devrait nous apporter sa moisson de cadavres… Or ces fiançailles-là, notez-le bien, n'étaient pas le fruit d'une passion dévorante, mais une décision prise essentiellement pour des raisons familiales. Miss Carlisle et Mr Welman avaient grandi ensemble, leur attachement réciproque s'était mué peu à peu en un sentiment plus fort ; mais j'ai l'intention de prouver que c'était au mieux un amour bien tempéré.

(Oh Roddy… Roddy, un amour bien tempéré ?)

– Qui plus est, la rupture a été le fait non de Mr Welman, mais bien de l'inculpée. Je prétends qu'Elinor Carlisle et Mr Welman s'étaient fiancés surtout pour complaire à la vieille Mrs Welman. Lorsque celle-ci est morte, les deux parties ont pris conscience que leurs sentiments n'étaient pas assez forts pour justifier l'engagement de toute leur vie. Toutefois, ils sont restés amis. En outre, Elinor Carlisle, qui avait hérité la fortune de sa tante, avait décidé, avec la générosité qui la caractérise, d'octroyer à Mary Gerrard une somme considérable. Et c'est cette femme qu'on accuse d'être une empoisonneuse ? Mais c'est une farce !

» Le seul élément qui milite contre Elinor Carlisle, ce sont les circonstances mêmes de l'empoisonnement.

» De fait, l'accusation nous a dit :

» Personne d'autre qu'Elinor Carlisle n'était en mesure de tuer Mary Gerrard. Après quoi il lui fallait bien essayer de trouver un mobile plausible. Mais, comme je l'ai souligné, de mobile, elle n'en a pas trouvé, parce qu'il n'y en a pas.

» Maintenant, est-il vrai que personne d'autre qu'Elinor Carlisle ne pouvait tuer Mary Gerrard ? Eh bien non. Il y a la possibilité que Mary Gerrard se soit suicidée. Il y a la possibilité que quelqu'un ait mis le poison dans les sandwiches pendant qu'Elinor Carlisle se trouvait à la loge. Et il y a une troisième possibilité. Il y a un aspect fondamental du système de la preuve, et c'est celui-ci : si

531

l'on peut prouver qu'une autre explication est possible, et compatible avec les faits, l'accusée doit être acquittée. Or je me fais fort de vous démontrer qu'une autre personne a non seulement eu la même possibilité d'empoisonner Mary Gerrard, mais avec, pour cela, un mobile bien plus puissant. Vous entendrez des témoignages qui établiront qu'une autre personne a eu accès à la morphine, et qu'elle avait un fort bon mobile pour tuer Mary Gerrard, et je montrerai que cette personne a eu aussi une excellente occasion de le faire. Je soutiens qu'aucun jury au monde ne reconnaîtrait la femme qui est devant vous coupable de meurtre sans autre élément de preuve que celui de l'opportunité, alors que la même opportunité mais aussi un mobile accablant peuvent être retenus contre une autre personne. J'appellerai également un témoin pour prouver qu'il y a eu parjure délibéré de la part d'un des témoins à charge. Mais d'abord, j'appellerai l'inculpée afin qu'elle vous expose sa propre version des faits et que vous puissiez apprécier par vous-mêmes l'inanité des faits qui lui sont reprochés.

*

Elle avait prêté serment. Elle répondait aux questions de sir Edwin d'une voix sourde. Penché en avant, le juge lui demanda de parler plus fort…

Gentiment, d'un ton encourageant, sir Edwin lui posait toutes les questions dont ils avaient ensemble préparé les réponses :

– Aimiez-vous Roderick Welman ?

532

– Oui, beaucoup. Comme un frère… ou un cousin. J'ai toujours pensé à lui comme à un cousin.

Les fiançailles… une pente naturelle… très agréable d'épouser quelqu'un qu'on a connu toute sa vie…

– Ce n'était pas exactement un amour passionné ?

(Une passion ? Oh, Roddy…)

– Eh bien, non… nous nous connaissions trop bien…

– Après la mort de Mrs Welman, y a-t-il eu des tensions entre vous ?

– Oui, en effet.

– Comment l'expliquiez-vous ?

– C'était en partie une question d'argent, je pense.

– D'argent ?

– Oui. Roderick se sentait mal à l'aise. Il pensait qu'on croirait peut-être qu'il m'épousait pour ça.

– Vous n'avez donc pas rompu vos fiançailles à cause de Mary Gerrard ?

– Je me doutais que Roddy était assez épris d'elle, mais je ne pensais pas que c'était sérieux.

– Si ça l'avait été, vous en auriez été bouleversée ?

– Oh, non. J'aurais trouvé cela un peu incongru, c'est tout.

– Miss Carlisle, le 28 juin, avez-vous oui ou non pris un tube de morphine dans la mallette de l'infirmière Hopkins ?

– Non.

– Avez-vous eu de la morphine en votre possession à un moment quelconque ?

– Jamais.

– Saviez-vous que votre tante n'avait pas fait de testament ?

– Non, cela m'a beaucoup étonnée.

– Dans la nuit du 28 juin, pensez-vous qu'elle a essayé de vous transmettre un message avant de mourir ?

– J'ai compris qu'elle n'avait pas pris de dispositions au sujet de Mary et qu'elle était désireuse de le faire.

– Et dans le but d'exaucer son vœu, vous étiez prête à faire une donation à la jeune fille ?

– Oui. C'était sa volonté, je devais la respecter. Et j'étais reconnaissante à Mary de toute la gentillesse qu'elle lui avait témoignée.

– Le 26 juillet, vous êtes venue de Londres à Maidensford. Vous êtes descendue au *King's Arms* ?

– Oui.

– Que veniez-vous faire ?

– J'avais reçu une offre pour la propriété, et l'acquéreur désirait entrer dans les lieux le plus vite possible. Je devais m'occuper des effets personnels de ma tante et régler un certain nombre de problèmes.

– Le 27 juillet, avez-vous acheté des provisions avant de vous rendre au manoir ?

– Oui. J'ai pensé que ce serait plus simple d'y pique-niquer que d'avoir à retourner au village.

– Ensuite, vous êtes allée au manoir pour trier les effets de votre tante ?

– Oui.

– Et ensuite ?

– Je suis descendue à l'office et j'ai préparé des sandwiches, puis je suis allée à la loge et j'ai invité miss Hopkins et Mary Gerrard à se joindre à moi.

– Pourquoi avez-vous fait cela ?

534

– Je voulais leur éviter un aller et retour pénible au soleil.

– En somme, un geste élémentaire de gentillesse. Ont-elles accepté votre invitation ?

– Oui. Elles sont revenues avec moi.

– Où se trouvaient les sandwiches que vous aviez préparés ?

– Dans l'office, sur une assiette.

– La fenêtre était-elle ouverte ?

– Oui.

– Quelqu'un aurait-il pu pénétrer dans l'office en votre absence ?

– Certainement.

– Si quelqu'un vous avait observée de l'extérieur pendant que vous faisiez les sandwiches, qu'aurait-il pensé ?

– Sans doute que je m'apprêtais à déjeuner sur le pouce.

– Aurait-il pu deviner que vous alliez partager ces sandwiches avec d'autres personnes ?

– Non. L'idée de les inviter m'est venue seulement quand j'ai vu la quantité qu'il y avait.

– Par conséquent, si quelqu'un avait pénétré dans l'office en votre absence pour mettre du poison dans l'un des sandwiches, c'était à votre intention ?

– Eh bien, oui, sans doute.

– Que s'est-il passé quand vous êtes revenues toutes les trois ?

– Nous sommes entrées dans le petit salon. Je suis allée chercher les sandwiches et j'en ai offert aux deux autres.

– Avez-vous bu quelque chose ?

535

– J'ai bu de l'eau. Il y avait de la bière, mais miss Hopkins et Mary préféraient du thé. Miss Hopkins est allée à l'office le préparer, elle l'a rapporté sur un plateau et Mary l'a servi.

– En avez-vous bu ?

– Non.

– Mais Mary Gerrard et miss Hopkins en ont bu toutes les deux ?

– Oui.

– Et ensuite ?

– Miss Hopkins est sortie pour aller éteindre le gaz.

– En vous laissant seule avec Mary Gerrard ?

– Oui.

– Et ensuite ?

– Au bout de quelques minutes, j'ai pris le plateau et l'assiette des sandwiches, et je les ai emportés à l'office. Miss Hopkins s'y trouvait et nous avons fait la vaisselle ensemble.

– Miss Hopkins avait-elle retroussé ses manches ?

– Oui. Elle faisait la vaisselle et moi je l'essuyais.

– Lui avez-vous fait une remarque à propos d'une égratignure qu'elle avait au poignet ?

– Je lui ai demandé si elle s'était piquée.

– Et qu'a-t-elle répondu ?

– Elle m'a dit : « C'est le rosier grimpant, près de la loge — une épine… je la retirerai plus tard. »

– Comment vous a-t-elle paru à ce moment-là ?

– J'ai pensé qu'elle souffrait de la chaleur. Elle transpirait et son visage était livide.

– Que s'est-il passé ensuite ?

536

– Nous sommes montées à l'étage et elle m'a aidée à trier les affaires de ma tante.

– Au bout de combien de temps êtes-vous redescendues ?

– Une heure plus tard, environ.

– Où se trouvait Mary Gerrard ?

– Elle était assise au petit salon. Elle respirait d'une drôle de façon et elle avait perdu connaissance. Sur les instructions de miss Hopkins, j'ai téléphoné au médecin. Il est arrivé juste avant qu'elle meure.

Sir Edwin, théâtral, se redressa de toute sa taille :

– *Miss Carlisle, avez-vous assassiné Mary Gerrard ?*

(C'est ta réplique ! Tête haute, regard ferme.)

– *Non !*

*

Sir Samuel Attenbury. Le cœur d'Elinor s'affola. Maintenant… maintenant elle était à la merci de l'ennemi ! Plus de gentillesse, plus de questions préparées.

Il commença toutefois en douceur :

– Vous nous avez déclaré que vous deviez épouser Mr Roderick Welman ?

– Oui.

– L'aimiez-vous ?

– Beaucoup.

– N'est-ce pas plutôt que vous étiez éperdument amoureuse de Roderick Welman et que son amour pour Mary Gerrard vous avait rendue folle de jalousie ?

– Non. (Était-ce un « non » assez indigné ?)

Sir Samuel se fit menaçant :

– Je prétends que vous avez prémédité de tuer cette jeune fille dans l'espoir que Roderick Welman vous reviendrait.

– C'est faux. (Hautaine… un peu lasse. C'était mieux.)

Les questions défilaient. Comme dans un rêve… un mauvais rêve… un cauchemar…

Une question après l'autre… des questions horribles, blessantes. Elle en attendait certaines, d'autres la prenaient au dépourvu…

Tenir son rôle. Surtout ne pas se laisser aller, ne pas dire : « Oui, je la haïssais… Oui, je souhaitais qu'elle meure… Oui, je ne pensais qu'à sa mort en préparant les sandwiches… »

Rester calme, donner des réponses brèves et aussi détachées que possible…

Se battre…

Se battre sur chaque pouce de terrain…

C'était fini… L'affreux homme au nez juif se rasseyait. La voix douce et onctueuse de sir Edwin formula encore quelques questions. Simples, aimables, destinées à effacer la mauvaise impression qu'elle aurait pu produire lors du contre-interrogatoire…

Elle était à nouveau au banc des accusés. Elle regardait les jurés. Est-ce qu'ils…

*

Roddy. Roddy debout, là, battant un peu des paupières, pestant intérieurement contre cette situation. Roddy — avec un air… pas tout à fait *réel*.

538

Mais plus rien n'est réel. Tout est emporté dans un tourbillon diabolique. Le blanc est noir, le haut en bas, l'est à l'ouest… Je ne suis plus Elinor Carlisle, je suis « l'accusée ». Et qu'on me pende ou qu'on me libère, rien ne sera jamais plus comme avant. S'il y avait quelque chose, juste quelque chose de simplement normal à quoi me raccrocher…

(Le visage de Peter Lord, peut-être — avec ses taches de son et cette façon extraordinaire d'être toujours semblable à lui-même…)

Où en était donc sir Edwin ?

– Pouvez-vous nous dire quels étaient les sentiments de miss Carlisle à votre égard ?

Roddy répondit de sa voix claire :

– Je pense qu'elle éprouvait pour moi un attachement profond, mais que ce sentiment n'avait en tout cas guère à voir avec la passion amoureuse.

– Étiez-vous heureux de vos fiançailles ?

– Oh, tout à fait, nous avions tant en commun.

– Mr Welman, auriez-vous l'amabilité d'exposer au jury les raisons exactes de votre rupture ?

– Eh bien, après la mort de Mrs Welman, cela s'est imposé à nous, dans une sorte de choc. Je n'aimais pas l'idée d'épouser une femme riche alors que j'étais moi-même sans le sou. En fait, nous avons rompu par consentement mutuel et cette décision nous a soulagés tous les deux.

– Pourriez-vous nous préciser maintenant quelle était la nature de vos relations avec Mary Gerrard ?

(Oh, Roddy, pauvre Roddy, comme tu dois détester tout ça !)

539

– Je la trouvais adorable.

– Étiez-vous amoureux d'elle ?

– Un peu.

– Quand l'avez-vous vue pour la dernière fois ?

– Voyons… Ce devait être le 5 ou le 6 juillet.

La voix de sir Edwin se fit cassante :

– Vous l'avez rencontrée, ce me semble, après cette date.

– Non, j'étais à l'étranger : Venise, la Dalmatie.

– Vous êtes rentré en Angleterre… quand au juste ?

– Après avoir reçu un télégramme — voyons — le 1er août, je crois bien.

– Je suggère pourtant que vous vous trouviez en Angleterre le 27 juillet.

– Non.

– Allons, Mr Welman, n'oubliez pas que vous témoignez sous serment. Votre passeport ne mentionne-t-il pas que vous êtes rentré en Angleterre le 25 juillet et que vous en êtes reparti dans la nuit du 27 ?

La voix de sir Edwin contenait une nuance de menace. Ramenée soudain à la réalité, Elinor fronça les sourcils. Pourquoi l'avocat malmenait-il son propre témoin ?

Roddy avait pâli. Il garda le silence un instant, puis il articula avec effort :

– Eh bien, oui, c'est exact.

– Avez-vous rencontré Mary Gerrard à son domicile londonien le 25 juillet ?

– Oui, en effet.

– Lui avez-vous demandé de vous épouser ?

– Euh… euh… oui.

540

– Quelle a été sa réponse ?

– Elle a refusé.

– Vous n'êtes pas riche, Mr Welman ?

– Non.

– Et vous êtes très endetté ?

– En quoi cela vous regarde-t-il ?

– Vous ne saviez pas que miss Carlisle vous avait désigné comme unique héritier si elle venait à disparaître ?

– C'est la première fois que j'entends parler de ça.

– Vous trouviez-vous à Maidensford le matin du 27 juillet ?

– Non.

Sir Edwin se rassit.

Sir Samuel Attenbury reprit la parole :

– Vous dites qu'à votre avis l'accusée n'était pas profondément amoureuse de vous.

– C'est ce que j'ai dit.

– Mr Welman, êtes-vous un homme chevaleresque ?

– Je ne comprends pas.

– Si une dame était très éprise de vous, et que vous ne l'aimiez pas en retour, mettriez-vous votre point d'honneur à cacher ce fait ?

– Certainement pas.

– Mr Welman, quelle école avez-vous fréquentée ?

– Eton.

Sir Samuel eut un petit sourire.

– Ce sera tout.

*

541

Alfred James Wargrave.

– Vous êtes horticulteur et vous demeurez à Emsworth dans le comté de Berks ?

– Oui.

– Le 20 octobre, êtes-vous allé à Maidensford pour examiner un rosier qui se trouvait devant la loge de Hunterbury ?

– Oui.

– Décrivez-nous ce rosier.

– C'est un rosier grimpant — un Zéphirine Drouhin. Il donne des fleurs roses délicatement parfumées. Il a la particularité de n'avoir pas d'épines.

– Il serait donc impossible de se piquer à un rosier répondant à cette description ?

– Rigoureusement impossible. Il est dépourvu d'épines.

Pas de contre-interrogatoire.

*

– Vous êtes James Arthur Littledale, chimiste diplômé, employé par les laboratoires Jenkins & Hale ?

– Oui.

– Pouvez-vous identifier ce morceau de papier ?

On lui remit la pièce à conviction.

– C'est un fragment d'étiquette provenant d'un de nos produits.

– Quel genre d'étiquette ?

– Celles que nous utilisons pour les tubes de comprimés servant aux préparations hypodermiques.

– En l'occurrence, ce fragment est-il suffisant pour que vous puissiez identifier le produit que contenait le tube ?

542

– Oui. Je peux affirmer en toute certitude que le tube en question contenait des comprimés de chlorhydrate d'apomorphine à trois milligrammes.

– Il ne s'agissait pas de chlorhydrate de morphine ?

– Non, c'est impossible.

– Pourquoi ?

– Parce que le mot morphine devrait commencer par un M majuscule. Or, en regardant à la loupe, on voit bien que le bout de jambage qui est là appartient à un *m* minuscule, et non pas à un M majuscule.

– Que les jurés examinent ce papier à la loupe, je vous prie. Avez-vous apporté des étiquettes pour que l'on voie mieux ce que vous voulez dire ?

On fit passer les étiquettes aux jurés.

Sir Edwin poursuivit :

– Vous dites que cette étiquette provient d'un tube de chlorhydrate d'apomorphine, mais qu'est-ce au juste que le chlorhydrate d'apomorphine ?

– Sa formule chimique est $C_{17}H_{17}NO_2$. C'est un dérivé de la morphine obtenu par saponification en la chauffant avec de l'acide chlorhydrique dilué dans des tubes scellés. La morphine perd une molécule d'eau.

– Quelles sont les propriétés caractéristiques de l'apomorphine ?

– L'apomorphine est le plus rapide et le plus puissant des émétiques connus. Elle agit en quelques minutes.

– Si quelqu'un avalait une dose mortelle de morphine et *s'injectait de l'apomorphine dans les minutes qui suivent,* que se passerait-il ?

– Cette personne serait prise de vomissements

543

presque instantanément et la morphine serait ainsi éliminée de l'organisme.

– Par conséquent, si deux personnes partagent le même sandwich *ou boivent du thé provenant de la même théière* et que l'une des deux s'injecte une dose d'apomorphine, en supposant que ce qu'elles ont partagé était empoisonné, que se passe-t-il ?

– La personne qui a pris de l'apomorphine vomira la nourriture et la morphine.

– Et il n'y aura pas d'effets secondaires ?

– Non.

L'auditoire s'agita soudain et le juge imposa le silence.

*

– Vous vous appelez Amelia Mary Sedley et vous résidez habituellement au 17 Charles Street, Boonamba, Auckland ?

– Oui.

– Connaissez-vous une certaine Mrs Draper ?

– Oui, depuis plus de vingt ans.

– Connaissez-vous son nom de jeune fille ?

– Oui, j'étais présente à son mariage. Elle s'appelait Mary Riley.

– Est-elle originaire de Nouvelle-Zélande ?

– Non, elle venait d'Angleterre.

– Avez-vous assisté à ce procès depuis le début ?

– Oui.

– Avez-vous vu Mary Riley — ou Draper — dans cette salle ?

544

– Oui.

– Où l'avez-vous vue ?

– À la barre des témoins.

– Sous quel nom témoignait-elle ?

– Jessie Hopkins.

– Et vous êtes sûre que cette Jessie Hopkins est bien la femme que vous connaissez sous le nom de Mary Riley — ou Draper ?

– Il n'y a aucun doute.

Il y eut un léger remous au fond de la salle.

– Et avant cela, quand avez-vous vu Mary Draper pour la dernière fois ?

– Il y a cinq ans. Elle repartait pour l'Angleterre.

– Le témoin est à vous, déclara sir Edwin avec une courbette.

Sir Samuel se leva, cachant mal son embarras.

– Mrs… Sedley, commença-t-il, êtes-vous bien sûre de ne pas vous tromper ?

– Je ne me trompe pas.

– Vous avez pu être trompée par une ressemblance fortuite.

– Je connais bien Mrs Draper.

– Miss Hopkins est une infirmière diplômée.

– Mary Draper était infirmière avant de se marier.

– Êtes-vous bien consciente que vous accusez un témoin de parjure ?

– Je sais ce que je dis.

*

545

– Edward John Marshall, vous avez vécu pendant quelques années à Auckland, Nouvelle-Zélande, et vous résidez maintenant au 14 Wren Street, à Deptford ?

– C'est exact.

– Connaissez-vous Mary Draper ?

– Oui, très bien. Je l'ai connue en Nouvelle-Zélande.

– L'avez-vous revue aujourd'hui dans cette salle ?

– Oui. Elle se faisait appeler Hopkins, mais c'était bien Mrs Draper.

Le juge leva la tête et déclara simplement d'une voix claire et pénétrante :

– Il me paraît souhaitable de rappeler le témoin Jessie Hopkins.

Une pause, un murmure.

– Votre Honneur, Jessie Hopkins a quitté le tribunal il y a quelques instants.

*

– Hercule Poirot.

Hercule Poirot entra dans le box, prêta serment, lissa sa moustache et attendit, la tête un peu penchée de côté. Il déclina nom, adresse et profession.

– Monsieur Poirot, reconnaissez-vous ce document ?

– Certainement.

– Comment est-il entré en votre possession ?

– C'est l'infirmière Hopkins qui me l'a remis.

– Votre Honneur, intervint sir Edwin, avec votre permission, je lirai ce document à haute voix avant de le transmettre aux jurés.

4

Plaidoyer de la défense.

– Messieurs les jurés, vous allez maintenant devoir vous prononcer, et dire si Elinor Carlisle quittera libre ce tribunal. Si, après les témoignages que vous avez entendus, vous êtes convaincus qu'Elinor Carlisle a empoisonné Mary Gerrard, alors vous devez la déclarer coupable.

» Mais s'il vous apparaissait qu'il existe autant de preuves, et peut-être de preuves plus accablantes contre une autre personne, alors vous devez sur-le-champ acquitter l'accusée.

» Vous aurez, je le pense, pris conscience que les ressorts de cette affaire ne sont pas du tout ceux que l'on croyait à l'origine.

» Hier, après les révélations faites par Mr Poirot, j'ai appelé d'autres témoins afin de prouver sans l'ombre d'un doute que Mary Gerrard était la fille illégitime de Laura Welman. Cela acquis, il s'ensuit, comme le président vous en instruira sans doute, que la plus proche parente de Mrs Welman n'était pas sa nièce, Elinor Carlisle, mais sa fille illégitime connue sous le nom de Mary Gerrard. Par conséquent, Mary Gerrard devait hériter d'une immense fortune à la mort de Mrs Welman. C'est là, messieurs, le point crucial de l'affaire. Mary Gerrard devait hériter d'une somme d'environ deux cent mille livres, mais elle l'ignorait. Elle ignorait aussi la véritable identité de la femme Hopkins. Vous pensez peut-être, messieurs, que Mary Riley — ou Draper — pouvait avoir une raison tout à fait légitime de changer de nom. Mais dans ce cas, pourquoi n'est-elle pas venue nous l'exposer ?

» Tout ce que nous savons est ceci : sur le conseil de l'infirmière Hopkins, Mary Gerrard a rédigé un testament par lequel elle faisait de Mary Riley, sœur d'Eliza Riley, son héritière. Nous savons que l'infirmière Hopkins, étant donné sa profession, pouvait se procurer de la morphine et de l'apomorphine, et qu'elle en connaissait bien les propriétés. D'autre part, il a été prouvé que l'infirmière Hopkins a menti en prétendant s'être blessée aux épines d'un rosier qui n'en porte pas. Pourquoi a-t-elle menti, sinon parce qu'elle avait besoin en toute hâte *de justifier la marque faite par une aiguille hypodermique* ? Souvenez-vous aussi que l'accusée a déclaré sous serment que l'infirmière Hopkins semblait souffrante lorsqu'elle l'a rejointe à l'office, et que son visage était livide, ce qui s'explique très bien si elle venait d'être violemment indisposée.

» Je soulignerai encore un point : *si* Mrs Welman avait vécu vingt-quatre heures de plus, elle aurait fait un testament et, selon toute probabilité, ce testament aurait laissé à Mary Gerrard une somme confortable — mais pas la totalité de sa fortune, car elle était convaincue que sa fille illégitime serait plus heureuse en restant dans un milieu social moins élevé.

» Il ne m'appartient pas de me prononcer sur les faits mettant en cause une autre personne, sauf pour démontrer que cette personne a eu autant de possibilités et un mobile bien plus puissant de commettre ce meurtre.

» De ce point de vue, messieurs les jurés, je prétends que les chefs d'accusation retenus contre Elinor Carlisle s'effondrent…

*

Résumé des débats par le juge Beddingfield :

– ... Et vous devez être pleinement convaincus que cette femme a effectivement administré le 27 juillet une dose mortelle de morphine à Mary Gerrard. Sinon, vous devez l'acquitter.

» L'accusation a soutenu que l'accusée était la seule personne à avoir eu l'opportunité d'administrer le poison à Mary Gerrard. La défense s'est efforcée de prouver qu'il y avait d'autres possibilités. D'abord celle du suicide de Mary Gerrard, mais le seul indice à l'appui de cette thèse est que Mary Gerrard a rédigé son testament peu avant de mourir. Nous n'avons pas la moindre preuve qu'elle ait été déprimée ou malheureuse, ou encore dans un état d'esprit qui aurait pu la pousser à attenter à ses jours. Ensuite, la défense a suggéré que la morphine aurait pu être mise dans les sandwiches par quelqu'un qui se serait introduit dans l'office en l'absence d'Elinor Carlisle. Dans ce cas, le poison était destiné à Elinor Carlisle, et Mary Gerrard est morte par erreur. Enfin, la défense a plaidé qu'une autre personne a également eu l'opportunité d'administrer la morphine — dans le thé, cette fois, et non dans les sandwiches. Pour étayer sa thèse, la défense a appelé le témoin Littledale, qui a déclaré sous serment que le lambeau de papier découvert dans l'office était un fragment d'étiquette provenant d'un tube contenant des comprimés de chlorhydrate d'apomorphine, un émétique puissant. On vous a remis un exemplaire de chaque étiquette. Il m'apparaît que la police s'est rendue coupable d'une

549

grave négligence en concluant hâtivement qu'il s'agissait d'une étiquette de morphine sans plus d'examen.

» Le témoin Hopkins a déclaré s'être piqué le poignet à un rosier devant la loge. Le témoin Wargrave a examiné ce rosier et conclu qu'il appartenait à une variété inerme — à savoir qu'il était dépourvu d'épines. Il vous revient de décider ce qui a laissé cette marque au poignet de l'infirmière Hopkins et pour quelle raison elle a menti à ce sujet…

» Si l'accusation vous a convaincus que l'accusée, et personne d'autre, a commis le crime, alors vous devez la déclarer coupable.

» Si l'explication proposée par la défense vous paraît plausible et compatible avec les faits, alors vous devez l'acquitter.

» Je vous engage à prononcer votre verdict en votre âme et conscience, et à la seule lumière des faits qui vous ont été présentés.

*

Elinor fut ramenée dans la salle d'audience.

L'un derrière l'autre, les jurés reprirent leur place.

— Messieurs les jurés, avez-vous rendu votre verdict ?

— Oui.

— Regardez l'accusée et dites si elle est coupable ou non coupable.

— *Non coupable…*

550

5

On l'avait fait sortir par une porte de côté.

Elle avait perçu l'émotion sur les visages qui l'entouraient... Roddy... le détective aux invraisemblables moustaches...

Mais ce fut vers Peter Lord qu'elle se tourna :

– Je veux partir d'ici...

Au volant de sa confortable Daimler, il la conduisit rapidement hors de Londres.

Il n'avait pas prononcé un mot et elle savourait ce silence bienfaisant.

Chaque minute l'éloignait davantage.

Une nouvelle vie...

C'était ce qu'elle désirait...

Une nouvelle vie.

– Je... je veux aller dans un endroit tranquille..., dit-elle tout à coup. Un endroit où je ne verrai pas de *visages*...

– C'est déjà arrangé, dit Peter Lord d'une voix calme. Je vous emmène dans une maison de repos. Un coin agréable. Avec de beaux jardins. Personne ne vous ennuiera — personne ne pourra vous trouver.

– Oui..., dit Elinor dans un souffle. C'est ça, ce que je veux...

Il était médecin, c'était sans doute pour ça qu'il comprenait. Il savait... et il ne l'importunait pas. Que c'était bon de partager cette paix avec lui, de partir loin de tout ça, loin de Londres — vers un refuge...

Elle voulait oublier... tout oublier. Ça n'avait déjà plus

551

de réalité. C'était déjà effacé, évanoui, emporté avec la vie d'avant, les émotions d'avant. Elle était une autre femme, un être neuf, inconnu, sans défense, encore informe — prête pour un nouveau départ. Un être très neuf, et très effrayé…

Mais c'était rassurant d'être avec Peter Lord…

Ils avaient quitté Londres et traversaient la banlieue.

– C'est vous… c'est grâce à vous…, dit-elle enfin.

– C'est Hercule Poirot. Ce type est un magicien !

– C'est *vous*, répéta Elinor. *Vous* êtes allé le chercher, vous l'avez convaincu !

– Ça, je l'ai convaincu…, sourit Peter.

– Vous saviez que je ne l'avais pas fait, ou vous n'étiez pas sûr ?

– Je n'ai jamais été complètement sûr, avoua-t-il avec simplicité.

– C'est pour ça que j'ai failli répondre « coupable » tout de suite… Parce que, vous savez, j'y avais bel et bien pensé… j'y ai pensé le jour où j'ai éclaté de rire devant la fenêtre de miss Hopkins.

– Oui, je savais.

– Ça me paraît tellement incroyable, maintenant. Comme si j'avais été possédée. Pendant que je préparais les sandwiches, je faisais semblant, je me disais : « J'ai mis du poison, et quand elle les mangera, elle mourra, et alors Roddy me reviendra. »

– On peut trouver un apaisement en se racontant des histoires comme ça. Ce n'est pas une mauvaise chose. C'est l'imagination qui élimine, comme la transpiration assainit l'organisme.

– Oui, c'est vrai. Parce que, soudain, c'est parti ! Cette

noirceur, je veux dire ! Quand cette femme a mentionné le rosier de la loge, tout a basculé, tout est redevenu normal… (Elle frissonna.) Et, plus tard, quand nous sommes revenues au petit salon, et qu'elle était morte — enfin, mourante —, alors j'ai pensé : « Quelle différence y a-t-il entre *imaginer* un meurtre et le *commettre* ? »

– Toute la différence du monde ! s'exclama Peter Lord.

– Oui, mais y en a-t-il une vraiment ?

– Bien sûr que oui ! Penser au meurtre, ça ne fait pas de mal. Les gens ont de drôles d'idées. Ils pensent que c'est comme préméditer un meurtre ! Mais pas du tout. Si vous ressassez assez longtemps une idée de meurtre, soudain vous émergez de là et ça vous paraît idiot !

– Oh ! Comme vous êtes réconfortant ! s'écria Elinor.

– P-pas du tout, bafouilla-t-il, confus. Simple question de bon sens.

Elinor eut soudain les yeux pleins de larmes.

– De temps en temps, dit-elle, je vous regardais au tribunal. Cela me donnait du courage. Vous aviez l'air si… si *ordinaire*.

Elle éclata de rire.

– Ça n'est pas très aimable !

– Je comprends. Lorsqu'on est en plein cauchemar, quelque chose d'ordinaire devient le seul espoir. De toute façon, il n'y a rien de mieux que les choses ordinaires, c'est ce que j'ai toujours pensé.

Pour la première fois depuis qu'elle avait pris place dans la voiture, elle se tourna vers lui et le regarda.

Elle ne souffrait pas en voyant son visage comme elle souffrait en voyant celui de Roddy. Il n'y avait pas ce

553

mélange violent de douleur et de plaisir, comme un coup au cœur, il y avait juste une sensation de chaleur et de bien-être.

« Comme son visage est sympathique, pensa-t-elle… sympathique et drôle… et, oui, rassurant. »

Ils roulaient toujours.

Ils franchirent enfin un portail et gravirent une petite route jusqu'à une maison blanche, au flanc d'une colline.

– Vous serez bien ici, dit-il. Au calme. Personne ne viendra vous déranger.

Impulsivement, elle posa la main sur son bras.

– Vous… vous viendrez me voir ? demanda-t-elle.

– Bien sûr.

– Souvent ?

– Aussi souvent que vous voudrez de moi.

– S'il vous plaît, venez… *très souvent.*

6

– Ainsi vous le voyez bien, mon bon ami, dit Hercule Poirot. Les mensonges que débitent les gens sont aussi utiles que la vérité.

– Est-ce que tout le monde vous a menti ? demanda Peter Lord.

– Oh oui ! Chacun avait de bonnes raisons, comprenez-vous. La seule personne qui s'est fait de la vérité un devoir, qui l'a respectée orgueilleusement, scrupuleusement — c'est celle qui m'a posé le plus de problèmes.

– Elinor ! murmura Peter Lord.

– Précisément. Tout l'accusait. Et elle, avec sa conscience exigeante, elle n'a rien fait pour les dissiper, ces soupçons. Elle s'accusait elle-même, si ce n'est d'avoir tué, d'avoir voulu le faire. Et elle a été tout près d'abandonner ce combat sordide et de plaider coupable devant le tribunal pour un meurtre qu'elle n'avait pas commis.

– Incroyable ! soupira Peter Lord non sans une pointe d'exaspération.

– Mais non, dit Poirot. Elle se condamnait parce que ses critères personnels sont très supérieurs à ceux du commun des mortels !

– Oui, elle est comme ça, dit Peter Lord, tout songeur.

– Tout au long de cette enquête, la possibilité qu'Elinor Carlisle soit coupable du crime dont on l'accusait est demeurée très forte. Mais j'ai tenu mon engagement envers vous, j'ai découvert que des charges très sérieuses pouvaient être retenues contre une autre personne.

– Miss Hopkins ?

– Non, pas tout de suite. Roderick Welman a été le premier à retenir mon attention. Dans son cas aussi, ça commence par un mensonge. Il a prétendu avoir quitté l'Angleterre le 9 juillet et n'être revenu que le 1er août. Or miss Hopkins avait mentionné par hasard que Mary Gerrard avait repoussé les avances de Roderick Welman, à Maidensford et, à nouveau, « lorsqu'il l'a revue à Londres ». Mary Gerrard, vous me l'avez appris, est partie pour Londres le 10 juillet, *le lendemain* du départ de Roderick Welman pour l'étranger. Alors, quand donc Mary Gerrard et Roderick Welman s'étaient-ils vus à

Londres ? J'ai mis mon ami le voleur au travail, et après examen du passeport de Welman, j'ai découvert qu'il avait séjourné en Angleterre du 25 au 27 juillet. *Il avait donc menti froidement sur ce point.*

» Je pensais toujours à ce laps de temps où les sandwiches étaient restés sur une assiette dans l'office pendant qu'Elinor Carlisle était à la loge. Je me rendais bien compte que, dans ce cas, c'était Elinor, et non Mary, qui était visée. Roderick Welman avait-il une raison de tuer Elinor Carlisle ? Oui, une excellente. Elle avait rédigé un testament par lequel elle lui léguait toute sa fortune. Et en le questionnant habilement, j'ai découvert que Roderick Welman pouvait très bien avoir pris connaissance de ce fait.

– Pourquoi avez-vous conclu qu'il était innocent ?

– À cause d'un autre mensonge. Un petit mensonge stupide de rien du tout. Miss Hopkins avait déclaré qu'elle s'était égratignée à un rosier, qu'elle avait une épine dans le poignet. Et je suis allé là-bas, et j'ai vu le rosier *et il n'avait pas d'épines...* Donc miss Hopkins avait menti, et ce mensonge était si bête, si inutile, apparemment, qu'il a attiré mon attention sur elle.

» J'ai commencé à me poser des questions sur l'infirmière Hopkins. Jusqu'alors elle m'était apparue comme un témoin parfaitement crédible et cohérent, avec une nette prévention contre l'accusée que son affection pour la victime expliquait très normalement. Mais, à cause de ce petit mensonge stupide, j'ai commencé à reconsidérer miss Hopkins et son témoignage, et j'ai compris là ce que je n'avais pas été assez malin pour comprendre plus tôt. Miss Hopkins savait quelque chose sur Mary Gerrard

— quelque chose qu'elle souhaitait ardemment que l'on découvre.

– J'aurais juré que c'était le contraire ! s'étonna Peter Lord.

– En apparence, oui. Elle a très bien joué le rôle de la personne qui connaît un secret et qui ne veut pas le révéler ! Mais, en y réfléchissant bien, j'ai compris que chacun des mots qu'elle avait prononcés à ce sujet visait un but exactement inverse. Mon entretien avec miss O'Brien a confirmé cette supposition. Hopkins avait très intelligemment manipulé miss O'Brien sans que celle-ci en ait conscience.

» Il devenait évident que miss Hopkins jouait une partie toute personnelle. J'ai confronté les deux mensonges, celui de Roderick Welman et le sien. L'un d'entre eux pouvait-il avoir une explication innocente ?

» Dans le cas de Roderick, j'ai répondu oui immédiatement. Roderick Welman est un être ultrasensible. Il aurait été très humilié d'avouer qu'il avait été incapable de tenir sa résolution — qu'il n'avait pas pu s'empêcher de revenir rôder autour d'une jeune fille qui ne voulait rien avoir à faire avec lui. Et comme il n'avait pas été question de sa présence dans le secteur au moment du meurtre, il a choisi la solution la plus facile et la moins déplaisante — ce qui est bien dans son caractère — en omettant tout simplement cette rapide visite en Angleterre et en déclarant qu'il était rentré le 1er août après avoir reçu la nouvelle.

» Qu'en était-il, maintenant, du mensonge de miss Hopkins ? Plus j'y réfléchissais, plus il me paraissait extraordinaire. *Pourquoi donc* miss Hopkins avait-elle

557

trouvé nécessaire de mentir à propos d'une égratignure au poignet ? Que signifiait cette marque ?

» J'ai commencé à me poser certaines questions. À qui appartenait la morphine qu'on avait dérobée ? À l'infirmière Hopkins. Qui avait pu administrer cette morphine à Mrs Welman ? L'infirmière Hopkins. Bien, mais pourquoi attirer l'attention sur cette disparition ? Si miss Hopkins était coupable, il n'y avait qu'une seule réponse à cela : parce que le second meurtre, celui de Mary Gerrard, était déjà prévu, qu'un bouc émissaire avait été choisi, et qu'il fallait bien faire savoir que ce bouc émissaire *avait eu la possibilité de se procurer de la morphine.*

» D'autres détails prenaient place. La lettre anonyme envoyée à Elinor. Cela, c'était pour créer de l'animosité entre Elinor et Mary. L'idée était certainement qu'Elinor viendrait à Hunterbury et tâcherait de combattre l'influence de Mary sur Mrs Welman. Il n'était pas prévu, bien sûr, que Mr Welman aurait le coup de foudre pour Mary, mais Mrs Hopkins fut prompte à s'en réjouir. C'était un mobile en or pour son bouc émissaire, Elinor.

» Mais quelle était la raison de ces deux meurtres ? Pourquoi miss Hopkins aurait-elle voulu éliminer Mary Gerrard ? Je commençai à entrevoir une lueur… oh, bien faible encore. Miss Hopkins avait une grande influence sur la jeune fille, et elle s'en était servie, entre autres, *pour lui faire rédiger son testament.* Mais ce testament ne bénéficiait pas à miss Hopkins. Il bénéficiait à une tante de Mary qui vivait en Nouvelle-Zélande. Et c'est là que je me suis souvenu d'une remarque anodine faite par quelqu'un du village : cette tante avait été infirmière.

» La lueur n'était plus si faible. Le montage, l'élaboration du crime commençait à se préciser. L'étape suivante fut facile. Je suis retourné voir miss Hopkins et nous avons tous deux fort bien joué la comédie. Elle a fini par se laisser persuader de dire ce qu'elle avait l'intention de dévoiler depuis le début ! Un peu plus tôt qu'elle ne l'avait prévu, peut-être ! Mais l'occasion était si belle qu'elle n'a pas pu résister. Et, après tout, on connaîtrait la vérité tôt ou tard, n'est-ce pas ? Avec une mauvaise grâce bien imitée, elle m'a sorti la lettre. Et là, mon bon ami, il n'était plus question de supposition. Je savais ! La lettre l'avait trahie.

– Comment ça ? dit Peter Lord, confondu.

– Très cher, sur l'enveloppe il y avait écrit : « Pour Mary, à lui envoyer après ma mort. » Mais le contenu de la lettre indiquait clairement que Mary Gerrard ne devait jamais connaître la vérité. Et puis le mot *envoyer,* et non pas *remettre,* était des plus explicites. Ce n'était pas à Mary *Gerrard* que cette lettre était adressée, mais à une autre Mary. C'était à sa sœur Mary Riley, en Nouvelle-Zélande, qu'Eliza Riley révélait la vérité.

» Miss Hopkins n'a pas retrouvé la lettre au pavillon après la mort de Mary Gerrard, elle l'avait en sa possession depuis de nombreuses années. Elle l'avait reçue en Nouvelle-Zélande à la mort de sa sœur.

Il se tut un instant.

– Une fois qu'on a entrevu la vérité avec les yeux de l'esprit, poursuivit-il, le reste devient facile. Grâce à la rapidité des voyages aériens, il était possible de faire

559

venir au tribunal un témoin qui avait bien connu Mary Draper en Nouvelle-Zélande.

– Mais si vous vous étiez trompé ? intervint Peter Lord. Si l'infirmière Hopkins et Mary Draper avaient été deux personnes différentes ?

– Je ne me trompe jamais ! dit froidement Poirot.

Peter Lord eut un rire amusé.

– Mon bon ami, continua Poirot, nous possédons maintenant quelques renseignements sur cette Mary Riley — ou Draper. La police de Nouvelle-Zélande n'avait pas pu réunir assez d'éléments pour l'inculper, mais elle la surveillait depuis quelque temps quand elle a brusquement quitté le pays. Il y avait une patiente, une vieille dame, qui avait légué à sa « chère miss Riley » une fortune rondelette, et dont la mort troublait beaucoup le médecin qui la soignait. Et il y avait le mari de Mary Draper. Lui, il avait souscrit une grosse assurance-vie en faveur de sa femme, et il est mort soudainement, de façon inexplicable. Malheureusement pour elle, il avait bien fait un chèque à la compagnie d'assurances, mais il avait oublié de le poster. Il y a peut-être encore d'autres cadavres dans le placard. Cette femme ignore le remords comme le scrupule.

» On imagine très bien comment la lettre de sa sœur a fait germer des idées dans son esprit fertile. Quand la Nouvelle-Zélande est devenue trop "chaude" pour elle, comme vous dites, vous autres Anglais, et qu'elle est revenue ici reprendre son métier sous le nom de Hopkins — une de ses anciennes collègues d'hôpital, morte à l'étranger —, son objectif était Maidensford. Peut-être avait-elle envisagé une forme de chantage.

560

Mais la vieille Mrs Welman n'était pas le genre de femme que l'on fait chanter, et l'infirmière Riley, ou Hopkins, a sagement décidé de ne rien tenter en ce sens. Elle a sûrement pris ses renseignements et découvert que Mrs Welman était une femme très riche, et un mot lancé par hasard par la vieille dame a pu lui apprendre que celle-ci n'avait pas fait de testament.

» Et donc, ce soir de juin, lorsque miss O'Brien a répété à sa collègue que Mrs Welman réclamait son notaire, Hopkins n'a pas hésité. Mrs Welman devait mourir intestat pour que sa fille illégitime hérite. Hopkins s'était déjà liée d'amitié avec Mary Gerrard et avait acquis une grande emprise sur elle. Il ne lui restait plus qu'à amener la jeune fille à rédiger un testament par lequel elle léguait tous ses biens à la sœur de sa mère, et elle a soufflé soigneusement chaque mot de ce testament. Aucune mention de parenté, juste : "Mary Riley, sœur de feu Eliza Riley". Dès qu'elle l'eut signé, Mary Gerrard était condamnée. La femme n'avait plus qu'à attendre le moment propice. Je suppose qu'elle avait déjà prévu la méthode qu'elle emploierait, en se forgeant un alibi grâce à l'apomorphine. Elle avait peut-être imaginé d'attirer Elinor et Mary chez elle, mais lorsque Elinor s'est présentée à la loge et leur a proposé de venir partager ses sandwiches, elle a compris que le moment était arrivé. Les circonstances étaient telles qu'Elinor avait pratiquement toutes les chances d'être condamnée.

– Et, sans vous, elle courait droit à la condamnation…, dit lentement Peter Lord.

– Mais non, mon bon ami, répliqua vivement Poirot, c'est à vous qu'elle doit la vie.

561

– Moi ? Je n'ai rien fait. J'ai essayé de…

Il s'interrompit et Poirot eut un petit sourire.

– Eh oui, vous vous êtes donné beaucoup de mal, n'est-ce pas ? Vous étiez impatient parce que vous aviez l'impression que je n'arrivais à rien. Et vous aviez peur aussi — peur qu'elle soit vraiment coupable. Alors vous m'avez menti, vous aussi, sans vergogne ! Mais, mon tout bon, vous n'avez pas été très malin. À l'avenir, je vous conseille de vous en tenir aux rougeoles et aux coqueluches, et de laisser tomber les enquêtes criminelles.

Peter Lord piqua un fard.

– Alors, vous avez… vous avez toujours su ?

Poirot se fit sévère :

– Vous me conduisez par la main dans une clairière au beau milieu des fourrés, et vous me mettez sous le nez une boîte d'allumettes allemande que vous venez d'y déposer. C'est de l'enfantillage !

Peter Lord eut un haut-le-corps.

– Allez-y, ne vous gênez pas ! grommela-t-il.

– Vous parlez avec le jardinier et vous l'amenez à dire qu'il a vu votre voiture en bas de l'allée. Et puis vous prenez l'air stupéfait et vous affirmez que ce n'était pas votre voiture. Et vous me regardez bien en face pour être sûr que j'ai compris qu'un étranger a dû s'introduire dans la maison ce matin-là.

– Quel imbécile j'ai été.

– Vous y faisiez quoi, à Hunterbury, ce fameux matin ?

Peter Lord rougit.

– C'était de l'idiotie pure et simple… Je… j'avais entendu dire qu'elle était là, et je suis monté au manoir dans l'espoir de la voir. Je ne voulais pas lui parler. Je…

562

je voulais seulement… eh bien… la *voir*. Depuis le chemin, je l'ai en effet entrevue, dans l'office, en train de beurrer des tartines…

– Charlotte et le jeune Werther. Poursuivez, mon bon ami.

– Oh, il n'y a rien à ajouter. Je me suis caché dans les buissons, et je suis resté là à la regarder jusqu'à ce qu'elle sorte.

– Vous ête tombé amoureux d'Elinor Carlisle la première fois que vous l'avez vue ? demanda gentiment Poirot.

Il y eut un long silence.

– Oui, je crois… Oh, et puis, à quoi bon… je suppose que Roderick Welman et elle vivront heureux.

– Mon tout bon, vous ne supposez rien de tel !

– Pourquoi pas ? Elle lui pardonnera l'épisode Mary Gerrard. Ce n'était qu'une toquade, de toute façon.

– C'est plus compliqué que ça, dit Hercule Poirot. Il se creuse parfois un abîme profond entre le passé et l'avenir. Lorsqu'on a avancé dans la vallée de la mort et que l'on retrouve le soleil, alors, très cher, une nouvelle vie commence… Le passé ne compte plus pour rien…

Il se tut un instant avant de poursuivre :

– Une nouvelle vie… Voilà où en est Elinor Carlisle. Et cette vie, c'est vous qui la lui avez donnée.

– Non.

– Si. C'est votre détermination, votre insistance arrogante qui m'ont poussé à faire ce que vous me demandiez. Admettez-le, c'est à vous que va sa gratitude, n'est-ce pas ?

– Oui, dit lentement Peter Lord, elle m'est très reconnaissante… Elle m'a demandé d'aller la voir souvent.

– Oui, elle a besoin de vous.

– Pas autant que… de lui ! lança Peter Lord avec violence.

– Elle n'a jamais eu *besoin* de Roderick Welman, affirma Poirot. Elle l'aimait, c'est vrai, d'un amour douloureux — désespéré, même.

– Jamais elle ne m'aimera comme ça, grinça Peter Lord, le visage crispé.

– Peut-être pas, répondit doucement Poirot. Mais elle a besoin de vous, mon bon ami, parce qu'il n'y a qu'avec vous qu'elle peut recommencer à vivre.

Peter Lord ne répondit pas.

La voix de Poirot se fit bienveillante :

– Pourquoi n'acceptez-vous pas de regarder la réalité en face ? Elle aimait Roderick Welman. Et alors ? Avec vous, *elle sera heureuse*…

Aubin Imprimeur
LIGUGÉ, POITIERS

Achevé d'imprimer en mars 2004
pour le compte de France Loisirs
123, bd de Grenelle, 75015 Paris

N° d'édition 40223 / N° d'impression L 66628
Dépôt légal, avril 2004

Imprimé en France